DISCOURS 6–12

SOURCES CHRÉTIENNES

N° 405

GRÉGOIRE DE NAZIANZE

DISCOURS 6-12

INTRODUCTION, TEXTE CRITIQUE, TRADUCTION,
ET NOTES

par

Marie-Ange CALVET-SEBASTI

Ingénieur au C.N.R.S.

Ouvrage publié avec le concours
du Centre National de la Recherche Scientifique
et de l'Œuvre d'Orient

LES ÉDITIONS DU CERF, 29, Bd de Latour-Maubourg, PARIS 7e
1995

La publication de cet ouvrage a été préparée avec le concours de l'Institut des «Sources Chrétiennes» (U.R.A. 993 du Centre National de la Recherche Scientifique)

ISBN : 2-204-05194-2
ISSN : 0750-1978

AVANT-PROPOS

La collection « Sources Chrétiennes » publie, depuis 1974, l'œuvre oratoire de Grégoire de Nazianze. Cet auteur prolifique, qui a abordé presque tous les genres littéraires, a laissé quarante-cinq discours, parmi lesquels plusieurs sont liés à des circonstances précises, et adaptés eux-mêmes à divers genres oratoires. Les sept discours présentés dans ce volume (*D.* 6-12) concernent des événements marquants de sa vie personnelle : un conflit avec des moines dissidents, dont la résolution donne lieu à un discours de réconciliation consacré aux mérites de la paix (*D.* 6); la mort de Gorgonie, sa sœur, et de son frère, Césaire, suscitant deux grands éloges funèbres (*D.* 7-8); son élévation à l'épiscopat (en 372), commentée par les *Discours* 9-12, à l'adresse de Basile de Césarée et de son père Grégoire l'Ancien, qui l'ont « contraint » à accepter cette charge.

Héritier de l'hellénisme, Grégoire de Nazianze a su utiliser tout le savoir qu'il avait reçu d'Athènes, où il fut étudiant, pour le mettre au service d'un enseignement spécifiquement chrétien. Toute son œuvre témoigne de cette fusion, à laquelle il dut d'être appelé « le Théologien », et qui devrait lui valoir une place de choix dans l'histoire de la littérature grecque. Les discours présentés dans ce volume, qui illustrent divers genres oratoires, les renouvellent aussi, tel l'éloge funèbre, qui inspirera l'éloquence sacrée du XVIIe siècle français. Discours liés à des événements personnels, ils évoquent des personnages (une

« sainte » femme du monde, un médecin de Cour, des moines, des évêques), très représentatifs de leur temps, mais surtout destinés à mettre en valeur la « philosophie », c'est-à-dire la vie chrétienne idéale.

Je tiens à rendre hommage au Père Claude Mondésert, qui m'avait confié l'étude de ces Discours, et à remercier le Père Paul Gallay et M. Jean Bernardi, qui m'ont fait bénéficier, au cours de ce travail, de leurs précieux conseils. Qu'ils reçoivent ici le témoignage de ma reconnaissance.

INTRODUCTION

DISCOURS 6

« Qu'y a-t-il de plus beau dans notre doctrine? La paix[1]*.»*

Tout au long de son œuvre, Grégoire de Nazianze évoque amèrement, et parfois vigoureusement, les dissensions doctrinales qui agitent l'Église de son temps. Les grands *Discours théologiques* en sont le plus imposant témoignage[2]. La lutte principale du «théologien» concerne la doctrine orthodoxe, celle qui doit préserver la foi de Nicée, celle qui est constamment mise en question par la prétention des uns ou la «tyrannie» des autres, certains personnages pointilleux et soupçonneux. Dès le début de son œuvre de prédicateur, Grégoire a mis en cause le zèle et l'ardeur de ces hommes, qu'il peut comprendre s'ils ont pour but la défense de l'orthodoxie, mais auxquels il reproche de détruire la concorde, cette concorde dont le symbole même est ce qu'ils prétendent défendre : la Trinité.

Le *Discours* 6[3], intitulé dans tous les manuscrits, comme

1. *D.* 32, 2.
2. *D.* 27-31.
3. *PG* 35, col. 721-752; traduction latine (du IVe siècle) de RUFIN, *Tyrannii Rufini orationes Gregorii Nazianzeni novem interpretatio, VII : De reconciliatione et unitate monachorum* (*CSEL* 47), Vienne-Leipzig 1910, p. 208-233. Principaux commentaires sur ce discours : TILLEMONT, *Mémoires*, t. 9, p. 345-348; 364-367; BENOÎT, *Saint Grégoire de Nazianze*, p. 180-188; GALLAY, *Vie*, p. 80-84; BERNARDI, *Prédication*, p. 102-104; Introduction aux *Discours* 4-5, *SC* 309, p. 23-31; 36-37.

les *Discours* 22 et 23, «εἰρηνικός», concerne la paix qui doit régner dans l'Église, mais il diffère d'eux cependant dans son projet[1]. Véritable discours de *réconciliation*, plus qu'il ne demande la paix, il la scelle. C'est la paix de la petite Église de Nazianze qui a été troublée, elle qu'on pouvait comparer à «l'arche de Noé[2]», et Grégoire désigne précisément les personnages en présence : des moines (ἀδελφοί), dont il décrit la vie avec enthousiasme et connivence, et leur évêque, Grégoire l'Ancien, le père de l'auteur. Malgré le caractère flottant des pronoms personnels, on peut cependant penser que Grégoire, l'un des conciliateurs sans doute, parle au nom de son père âgé, dont il est la voix, semble-t-il, depuis qu'il a reçu le sacerdoce (en 362) et assume, ou est prêt à assumer effectivement, au moment de la rédaction de ce discours, la charge de son ministère à ses côtés[3]. On le voit prendre fait et cause pour le vieil évêque, mais non pour la formule de foi que celui-ci avait sans doute signée en l'absence de son fils, provoquant une crise dans la communauté de Nazianze.

Grégoire se plaît à répéter les paroles de l'Ecclésiaste : «Il y a un temps pour la parole et un temps pour le silence[4]», car il connaît les dangers de l'une et de l'autre et ne saurait se passer ni de l'une, ni de l'autre. Mais dans ce discours «sur la paix», la parole ne sort guère du silence les raisons précises qui ont amené la rupture, et Grégoire reste un «héraut silencieux», selon l'une des formules paradoxales qui lui sont chères[5]. Si la parole

1. *SC* 270, p. 194-311.
2. *D.* 6, 10.
3. Arraché à la «philosophie» par un acte qu'il juge «tyrannique». On sait qu'il a fui quelque temps à Annisa auprès de Basile après son ordination (le *D.* 2 est une justification de sa fuite).
4. *Eccl.* 3, 7.
5. Cf. *D.* 6, 2.

s'élève, ce n'est pas, justement, pour rappeler ce qui a pu créer la discorde entre « les frères séparés » et leur évêque, « le pasteur doux et bienveillant [1] », c'est pour fortifier la paix retrouvée (grâce à des concessions faites de part et d'autre) et rendre grâces. Ces raisons ont trait à l'orthodoxie, et Grégoire, son ardent défenseur et le chantre de l'unité de l'Église, hésite à rappeler des événements qui ont eu pour cause la « simplicité » de son père !

I. CONTENU DU DISCOURS

Dans la tourmente (car le corps du Christ a été divisé, la tunique sans couture a été déchirée), le silence est meilleur que la parole, et seule convient une retraite purificatrice (chap. 1). Après ce préambule, Grégoire entreprend une assez longue *justification de son silence*, jusqu'à l'offrande définitive de ce discours (chap. 2-4). Ami des « frères », lui qui partagea, dans le Pont, la vie de la communauté monastique d'Annisa [2], lui dont le désir le plus grand, constamment contrarié, semble avoir été celui de la retraite ascétique, Grégoire n'a pu supporter la rupture avec eux. Un long passage (chap. 2) contient l'éloge appuyé de leur vie paradoxale (« la force dans la faiblesse, la richesse dans la pauvreté... »), avec des détails très concrets qu'on retrouvera ici et là tout au long de son œuvre dans l'évocation de l'ascèse. Le chagrin suscité par leur « absence » est à la mesure de son enthousiasme pour leur genre de vie. Mais ce chagrin n'est pas seulement celui de l'ami, il est celui du « théologien », du

1. *D.* 6, 21.
2. Sur la situation et le nom d'Annisa, voir P. MARAVAL, introduction à GRÉGOIRE DE NYSSE, *Vie de Macrine*, *SC* 178, p. 38-44. Cf. *infra*, p. 19, n. 2.

garant de la foi, de celui qui voit le corps du Christ divisé, parce que le Christ lui-même est mis en cause (« nous avons nourri des sentiments de haine à cause de l'Amour »).

Puis le ton change brusquement après ce passage (chap. 3) qui est une sorte de charnière, Grégoire ne voulant pas aller plus loin dans la claire exposition des motifs de la brouille, mais décrivant au contraire avec une certaine allégresse la réconciliation obtenue, grâce au Christ, dans l'accord sur la foi (chap. 4). La Trinité représente alors le symbole même de la concorde, comme l'est aussi chacun de ses éléments, et spécialement le Verbe (Λόγος)[1], qui permet à Grégoire de faire le don de sa parole (λόγος). L'exaltation du Λόγος, présentée, comme une confidence passionnée, par un homme qui a l'air de vouloir subtilement masquer une vigoureuse leçon destinée à tout le peuple (chap. 5-7), précède la reconnaissance définitive de la réconciliation.

A ces propos, qui semblent très personnels, succède (du chap. 8 à la fin du discours), un véritable *sermon* : Grégoire accepte en quelque sorte de prêcher sur la paix par des paroles de reconnaissance (chap. 8-9) et d'exhortation (chap. 10-22). La *reconnaissance* concerne non seulement « la guérison » (chap. 8), mais aussi la « richesse » nouvelle de la petite Église de Nazianze grâce à l'accueil, dans la communauté, des prêtres ordonnés par les dissidents, et, peut-être l'admission prochaine, dans cette communauté, d'un prêtre, identifié parfois avec Basile[2] (chap. 9). Il s'agit en tout cas d'un personnage mêlé soit à la brouille, soit à la réconciliation, qui n'a pu être obtenue, on le devine, qu'en cédant aux exigences des « frères » et de ces nouveaux pasteurs.

1. Sa définition est probablement à l'origine de la brouille.
2. Sur cette identification, voir *infra*, p. 16-18, et p. 142, n. 1.

Dans sa vigoureuse *exhortation*, Grégoire rappelle la paix qui régnait traditionnellement dans son Église, avant qu'elle ne subisse ce qu'il appelle « un malheur commun », dont le petit troupeau de Nazianze a été le premier à se relever (chap. 10). Puis il montre assez clairement (chap. 11) quelles concessions ont été faites de part et d'autre : Grégoire l'Ancien accepte de nouveaux prêtres ; le groupe dissident reconnaît l'orthodoxie de l'évêque. Ces événements démontrent tout particulièrement la nécessité de l'*accord au sujet de Dieu*, comme Grégoire n'a cessé de le prêcher toute sa vie. Cet accord nécessite de mettre moins d'ardeur et de zèle dans les discussions sur Dieu (chap. 11-12), une passion qui semble être, aux yeux de Grégoire, une caractéristique des moines[1].

Cette paix fragile doit être consolidée. Aussi Grégoire apporte-t-il à ses auditeurs de nouveaux éléments de réflexion ; ce seront des *exemples* éclairants de concorde et de discorde (chap. 12-18). Il convient d'imiter *la divinité et les créatures angéliques* qui manifestent la beauté de l'unité. Le nom de « Paix » est l'un de ceux que préfère Dieu. Et il est souhaitable de ne pas imiter « celui des anges qui a osé s'élever au-dessus de sa condition », et sur lequel prend modèle le « sophiste », le « fourbe », qui représente le semeur d'hérésie (chap. 12-13). Il est utile aussi de regarder les lois de la création, qui montrent que *l'ordre du monde* proclame la concorde (chap. 14-15), alors que sa perturbation provoque des malheurs. Le long exemple des malheurs du peuple d'Israël vient illustrer ce propos (chap. 16-18).

Ces exemples sauront-ils convaincre si n'est pas définie la paix elle-même ? Les lents et les inconstants n'en connaissent pas la valeur et ne savent pas la préserver.

1. Ce thème se retrouve dans d'autres discours ; cf. *infra*, p. 22-23.

Il faut garder la paix, mais ne pas se tenir dans n'importe quel état de paix (chap. 19-20).

Avant de se tourner vers son père (chap. 21) et de conclure son exhortation par une vibrante proclamation de la Trinité, Grégoire s'en prend vivement (fin du chap. 20) à ceux dont le mécontentement est venu d'un « soupçon », revenant ainsi à la raison première de la discorde.

II. Parties en présence

Grégoire de Nazianze. La première partie du discours, on l'a vu, a un ton très personnel : Grégoire, l'ami des « frères », n'a pas supporté qu'ils tournent le dos à cette petite Église dont il aime à vanter habituellement l'orthodoxie[1] et l'unité. Il s'est tu, renonçant à cette *parole* qu'il aime tant. Délivré de son silence grâce à la réconciliation, il peut enfin glorifier le *Verbe*. Peut-être à Annisa lors de la signature de la formule par son père, il semble se désolidariser de lui à cet égard, mais il a pu revenir à Nazianze au moment de la sécession des moines. Le silence n'indique cependant pas forcément une vraie retraite[2].

Prêtre, il acceptera peut-être bientôt d'être effectivement l'auxiliaire de son père. Ne serait-ce pas le sens d'un passage énigmatique de ce discours évoquant un personnage qui retarde le moment d'exercer ses responsabilités pastorales[3]? « Je m'attacherai du moins, j'en suis sûr, le plus cher des pasteurs : il s'est vu confier l'Esprit,

1. *D.* 6, 10; *D.* 3, 6.

2. La description (chap. 2) de la vie des moines semble un souvenir de la retraite de Grégoire auprès de Basile.

3. Chap. 9.

le rendement des talents et la charge du troupeau, il a reçu l'onction du sacerdoce et de la perfection, mais par sagesse il diffère encore d'en prendre la direction. Il garde la lampe sous le boisseau, mais il la placera dans peu de temps sur le chandelier pour qu'elle illumine toute âme de l'Église et soit la lumière de nos chemins ; il surveille encore montagnes, vallons et ruisseaux et conçoit des pièges contre les loups, ravisseurs des âmes, afin de recevoir aussi la houlette au moment voulu et de faire paître en compagnie du pasteur véritable ce petit troupeau spirituel... ». Il n'est certes pas exclu que ces allusions désignent Basile, comme le supposent certains commentateurs [1], mais le pasteur en question pourrait aussi représenter Grégoire lui-même, qui utilise, dans un passage du *Discours* 2, en parlant de lui-même, la même formule : « Quand la lampe sera-t-elle sur le chandelier ? » [2]. Ce texte problématique peut paraître en effet plus clair si l'on y voit Grégoire l'Ancien s'associer aux louanges et aux prières du peuple (λαός) devenu « riche » grâce à l'intégration de nouveaux prêtres issus des rangs des moines, et bientôt riche d'un autre bienfait : la présence de son fils à ses côtés. N'appelle-t-il pas de nouveau aux responsabilités son fils réticent, qui a forcément pris une grande part à la réconciliation ? L'allusion possible à l'épis-

1. BENOÎT, *Saint Grégoire de Nazianze*, p. 189-191, à la suite d'Élie de Crète et du Scholiaste (*PG* 35, col. 733) ; puis BERNARDI, *Prédication*, p. 103 ; ID., *SC* 307, p. 36-37. GALLAY, *Vie*, ne fait pas d'hypothèse ; HAUSER-MEURY, *Prosopographie*, p. 44, n. 49, suppose, comme TILLEMONT, *Mémoires*, t. 9, p. 366, qu'il s'agit d'un évêque issu du rang des moines.

2. *D.* 2, 72 ; si l'on en juge par l'usage habituel que fait Grégoire de cette parabole (cf. aussi *D.* 10, 3), on peut supposer que le personnage anonyme auquel il fait allusion n'est pas encore évêque (il ne s'agit donc pas de celui qui a ordonné les nouveaux prêtres), une hypothèse que confirme peut-être l'allusion, plus bas, à la houlette (βακτηρία) qui n'est pas encore utilisée.

copat rappelle également une parole du *Discours* 2 [1]. Cette hypothèse peut s'appuyer sur une analyse du texte permettant de conclure que le pronom personnel « je » du début du chapitre désigne non pas Grégoire lui-même ou seulement son père (même s'il en est fréquemment la « voix »), mais le « peuple », uni à son évêque Grégoire l'Ancien [2].

Grégoire l'Ancien [3]. Avocat de son père, Grégoire parle en sa présence, car le vieil évêque apparaît à la fin du discours, désigné par son fils comme un homme apaisé, puisqu'il a retrouvé toutes ses ouailles. On ne sait s'il s'est rétracté ou si Grégoire, simplement, a pu faire admettre sa bonne foi [4]. L'évêque de Nazianze est très âgé, et son fils le rappelle plus d'une fois dans son œuvre, surtout pour expliquer sa présence, « contrainte », auprès de lui. Converti au christianisme par son épouse Nonna, il ne connaît guère les subtilités théologiques, et sa « simplicité » le fait tomber dans les pièges des « sophistes » [5]. C'est pourquoi le personnage de l'évêque, dont Grégoire l'Ancien devrait être le modèle, est présenté ici de façon assez timide.

Les moines. Ce discours témoigne de la présence d'une communauté monastique à Nazianze. On sait l'importance

1. *D.* 2, 112, où il dit de façon énigmatique qu'il a cédé au plus fort « sans convoiter une prééminence qui ne m'est pas accordée et sans repousser celle qui m'est donnée ».

2. Et non pas Grégoire uni à son père. Lorsqu'il en est la voix, il semble alors privilégier le pronom « nous »; cf. *D.* 6; *D.* 18; cf. GALLAY, *Vie*, p. 83; BENOÎT, *Saint Grégoire de Nazianze*, p. 187. Sur cette hypothèse, voir p. 142, n. 1.

3. HAUSER-MEURY, *Prosopographie*, p. 88-89 : « Gregor der Altere », (spécialement p. 89, n. 175, à propos du schisme); cf. *infra D.* 7, 3-4; 8, 4-5.

4. Cf. *D.* 18, 18.

5. La simplicité n'est pas spécialement un défaut, mais peut être la proie de l'hérésie; cf. *infra*, p. 150, n. 1.

des moines à cette époque, et particulièrement dans l'œuvre de Grégoire [1], qui évoque souvent la vie ascétique, dans les termes mêmes utilisés par Basile dans ses *Règles*, et de façon assez stéréotypée, une vie qu'il a lui-même connue à Annisa dans la communauté fondée par son ami [2]. Il comprend le zèle de ceux dont il a partagé la vie, mais le critique parfois assez vivement; son but, ici, est de renverser quelque peu les rôles. Grégoire démontre en effet aux moines rebelles que s'ils prétendaient combattre pour l'essentiel de la doctrine (unité dans la Trinité), ils ont pourtant brisé eux-même l'unité. Leur fâcheux sens de l'innovation (καινοτομία) est même allé jusqu'à faire ordonner des prêtres pour les conduire.

III. Circonstances et date

Ce discours, qui fournit peu de détails sur les circonstances du «schisme», ne se laisse donc pas dater facilement.

Les indications données par le texte

Ces indications sont assez vagues. L'Église de Nazianze, qui était jusque-là en paix (ses fidèles ont été les «derniers à subir ce malheur», chap. 10), a connu la division

1. Voir J. Plagnieux, «Saint Grégoire de Nazianze», dans *Théologie de la vie monastique. Études sur la tradition patristique*, chap. VI, Paris 1961, p. 115-130.

2. Cf. *D.* 6, 2; voir également les lettres échangées entre Grégoire et Basile au sujet de la vie ascétique: *Lettres* 1, 2, 4, 5, 6 de Grégoire; *Lettres* 2, 14 de Basile, qui en sont le vivant témoignage. C'est à la même époque que Basile rédigea les *Règles* avec la collaboration de Grégoire. Sur la vie monastique en Cappadoce, voir Gain, *L'Église*, p. 123-161 (bibliographie, p. 123-124, n. 1, concernant le monachisme basilien).

en raison d'une brouille, d'ordre doctrinal (chap. 12), entre la communauté de moines et la hiérarchie ecclésiastique, représentée par Grégoire l'Ancien et son fils, qu'on peut difficilement ici dissocier de son père. Mais n'est-il pas lui-même en plein accord avec les moines, qui représentent son propre idéal, et dont il semble, tout en critiquant le «zèle», comprendre le mécontentement?

Il s'agit d'un malheur commun (une maladie), d'un soupçon (chap. 11, 20), d'un écrit (chap. 11). Les moines se sont rebellés, se sont donné des chefs, eux-mêmes ordonnés par des «mains étrangères». La réconciliation a été obtenue, rapidement (chap. 10 : «premiers à nous redresser»; chap. 12) grâce à des concessions de part et d'autre (chap. 9, 11).

On considère généralement, en s'appuyant sur ces maigres renseignements et les détails supplémentaires donnés par le *Discours* 18 (éloge funèbre de Grégoire l'Ancien) [1], que l'évêque de Nazianze aurait signé une *formule de foi* peu orthodoxe [2]. Pour la plupart des commentateurs, Grégoire de Nazianze aurait été absent lors de cette signature, sans doute auprès de Basile à Annisa, ou, en tout cas, n'aurait pas été solidaire de son père. L'emploi des pronoms *je* et *nous* indiquerait simplement qu'il parle au nom de ce père [3], en défendant sa bonne foi et en demandant de prendre en considération cette «simplicité» dont il fait souvent état.

La formule de foi en question concerne de toute évidence le Fils, car la deuxième personne de la Trinité, celle qui est riche de tant de noms, semble bien être, si

1. Cf. *infra*, p. 21.

2. L'orthodoxie est représentée par la profession de foi de Nicée (19 juin 325). De nombreuses «formules» ont fleuri après cette date; sur leur écho en Cappadoce, voir GAIN, L'*Église*, p. 330-334.

3. Voir *supra*, p. 16-18, une hypothèse concernant l'emploi du pronom «je».

l'on peut s'exprimer ainsi, le personnage principal de ce discours[1].

Apport d'autres textes

1) Les événements

C'est un passage de l'éloge funèbre de Grégoire l'Ancien, qui semble donner une des clés de l'énigme :

« Lorsque *la fraction la plus ardente* de l'Église se dressa contre nous, parce qu'*un écrit* nous avait induits en erreur et que ses termes habiles nous avaient introduits dans la communion des méchants, il fut *le seul* dont on crut que la pensée était restée intacte sans que le noir de l'encre eût déteint sur son âme, malgré la simplicité qui l'avait fait prendre au piège[2]. »

La «fraction la plus ardente» désigne évidemment les moines, le reste du passage indiquant clairement que l'évêque de Nazianze n'a pas été le seul à donner sa signature. Le rappel de ces événements dans un tel discours en montre l'importance et la gravité.

On en trouve précisément un écho dans l'une des *Invectives* contre Julien[3], texte contemporain de ce schisme, auquel Grégoire fait allusion en regrettant qu'un « groupe » ne soit pas à ses côtés :

« Ah ! si je pouvais voir aussi participer à notre chœur *ce groupe* qui *jusqu'à présent* se joignait à nous pour adresser à Dieu un cantique qui ne manquait pas d'authenticité et qui n'était pas de mauvais aloi, ce groupe qui était même jugé digne de se tenir à notre droite et qui, j'en suis sûr, retrouvera bientôt sa place[4]. Je ne sais

1. Cf. chap. 3. A propos de la formule de foi, voir *infra*, p. 27-31.
2. *D.* 18, 18 (trad. Bernardi, *SC* 309, p. 25-26).
3. *D.* 4, 10.
4. A la fin du *D.* 6, le groupe entoure l'autel.

pour quelle raison il change brusquement de sentiment et de camp...[1] Quel est ce chœur? Que vaut-il? Si mon zèle m'incite à le dire, ma foi me retient. Je garderai donc pour moi les paroles désagréables, afin de ménager l'espérance... Je montre plus de patience pour pouvoir mettre par la suite plus de chaleur dans mes reproches[2].»

Les précisions données dans ce passage permettent à leur éditeur, J. Bernardi, de dater, en fonction de son hypothèse concernant la formule de foi[3], les *Invectives contre Julien*, puisque le texte cité plus haut indique qu'un schisme s'est produit *récemment*. Datant le schisme de 363, il adopte la date de 364[4] pour la rédaction de ces discours.

2) Le zèle des moines

Outre ces renseignements relativement précis donnés par les *Discours* 4 et 18, on peut trouver çà et là dans l'œuvre de Grégoire des passages qui rappellent les allusions ou développements du *Discours* 6, tel ce morceau louangeur et critique à la fois du *Discours* 21[5] concernant la combativité des moines :

«Je suppose que le séisme qui nous secoue à l'heure actuelle n'est pas moins violent qu'aucun de ceux du passé; il écarte de nous tous ceux qui s'attachent à la philosophie et à Dieu et qui vivent par anticipation en citoyens du ciel. Ceux-ci, bien qu'ils soient généralement paisibles et modérés, ne supportent cependant pas ceci : de rester passifs, de trahir la cause de Dieu par le silence.

1. L'expression «Je ne sais pour quelle raison» est peut-être rhétorique, mais éclaire la position de Grégoire, qui tend à minimiser l'erreur de son père tout en restant du côté des «frères», auxquels il reproche cependant un zèle trop grand (cf. *D.* 6, 20).

2. Il rappellera cette attitude patiente *D.* 6, 7.

3. Cf. *infra*, p. 27-31.

4. *SC* 307, p. 23-31; 36-37.

5. Chap. 25.

Au contraire, sur ce point, ils manifestent même beaucoup d'agressivité et de combativité ; l'ardeur de leur zèle va en effet jusque là, et ils seraient plus prompts à faire ce qu'il ne faut pas qu'à ne pas faire ce qu'il faut ! ... Une partie du peuple se trouve entraînée dans la même rupture. »

Le zèle excessif des moines est aussi combattu, de façon plus plus vive encore, dans le *Discours* 22 [1] :

« Il est un Judas ou un Caïphe celui qui était hier un Élie, un Jean ou un autre disciple du Christ portant la même ceinture et le même manteau foncé ou noir, gage de la sainteté de sa vie, du moins selon la loi et l'opinion que je professe. »

Ces passages ne se rapportent peut-être pas précisément aux faits mentionnés dans notre discours, ils montrent cependant que ce thème (justification de la véhémence des moines, mais critique de leur attitude combative) est récurrent dans l'œuvre de Grégoire, et ils impliquent le souvenir quelque peu cuisant de certains événements et leur gravité. D'autres exemples sans doute pourraient être donnés, concernant plus généralement le discours inconsidéré que développent sur la foi ceux qui s'attachent de façon trop exclusive à un aspect de la doctrine [2].

3) Des signatures

Retenons, parmi les passages les plus instructifs, les chapitres 22-24 de l'*Éloge d'Athanase*[3], faisant allusion à des textes signés par ignorance :

« Les uns sont illégalement expulsés de leurs sièges et on en met d'autres à leur place en leur réclamant comme des pièces indispensables des professions écrites d'impiété :

1. Chap. 5.
2. Voir par ex. *D.* 32, 32.
3. *D.* 21, dont un passage est déjà cité *supra.*

l'encre était toujours prête à l'emploi et le dénonciateur à proximité... La plupart d'entre nous, qui sommes pourtant des irréductibles, y ont succombé sans se rendre compte qu'ils tombaient (chap. 23)... Qu'on se montre indulgent à l'égard de ceux qui ont suivi le mouvement par ignorance. Que faut-il dire des autres, de tous ceux-là qui revendiquent des qualités intellectuelles...? (chap. 2)».

C'est cette indulgence même qu'il accorde à son père!

4) La retraite

Grégoire, après son ordination sacerdotale, présente dans le *Discours* 2, une justification de sa «fuite». Parmi les motifs invoqués, l'existence d'une «guerre mutuelle» au sein de l'Église n'est pas des moindres, et il pourrait être tentant de penser que l'allusion concerne la petite communauté de Nazianze, et précisément la crise qui est à l'origine du *Discours* 6. Aucun commentateur cependant n'a jusqu'ici jugé bon de rapprocher les deux discours, probablement avec raison, puisque les allusions sont trop générales dans l'un et l'autre texte pour qu'on puisse en tirer la conclusion qu'ils évoquent les mêmes faits[1]. Il n'est pas inutile toutefois de mettre en lumière un certain parallélisme, ne serait-ce que pour montrer la constance de Grégoire dans la justification de ses réactions et de son comportement devant des faits, sinon semblables, du moins assez ressemblants, même si la discorde à laquelle il fait allusion *Discours* 2 est à prendre, semble-t-il, dans un sens plus général.

«Mais c'est une philosophie qui dépasse nos forces que celle qui consiste à accepter la direction des âmes et leur gouvernement... sans avoir encore appris nous-même à

1. Pour J. Mossay («La date de l'*Oratio* II de Grégoire de Nazianze et celle de son ordination», *Revue d'Études Orientales*, 1964, 77, 1-2, p. 184), ce rapprochement serait «très hasardeux».

nous laisser mener au pâturage comme il faut, sans avoir non plus purifié notre âme comme elle mérite de l'être. Et cela *dans des circonstances comme celles où nous sommes...; en un moment où les membres se font une guerre mutuelle*, où s'en est allé ce qui pouvait rester de charité, où le sacerdoce n'est plus qu'un mot vide, puisque... "le mépris s'est déversé sur les chefs".» «Notre piété à tous consiste uniquement à condamner l'impiété des autres.» «Quant à ceux qui se conduisent ainsi à cause de la foi et des problèmes les plus élevés et des plus importants, je ne leur fais pas de reproche, mais, pour dire vrai, je les approuve même. Puissé-je être l'un de ceux qui combattent pour la vérité et sont détestés... Mieux vaut en effet une guerre louable qu'une paix qui sépare de Dieu.» «Désormais, nous paraissons même sur la scène, je suis au bord des larmes en disant cela, et nous partageons avec les êtres les plus débauchés le privilège de soulever le rire.» «Voilà ce que nous apporte cette guerre mutuelle, voilà ce que nous valent ces excès dans les batailles pour celui qui est bon et doux.» «Quand il s'agit de la guerre que je mène, je ne sais que devenir, quelle alliance, quelle parole de sagesse, quel charisme découvrir, quelle armure revêtir contre les manœuvres du Malin.» «Pour moi, je le reconnais, je n'ai pas assez de forces pour soutenir cette guerre : aussi, ai-je lâché pied, le visage voilé de confusion, et, parce que j'étais rempli d'amertume, j'ai cherché à m'asseoir à l'écart et à me taire, comprenant bien que l'époque est mauvaise, puisque les bien-aimés ont regimbé, puisque nous sommes devenus des fils rebelles, nous... la vraie vigne... puisque s'est changé pour moi en déshonneur le diadème de beauté, le sceau de ma gloire, la couronne de ma fierté»[1].

1. *D.* 2, 78 (cf. *D.* 6, 1), 79 (cf. 6, 20), 82 (cf. 6, 20), 84 (cf. 6, 8), 85 (cf. 6, 3), 88 (cf. 6, 7), 90 (cf. 6, 3).

Grégoire rappelle après cela la nécessité, «avant que la langue ne soit remplie d'allégresse[1]», de la purification par le silence. Il ajoute :

«Qui donc, sans avoir pris son temps et sans avoir appris à parler "la mystérieuse sagesse de Dieu" ... ira après cela accepter avec joie et empressement de tenir lieu de tête à la plénitude du Christ?» «Voilà notre requête... Que le Dieu de la paix, que celui qui a fait que les deux soient un et qui nous a rendus les uns aux autres... affermisse lui-même notre main droite»[2].

Ces thèmes essentiels (la réticence devant la prise de parole ou de pouvoir, le découragement devant la discorde et la lutte des chrétiens entre eux, la tentation de la retraite), présents dès les premiers discours, seront repris par Grégoire tout au long de son œuvre; ils en sont une sorte de fil conducteur.

4) La paix

De nombreux autres passages de l'œuvre de Grégoire sont consacrés au thème de la paix de l'Église, une paix qui ne peut être obtenue que si l'on cesse de bavarder sur des sujets théologiques et si l'on reste d'accord sur la foi. C'est le cas en particulier de certains développements des *Discours* 22 et 23, toujours associés à ce discours dans les manuscrits[3], ainsi que du *Discours* 32, très proche, par l'inspiration, du *Discours* 6[4].

Ce petit «dossier», qui n'est certes pas exhaustif, permet de mieux comprendre, à notre avis, l'enjeu de ce discours.

1. *D.* 2, 95.
2. *D.* 2, 99; 117; cf. *D.* 6, 1, 6, 21.
3. Voir J. Mossay, *SC* 270, Introduction, p. 269.
4. Cf. *infra*, p. 33.

La formule de foi

Le *Discours* 4, on l'a vu, fait également allusion à ce schisme des moines, et le *Discours* 2 évoque, lui aussi, des disputes que connaît l'Église, et plus précisément peut-être, bien qu'il ne la nomme pas, la communauté chrétienne de Nazianze. Celle-ci ne se distingue pas en cela des autres communautés, car la période est riche en controverses, et Grégoire ne cesse de combattre les diverses hérésies. Il rappelle de façon privilégiée celle d'Arius et celle de Sabellius, soit nommément, soit implicitement (comme à la fin du *Discours* 6, chap. 22). Les allusions du *Discours* 6 et d'autres passages donnent-elles la possibilité de préciser quelle formule de foi a pu signer Grégoire l'Ancien, dans une période riche de telles formules[1]? La réponse à cette question permettrait évidemment de dater ce discours, et divers commentateurs s'y sont essayé.

Ce discours concerne la *Paix*, qui est l'un des noms privilégiés du Christ. Détruire l'unité, c'est déchirer le corps du Christ, alors que ceux qui combattent de façon trop zélée pour l'orthodoxie prétendent le faire précisément par amour pour le Christ. C'est ainsi que, très subtilement, Grégoire renverse les rôles. De la même façon, s'il est bon de prendre ardemment la défense de la doctrine orthodoxe souffrante, cet «héritage de nos Pères», c'est-à-dire la foi de Nicée, comporte particulièrement le bienfait de la concorde, sur lequel il est prudent de veiller.

L'habileté de cette rhétorique, en cherchant à déstabiliser «l'adversaire», est destinée à donner plus de force à sa propre défense, à mettre en valeur son orthodoxie et celle de son père. Dès le début du discours en effet,

1. Cf. l'énumération que fait BASILE de ces professions de foi *Lettres* 250, 4; 244, 9 (voir à ce sujet GAIN, *L'Église*, p. 334).

immédiatement après l'énumération de tous les noms divins, Grégoire insiste fortement sur son attachement personnel au *Logos* (chap. 5-6), ou Fils, dont on sait que le concile de Nicée a affirmé la pleine divinité. Plus loin (chap. 11-12), il donne des garanties d'orthodoxie par des définitions qui ne permettent cependant pas d'identifier facilement la formule de foi en cause :

« Vous le saviez, pour nous la divinité est solide et inébranlable, aussi bien qu'elle l'est dans sa nature même, et, pour nous, enlever quoi que ce soit aux Trois ou le tenir pour étranger à eux n'est pas autre chose que de supprimer le Tout et avancer tête nue devant la divinité tout entière[1]. » « Mettons-nous d'abord dans l'esprit que Dieu est le plus beau et le plus élevé des êtres, sinon parce qu'on préfère le mettre au-dessus de l'essence (οὐσία), du moins parce qu'on place l'être totalement en lui-même, qui en est la source pour tous les autres[2]. »

Cette unité dans la divinité est affirmée fortement dans le chapitre suivant (13) et précisée : elle est un don de la Trinité, qui est « un seul Dieu, non moins par la concorde que par l'identité de la substance ».

Enfin, la péroraison reprendra l'enseignement essentiel de la foi de Nicée, en insistant précisément sur l'*identité* de divinité (chap. 22) :

« Gardons le bon dépôt que nous avons reçu de nos Pères, adorant le Père, le Fils et le Saint-Esprit, reconnaissant dans le Fils le Père, dans l'Esprit le Fils, en qui nous avons été baptisés, en qui nous avons mis notre foi, avec qui nous sommes réunis, les distinguant avant de les unir, et les unissant avant de les diviser, reconnaissant que les Trois ne sont pas comme un seul – car

1. Chap. 11.

2. Chap. 12. Noter que cette seconde définition, parce qu'elle s'attache précisément à mettre en valeur l'unité, est dirigée contre ceux qui l'ont ébranlée (ici la divinité est image d'unité).

les noms ne sont pas sans hypostase, ou attribués à une seule hypostase... –, mais que les Trois sont un. En effet, ils sont un non par l'hypostase, mais par la *divinité.* »

Deux hypothèses ont été principalement mises en avant :

1) Selon la plupart des historiens, il s'agirait de la formule de foi homéenne de *Rimini-Constantinople*[1]. Alors que le concile de Nicée affirme que le fils de Dieu est « engendré monogène du Père, c'est-à-dire de la substance (οὐσία) du Père », et qu'il est « consubstantiel (ὁμοούσιος) au Père »[2], la formule de Rimini dit « qu'on ne devra plus parler d'*ousie*, principalement parce que les Écritures ne mentionnent jamais l'ousie par rapport au Père et au Fils », qu'on ne doit pas non plus parler d'une seule hypostase (ὑπόστασις) par rapport à la personne du Père, du Fils et du Saint-Esprit, que « le Fils est *semblable au Père, comme le disent et l'enseignent les Écritures* »[3].

Il paraît cependant impossible que Grégoire l'Ancien ait signé ce texte homéen[4].

1. TILLEMONT, *Mémoires*, t. 9, p. 347 ; CLÉMENCET, *PG* 35, col. 181-188, suivis par GALLAY, *Vie*, p. 82, plus nuancé (« On peut penser à la formule de Rimini-Constantinople ou à une autre du même genre ») ; HAUSER-MEURY, *Prosopographie*, p. 88-89 et n. 174. Le concile de Rimini avait été réuni au printemps 359 par Constance pour mettre fin aux querelles trinitaires ; le concile de Constantinople, réuni par le même empereur en 360, sanctionna le résultat, favorable aux homéens et aux ariens modérés, du concile de Rimini, et publia une formule de foi de la même teneur ; voir C. J. HEFELE-H. LECLERCQ, *Histoire des conciles*, Paris 1907, I, 2, p. 925-955 ; 956-959 ; M. SIMONETTI, *La crisi ariana nel IV secolo* (*Studia Ephemeridis « Augustinianum »*, 11), Roma 1975, p. 313-338 ; 338-342 ; H. C BRENNECKE, « Homéens », *DHGE* 24, 1992, col. 932-960.

2. Voir *DTC* 11, 1, 1931, col. 405-407 ; E. BOULARAND, *L'hérésie d'Arius et la « foi » de Nicée. II. La « foi » de Nicée*, Paris 1972, chap. IV : Texte du symbole de Nicée.

3. Voir G. FRITZ, art. « Rimini », *DTC* 13, 2, 1937, col. 2710.

4. Comme l'ont démontré A. BENOÎT, *Grégoire de Nazianze*, p. 182-183, n. 2, ainsi que J. BERNARDI, *Prédication*, p. 103, qui développe ses arguments dans l'*Introduction* aux *Discours* 4-5, *SC* 309, p. 26-30.

2) Si Grégoire l'Ancien n'a pas signé la formule de Rimini-Constantinople, il a pu donner son adhésion à une formule qui, justement, aurait été plus ambiguë, plus facile à signer par un homme dont l'une des caractéristiques principales est la « simplicité ». L'une de ces formules est née du concile tenu à *Antioche*[1] en octobre 363, au début du règne de Jovien. A l'instigation de Mélèce d'Antioche, une vingtaine d'évêques y avaient participé, dont Acace de Césarée, Eusèbe de Samosate, Athanase d'Ancyre. A l'issue de ce concile, les évêques envoyèrent une lettre synodale à l'empereur Jovien, dans laquelle ils reconnaissaient formellement le symbole de Nicée, mais ajoutaient, en redéfinissant le mot ὁμοούσιος : « Le mot ὁμοούσιος a été expliqué d'une manière très nette par les Pères de Nicée comme signifiant : le Fils est né de la substance du Père, et il lui est *semblable sous le rapport de la substance* (ὅμοιος κατ'οὐσίαν). » Ainsi, le mot ὁμοούσιος, affaibli, devenait l'équivalent de ὁμοιούσιος, et ne garantissait plus la divinité du Fils en prenant une signification semi-arienne (ou homéousienne)[2], que Grégoire l'Ancien n'aurait pas soupçonnée, et qui a pu le faire entrer « dans la communion des méchants[3] ».

L'importance que donne Grégoire au *Logos* et à la démonstration de sa divinité dans le *Discours* 6 permet en particulier d'accepter l'hypothèse de la signature de cette formule ambiguë.

Il est possible que Jovien, en voyage d'Antioche à Constantinople, soit passé par Nazianze, peut-être avec

1. Voir C. J. HEFELE-H. LECLERCQ, *Histoire des Conciles*, 1, 2, p. 972-973 ; M. SIMONETTI, *La crisi ariana*, p. 373-375.

2. Paradoxalement, puisqu'il était défini par des anti-ariens convaincus. Le texte et le nom des signataires sont donnés par SOCRATE, *HE* III, 25 ; SOZOMÈNE, *HE* VI, 4 (*PG* 67, col. 453 et 1300-1301).

3. *D.* 18, 18.

Césaire, frère de Grégoire, à la fin de 363[1]; c'est ainsi que Grégoire l'Ancien, âgé alors de 88 ans, aurait signé cette formule, son fils Grégoire se trouvant alors à Annisa avec Basile. On peut dater approximativement ces faits de fin novembre-début décembre 363. Grégoire l'Ancien n'a sans doute pas été le seul à donner sa signature, comme Grégoire le laisse supposer[2].

En l'absence d'indications plus précises, cette hypothèse paraît actuellement la meilleure, même s'il n'est pas exclu qu'une autre formule soit en cause.

Date du schisme et date du *Discours* 6

Si l'on retient cette dernière hypothèse, le schisme serait donc intervenu à la fin de l'année 363[3]. Le discours de Grégoire scelle une réconciliation qui vient d'être obtenue et se situe probablement au cours de l'année 364[4].

Le discours de réconciliation met fin à un schisme, mais fait allusion à ceux qui sont «incurables», ce qui peut justifier certaines allusions postérieures à ce texte.

En tout cas, après la rupture, Grégoire s'est retiré, il s'est tu, il a travaillé à la réconciliation et, celle-ci faite,

1. Césaire aurait ainsi retrouvé la faveur impériale; voir J. Bernardi, *SC* 309, p. 29-30; Id., «Grégoire de Nazianze critique de Julien», *Studia Patristica* 14 (*TU* 117), 1976, p. 286. Voir *infra*, p. 49.

2. Chap. 10.

3. Au cours de l'année 363 selon Benoît, *Saint Grégoire de Nazianze*, p. 179; après décembre pour J. Bernardi. Ceux qui ont supposé qu'il s'agissait de la formule de Rimini-Constantinople ont daté ce schisme de 359-360 (voir la critique de cette datation par Gallay, *Vie*, p. 84, n. 6).

4. C'est cette date qui est adoptée même par ceux qui considèrent qu'il s'agit de la formule de Rimini-Constantinople (admettant ainsi une durée assez longue pour le schisme) ou qui ne prennent pas position : Tillemont, *Mémoires*, t. 9, p. 348, ne situe pas la réconciliation avant la fin de 363; P. Gallay, *Vie*, p. 84, ne reporte pas l'homélie au-delà de 364. A. Benoît, *Saint Grégoire de Nazianze*, p. 182, et J. Bernardi, *Prédication*, p. 103, en tiennent pour l'année 364.

il vient rendre grâces pour exhorter les chrétiens de Nazianze.

IV. Un discours de réconciliation

L'œuvre de Grégoire de Nazianze telle qu'elle nous a été transmise se présente, on le sait, comme l'illustration de nombreux genres littéraires. L'ensemble des *Discours* offre lui-même un échantillonnage de divers genres oratoires, adaptés bien sûr à la prédication chrétienne [1]. Avec le *Discours* 6, nous avons un bon exemple de *discours de réconciliation.*

Des concessions ont été faites, et la réconciliation est réalisée (chap. 7, 10). Toutes les parties sont présentes, et Grégoire s'adresse à chacune d'entre elles. C'est une cérémonie festive, sous le signe de la joie et de l'allégresse (chap. 4).

Un discours sur la paix

Ce discours «sur la paix» est toujours associé, dans les manuscrits, aux deux autres discours sur la paix [2], qui ont la même origine : une discorde due à une définition de la Trinité, mais ils n'ont pas la même fin, et Grégoire y semble plus à l'aise. Ils ne constatent pas la réconciliation, ils ne consolident pas une paix qui vient d'être acquise, ils la demandent, ce qui permet à Grégoire de leur donner un ton plus vif, de les mener avec plus de vigueur. Il s'agit toujours de questions trinitaires, mais la

1. «En éditant ses sermons, écrit J. Bernardi, Grégoire n'ignorait certainement pas qu'il publiait une sorte de manuel du prédicateur..., plus généralement d'ailleurs, l'œuvre entière se présente comme une vaste tentative de fonder une littérature chrétienne» (*SC* 247, p. 26).

2. *D.* 22 et 23.

paix y tient une moins grande importance. Son argumentation n'y est pas appuyée sur de grands exemples, si quelques images s'y retrouvent (la plante redressée, l'arche de Noé, la stabilité des éléments et, surtout, l'unité représentée par la divinité).

Le *Discours* 32[1] expose aussi les biens de la paix, ou plus précisément de l'ordre (τάξις), et offre les mêmes développements que le *Discours* 6, à partir de la citation d'*Isaïe* 51, 6 («Regardez en haut le ciel et en bas la terre.»), sur l'ordre du monde, et les méfaits du désordre, avec les mêmes exemples : «Il y a un ordre dans les choses spirituelles, un ordre dans les choses sensibles, un ordre parmi les anges, un ordre parmi les astres à la fois pour le mouvement, pour la grandeur...» Grégoire précise un peu plus loin : «C'est aussi dans les Églises qu'il y a l'ordre – c'est pour en venir là que j'ai fait toute cette énumération. Chacun a sa place dans l'Église comme ailleurs.» Dans le combat pour la paix de l'Église, Grégoire est encore une fois proche de son ami Basile, qui montre, dans sa correspondance en particulier, une prédilection pour ce thème[2].

De la πόλις à l'ἐκκλησία

C'est la φιλία, ce fort lien social entre les personnes, qui conduit à la paix (εἰρήνη), à la concorde (ὁμόνοια).

1. Chap. 7-13. Le *D.* 32, prononcé à l'occasion d'une fête des martyrs, est dirigé en particulier contre ce zèle «théologique» que Grégoire combat déjà dans le *D.* 6, comme son titre l'atteste : «Sur la modération dans les discussions, et qu'il ne convient pas à tout homme ni à toute circonstance de discuter sur la divinité».

2. Voir, sur ce thème de la paix, F. Trisoglio, «La pace in S. Gregorio di Nazianzo», *Civiltà classica e cristiana*, 7, 1986, p. 193-229; J.-R. Pouchet, «Le combat pour la paix des Églises, un leitmotiv épistolaire de saint Basile», *Recherches et tradition. Mélanges patristiques offerts à H. Crouzel* (Théologie Historique, 88), Paris 1992, p. 211-227.

On ne peut douter que Grégoire, au cours de sa formation, ait réfléchi et disserté sur ces notions éminemment « grecques » [1]. L'enseignement rhétorique n'omettait sans doute pas de proposer des exercices sur les biens de la paix et les malheurs de la division, avec des exemples appropriés, dont Grégoire se souvient probablement dans ce discours qui est une sorte d'éloge de la paix [2]. Spécialement utile à la cité, l'ὁμόνοια (le mot est cité douze fois) doit être une des principales caractéristiques de l'Église, comme n'ont cessé de le prêcher les premiers écrivains chrétiens, dont Grégoire est également tributaire dans cet exercice sur la paix adressé au « peuple » chrétien et à ses membres les plus influents. Si la φιλία est nécessaire à la cohésion de toute comunauté, c'est particulièrement l'ἀγαπή qui doit gouverner la communauté chrétienne. Ἀγαπή, comme Εἰρήνη, est d'ailleurs l'un des noms privilégiés du Christ.

Nom divin privilégié, la Paix est également suggérée, outre par les mots qui la désignent (εἰρήνη, εἰρηνεύειν, εἰρηναῖος), par bien des détails de vocabulaire, ainsi par un choix de mots évoquant soit l'union avec le Christ, soit l'union entre les divers membres de l'Église, et destinés à rappeler les caractéristiques mêmes de la Trinité : les mots εἷς et πᾶς, les verbes ou adjectifs composés avec les préfixes συν- (συμπαθής, σύμπνοια, συμφωνία, συμφυής, σύμψυχος, συνάγειν, συναγωνιστής, συνάπτειν, συνασθενεῖν, συνευφραίνεσθαι, συναφεία, συνόμιλος), ou ὁμο– (ὁμόδοξος, ὁμοδοξία, ὁμόθρονος, ὁμοίωσις, ὁμονοεῖν, ὁμότιμος, ὁμόψυχος). Ces mots n'auraient bien sûr pas assez de force si leurs contraires ne tenaient pas une place importante,

1. Voir l'article de Jacqueline de ROMILLY, « Les différents aspects de la concorde dans l'œuvre de Platon », *Revue de Philologie* 46, 1972, 1, p. 7-20.

2. Le chap. 7 expose les biens de la concorde, le chap. 8 les malheurs de la division.

ainsi στάσις, στασιάζειν, λύειν, λύσις, διαζεύγνυναι, διάζευξις, διαιρεῖν, διαλύειν, διάστασις, διαφωνία...

Cet appel à l'unité, dans le respect du Dieu de paix, beaucoup de chrétiens l'ont entendu depuis qu'il y a des prédicateurs, transmettant eux-mêmes le message des Écritures, et spécialement de Paul[1]. La communauté chrétienne de Nazianze ne reçoit pas ici un enseignement différent de celui qu'entendirent les premières communautés haranguées par Polycarpe, Ignace d'Antioche ou Clément de Rome, lorsque l'unité était à construire autour de l'évêque et contre l'hérésie[2]. Les mêmes mots viennent aux lèvres de Grégoire lorsqu'il veut convaincre son petit troupeau de garder la paix, c'est-à-dire préserver la bonne santé en écartant les causes des maladies[3].

Ces maladies sont provoquées par l'action du « Malin », qu'il faut constamment combattre[4]. Celui-ci prend souvent l'allure du « sophiste », car c'est ainsi que Grégoire décrit l'hérétique, qui prend au piège les esprits « simples », tel Grégoire l'Ancien. Grégoire cherche probablement à convaincre ces esprits « simples » par des images et des exemples conventionnels pour dire l'ordre et le désordre (l'ordre du monde, le peuple d'Israël, la maladie), mais sa démonstration la plus vigoureuse, destinée à tous, s'appuie sur des images d'ordre théologique. L'exemple le plus fort d'unité est en effet donné par la divinité (dont la définition même avait suscité la division) et les créatures divines.

1. En particulier *Éphés* 2, 14-22 ; cf. *Matth.* 5, 9 : « Heureux ceux qui font œuvre de paix ».

2. IGNACE D'ANTIOCHE, POLYCARPE DE SMYRNE, *Lettres*, éd. P. Th. Camelot (*SC* 10), Paris 1969 ; CLÉMENT DE ROME, *Épître aux Corinthiens*, éd. A. Jaubert (*SC* 167), Paris 1971.

3. Chap. 4, 19.

4. *D.* 6, 1, 7, 10, 13, 22. Voir SZYMUZIAK, *Éléments de théologie*, p. 49-51.

L'unité de l'Église ne se trouve que dans l'accord sur la foi, c'est-à-dire, en premier lieu, sur la définition de la Trinité, elle-même symbole de l'unité[1]. La définition de la Trinité étant à l'origine du schisme, la péroraison de Grégoire comportera le rappel vigoureux de la profession de foi trinitaire. Cet enseignement ne va pas sans que Grégoire garde en l'esprit l'un des plus beaux exemples d'unité, resté cependant implicite, de ce discours : la κοινωνία, cette communauté de vie qui représente la plus parfaite union, celle de la θεωρία et de la πρᾶξις[2], réalisée par le *moine*, héros caché de ce discours, et que Grégoire définira plus d'une fois comme la vraie *philosophie*. Cette philosophie est évidemment la sienne, et ce texte en précise subtilement les principaux chemins : le choix de l'ascèse, et spécialement du silence, pour une vraie purification avant la prise de parole et le discours sur Dieu.

Ce discours composite[3] sur l'unité peut donner l'impression d'une mosaïque, par l'accumulation de divers exposés, qui paraissent parfois conventionnels (l'*ecphrasis* sur les moines, les développements sur l'ordre du monde, sur le Verbe, les noms divins), il est cependant exemple même de cohésion rhétorique et doctrinale, une bonne introduction à l'œuvre et au personnage de Grégoire de Nazianze.

1. Chap. 21.
2. Cf. *D.* 4, 113.
3. M. Guignet, *Grégoire de Nazianze orateur et épistolier*, Paris 1911, p. 234, a relevé « la prolixité de l'argumentation », dans la vaste exhortation du *Discours* 6, qu'il juge éminemment sophistique dans une analyse un peu hâtive et formelle (il note que « le raisonnement en bannit la raison » !).

DISCOURS 7 ET 8

DEUX ÉLOGES FUNÈBRES

I. GENRE LITTÉRAIRE

Parmi les 45 discours connus de Grégoire de Nazianze, plusieurs sont consacrés à l'éloge [1] de personnages de premier plan, tels Athanase, Héron, Basile [2], ou de moindre notoriété, comme trois des membres de sa famille pour lesquels il composa un éloge funèbre : son père Grégoire, évêque de Nazianze, son frère Césaire, sa sœur Gorgonie [3]. Nous présentons ici ces deux derniers discours.

On sait que Grégoire s'est plu à utiliser des genres littéraires variés : poésie, épigramme, lettre, discours, mais ses œuvres oratoires elles-mêmes (qu'il les ait prononcées

1. Sur le genre littéraire de l'éloge et sa technique, voir l'ouvrage récent de L. PERNOT, *La rhétorique de l'éloge dans le monde gréco-romain*. T. I. *Histoire et technique*. T. II. *Les valeurs* (Collection des Études Augustiniennes. Série Antiquité, 137-138), Paris 1993. Cette étude a trait à la rhétorique profane des IIe-IIIe siècles et à ses sources, mais est très importante pour permettre de comprendre l'assimilation de la « seconde sophistique » par les orateurs chrétiens. Plus précisément, sur le genre de l'ἐπιτάφιος dans l'antiquité classique, voir Nicole LORAUX, *L'invention d'Athènes. Histoire de l'oraison funèbre dans la « cité classique »* (École des Hautes Études en Sciences Sociales. Centre de Recherches Historiques. Civilisations et Sociétés, 65), Paris 1981.

2. *D*. 21 (Athanase) et *D*. 25 (Héron), publiés par J. Mossay (*SC* 270 et 284), *D*. 43, publié par J. Bernardi (*SC* 384), après F. Boulenger, qui a également publié le *D*. 7 (voir n. 3, *infra*).

3. *D*. 18, *PG* 35, col. 935-1044 ; *D*. 7, col. 756-788, et *Discours funèbres en l'honneur de son frère Césaire et de Basile de Césarée*, par F. Boulenger, Paris 1908, p. 2-57 ; *D*. 8, *PG*. 35, col. 789-817. Ces trois discours sont groupés dans l'une des deux familles de manuscrits (*N*).

ou non) en appellent à divers genres (apologie, invective, homélie...). Il n'est donc pas étonnant que le schéma de l'éloge funèbre l'ai tenté ; il lui permettait de mettre en valeur certains personnages, de les donner en exemple pour en faire les porteurs de son message essentiel[1]. Lorsque ces discours statufient des personnages considérables, ils ne sont pas très éloignés de leurs modèles « classiques », même s'ils servent à magnifier un chrétien ; lorsqu'ils s'attachent à valoriser des *proches,* et que l'un d'entre eux présente sa sœur, une femme qui n'appartient ni à la Cour ni à la légende, même si le projet hagiographique n'est pas exclu, ils manifestent une petite révolution littéraire et morale. La justification de rigueur, mais assez laborieuse, qu'en donne Grégoire lui-même dans l'exorde du *Discours* 8 le prouve[2].

Il appartient, semble-t-il, aux auteurs chrétiens du IVe siècle de développer ce genre de l'éloge funèbre, si peu appliqué avant eux aux individus et encore moins aux proches[3] et spécialement aux femmes, comme le laisse supposer la rareté des documents qui nous restent, et qui nous paraissent d'autant plus précieux, telle la célèbre *laudatio* d'une matrone romaine par son mari[4] ; on connaît

1. Il se plaint cependant, à la fin du *D.* 8 (chap. 24), d'avoir eu à faire les discours funèbres de son frère et de sa sœur (ἀδελφῶν ἐπιτάφιος). Le discours d'éloge a traditionnellement une fonction éthique ; voir à ce sujet L. PERNOT, « Les *topoi* de l'Éloge chez Ménandre le Rhéteur », *REG* 99, 1986, p. 33-53 ; ID., *Rhétorique de l'éloge,* p. 134-178 (« L'éloge des personnes »).

2. *D.* 8, 1 ; cf. le début de l'éloge que Julien écrivit en l'honneur de l'impératrice Eusébie (voir *infra,* p. 61), où se trouve justifié l'éloge d'une femme.

3. On connaît les éloges funèbres individuels d'AELIUS ARISTIDE (*Or.* 31, 32), qui sont les rares témoins de ce genre avant le IVe siècle. Sur le développement de l'oraison funèbre individuelle chez les Grecs de l'époque impériale, voir PERNOT, *Rhétorique de l'éloge,* p. 78-79.

4. *Éloge funèbre d'une matrone romaine (Éloge dit de Turia),* texte établi, traduit et commenté par M. Durry (*CUF*), Paris 1950. MÉNANDRE

par exemple l'éloge de Satyrus par son frère Ambroise, celui de Basile par son frère Grégoire de Nysse. Si ce dernier a laissé quant à lui une *Vie* de sa sœur Macrine, apparentée par bien des points à l'éloge de Gorgonie, cette œuvre n'est pas un discours, et les seuls discours d'éloge qu'il dédia à des femmes concernent la princesse Pulchérie et l'impératrice Flacilla [1].

On devine donc l'intérêt de tels textes, et en particulier leur valeur documentaire, mais on ne saurait oublier que Grégoire se veut avant tout un pédagogue et que son œuvre oratoire a pour fil directeur la défense et l'enseignement de la « philosophie ». Même si ces deux éloges semblent particulièrement témoigner d'un profond et touchant amour fraternel, les deux personnages qu'ils présentent, deux chrétiens élevés dans la foi, l'un médecin célibataire proche du pouvoir, l'autre, une « femme du monde » mariée et mère de famille, sont d'abord des modèles. Ils nous parlent certes de leur époque et de leur monde, mais surtout de leur vie exemplaire ou de la vie exemplaire, idéale, que Grégoire entend proposer grâce à leur portrait, parfois *a contrario*, quand il s'agit de Césaire notamment. Si on peut déceler un projet hagiographique, ou, au moins, édificateur, dans ces récits, il semble beaucoup plus dans la ligne des *Vies* des philo-

(II, 436, 24-26) admet qu'un mari puisse prononcer une monodie en l'honneur de son épouse défunte.

1. AMBROISE, *Oraisons funèbres* de Satyrus (*CSEL* 73, p. 209-325) ; GRÉGOIRE DE NYSSE, *Oraison funèbre* de Basile (*PG* 46, 788 C- 817 D), mais aussi de Mélèce, de la princesse Pulchérie, de l'impératrice Flacilla (*GNO* 9, éd. A. Spira, p. 343-490) ; *Vie de Macrine, SC* 178 (sur le genre littéraire de cette *Vie*, voir l'Introd. de P. MARAVAL, p. 21-34). L'aspect rhétorique de l'œuvre de Grégoire de Nysse a été étudié par L. MÉRIDIER, *Influence de la seconde sophistique sur l'œuvre de Grégoire de Nysse*, Paris 1906.

sophes antiques que dans celles des martyrs ou des saints thaumaturges [1].

Au service de ce projet édificateur, Grégoire met bien sûr tout son savoir rhétorique, et l'un et l'autre discours, quoique différemment, utilisent les règles des rhéteurs concernant les éloges, telles que la seconde sophistique les a exposées [2] et telles qu'elles étaient encore enseignées par les grands rhéteurs du IVe siècle : Thémistios, Himérios ou Libanios, eux-mêmes auteurs d'éloges funèbres individuels [3]. Les règles intéressent principalement l'utilisation des *topoi*, et cette « topique encomiastique suggère à la fois des idées et un plan [4] ».

1. Sur les règles du panégyrique des martyrs, voir H. DELEHAYE, *Les passions des martyrs et les genres littéraires* (*Subsidia Hagiographica*, 13 B), Bruxelles 1966 [2]. Pour la définition du « discours hagiographique », voir l'article essentiel de M. VAN UITFANGHE, « L'hagiographie : un "genre" chrétien ou antique tardif », *Analecta Bollandiana*, 111, 1993, p. 135-188.

2. On les trouve principalement dans MÉNANDRE : *Menander Rhetor*, ed. with translation and commentary by D. A. Russell and N. G. Wilson, Oxford 1981 : *The funeral speech*, « Περὶ ἐπιταφίου » p. 170-178 ; commentary, p. 331-336 ; *Rhetores graeci*, ed. Spengel, Leipzig 1853-1856, p. 418 ; cf. THÉON, *Progymnastica* 8, Spengel, p. 109-112 ; PS.-DENYS D'HALICARNASSE, « Τέχνη », 5. Sur la théorie de Ménandre, voir L. PERNOT, « Les *topoi* de l'éloge chez Ménandros le Rhéteur », p. 33-53. Sur les discours funèbres de Grégoire de Nazianze et leur lien avec la théorie des rhéteurs, voir X. HÜRTH, *De Gregorii Nazianzeni orationibus funebribus*, Strasbourg 1907 (*D.* 7, p. 33-46 ; *D.* 8, p. 46-47) ; F. BOULENGER, *Discours funèbres*, p. IX-XLII.

3. HIMÉRIOS, *Or.* 8 ; LIBANIOS, *Or.* 17, 18 ; THÉMISTIOS, *Or.* 20. A propos de l'enseignement de la rhétorique, voir H. I. MARROU, *Histoire de l'éducation dans l'antiquité*, Paris 1948, p. 273-275 ; 531, n. 27 ; 555, n. 37.

4. PERNOT, *Rhétorique de l'éloge*, p. 131 ; voir « L'éloge des personnes », p. 134-178. Schéma succinct de l'ἐπιτάφιος : Exorde. Éloge développant des lieux communs (race, naissance, qualités naturelles, éducation, instruction, mœurs, actions, dons de la fortune, comparaisons). Consolation. Prières aux dieux.

II. L'ÉLOGE DE CÉSAIRE

Le *Discours* 7, éloge funèbre de Césaire, est l'un des discours les plus connus de Grégoire de Nazianze et celui qui semble avoir eu la fortune «pédagogique» la plus grande. Les éditions séparées de ce discours, assez nombreuses en effet[1], étaient destinées pour certaines, avec ou sans traduction, aux élèves des classes de grec. Quelle est la raison de ce succès? J. Genouille écrit, dans le sommaire de son édition de 1857 : «Un frère pleurant un frère, un fils consolant deux vieillards, déjà couchés vers la tombe, tel est le sujet de ce discours. Ce ne sont plus les funérailles de l'ancienne Grèce... Déjà le christianisme, né de la veille, a singulièremment agrandi l'oraison funèbre.» Ce discours paraît donc tout à fait à sa place dans des collections de classiques grecs, et on peut dire que Grégoire de Nazianze a été quelque temps un «auteur du programme».

Les éditeurs et traducteurs de ce discours ont bien compris la place importante de son auteur dans l'histoire de ce genre littéraire. Si l'on ne peut en effet oublier

1. *Gregorii Nazianzeni in Caesarium fratrem oratio funebris*, par L. de Sinner, Paris 1836; *Oraison funèbre de Césaire*, trad. par E. Lefranc, Paris 1851; par P. Allain, Paris 1855; *S. P. N. Gregorii Theologi in Caesarium fratrem oratio funebris*, Mechliniae 1856; *Oraison funèbre de Césaire*, édition classique avec sommaire et notes par J. Genouille, 1857 (rééd. 1881); *Éloge funèbre de Césaire*, édition classique... par E. Sommer, 1853 (plusieurs rééd.); *Éloge funèbre de Césaire*, texte grec avec analyse et notes par Quentier, Paris 1880; Grégoire de Nazianze. *Discours funèbre en l'honneur de son frère Césaire et de Basile de Césarée*, par F. Boulenger, Paris 1908. On peut citer encore la traduction italienne de P. Gazzola (avec le *D.* 43), Asti 1913; la traduction en flamand de C. Noppen : «Lofrede van Caesarius door S. Gregorius van Nazianze», *Nova et Vetera*, 1934, p. 236-254 et 530-542. La traduction en anglais des *D.* 7, 8 et 43 a été donnée par L. P. Mac Cauley, *Funeral Orations* (Fathers of the Church, 22) New York 1953 (*D.* 7, p. 3-156). La liste n'est certainement pas exhaustive.

ses maîtres en étudiant cet aspect de son œuvre, on ne saurait oublier non plus quel maître il a pu être lui-même pour les orateurs chrétiens qui en ont poursuivi la tradition, tel, bien sûr, Bossuet[1]. Et si le récit de la vie de Césaire semble avoir eu plus de succès que celui de sa sœur Gorgonie, c'est que le frère de Grégoire, de même que les grands de ce monde loués par Bossuet, est plus près des héros profanes que des saints. Césaire en effet n'a rien que d'humain. Il a choisi de faire carrière, et sa conduite n'est pas toujours idéale, du moins aux yeux de son frère, et même si Grégoire sait bien mettre en valeur ce qu'il y a de chrétien dans ses divers choix. Il a des faiblesses. Gorgonie, au contraire, est plus déterminée et bien plus qu'humaine ; sa « sainteté » est en quelque sorte originelle. Celle de Césaire est, si l'on veut, acquise, ou conquise, malgré le choix du « monde » ou, par l'intermédiaire de ce choix, grâce à la fidélité constante à la « philosophie ».

Circonstances et date

On peut dater assez exactement le *Discours* 7, puisqu'il est prononcé lors des funérailles de Césaire avant son inhumation dans le tombeau familial, à Nazianze[2], devant un public composé probablement de chrétiens et de païens[3]. Nous savons qu'il est mort, baptisé, peu après

1. Voir, sur l'influence du *D.* 8 par ex., Marie-Ange CALVET, « Un avatar de Gorgonie : Grégoire de Nazianze et Bossuet », *II Symposium Nazianzenum*, Louvain-la-Neuve, 25-28 août 1981 (Studien zur Geschichte des Altertums. 2 Reihe. 2. Band), Paderborn 1983, p. 47-52.

2. Chap. 15 : « cendre précieuse, mort célébré, accompagné d'une succession d'hymnes, porté en procession jusqu'au sanctuaire des martyrs » ; chap. 24 : « ce tombeau qui est le vôtre ».

3. Si l'on en juge par les allusions mêmes du discours (chap. 1, 2) concernant le public ; voir BERNARDI, *Prédication*, p. 111-112.

le tremblement de terre de Nicée, daté du 11 octobre 368[1].

Contenu du discours

On retrouve dans ce discours, qui se présente comme un récit chronologique, les principales divisions de l'*épitaphios* tel que le définissent les rhéteurs[2] :

Exorde (προοίμιον, chap. 1). Éloge, avec les τόποι suivants : γένος (chap. 2-4); φύσις (chap. 5); ἀνατροφή, παιδεία (chap. 6-7); ἐπιτηδεύματα, πράξεις (chap. 8-14); θάνατος, ἐκφορά (chap. 15); προσφώνησις (chap. 16-17). Consolation : παραμυθία (chap. 18-21); συμβουλή (chap. 21-23). Ἐπίλογος, εὐχή.

Dans l'exorde (chap. 1), assez court et très dense, Grégoire se présente clairement comme un orateur de talent qui a fait le choix personnel et, à première vue, opposé, de la « philosophie », sans doute une façon d'exposer l'un des thèmes traditionnels de l'exorde : la difficulté de la tâche. Peut-être restera-t-il prisonnier des précautions oratoires du début : il doit la louange, il doit les larmes à son frère mort, qu'il considère dès les premiers mots du discours comme un « juste », développant ainsi d'autres thèmes traditionnels de l'exorde : la nécessité et l'exposé des raisons de parler. Il doit surtout, lui qui a choisi la « philosophie », l'enseigner et montrer l'exemple. On remarquera qu'il intervient constamment au cours de ce discours qui contient les éléments essentiels de son propre éloge ! Le plan

1. HÜRTH, p. 33-36; GALLAY, *Vie*, p. 90; BERNARDI, *Prédication*, p. 108, propose une date entre le 11 octobre 368 et le 12 avril 369, date de Pâques; cf. *infra*, p. 50, n. 1.

2. BOULENGER, *Discours funèbres*, p. XI-XXIX l'a déjà fort bien démontré; cf. MÉRIDIER, *L'influence de la seconde sophistique sur l'œuvre de Grégoire de Nysse*, chap. XV : « Les discours d'éloge et de consolation », p. 225-274.

(πρόθεσις) est clairement annoncé et Grégoire s'y tiendra : « Nous nous acquitterons suffisamment de notre devoir envers les règles du genre par nos larmes et nos témoignages d'admiration... Après cela, nous montrerons alors la faiblesse de la nature humaine, nous rappellerons la dignité de l'âme et nous ferons passer la chagrin, de la chair et de ce qui est temporaire, à ce qui est spirituel et éternel[1]. » Après avoir capté la bienveillance de l'auditoire et préparé celui-ci à mieux suivre l'éloge, Grégoire peut passer à l'exposé des *topoi*.

La louange (chap. 2-15)

Césaire est d'abord un bon *fils*, qui a recueilli l'héritage principal transmis par ses parents : la vertu (ἀρετή) et, spécialement, la piété (εὐσέβεια). Il les doit à son père certes (chap. 3), à sa mère aussi, et au couple qu'ils forment (chap. 4)[2].

Cette disposition lui permettra d'être un *étudiant* excellent (παιδεία), que son intelligence, sa rapidité, son amour du travail rendront célèbre à Alexandrie, où il poursuit ses études, qualités que Grégoire exposera après la prétérition du *topos* de la beauté (chap. 6-7). Mais surtout, tous ses choix sont ceux du chrétien qu'il est fondamentalement : il prend pour amis les plus vertueux, il n'étudie dans les sciences que ce qui est utile et non contraire à la foi chrétienne.

Un fait extraordinaire (chap. 8) clôt le chapitre des études, premier signe de récompense : la rencontre des deux frères à Constantinople et leur retour à Nazianze, conformément au vœu de leur mère.

1. Chap. 1.
2. Ce *topos* (γένος) comprend lui-même exorde (chap. 2) et péroraison (début chap. 5); voir PERNOT, *Rhétorique de l'éloge*, « Corps du discours », p. 306.

Les actions (πράξεις) de *l'homme public*, du médecin célèbre sont gouvernées par cette foi, qui est cachée, car elle ne semble pas compatible avec l'ambition montrée par Césaire (chap. 9-10). Grégoire justifie alors cette ambition pour mieux mettre en valeur son choix de vie personnel. Il insiste en effet de façon assez appuyée sur la divergence de leurs voies. Comme l'étudiant, le médecin montrera cependant que ses actions sont guidées par sa foi et le sentiment de la vraie noblesse. Sa conduite est animée par la φιλανθρωπία, la παρρησία, la défense de la vérité. Grégoire donne alors l'exemple fort d'une action caractéristique (chap. 11-14) : la résistance à une tentative de séduction de la part de l'empereur Julien. Cet événement spectaculaire semble bien être un jalon sur le chemin de la véritable conversion.

Un deuxième événement spectaculaire (chap. 15), son salut inespéré lors du tremblement de terre de Nicée, est un autre signe, qui permet à un homme arrivé presque au faîte des honneurs de faire le choix définitif que son frère avait souhaité pour lui dès la fin de ses études; Grégoire insiste alors sur son rôle personnel et primordial. C'est ce sursaut avant la mort qui est important, la décision de vivre une autre vie et le choix du baptême. Ainsi la carrière de Césaire devient-elle véritablement une carrière chrétienne, et elle se lit d'une autre façon.

Grégoire peut alors en toute sérénité interpeller (προσφώνησις) [1] le mort (chap. 16-17), puis se tourner vers l'assistance, probablement mêlée; et la dernière partie du discours contenant la consolation (παραμυθία, chap. 18-21), et l'exhortation (συμβουλή, chap. 21-23) est essen-

1. Une succession de «formules d'allocution» (voir PERNOT, *ibid.*, p. 307), de l'interpellation de Césaire à celle de Dieu, scande cette dernière partie du discours : «ô divine et sainte tête» (Césaire), «chères têtes blanches» (parents), «frères» (le reste de l'auditoire).

tiellement consacrée, avec des touches platoniciennes, au parallèle entre la vie terrestre (avec un développement sur les vanités, qui pourrait être d'un rhéteur païen) et la vie céleste. Il est ici le pédagogue, et même celui de ses parents. Son exhortation invite au choix spirituel et à l'espérance.

Il importe principalement de se préparer à la mort : c'est le sens de la péroraison, sous forme de prière (εὐχή) adressée au Christ (chap. 24)

Les éléments essentiels du propre éloge de Grégoire sont contenus dans ce discours, comme en filigrane, car il est l'artisan de la perfection de Césaire : il est toujours présent au moment des choix décisifs de son frère pour indiquer la voie ; s'il n'est pas toujours écouté, il est finalement suivi. Il a été l'instigateur de ses meilleurs choix, de ceux qui correspondent le mieux aux vœux de leurs parents. Mais, surtout, lui-même a fait le choix par excellence.

Il faut noter que tous les ingrédients habituels de l'éloge traditionnel sont là, mais comme des thèmes à traiter de façon paradoxale, aspect primordial de l'éloge chrétien. Ainsi l'héritage est-il spirituel, la beauté tout intérieure, ainsi la gloire se trouve-t-elle dans la disgrâce même, et les actions vertueuses sont-elles plus dignes de louanges que celles qui montrent l'exercice de la science ou du pouvoir. Et la consolation vient à point pour exalter la vraie noblesse, la vraie beauté par un exercice sur la vanité des choses humaines. Philosophe sur la terre durant sa courte vie, Césaire, purifié, a gagné sa place « là-bas », dans la lumière des bienheureux si souvent évoquée par Grégoire de Nazianze.

Vie de Césaire

Seuls Grégoire de Nazianze et Basile de Césarée apportent des témoignages sur Césaire, qui fut, selon son frère, médecin réputé et proche des empereurs[1].

Frère de Grégoire et de Gorgonie, Césaire est le plus jeune enfant de Grégoire l'Ancien, évêque de Nazianze, et de Nonna[2]. Il naît vers 329-330 dans le domaine familial d'Arianze. Grégoire et Césaire commencent ensemble leurs études en Cappadoce : à Nazianze avec le pédagogue Cartérios, et sans doute à Césarée[3]. Puis les deux frères se séparent; tandis que Grégoire continue ses études à Césarée de Palestine, puis à Alexandrie et à Athènes, Césaire s'installe à Alexandrie où il étudie surtout la géométrie, l'astronomie, les mathématiques et la médecine[4].

Devenu médecin, Césaire acquiert, selon Grégoire, une grande célébrité à Constantinople[5], où il retrouve « miraculeusement » à son arrivée son frère Grégoire, qui vient d'Athènes. Les deux frères ont probablement été accueillis dans cette ville par leur cousine germaine Théodosie, sœur d'Amphiloque, évêque d'Iconium, qui était entrée

1. Sources : outre ce *Discours* 7, les *Lettres* 7 et 20 (à Césaire); 29 (à Sophronios); 30 et 80 (à Philagrios); *Poèmes* II, I, 1, v. 165-193 et 217-224; II, I, 43, v. 6 (col. 1347); II, I, 90, v. 1; II, I, 91, v. 3-4; *De vita sua*, v. 368-374; *Épigr.* 8, 77, 78, 85-100; BASILE DE CÉSARÉE *Lettres* 26 (à Césaire), 32 (à Sophronios); voir aussi PHOTIUS, *Bibl. cod.* 120. Sur Césaire, voir O. SEECK, « Caesarius 3 », *RE* 3, 1, 1897, 1298-1300; GALLAY, *Vie*, p. 89-92; *PLRE* I, *s.v.* « Caesarius 2 », p. 169-170 (et « Caesarius 3 »?); HAUSER-MEURY, *Prosopographie*, p. 48-50; COULIE, *Richesses*, p. 139-147.

2. *Épigr.* 77, 87, 95.

3. *D.* 7, 6; voir GALLAY, *Vie*, p. 31-32.

4. *D.* 7, 6-7; *Épigr.* 91, 92, 100; cf. *D.* 7, 20; *Épigr.* 91, 92, 98, textes qui rappellent la culture étendue de Césaire. Sur le passage de Césaire à Alexandrie, voir GALLAY, *Vie*, p. 33-35. Au sujet de la formation des chrétiens, voir MARROU, *Histoire de l'éducation dans l'antiquité*, chap. IX; JAEGER, *Early Christianity and Greek Paideia*, Oxford-London-New York 1961.

5. *D.* 7, 8; *Épigr.* 93, 94.

par son mariage dans une grande famille de Constantinople. On peut imaginer qu'elle a joué un rôle important dans la promotion de Césaire, comme elle l'a fait pour Grégoire lorsqu'il revint dans cette ville en 378-379[1]. On offre au jeune médecin une place au Sénat[2], un riche mariage, des honneurs publics (δημοσίαι τιμαί), et une ambassade est envoyée auprès de Constance II, alors en Occident (d'octobre 357 à mai 359), pour inciter l'empereur à faire de Césaire un médecin officiel[3] et un citoyen de Constantinople.

Mais, pour répondre à un souhait de leurs parents[4], les deux frères rentrent ensemble à Nazianze, où Grégoire devient prêtre (avant Pâques 362). Césaire cependant y reste juste le temps de « montrer son art »[5], car il retourne rapidement à Constantinople, où il est médecin à la Cour[6], sans doute sénateur et ami de l'empereur Constance II. Grégoire souligne qu'il soigne alors gratuitement les fonctionnaires[7].

1. A propos du rôle de Théodosie dans la vie de Grégoire, voir J. BERNARDI, « Nouvelles perspectives sur la famille de Grégoire de Nazianze », *Vigiliae Christianae* 38, 1984, p. 352-359.

2. Vers 358-359, au temps du recrutement par le rhéteur philosophe Thémistios, qui avait été chargé par Constance II de porter le Sénat de 300 à 2000 membres et d'attirer des philosophes, des poètes, des rhéteurs etc. A ce sujet, voir G. DAGRON, *Naissance d'une capitale* (Bibliothèque Byzantine, Études, 7), Paris 1974, p. 133-134.

3. Pour COULIE, *Richesses*, p. 145, Césaire aurait été à ce moment-là archiatre de la ville ; sur la fonction d'archiatre dans l'antiquité tardive, voir V. NUTTON, « Archiatri and the Medical Profession in Antiquity », *Papers of the British School at Rome*, 45, 1977, p. 191-226.

4. Chap. 8-9.

5. Chap. 9.

6. Chap. 9-10 ; *Épigr.* 86, 95, 96, 97. Hypothèses sur sa carrière : HAUSER-MEURY, *Prosopographie*, p. 49 ; *PLRE*, p. 1013 ; COULIE, *Richesses*, p. 143-147 (arguments concernant la fonction d'*archiater Sacri Palatii*, p. 145-146).

7. Chap. 10. Voir COULIE, *Richesses*, p. 142 et n. 157, p. 146-147 (cette gratuité fait partie de la législation).

Resté à la Cour à l'avènement de Julien[1] malgré les injonctions de son frère, qui lui envoie à ce moment une lettre lourde de reproches[2], il est rapidement victime de la politique antichrétienne de l'empereur. Grégoire rapporte que son frère fut provoqué à une discussion publique, en sortit gagnant, mais fut aussitôt chassé et rentra à Nazianze[3]. Il retrouve cependant sa faveur après la mort de Julien (survenue le 26 juin 363)[4], auprès de Jovien, qu'il a peut-être rejoint à Antioche (ce dernier meurt le 17 février 364, en voyage d'Antioche à Constantinople), puis de Valens, en exerçant la médecine ou en assumant d'autres charges officielles. On connaît par Grégoire la dernière fonction qu'il occupa, non pas à Constantinople, mais à Nicée, en Bithynie, où Valens lui avait confié « une charge qui n'était pas sans importance : il s'agissait de percevoir l'argent pour l'empereur et d'exercer la surveillance des trésors[5] ».

1. Constance meurt le 3 novembre 361. Julien reste à Constantinople de décembre 361 à mai 362, puis séjourne à Antioche jusqu'en mars 363. Son médecin personnel était alors Oribase (325-403), qui avait fait, comme Césaire, son contemporain, ses études à Alexandrie, et qui devint ensuite le médecin de Valens et de Valentinien. Il est connu pour avoir laissé une importante encyclopédie.

2. Chap. 7, 10-11 ; la *Lettre* 7 exprime les inquiétudes de Grégoire et de sa famille devant la détermination de Césaire de rester auprès de Julien, l'empereur apostat : « Maintenant, un fils d'évêque fait une carrière publique, maintenant, il aspire à la puissance du dehors et à la gloire, mais il est vaincu par des richesses. » (trad. Coulie, *Richesses*, p. 140).

3. Chap. 7, 11-13.

4. Chap. 11.

5. Chap. 15 ; cf. *Poèmes* II, I, 11, v. 370 : ταμείων πίστις. Il s'agit donc d'une charge financière, soit de *comes thesaurorum*, soit de *rationalis rerum privatarum*. Hypothèses sur cette charge : HAUSER-MEURY, *Prosopographie*, p. 49, n. 63 ; JONES, *The later Roman Empire (284-602)*, Oxford 1964, p. 387, 428 ; plus récemment, R. DELMAIRE, *Largesses sacrées et Res privatae. L'aerarium impérial et son administration du IVe au VIe siècle* (Collection de l'École Française de Rome, 121), Rome 1989, p. 178-189 (*Rationales et Comtes diocésains*), spécialement p. 186-187, et 271,

C'est dans cette ville qu'il échappe miraculeusement, avec quelques blessures, le 11 octobre 368, à un tremblement de terre important[1]. Mais il perd une grande partie de ses biens[2]. Grégoire saisit cette occasion pour renouveler, dans une lettre, ses exhortations tout en le félicitant; Césaire répond alors à son frère qu'il songe à quitter «le monde» et, dans le même temps, Basile lui conseille de servir Dieu comme un homme ressuscité[3]. Mais il ne survit pas longtemps, semble-t-il, et meurt de maladie des suites de ses blessures, peut-être à Nicée, après avoir reçu le baptême[4] fin 368-début 369, ne laissant ni femme ni enfants[5]. Son corps est ramené à Nazianze, où Grégoire prononce son éloge le jour de ses funérailles avant son inhumation dans le tombeau familial près des martyrs.

Césaire avait laissé ses biens aux pauvres, mais il resta peu de chose quand les créanciers eurent réclamé leur dû[6]. Aussi Grégoire se défendit-il, aidé en cela par

n. 65 : pour l'auteur, Césaire est *comte diocésain*, et non pas *rationalis*, «à cause de la mention des trésors»; il ne peut être simple *praepositus* (opinion de Jones), puisqu'il occupait un rang supérieur auparavant (archiatre au palais).

1. Chap. 15; cf. *Poèmes* II, I, 1, v. 175; *Épigr.* 94; Basile, *Lettre* 26. Ce tremblement de terre est mentionné par Sozomène, *HE* VI, 10, 2 (*GCS*, 1960, p. 249); Socrate, *HE* IV, 11 (*PG* 67, col. 481 B); *Chronicon Paschale* (*PG* 92, 757). Un autre séisme avait eu lieu à Nicée en 362; voir Ammien Marcellin, *Histoire*, XXII, 13, 5.

2. *De vita sua*, v. 172-173.

3. *Lettre* 20 de Grégoire (à laquelle il fait allusion *D.* 7, 15); Basile, *Lettre* 26.

4. *De vita sua*, v. 368- 371; *Épigr.* 94 : «Une cruelle maladie t'a privé de la vie.»

5. Chap. 20.

6. Chap. 20; *Testament*, *PG* 37, col. 392-393; cf. *Lettre* 29; *Poèmes* II, I, 1, v. 165-229 (col. 982-987); II, I, 92, v. 8 (col. 1447); *De vita sua*, v. 365-385; Basile, *Lettres* 32 et 33 (de 372), commentées par Pouchet, *Basile le Grand*, p. 306-308. Sur l'héritage de Césaire, voir Coulie, *Richesses*, p. 73-74.

Basile[1]. Et le procès entraîné par cette succession semble durer encore en 372[2].

On lui a attribué à tort quatre Dialogues sur la foi[3].

Reconnu comme saint, Césaire est vénéré dans l'Église grecque à la date du 9 mars, dans l'Église latine à celle du 25 février[4].

Un "philosophe"

Comment vivre chrétiennement cette vie que Grégoire qualifie de «seconde (δεύτερος)»: voilà bien le thème principal de ce discours. Déjà Grégoire se pose sans cesse pour lui-même la question de savoir s'il peut rester «philosophe» en acceptant des responsabilités ecclésiastiques; comment l'être en choisissant, comme Césaire, de faire carrière dans le «monde». Et pourtant: «Voilà le philosophe qu'était Césaire, même en chlanide[5].»

En acceptant les honneurs, en acceptant la familiarité avec les empereurs, comment peut-il rester ce philosophe? Car il l'est naturellement, selon Grégoire (chap. 15), c'est-à-dire que, tel le philosophe antique, il ne saurait se compromettre dans les affaires publiques, «comme le soleil se cache derrière un nuage (chap. 15)». Et comment peut-il rester chrétien?

1. Basile, *Lettres* 32, 33. Voir Gallay, *Vie*, p. 91.

2. Bernardi, *Prédication*, p. 109.

3. *Dialogi IV seu quaestiones et responsiones* (*PG* 38, 851-1190); éd. R. Riedinger: Pseudo-Kaisarios, *Die Erotapokriseis* (*GCS*), Berlin 1989). Voir P. Duprey, «Quand furent composés les Dialogues attribués à Césaire de Nazianze?», *POC*, V, 1955, p. 14-30 et 297-315. L'auteur conclut, avec de bons arguments, que cette œuvre mise sous le nom du «très sage Césaire, frère de Grégoire le Théologien» a été composée dans la première moitié du VIe siècle. Cf. *D.* 7, 12.

4. *Vie des Saints et des Bienheureux*, t. 2, 1936, p. 525-526; *Bibliotheca Sanctorum*, t. 3, 1963, col. 1152.

5. Chap. 11.

L'attitude du philosophe

Césaire n'a pas privilégié, comme Grégoire, le renoncement au monde, mais il a exercé sa profession, qui le mettait au premier plan, avec beaucoup de modestie, de rigueur, de simplicité et de «philanthropie» (Grégoire peut le comparer alors à Cratès, c'est-à-dire à un philosophe païen[1]). Il a privilégié la vertu (depuis l'époque où il était étudiant), il a méprisé le luxe (chap. 16).

Les choix du chrétien

Ce choix fondamental correspond au vœu des parents (chap. 4), et sa vertu est leur héritage (chap. 5). Dans un passage parallèle (chap.12) au chap. 4, Grégoire montre que son frère est et reste chrétien malgré la tentative de séduction de Julien. Et c'est de cela finalement qu'il tiendra son renom, comme le démontre cet épisode charnière de la rencontre avec l'empereur, où Césaire se présente abrité par le signe du Christ, tel un athlète, c'est-à-dire dans la disposition d'esprit d'un martyr. Mais jusqu'à ce moment-là, il s'agit surtout d'une attitude sociale. Il n'a pas encore «changé de service (chap. 15)». Alors qu'il n'est certes pas arrivé au faîte des honneurs, un accident survient, un «ébranlement» (le tremblement de terre de Nicée) et la «conversion» se produit, avec l'aide de Grégoire et de son ami Basile.

Alors l'orateur pourra plus aisément, lors de sa consolation, traiter des «vanités». Il a donné à la gloire mondaine de Césaire le tribut d'éloges que le genre oratoire demandait et que l'amour fraternel ne répugnait pas à mettre en avant.

1. Chap. 10. «On se demande, dit F. BOULENGER, s'il est permis de reconnaître dans la très brève allusion faite à Hippocrate et à Cratès la σύγκρισις qui était de règle dans les ἐπιτάφιοι» (*Discours funèbres*, p. XXIX).

Un enseignement

S'il ne choisit pas la vie réservée aux élus (l'ascétisme), et s'il projette de faire carrière dans les affaires publiques, tout homme élevé dans la foi chrétienne doit la laisser transparaître dans sa vie. Il a le devoir de résister aux facilités, aux honneurs, aux richesses, au pouvoir qu'on lui propose, puisque « tout est vanité ». Grégoire a trouvé en Césaire un bon exemple, car malgré ses qualités naturelles et celles qu'il doit à son éducation, il est homme, avec ses faiblesses, il est ambitieux et a la tentation de céder. Même si nous ne croyons pas toujours Grégoire quand il dit que son frère résista aux attraits du monde puisqu'il lui arriva, dit-il, de le rappeler à l'ordre, nous voulons bien voir en lui un bon exemple de ce que doit être un chrétien dans le monde.

Mais il ne suffit pas de se montrer « philosophe » pour être un héros ou un saint, il faut être, grâce à la « philosophie » sans doute, plus qu'un homme, avoir approché Dieu, s'être converti, choisir enfin la *première* des vies, se dévoiler dans une autre carrière. Césaire n'a eu que le temps de l'entamer sur la terre, et la vraie vie commence au mileu du chœur des anges, dans la lumière[1].

III. L'ÉLOGE DE GORGONIE

Le discours d'éloge que Grégoire écrivit en l'honneur de Gorgonie[2], au contraire de celui de Césaire, ne semble pas avoir connu, jusqu'à nos jours, une grande noto-

1. Voir J. MOSSAY, *La mort et l'au-delà*, spécialement chap. V : « L'âme et la lumière », p. 110-168.

2. Cet éloge est très appuyé, comme en témoigne le choix du vocabulaire (voir *D.* 8, 1, n. 1).

riété[1]. Après Macrine, sœur de Grégoire de Nysse, Gorgonie sort quelque peu de l'oubli actuellement à l'occasion des nombreux travaux, le plus souvent historiques, consacrés à la femme dans l'antiquité et, plus spécialement, à la femme chrétienne. Il nous a semblé intéressant, après une courte présentation du discours lui-même et de ce que nous savons du personnage de Gorgonie, de montrer un peu plus longuement ce qui pouvait justifier l'éloge d'une femme[2].

Circonstances

On suppose généralement que l'éloge de Gorgonie, au contraire de celui de Césaire, n'a pas été prononcé lors de ses funérailles, mais plutôt à une date commémorative (peut-être le premier anniversaire de sa mort, qui se situe *ca* 370)[3]. Il ne comporte ni lamentation, ni prétérition de lamentation, comme le *Discours* 7, ni évocation, même rapide, des funérailles, ni consolation[4]. Ce discours vise plus particulièrement que le précédent à l'édification, et le dessein est ici nettement hagiographique. Il ne s'agit pas pour Grégoire de raconter la vie de sa sœur, son déroulement dans un milieu donné, sa chronologie... Césaire avait bien acquis l'excellence dans les vertus et dans les actions, mais c'étaient des vertus et des actions

1. On peut citer, en français, la traduction de France Quéré-Jaulmes, *La femme. Les grands textes des Pères de l'Église*, Paris 1968, p. 219-237; en anglais, celle de L. P. Mac Cauley, *Funeral Orations* (Fathers of the Church, 22), New York 1953 (*D.* 8, p. 101-118).

2. *Infra*, p. 61-82 : «L'éloge d'une femme».

3. BERNARDI, *Prédication*, p. 110-111.

4. Le *D.* 43, éloge de Basile, n'en comporte pas non plus. Les trois récits de la fin du *D.* 8 (des θαύματα) font cependant office de consolation, comme le suggère Grégoire lui-même, disant que ces récits doivent être révélés «non seulement pour la gloire de Dieu, mais aussi pour la *consolation* de ceux qui sont dans les tribulations (chap. 16)»

qui se déployaient « dans le monde ». Gorgonie, elle, n'est déjà plus sur la terre. C'est pourquoi les *topoi* habituels sont encore plus détournés que dans le discours précédent. Ici encore, le prédicateur montre le caractère dérisoire de la vie terrestre qui ne vaut que parce qu'elle est dépassée (par la chasteté, l'ascèse, l'abandon des titres de gloire) et par ce qui est extraordinaire, de l'ordre du miracle (θαῦμα).

Contenu du discours

L'exorde, beaucoup moins concis que celui du *Discours* 7, est une longue justification (chap. 1-3) de l'éloge des proches[1], avec annonce, non pas du plan, mais du projet. Ce sera en effet un éloge spécifiquement chrétien : la façon dont sont traités tous les *topoi* de l'ἐγκώμιον le démontrera. L'orateur rappelle la vraie beauté de Gorgonie (chap. 3) et sa race (chap. 4-5), et le développement de ce *topos* donne lieu à une longue comparaison de ses parents, modèles d'εὐσέϐεια, comme ils l'ont été pour Césaire[2], avec Abraham et Sarah. C'est d'eux qu'elle tient sa vraie noblesse (εὐγένεια), ainsi que de sa véritable patrie, qui est la « Jérusalem d'en haut » (chap. 6-7). Puis vient une longue énumération de ses vertus (chap. 8-15), qui sont celles de la femme idéale, telle que les *Proverbes* la décrivent. La plus belle et celle qui est l'élément principal de toutes les autres est la σωφροσύνη, que ce mot désigne spécifiquement la chasteté ou, plus généralement, la réserve. C'est ici (chap. 8) que se place un développement connu sur le mariage et le célibat, un des passages les plus forts de ce discours :

1. On notera que Grégoire ne se défend pas de louer une femme ; il justifie seulement l'éloge d'un membre de sa famille. Une caractéristiques des chap. 1-3 est qu'ils ne comportent aucune allusion biblique.
2. *D.* 7, 11.

Gorgonie a su heureusement unir ces deux états de vie. Elle possède, outre la chasteté, toutes les qualités que l'on peut exiger d'une femme chrétienne : la pudeur, la sagesse, la modestie, la piété, la générosité, le sens de l'hospitalité... Mais non seulement elle a dépassé la nature féminine, elle se montre aussi égale et même supérieure aux hommes jusque dans la « philosophie », au sens plus précisément ascétique de ce mot (chap. 13-14). Les actions (πράξεις) d'une telle femme ne peuvent que ressortir au miracle, jusqu'à sa mort, comme le montrent les trois *récits* caractéristiques donnés par Grégoire : un accident, une maladie (chap. 15-18), la mort (chap. 19-22), récits qui doivent montrer l'amitié de Dieu pour une telle âme (ce qui lui arrive est la récompense de sa foi), c'est-à-dire servir aussi de *consolation* (chap. 16). Dans son apostrophe finale, Grégoire suggère le bonheur qu'a trouvé sa sœur dans l'au-delà.

Si le *Discours* 7 se révèle comme un texte familial et même sentimental, malgré le projet édificateur de son auteur, le *Discours* 8 reste assez extérieur à Grégoire, bien qu'il le présente comme un élément de son enseignement. Il n'est aucunement question du chagrin d'avoir perdu Gorgonie, et sa sœur, ayant vécu loin de lui, lui a en quelque sorte échappé. Les événements de sa vie ne sont pas nombreux, son mari et ses enfants sont à peine évoqués. Grégoire n'intervient jamais dans cette vie, au contraire de ce qu'il fait avec Césaire, sauf à la fin, et de façon très extérieure.

Cette sobriété, qui pourrait être le fait d'un peintre d'icône, aide Grégoire à donner à sa sœur toutes les caractéristiques de la sainteté, car elle doit être un peu plus qu'un exemple édifiant. Cette sanctification, qui s'appuie pourtant sur les *topoi* de la rhétorique classique, fait évidemment de cet éloge un récit spécifiquement chrétien, et de Gorgonie le modèle par excellence de la femme chrétienne [1]. Mais Grégoire a-t-il voulu vraiment instaurer un culte en prononçant ce panégyrique?

Pour le P. Delehaye, Grégoire n'a pas voulu faire des saints de Césaire et Gorgonie. Les discours passèrent «avec le panégyrique de S. Cyprien et des XL martyrs, dans les recueils hagiographiques, et il s'établit une certaine égalité entre les héros célébrés avec une égale éloquence, mais nullement sur le même ton. Césaire et Gorgonie sont honorés dans l'Église grecque sans que l'on puisse produire pour légitimer ce culte autre chose que les paroles d'adieu tombées de la bouche de leur frère [2]». On peut objecter que, s'il n'a certes pas voulu instaurer un culte, Grégoire n'a pas désiré non plus laisser à la postérité de simples paroles d'adieu adressées à de chers disparus, c'est évident.

Gorgonie est vénérée le 23 février dans l'Église byzantine, qui en fait une simple mention. On trouve sa fête dans le Martyrologe romain à la date du 9 décembre [3].

Gorgonie

Sur Gorgonie, nous ne savons que ce que Grégoire veut bien nous en dire. Le *Discours* 8 est notre seule source, si l'on excepte quatre épigrammes de l'*Anthologie Palatine* et un vers des *Poèmes* [4]. Ces quelques éléments permettent cependant de présenter rapidement le personnage [5].

1. Cf. *infra*: «L'éloge d'une femme».

2. P. DELEHAYE, *Sanctus. Essai sur le culte des saints dans l'antiquité* (Subsidia Hagiographica, 17), Bruxelles 1927, p. 156.

3. *Vie des saints et des bienheureux*, t. 12, 1956, p. 292; *Bibliotheca Sanctorum*, t. 7, p. 121-122.

4. *D.* 8, *PG* 35, col. 789-817; *Poèmes* II, I, 90, v. 2 (*PG* 37, col. 1445); *Épigr.* 78, 101-103.

5. *DCB* 2, 699; HAUSER-MEURY, *Prosopographie*, «Gorgonia II», p. 87; *PLRE*, «Gorgonia 2», p. 318; D. GORCE, «Gorgonia», *DHGE*, 21, 1986, col. 762-765.

La plupart des auteurs s'accordent pour en faire l'aînée, venue tardivement, des enfants de Grégoire l'Ancien et de Nonna [1], en fondant leur argumentation sur un vers du *Poème sur sa vie* où il apparaît que Nonna désire un fils [2], ce qui laisserait supposer qu'elle avait déjà une fille. Mais il est aussi facile d'en déduire qu'elle n'avait, au moment de ce vœu, aucun enfant [3]. Un autre argument paraît plus convaincant, celui que l'on tire du *Discours* 8 lui-même ; à sa mort (avant 374), Gorgonie laisse des enfants et des petits-enfants, ce qui permet de supposer qu'elle est née avant 330, donc avant Grégoire [4].

Gorgonie, que Grégoire appelle familièrement « Gorgonion » dans ses épigrammes (peut-être aussi pour des raisons métriques), porterait le prénom de sa grand-mère maternelle [5].

Grégoire ne dit rien de l'éducation de sa sœur, bien qu'on puisse supposer qu'elle a reçu tout son savoir de ses parents. On peut imaginer sans difficulté qu'elle n'a guère été différente de celle de Macrine [6].

1. Voir GALLAY, *Vie*, p. 25, et n. 5 ; cf. TILLEMONT, *Mémoires*, t. 9, p. 322, n. III.

2. *De vita sua*, v. 68 : « Αὕτη ποθοῦσα παιδὸς ἄρρενος γόνον ».

3. Comme le suppose C. JUNGCK (*De vita sua*, note à ce vers, p. 154) avec CLÉMENCET, p. 161 et JÜLICHER, « Gregorios 4 », *RE*, 7, 2, 1912, col. 1859, en se fondant sur la comparaison qui est faite de Nonna avec Anne (*Épigr.* 72).

4. *D.* 8, 8. Argument défendu par F. TRISOGLIO (renvoyant à TILLEMONT, *Mémoires*, t. 9, p. 692-693), *S. Gregorio Nazianzeno in un quarantennio di Studi*, Torino, 1973, p. 68, n. 60, et réfutant K. G BONIS, pour qui Gorgonie serait née après Grégoire (« Διδάγματα ἐκ τοῦ βίου Γρηγορίου », *Orthodoxos Skeptis* 2, 1959, p. 196). Personne, sauf TILLEMONT, *Mémoires*, t. 9, p. 32, n. III (« *c.* 326 ») ne se risque à donner une date plus précise.

5. *Épigr.* 22-24. Sur ce prénom, voir GALLAY, *Vie*, p. 250-251, n. 2 ; *Vie des Saints et des Bienheureux*, XII, 1956, p. 292-294.

6. GRÉGOIRE DE NYSSE, *Vie de Macrine*, 3 (*SC* 178, p. 148-152).

Elle aurait été mariée jeune à un certain Alypios, demeurant, selon Élie de Crète, à Iconium[1]. Une épigramme nous apprend son nom (« Le glorieux Alypios, heureux époux d'une femme très heureuse[2] »), mais nos informations sont bien minces à son sujet. Nous savons seulement qu'il a été converti par sa femme, comme Grégoire l'Ancien l'avait été par Nonna, et conduit de la même façon grâce à elle à la « perfection », c'est-à-dire au baptême[3]. Il mourut sans doute peu après elle, car « son mari même, elle ne l'a pas quitté pour longtemps[4] ».

Le couple aurait eu plusieurs enfants, dont trois filles sont attestées : Eugenia, Nonna et Alypiana[5], qui seule figure dans le *Testament* de Grégoire. Alypiana se maria à un officier du nom de Nicobule[6], et eut pour enfant un autre Nicobule, dont Grégoire s'est beaucoup occupé[7]. Selon Élie de Crète, Gorgonie aurait eu deux fils devenus évêques[8].

Sa vie édifiante est marquée par l'ascétisme, la foi et sa remarquable influence sur son entourage. Des faits

1. Élie de Crète, *Scholia* (éd. Billy, t. II, 1611, col. 610 A). Cette ville (l'actuelle Konya), anciennement chrétienne, est à cette époque deuxième métropole de la Pisidie après Antioche; elle deviendra vers 372 la métropole de la province de Lycaonie.

2. *Épigr.* 103. Le nom d'Alypios n'était pas connu avant la publication, par Muratori, de cette épigramme. Voir *PLRE*, « Alypius 5 », p. 47; Hauser-Meury, *Prosopographie*, « Alypius V », p. 28. Baronius avait fait d'un correspondant de Grégoire, Vitalianus, le mari de Gorgonie.

3. *D.* 8, 7, 8, 20. Mais Alypios ne venait probablement pas d'une secte comme Grégoire l'Ancien et peut-être était-il de famille chrétienne. De nombreuses conjectures ont été faites à son sujet.

4. *Épigr.* 103. Grégoire précise (*D.* 8, 12) que Gorgonie « eut la chance de ne pas être appelée veuve ».

5. Le *Testament*, *PG* 37, 392 C 11-12; 393 A 3 donne le nom des deux sœurs d'Alypiana.

6. Voir *Lettre* 12, où l'on trouve une description d'Alypiana.

7. *Poèmes* II, II, 4. 5 (*PG* 37, col. 1521 s.); cf. *Lettres* 195-196.

8. Interprétation de 8, 11.

extraordinaires se produisent au cours de son existence, lors d'événements ordinaires, un accident, une maladie, auxquels elle survit, car sa richesse la plus grande est la piété (εὐσέβεια), et c'est ce trésor qu'elle lègue à ceux qui ont été les témoins de sa vie comme à ceux qui en sont les témoins par le récit que fait son frère. Ni martyre, ni sainte, elle est cependant au centre de manifestations «miraculeuses» qui rendent son éloge nécessaire[1].

Gorgonie meurt jeune, après Césaire, comme l'indique une allusion du chap. 20, et avant ses parents, c'est-à-dire entre 369 et 374[2], peut-être en 370[3]. Grégoire décrit ses derniers moments et mentionne la présence à ses côtés d'un pasteur, parfois considéré comme Faustin, évêque d'Iconium[4].

On ne sait où elle a été inhumée; ce peut être à Iconium, si elle résidait vraiment dans cette ville. Grégoire, qui mentionne les membres de sa famille inhumés ensemble à Nazianze, près du tombeau des martyrs[5], ne signale pas la présence du corps de Gorgonie.

1. Voir *infra* le chapitre sur «L'éloge d'une femme».

2. Hauser-Meury, *Prosopographie*, p. 878; cf. chap. 23; *Épigr.* 78.

3. Bernardi, *Prédication*, p. 108-113.

4. Chap. 16 et 21. C'est l'avis des Mauristes (*PG* 35, col. 789-790), à la suite de la scolie d'Élie de Crète : « *ut opinor, Amphilochium Iconii antistitem*»; cf. Bernardi, *Prédication*, p. 112; J. R. Pouchet, «L'énigme des Lettres 81 et 50 dans la correspondance de Basile. Un dossier inaugural sur Amphiloque d'Iconium?», *OCP* 54, 1988, p. 9-46 : pour l'auteur, l'identification avec Faustin est indiscutable. Amphiloque, cousin de Grégoire de Nazianze, sera le successeur de Faustin. La mention du *D.* 8, 11 concernant deux enfants consacrés à Dieu a fait penser aussi à Nicomède, moine de Nazianze, que Grégoire loue dans ses poèmes et ses épigrammes (Hauser-Meury, *Prosopographie*, «Nicomedes», p. 133). Ne pourrait-on penser aussi à Grégoire l'Ancien?

5. *Poèmes* II, I, 91 (*PG* 37, col. 1446); *Épigr.* 77. Voir à ce sujet Gallay, *Vie*, p. 92, n. 4; Bernardi, *Prédication*, p. 111-112.

L'éloge d'une femme[1]

Au début de son *Éloge d'Eusébie*, qui date de l'hiver 356-357, Julien César, futur empereur, déclare : « Pour ma part, je trouverais étrange que l'on s'empressât de louer les hommes vertueux, et que l'on ne crût pas digne du même honneur une femme de bien, alors que nous considérons la femme comme tout aussi capable que l'homme de faire preuve de vertu. Exigeant qu'elle soit modeste, intelligente, prête à distribuer à chacun suivant son mérite, intrépide dans les périls, magnanime, libérale, douée, on peut le dire, de toutes les qualités, refuserons-nous à ses actions le tribut d'éloges qui lui est dû et cela de peur d'encourir le reproche de flatterie[2] ? » Plus loin, il appelle à son secours Homère, qui a su faire l'éloge de Pénélope ou de la femme d'Alcinoos. Cette belle déclaration et ces précautions oratoires nous rappellent sans peine que l'éloge n'a pas été le lot habituel des femmes et que les textes dans lesquels elles apparaissent ne sont ordinairement qu'instructions, exhortations, critiques ou réprimandes. Qu'ils soient païens ou chrétiens, les écrivains

1. Nous ne prétendons pas présenter dans ce chapitre un état des connaissances concernant la femme chrétienne ; de nombreux travaux en cours ou déjà publiés permettent déjà de se familiariser avec la femme de l'antiquité, et particulièrement la chrétienne, si longtemps négligée. On pourra consulter avec profit, parmi les études récentes, celles de Monique ALEXANDRE, « De l'annonce du Royaume à l'Église. Rôles, ministères, pouvoirs de femmes », dans *Histoire des femmes. L'antiquité*, sous la direction de Pauline Schmitt Pantel, Paris 1991, p. 439-471 ; notes p. 548-555 ; bibliographie, p. 568-569 ; de Joëlle BEAUCAMP, *Le statut de la femme à Byzance*. II. *Les pratiques sociales*, Paris 1992. Notre propos ici est de déceler les motifs et les buts de l'*éloge* lui-même.

2. *Discours de Julien César, Éloge d'Eusébie*, 2, trad. J. Bidez, *CUF*, Paris 1932. On notera la ressemblance de cet exorde avec celui de Grégoire, qui justifie cependant plutôt l'éloge d'un proche que l'éloge d'une femme.

se rencontrent sur le terrain des exigences et en particulier quand il s'agit de ridiculiser les femmes par ces exercices devenus classiques contre les coquettes[1].

Mais certaines échappent à ces flèches pour récolter une moisson de louanges. Dignes sans doute d'un éloge trop long pour la pierre de l'épigramme, elles entrent noblement dans la littérature grecque du IVe siècle et se nomment Eusébie, Nonna, Macrine, Olympias ou Gorgonie.

Nées dans des milieux aisés, elles sont mères, sœurs, épouses ou filles d'évêques et de hauts fonctionnaires, de riches veuves, des impératrices..., bref, de grandes dames, très proches généralement de ceux qui les louent. Ainsi Olympias, confidente de Jean Chrysostome, qui remporte la palme des héroïnes épistolaires, Macrine, sœur de Grégoire de Nysse[2], Gorgonie, sœur de Grégoire de Nazianze. Bien que Grégoire n'ait pas laissé d'oraison funèbre de sa mère Nonna, il évoque sa personnalité dans plusieurs de ses discours ou de ses poèmes, ainsi que dans les très nombreuses épigrammes qu'il lui a consacrées[3]. On lui connaît aussi quelques correspondantes admirables (cinq femmes sur quatre-vingt-treize correspondants).

Ces femmes « au corps tendre et délicat, élevé dans le bien-être sous toutes ses formes », comme Olympias, ont, à l'instar d'Emmélie, mère de Grégoire de Nysse, « des manières de grandes dame » et, comme elles, Gorgonie

1. Par exemple CLÉMENT D'ALEXANDRIE, *Le Pédagogue* III, II : « Ὅτι οὐ καλλωπίζεται », *SC* 158, p. 18-37 (le chapitre suivant, il est vrai, est dirigé contre la coquetterie masculine) ; GRÉGOIRE DE NAZIANZE lui-même : *Poèmes* I, II, 29 : « Κατὰ γυναικῶν καλλωπιζομένων ».

2. JEAN CHRYSOSTOME, *Lettres à Olympias*, éd. et trad. par A.-M. Malingrey (*SC* 12 bis), Paris 1968 ; GRÉGOIRE DE NYSSE, *Vie de sainte Macrine*, éd. et trad. par P. Maraval (*SC* 178), Paris 1971.

3. *Épigr.* 24-74.

« n'ignore pas le nombre et la variété des ornements extérieurs »[1]. Elles ont à leur portée toutes les facilités que procurent les richesses et les honneurs : elles sont en vue. Et c'est ce qui, dans un premier temps, justifie l'éloge – même si cela n'est pas avoué –, puisque c'est cette notoriété même qui justifie l'éloge d'un homme.

Julien justifie son éloge d'une femme, Eusébie, qui est pourtant l'épouse de l'empereur. Cependant, en lui consacrant tout un discours, parallèle à celui qu'il dédie à l'empereur, il va même au delà des conseils donnés par Ménandre le Rhéteur, qui recommande d'accorder une mention à l'impératrice, si elle a des qualités, au cours de l'éloge de son époux[2]. Mais Grégoire de Nazianze, plus subtilement, nous l'avons vu, justifie seulement ses louanges d'un être proche, homme ou femme sans doute. Car homme ou femme, une personne de bien a droit aux éloges. Sur ce point au moins, le païen et le chrétien se rejoignent, et leurs artifices rhétoriques sont à peine différents. Julien cependant craint d'être considéré comme un flatteur, car l'impératrice, qui est sa protrectrice, est vivante, alors que Grégoire prétend ne pas s'exposer à cette accusation puisqu'il prononce un discours funèbre, et que ceux qui reçoivent un pareil éloge « se sont éloignés d'ici-bas et qu'il est trop tard pour chercher à leur plaire[3] ».

Si le but recherché n'est pas la flatterie et si la notoriété ne suffit pas à l'éloge (contribuant cependant à rendre leurs vertus plus éclatantes), quel rôle jouent ces femmes dont on veut rendre la mémoire immortelle? Elles sont assez peu nombreuses pour tenir lieu de références,

1. JEAN CHRYSOSTOME, *A Olympias*, 8, 4 d; GRÉGOIRE DE NYSSE, *Vie de Macrine*, 7; GRÉGOIRE DE NAZIANZE, *D.* 8, 10.

2. MÉNANDRE, *Menander Rhetor*, *Epideictic Speeches*, « βασιλικὸς λόγος », II, 1-2, p. 88.

3. *D.* 8, 2.

de modèles à imiter. Le projet didactique et édificateur est flagrant, surtout chez les auteurs chrétiens, un projet qui vise spécialement d'abord les membres de l'élite sociale, culturelle et spirituelle du moment. Une question est alors inévitable. Cet éloge fait-il écho aux recommandations et aux exigences traditionnelles des hommes concernant les femmes? N'est-il pas un nouveau moyen d'instruire, plus vivant grâce à l'exemple qu'il donne d'une femme contemporaine, plus subtil aussi, puisqu'il est tout entier modelé par la rhétorique?

Femme idéale

Dans les innombrables traités et sermons sur la virginité, le mariage ou les secondes noces qui ont fleuri dans la littérature chrétienne des premiers siècles, ou dans les lettres «de direction», dont tous les préceptes s'adressent beaucoup plus aux femmes qu'aux hommes, se dessine un portrait de femme idéale à partir de l'éloge qui est fait de la «femme forte» dans le livre des Proverbes[1] : «Qui trouvera une femme vaillante? Son prix l'emporte de loin sur les perles...» Suit la description de la femme travailleuse, économe, sage, qui ne nuit pas à la réputation de son mari. Un passage des *Constitutions apostoliques* utilise ce texte pour appuyer les conseils aux épouses : «Vous avez appris quels éloges reçoit du Seigneur la femme chaste et qui aime son mari (σώφρων, φίλανδρος)[2]». Des écrits sévères morigènent la tentatrice, la séductrice, et en cela, les exigences des païens ne sont guère différentes de celles des chrétiens. La femme idéale ne doit ressembler ni à une prostituée, ni à une actrice : elle ne provoque pas l'homme par sa tenue et

1. *Prov.* 31, 10-31.
2. *Constitutions apostoliques,* I, 8, 16, éd. et trad. par M. Metzger (*SC* 320), Paris 1985.

par son attitude. « Qu'il n'y ait en toi ni charme menteur ni vaine beauté de femme », dit encore le livre des Proverbes [1]. Pour la tranquillité de son mari, elle sait rester à sa place, qui est la maison. L'effacement et la réserve, bref la σωφροσύνη [2], doit être, comme elle l'est de toute antiquité, la première de ses qualités, qu'elle soit vierge, épouse ou veuve. Gorgonie, Nonna, Olympias... ont-elles réllement répondu à ces exigences?

Les écrivains chrétiens utilisent le cadre littéraire de l'éloge traditionnel, mais il ne s'agit pas pour eux de faire des discours d'apparat. S'ils adoptent les lieux communs d'usage, toujours à la mode depuis l'éclosion de la seconde sophistique, au IIe siècle, c'est généralement pour les détourner [3].

Comme les hommes distingués, les femmes remarquables ont tout à leur portée : beauté, richesse, noblesse, intelligence ... Grégoire de Nysse insiste sur l'harmonieuse beauté de sa sœur Macrine et la foule de ses prétendants [4]. De même, la beauté et la distinction de Vetiana, compagne de Macrine « l'avaient rendue célèbre dans sa jeunesse [5] ». Cette beauté naturelle suffit donc généralement à la renommée et, unie à certaines qualités d'ordre social, elle semble suffire pour attirer les hommes à la recherche d'une épouse, comme le dit Julien, qui ajoute

1. *Prov.* 31, 30.

2. Un mot toujours difficile à traduire (cf. GRÉGOIRE DE NYSSE, *Traité de la Virginité, SC* 119, p. 355, n. 4 de M. AUBINEAU); voir notamment, sur cette vertu principale de la femme grecque dans l'antiquité Anne-Marie VÉRILHAC, « L'image de la femme dans les épigrammes funéraires grecques », *La femme dans le monde méditerranéen*, t. I, *Antiquité* (Travaux de la Maison de l'Orient), Lyon 1985, p. 82-112.

3. Sur l'éclosion de la seconde sophistique, voir en particulier B.P. REARDON, *Courants littéraires grecs des IIe et IIIe siècles après J.-C.* (Annales littéraires de l'Université de Nantes, 3), Paris, 1971, p. 80-96 s.

4. *Vie de Macrine*, 4.

5. *Ibid.* 28.

cependant que ces avantages ne sont «tout à fait dignes d'envie que joints à un caractère plein d'équilibre et de charme[1]». Mais Macrine, comme cette Olympias à qui Grégoire de Nazianze adresse un poème à l'occasion de son mariage[2], ne tiendra finalement sa vraie gloire que de la «beauté dont on est ébloui même les yeux fermés[3]», bien supérieure encore à celle «d'un caractère plein d'équilibre et de charme», et qui seule devra séduire.

Mais parfois, la femme n'atteint ce qu'elle croit la beauté que par des artifices trompeurs : fards et bijoux, ornements, riches étoffes. Grégoire dit de Gorgonie : «Celle que nous louons était sans coquetterie et tenait sa beauté de son absence même de parure[4].» Lui qui a consacré à la toilette féminine un long poème satirique[5], n'a pas été avare, dans ses lettres aux jeunes femmes, de recommandations concernant l'apparence. Ainsi Basilissa doit-elle «orner sa tête en la voilant, ses sourcils en les retenant, ses yeux en les baissant et en ne jetant que des regards modestes, sa bouche en ne proférant aucune parole déplacée, ses oreilles en n'écoutant que des propos sérieux, tout son visage en lui donnant la couleur de la pudeur[6]». Ce mépris du corps et de la parure peut aller jusqu'à l'exaltation d'une certaine négligence!

1. *Éloge d'Eusébie*, 5.

2. *A Olympias. Poèmes*, II, II, 6.

3. *Ibid.*, v. 9-10. JEAN CHRYSOSTOME conseille au père de parler à son fils de «la beauté de l'âme» : «Fais naître en lui de nobles pensées au sujet des femmes», *Sur la vaine gloire et l'éducation des enfants*, 62, éd. et trad. A.-M. Malingrey (*SC* 188), Paris 1972, p. 160-161.

4. *D.* 8, 3; l'idée est développée chap. 10. Cf. JEAN CHRYSOSTOME, *A Olympias* 8 (même expression paradoxale).

5. *Poèmes* I, II, 29.

6. *Lettre* 244. Au sujet de la parure féminine et des réflexions qu'elle inspire aux auteurs chrétiens, voir F. QUÉRÉ, «Réflexions de Grégoire de Nazianze sur la parure féminine. Étude du poème sur la coquetterie I, II, 29», *Revue de Sciences Religieuses*, 1968, 1; B. GRILLET, *Les*

Qu'elle soit belle ou laide, la femme ne peut donc être louée que si elle ne se préoccupe pas de son apparence. Ce mépris de la parure féminine n'est pas une nouveauté : elle est exprimée de longue date par les moralistes païens et reprise par les chrétiens, à la suite des écrits de Paul ou de Pierre[1]. Dans son mépris de l'apparence, il n'est pas moins sévère que le prédicateur chrétien, le philosophe Porphyre, qui recommande à son épouse Marcella : « Ne te préoccupe pas du corps. Ne te regarde pas comme une femme, puisque moi non plus, je ne t'ai pas regardée comme telle[2]. » Mais les raisons matérielles, et souvent mesquines, de ce mépris, ne sont pas moins avouées par nos auteurs que les raisons spirituelles. Ainsi, Jean Chrysostome avoue que les embellissements déplaisent aux hommes : « Ils amenuisent la fortune et procurent avec la dépense bien du tracas[3]. »

La patrie et la race font encore partie des qualités extérieures qu'il n'est pas nécessaire de mettre en avant. « Qu'un autre loue la patrie de la défunte et sa race, pour respecter les lois qui règlent les éloges », dit Grégoire de Gorgonie[4] ; on n'a le devoir de s'enorgueillir de ses ancêtres que s'ils nous permettent de prendre place dans une généalogie toute morale et spirituelle et de reconnaître comme vraie patrie « la Jérusalem d'en haut[5] ». La noblesse est d'abord personnelle : « Ma sœur était plus noble que tous les fils d'Orient[6]. »

femmes et les fards dans l'Antiquité grecque, Lyon, 1975, chap. IV : « Les Pères et le maquillage ».

1. *I Tim.* 2, 9-10 ; *I Pierre* 3, 1-6.

2. PORPHYRE, *Lettre à Marcella*, 33, éd. et trad. É. des Places (*CUF*), Paris 1982.

3. *Homélie* 61, *Sur Jean* (*PG* 59, col. 341) ; trad. F. Quéré-Jaulmes, *Le mariage dans l'Église ancienne*, Paris 1969, p. 106.

4. *D.* 8, 3.

5. *D.* 8, 6.

6. *D.* 8, 7.

Vertu

Finalement, c'est la vertu (ἀρετή) qui est à la fois beauté, richesse, noblesse, le don des parents et leur héritage, le fruit de leur éducation. La παιδεία n'est pas moins importante que pour les hommes, cette éducation donnée par le couple que forment le père et la mère. C'est pourquoi l'éloge des parents tient généralement une place de choix. Grégoire dit à propos de Gorgonie qu'il serait impie de ne pas parler de ceux qui ont mis au monde un être aussi parfait[1]. Le père est l'honneur des hommes, la mère l'honneur des femmes et tous deux modèles vivants de la vertu[2].

Modèles

Ainsi Grégoire l'Ancien et Nonna son épouse tiennent-ils une grande place dans l'éloge de Gorgonie, leur fille, comme dans celui de Césaire, leur fils, et une place très importante est accordée à Nonna, épouse et mère, dans l'éloge funèbre de son mari Grégoire l'Ancien[3]. En effet, le rôle de la mère n'est pas moins considérable que celui du père dans l'éducation des enfants. Si elle est en priorité l'éducatrice de sa fille, elle ne veille pas moins sur son fils. Basile de Césarée reçoit la vertu en héritage parce que sa mère, Emmélie, était « parmi les femmes ce qu'il fut, lui (son père), parmi les hommes[4] ». De même, Césaire considère la vertu comme un devoir familial, et ses parents, « également dignes d'honneur », sont privés chacun du premier rang sur la terre « dans la mesure où ils s'interdisent l'un à l'autre la prééminence[5] ». Basile

1. *D.* 8, 3.
2. *D.* 8, 4-5.
3. *D.* 18, 7-11.
4. *D.* 43, 10.
5. *D.* 7, 4.

souligne le grand rôle d'éducatrice de sa grand-mère Macrine, dite l'Ancienne[1]. La mère est donc en premier lieu, pour le garçon comme pour la fille, une éducatrice de la piété (εὐσέϐεια) ; elle est encore, pour l'un et l'autre, une éducatrice de la vertu, un modèle de σωφροσύνη[2]. Il importe particulièrement de maîtriser les passions, car « ce qui trouble les jeunes gens, c'est l'ardeur des sens, et ce qui trouble les jeunes filles, c'est le goût de la parure et tout ce qui excite la vanité[3] ». Lorsque la femme mérite l'éloge, elle ressemble généralement à sa mère. Celle-ci est l'éducatrice et le modèle de toute vertu, et ses filles ont le devoir d'imiter sa conduite. Ainsi, les textes nous permettent de suivre parfois plusieurs générations de femmes, ainsi se forment des généalogies toutes féminines de la vertu : Nonna, dont la famille est anciennement chrétienne, mère de Gorgonie, elle-même mère d'Alypiana ; Macrine, mère d'Emmélie, mère d'une autre Macrine[4].

Cependant, la mère n'est pas le seul modèle ou dépend elle-même d'autres modèles et, de la sorte, la généalogie spirituelle s'enrichit. La chrétienne a pour modèles les femmes de l'Ancien Testament (celles des Proverbes, Sarah, Rébecca, Suzanne...), mais elle est bien sûr à l'opposé d'Ève la séductrice[5]. Rarement, les exemples proviennent du Nouveau Testament, peut-être parce que les

1. BASILE, *Lettres* 204, 6 ; 233, 3 ; cf. JEAN CHRYSOSTOME, *Sur la vaine gloire*, 39.

2. Cf. *supra*, p. 65. LIBANIOS vante aussi la σωφροσύνη de sa mère, qui lui permit d'être « une chance pour ses enfants » (*Autobiographie* (*Discours* I), 7, éd. J. Martin, trad. P. Petit (CUF), Paris 1979.

3. JEAN CHRYSOSTOME, *Sur la vaine gloire*, 90 ; cf. *supra*, sur la coquetterie.

4. Si l'éducatrice n'est pas la mère, telle Théodosie qui éleva Olympias orpheline, elle est tout autant un modèle vivant de vertu.

5. *D.* 8, 14.

femmes y sont trop simples[1]. Marie cependant n'est donnée en exemple à ces grandes dames qu'exceptionnellement[2]. On rappelle parfois l'heureux souvenir des martyres en général ou des «femmes d'autrefois». Olympias et Macrine sont dignes d'être comparées à la plus populaire d'entre elles : Thècle[3]. Quand elles ont le plus grand privilège encore d'être comparées à un homme, c'est Job qui est choisi[4], et Nonna, pour son fils Grégoire, n'a rien à envier à Énoch ou à Élie[5].

Lorsque Julien fait l'éloge d'Eusébie, il ne la compare pas bien sûr à Thècle ou à Job, mais à Pénélope, qui montra, à son avis, plus de retenue que les autres femmes illustres de l'histoire ou des légendes[6], et donne un exemple probablement beaucoup utilisé depuis Homère[7]. C'est manifestement Sarah qui, dans les éloges chrétiens, a succédé à Pénélope comme modèle d'épouse. Grégoire de Nazianze aime à comparer le couple de ses parents à celui d'Abraham et de Sarah[8].

1. Voir F. Quéré, *Les femmes de l'Évangile*, Paris 1982, p. 13; M. Alexandre, «De l'annonce du Royaume à l'Église», p. 448-450 (Femmes de l'Évangile). Allusion ponctuelle, mais forte, dans le *D.* 8 (chap. 18) pour montrer ce que Gorgonie devait à sa foi, à l'égal de l'hémorroïsse et de la pécheresse.

2. Nonna «brille parmi les femmes pieuses, Suzanne, Marie et les deux Anne, soutien du sexe féminin» (*Épigr.* 28).

3. Grégoire de Nysse, *Vie de Macrine*, 2 (et note de P. Maraval, *SC* 178, p. 146-147). Grégoire compare Nonna aux martyrs *Épigr.* 52.

4. *D.* 8, 7, 12, 15; Jean Chrysostome, *A Olympias*, 14, 1; Grégoire de Nysse, *Vie de Macrine*, 18, et note sur l'exemple classique de Job, *SC* 178, p. 199, n. 3.

5. *Épigr.* 49.

6. Sa vertu et sa modestie «donnent des exemples profitables aux individus» (*Éloge d'Eusébie*, 17).

7. Voir à ce sujet A.-M. Vérilhac, «L'image de la femme dans les épigrammes funéraires grecques» (voir *supra*, p. 65, n. 3), p. 90, 108-109.

8. *D.* 8, 4; *Épigr.* 52.

Dépassement du modèle

Cependant, le détournement des lieux communs implique aussi, plus faiblement certes, mais sûrement, le dépassement du modèle. Il arrive même que le modèle de la mère soit dépassé. Ainsi Grégoire de Nysse montre les fructueux échanges entre Emmélie et sa fille Macrine, qui deviendra elle-même, en quelque sorte, éducatrice de sa mère[1]. Gorgonie, quant à elle, dépasse les femmes des *Proverbes*, qui semblent représenter pour Grégoire un idéal trop terre à terre : « Louer ma sœur pour cela serait louer la statue d'après son ombre, le lion d'après ses griffes[2]. » De même Nonna, à cause de l'influence considérable qu'elle a eue sur son mari, a même dépassé Sarah (qui se contentait, elle, d'obéir à Abraham !)[3].

On voit donc que si les auteurs d'éloges ont su sacrifier aux règles du genre, ils ont su aussi habilement ruser avec elles et sortir du moule pour mieux atteindre leur but, qui est finalement de donner de nouveaux exemples, de créer un modèle nouveau de femme. Et cette femme qui est déjà plus que Pénélope, plus que les femmes des *Proverbes*, plus que Sarah, sera finalement par l'excellence de sa vertu plus que la femme, peut-être une sainte, deviendra même un modèle pour les hommes.

L'éloge n'est donc possible que si la femme a obtenu « le prix d'excellence ». Déjà, la mise à mal des règles du genre nous a fait entrevoir que cette femme belle fait fi de sa beauté, cette femme riche fait fi de sa richesse, cette femme de haute naissance fait fi de sa noblesse. Sa beauté, sa richesse, sa noblesse se définissent différemment. Son éloge n'est justement possible que si elle

1. *Vie de Macrine*, 10.
2. *D.* 8, 9; cf. JEAN CHRYSOSTOME, *A Olympias*, 8, 5-6.
3. *Épigr.* 27. Pour JULIEN, la mère d'Eusébie a même dépassé Pénélope (*Éloge d'Eusébie*, 6).

semble avoir rompu avec tous les atouts que lui ont donnés la naissance et la nature et si elle a rompu avec la vanité (défaut caractéristique des femmes, selon Jean Chrysostome[1]).

Énergique

C'est la modération qui accompagne toutes les vertus et permet les meilleures des actions, comme le laisse entrevoir le titre habituel que donne Jean Chrysostome à sa correspondante Olympias : «Ta Modération (Κοσμιότης)». Mais, dans certains cas, les femmes dépassent tellement les vertus ordinaires qu'on ne peut guère les qualifier de «modérées». Aussi, charme, douceur, beauté ne sont rien devant l'ἀνδρεία, cette énergie virile qui leur est demandée, d'autant plus difficile à atteindre qu'elles sont, comme Olympias, «plus faibles que toile d'araignée[2]». Cette ἀνδρεία leur permet de bien mener leur maison et de résister aux diverses épreuves de la vie, malgré la fragilité de leur corps. Par elle, la femme peut dépasser sa nature et vaincre les défauts qui semblent la caractériser.

Discrète

Considérée comme bavarde, donc querelleuse, elle est admirable quand elle se tait ou parle peu. «Qui parla moins, restant dans les limites de la piété?», «Quoi de plus avisé que son silence?», dit Grégoire de Gorgonie[3]. La femme doit donc éviter le bavardage et limiter ses paroles à certains sujets; ainsi peut-elle justement parler

1. *Comment observer la virginité*, 7 (édité à la suite du traité sur *Les cohabitations suspectes* par J. Dumortier (*CUF*), Paris 1955, p. 118).

2. *Vie d'Olympias*, 16. Sur son énergie, *A Olympias*, 12, 14; cf. *D.* 8, 9. 13. Voir BEAUCAMP, *Statut de la femme*, p. 280-281.

3. *D.* 8, 11. De même Eusébie, bien qu'elle ne le cède en rien aux meilleurs orateurs pour son éloquence, parle-t-elle brièvement et à bon escient (*Éloge d'Eusébie*, 14); cf. les conseils de βραχυλογία donnés par Grégoire à Basilissa, *Lettre* 244.

des « choses de Dieu ». Cette modération verbale permettra d'éviter les querelles et profitera à la paix des ménages, comme le suggèrent les *Constitutions apostoliques* : « Mets fin à tes querelles avec tout le monde et surtout avec ton mari, toi qui es croyante, de peur que ton mari, qu'il soit croyant ou païen, ne soit scandalisé par ta faute, ne blasphème Dieu et que tu n'hérites une malédiction de la part de Dieu[1]. » Mais il s'agit en réalité d'œuvrer à la conversion de son mari[2] ; or, si la chrétienne parle à tort et à travers et cherche des querelles, elle ne témoignera pas de façon satisfaisante de la religion (εὐσέβεια) devant « ceux du dehors », les païens.

Généreuse

Le pouvoir et la richesse qui sont liés à sa condition sociale, la femme honorable ne les utilise qu'à bon escient et pour le bien d'autrui. Le goût de la justice associé à la possession de grandes richesses conduit les femmes de bien à pratiquer l'aumône. Jean Chrysostome vante de façon hyperbolique la générosité d'Olympias : « Pas un lieu, pas un pays, pas un désert, pas une île, pas un endroit éloigné ne demeura étranger aux largesses de cette femme digne de louanges, mais elle vint en aide aux églises pour les offrandes liturgiques, aux monastères et aux couvents, aux pauvres, aux prisons, aux exilés : en un mot, elle répandit ses aumônes sur toute la terre[3]. » Gorgonie, comme sa mère Nonna, montra pareille générosité[4]. Une telle femme accroît son capital

1. *Constitutions apostoliques*, I, 10.
2. Cf. *infra*, p. 78-79.
3. *Vie d'Olympias*, 13 ; cf. *A Olympias* 8, 10.
4. *D.* 8, 12 ; *Épigr.* 26 : « Veuves et orphelins, que faites-vous ? », s'exclame Grégoire après la mort de Nonna. La protection des veuves est un devoir essentiel ; voir GAIN, *L'Église*, p. 113-114 ; BEAUCAMP, *Statut de la femme*, p. 277-279 ; M. ALEXANDRE, « De l'annonce du Royaume à l'Église », p. 458-459 (veuves) ; 467-469 (évergétisme).

par une bonne administration de sa fortune, et elle est souvent louée pour ses qualités de gestionnaire habile, qu'elle soit mariée, veuve, ou qu'elle ait choisi la vie monastique. Sa modération, sa tempérance, sa maîtrise d'elle-même en ce qui concerne la nourriture, la boisson, le vêtement, bref le train de vie, lui permettent non seulemnt d'acquérir la beauté intérieure aimée de Dieu, mais aussi d'exercer plus largement la charité, une charité d'autant plus belle qu'elle est faite dans un esprit d'humilité [1].

Chaste

Mais surtout, la plus parfaite expression de la modération est la σωφροσύνη, ce mot intraduisible qui désigne à la fois la modestie, la réserve, la chasteté. Cette qualité est commune à Pénélope, Sarah, Eusébie ou Gorgonie, qui dépasse même en σωφροσύνη les femmes d'autrefois ainsi que ses contemporaines [2]. Grégoire fonde la réussite du mariage de Nonna, comme de celui de Gorgonie, sur cette vertu primordiale. Le mariage, considéré parfois comme un pis-aller par les auteurs chrétiens, qui lui préfèrent habituellement la παρθενία, une qualité prônée dans d'innombrables traités sur le mariage, la virginité, les secondes noces [3], a été exalté par Grégoire de Nazianze, l'un des rares à avoir célébré l'harmonie du couple et

1. *Vie d'Olympias*, 13 : Olympias a atteint « le sommet suprême de l'aumône et de l'humilité ». Voir *Vie de Macrine*, 11 : description de la vie monastique à Annisa.

2. *D.* 8, 8 ; cf. *Éloge d'Eusébie*, 14 : « Dès que je fus en sa présence, je crus voir dressée, ainsi que dans un temple, une statue de la σωφροσύνη. » Cf. *supra*, p. 65, 69.

3. Entre autres GRÉGOIRE DE NYSSE, *Traité de la virginité ;* JEAN CHRYSOSTOME, *A une jeune veuve* et *Sur le mariage unique* ; *La virginité* ; *Les cohabitations suspectes* et *Comment observer la virginité*... Voir M. AUBINEAU, *SC* 119, Introd., chap. 3 : « Les sources du traité ».

une certaine égalité entre l'homme et la femme grâce aux exemples de sa propre famille : couples de Grégoire l'Ancien et de Nonna, d'Alypios et de Gorgonie[1], de Nicobule et d'Alypiana, énumération toute « généalogique », de la grand-mère à la petite-fille. « Elle fut chaste sans orgueil, dit Grégoire de Gorgonie, car elle mêla au mariage la beauté du célibat et prouva qu'aucun des deux états ne lie complètement soit à Dieu soit au monde, mais qu'aucun en revanche n'en sépare... Ce n'est pas en effet parce qu'elle a été liée à la chair qu'elle a été séparée de l'esprit, ce n'est pas parce qu'elle a eu son mari pour chef qu'elle a ignoré le premier chef[2]. »

Philosophe

La femme qu'il est permis de louer manifeste donc les plus grandes qualités, de celles qui sont appréciées chez elle depuis Homère et la Bible, et parce qu'elle a combattu les plus grands défauts attribués à son sexe et acquis les vertus les plus difficiles à atteindre si on considère la facilité de vie qui lui est offerte, elle arrive parfois à l'excellence. Olympias atteignit « le sommet suprême de l'aumône et de l'humilité au delà duquel on ne saurait rien découvrir de plus[3] ». Grégoire de Nysse affirme de sa sœur Macrine, jeune veuve elle aussi, qu'elle s'est élevée grâce à la philosophie « jusqu'au plus haut sommet de la vertu humaine[4] ». Ainsi la femme peut-elle s'élever jusqu'à la philosophie ! L'impératrice Eusébie était devenue pour Julien une image de la perfection féminine, une « statue de la σωφροσύνη », mais la femme que loue Jean Chrysostome doit apparaître, quand elle

1. *D.* 8, 4-5, où le lien conjugal est exprimé avec force; cf. *D.* 37.
2. *D.* 8, 8.
3. *Vie d'Olympias,* 13.
4. *Vie de Macrine,* 1.

pénètre sur la place publique, comme une « statue de la philosophie[5] ».

C'est en dépassant tous les modèles, et particulièrement en dépassant sa nature féminine que la femme peut atteindre la « philosophie », grâce au choix d'un mode de vie ascétique et grâce à sa « piété (εὐσέβεια)[2] ». Son détachement, ses renoncements, ses luttes, lui permettent de mener un genre de vie qui n'est pas uniquement sous le signe de la κοσμιότης et de la σωφροσύνη. Cette ascèse délibérément choisie par Macrine ou Olympias, qui sont des veuves, l'est également par les femmes mariées que sont Nonna et Gorgonie. Veilles, jeûnes, prières, coucher sur la dure, larmes sont les manifestations de leur mépris du corps, et elles ne trouvent la félicité que dans « un corps déjà mort ». « Ayant reçu un corps tendre et délicat élevé dans le bien-être sous toutes ses formes, tu l'as tellement assiégé de souffrances diverses... Il ne vaut pas mieux qu'un cadavre », dit Jean Chrysostome du corps de sa chère Olympias[3]. Et Grégoire de Nazianze fait à Nicobule l'éloge de sa jeune femme Alypiana, fille de Gorgonie : « Elle a su s'attacher au sol à force de prières. Elle est sans cesse avec Dieu par les grands élans de son cœur[4]. »

La vie parfaite de celle qui a choisi la philosophie la conduit, grâce au détachement des biens matériels et du corps, à une méditation toujours plus intense sur les questions essentielles qui se posent à l'homme. Macrine comme Gorgonie méditent sur ces grandes questions et

5. *Comment observer la virginité*, 9. Le seul éloge que le philosophe Porphyre fasse à sa femme Marcella n'est-il pas celui de son aptitude naturelle à philosopher (*A Marcella*, 3)?

2. Sur la traduction de ce mot, voir p. 146-147, n. 3.

3. *A Olympias*, 10.

4. *Lettre* 12. Cf. la description donnée par Grégoire de la vie ascétique de Gorgonie, *D.* 8, 13-14.

y répondent : « Elle s'était élevée par ses discours jusqu'à philosopher pour nous sur l'âme, jusqu'à nous exposer la cause de notre vie dans la chair, pourquoi l'homme existe, comment il se fait qu'il soit mortel et d'où vient la mort, quelle est enfin la libération qui nous fait passer de celle-ci à une vie nouvelle[1]. » Oui, la femme peut atteindre la philosophie, et semble avoir pour cela plus de facilité même que l'homme, étant assise dans sa maison « comme dans une école de philosophie », dit Jean Chrysostome[2]. Son rôle en est donc considérablement augmenté, un rôle d'autant plus important qu'elle est épouse et mère, vit dans le monde, dans un milieu social influent qui la rend proche des hommes d'Église et des hommes d'État. Elle n'est plus seulement une bienfaitrice. Le rayonnement intellectuel et moral que lui permet son attitude de philosophe et la fait comparer à un athlète, un pilote, un port, une citadelle[3], lui donne des moyens d'action plus grands sur sa famille et son entourage, et une présence plus grande. Plus ascète, elle est paradoxalement moins isolée, n'étant pas réduite aux querelles, préoccupations et bavardages féminins. Plus elle est éloignée de l'image caricaturale de la femme, plus ses liens avec les hommes sont étroits : lien maternel, conjugal, amical.

Éducatrice

Ainsi, dans les textes littéraires qui contiennent des éloges, la femme d'exception ne dévoile pas seulement dans la vie quotidienne et matérielle ses qualités de bonne mère ou de bonne épouse. Certes, elle tient bien sa maison, mais ce n'est pas la bonne ménagère qui suscite l'admiration, sinon par dérision[4]. D'abord, elle acquiert

1. *Vie de Macrine*, 19 ; cf. *D.* 8, 6.
2. *Homélie sur saint Jean* 61, 3 (*PG* 59, 340-342).
3. *A Olympias*, 12 ; *Vie de Macrine*, 14.
4. *D.* 8, 9.

dans le mariage un art de vivre qui lui permet de jouer de ses qualités spécifiquement féminines contre les défauts spécifiquement masculins. Grégoire de Nazianze conseille à la jeune mariée Olympias de prendre modèle sur l'attitude des dompteurs devant les fauves : « Apaisent-ils les fauves, hérissés et grondants, avec des coups de fouet? Ils les désarment mieux avec des mots bénins et de douces caresses. Ne t'emporte pas après lui si parfois il t'excède[1]. » Elle est en outre de bon conseil pour son mari. Ainsi Grégoire demande-t-il à Nicobule d'écouter sa femme quand elle parle[2]. Mieux encore, elle peut agir spécialement sur son époux en l'amenant à « la vraie philosophie », en lui apprenant à ne voir en son épouse que la véritable beauté, à accepter son choix de l'ascèse et même de la chasteté, en l'amenant jusqu'à la perfection, jusqu'au baptême, bref en le convertissant[3]. Et il semble bien que nous arrivions là au point culminant de l'éloge : car la femme chrétienne est souvent à cette époque l'épouse, comme Nonna, d'un homme venant du paganisme ou d'une secte, ou, comme Gorgonie, d'un homme dont on ne sait s'il était ou non de famille chrétienne, mais qui ne partageait pas son idéal de vie avant qu'elle ne le « convertisse ». Et une telle réussite ressortit au miracle[4]. En effet, si dans le récit de *La vie et les miracles de sainte Thècle*, qui date du Ve siècle, il est question d'une femme qui demande l'intercession de la

1. *Poèmes* II, II, 6, v. 29-30, trad. F. Quéré-Jaulmes (*Le mariage dans l'Église ancienne*, Paris 1969, p. 110).

2. *Lettre* 12; cf. JULIEN, *Éloge d'Eusébie*, 8.

3. Voir M. ALEXANDRE, « De l'annonce du Royaume à l'Église », p. 470-471 : « La transmission de la foi ».

4. Grégoire l'Ancien venait de la secte des hypsistariens; sur sa conversion et le rôle de Nonna, voir *D* 7, 4; *D.* 8, 4-5; *D.* 18, 5-8. Quant à Alypios, que Gorgonie a rendu parfait, « c'était son mari, je ne vois pas ce qu'il faut dire de plus » (*D.* 8, 20); cf. *I Cor.* 13-14 : « Le mari non croyant est sanctifié par sa femme. »

sainte pour obtenir la conversion de son mari[1], ni Gorgonie menant Alypios au baptême, ni sa mère Nonna faisant de Grégoire l'Ancien un évêque, ni Macrine convertissant son frère, le rhéteur Basile, à la philosophie, n'ont besoin de l'intercession d'aucun saint. Par là-même, par ce miracle-là, elles sont en quelque sorte déjà des saintes.

Dans l'une de ses homélies, Jean Chrysostome, citant la parole de saint Paul rapportée dans *I Timothée* 2, 12 («Je ne permets pas à la femme d'enseigner, ni de prendre autorité sur l'homme»), commente : «Cela regarde le cas où l'homme est pieux, professe la même foi, pratique la même sagesse; mais quand il est infidèle et le jouet de l'erreur, Paul n'entend pas ôter à la femme le pouvoir d'enseigner[2].» Grégoire dit de Nonna : «Dans le domaine des choses de Dieu, elle n'eut pas de scrupule à se faire son éducatrice[3].» Ce rôle bien sûr s'étend aux enfants, aux hommes et aux femmes de son entourage : Gorgonie «purifia» toute sa famille[4] et donna des conseils à un vaste cercle de relations; Macrine a été l'éducatrice de sa mère, de ses frères Basile, Grégoire et Pierre, des vierges, des veuves qui venaient la voir ou vivre avec elle. Son rôle est très fécond et touche à l'apostolat : par sa conduite et par ses paroles, elle est un modèle. Grégoire de Nysse dit d'elle qu'elle est «père, maître, pédagogue, mère, conseillère de tout bien»; elle mène ainsi

1. *Vie et miracles de sainte Thècle*, par G. Dagron (Subsidia Hagiographica, 62), Bruxelles 1978; *Miracle* 14, p. 325-331. Cf. *Vie de Macrine*, 6.

2. *Ire Homélie sur ces mots de S. Paul « Saluez Priscilla et Aquilas » (Rom. 16, 3)*, trad. R. Flacelière, dans *Amour humain et parole divine*, Paris 1947, p. 173. Sur les fonctions interdites aux femmes, voir *Constitutions apostoliques*, III, 6, 1. Voir M. Alexandre, «De l'annonce du Royaume à l'Église», p. 454-455 : «L'interdiction de la parole publique et de l'enseignement».

3. *D.* 18, 8.

4. *D.* 8, 8.

les êtres qu'elle prend en charge vers « le sublime idéal de la philosophie [1] ».

Sainte ?

La « statue de σωφροσύνη » devenue « statue de philosophie » ne tarde pas à se transformer en statue de sainteté ! En effet, pour Jean Chrysostome, cette statue de philosophie « doit jeter tous ceux qui la voient dans l'admiration et dans la stupeur de sa sainteté ». Pourquoi cette stupeur ? Parce que, de la sorte, la femme n'est plus vraiment une femme, elle a dépassé la nature féminine. « Qui ne s'étonnera, qui ne sera hors de lui en voyant dans une nature féminine un genre de vie angélique [2] ? » Une figure hiératique et asexuée apparaît désormais, bien loin de l'image de la femme belle, attirant tous les prétendants, qui s'était vite effacée devant l'image d'une femme enlaidie en apparence par l'ascèse, mais dévoilant la vraie beauté que donne la φιλοσοφία. Grégoire de Nysse n'a-t-il pas écrit, en commençant sa *Vie de Macrine* : « Une femme faisait l'objet de notre récit, si toutefois on peut l'appeler une femme, car je ne sais s'il convient de désigner en termes de nature celle qui s'est élevée au-dessus de la nature [3]. »

En effet, cette femme qui dépasse la nature féminine dépasse surtout la nature humaine. La sainte femme proposée à l'admiration doit s'inscrire dans la mémoire comme un modèle à imiter, si possible, et à transmettre, un modèle dont nos auteurs, disent-ils, ont été les premiers témoins. Même Julien, qui offre cependant un modèle de femme plus « humain » que ne le font les chrétiens, se présente comme un témoin de l'équité, de la chasteté,

1. *Vie de Macrine*, 12. Voir l'introduction de P. MARAVAL, *SC* 178, p. 102-103 : « Une maîtresse spirituelle ».

2. *La virginité*, p. 127.

3. *Vie de Macrine*, 1.

de la prudence d'Eusébie, et il joue lui aussi un rôle édificateur. Dans les éloges chrétiens, le portrait, au fil du récit, devient de plus en plus voyant, tout détail supplémentaire contribuant à l'édification. Et l'édification justifie l'outrance. A ce qui est matériellement voyant et dont les femmes «ordinaires» font grand cas, comme le maquillage, les parfums, les bijoux, les riches tissus, est substitué ce qui est, si on peut dire, spirituellement voyant : les θαύματα, les faits miraculeux. Ils n'ont rien à voir avec ceux que suscitent les martyres. Tout en étant bien sûr des faits extraordinaires, ils sont plus «humains», car ils sont directement liés à l'ascèse, à la philosophie qui les produisent. Ce sont rêves réalisés, prières exaucées, maladies surmontées ou manifestations de grande foi, dans la description des derniers moments de l'héroïne en particulier. Ces faits merveilleux ne concernent que l'héroïne elle-même et son entourage privilégié. Ainsi, victime d'un grave accident, Gorgonie est toute brisée et pourtant guérit sans avoir recours à un médecin, pour préserver sa pudeur[1]. Macrine également, jugeant «qu'il serait plus fâcheux encore que son mal de dévoiler une partie de son corps aux yeux d'autrui», voit disparaître miraculeusement une tumeur au sein[2]. Nonna quant à elle souhaite que ses deux fils rentrent en même temps dans leur pays, l'un venant d'Athènes, l'autre d'Alexandrie, et elle est exaucée[3]. Macrine, Nonna, Gorgonie ont la même sérénité devant la mort ; toutes prononcent une longue prière avant leur dernier soupir[4].

1. *D.* 8, 15. Sa foi lui permet de guérir miraculeusement aussi d'une grave maladie (8, 17-18).

2. *Vie de Macrine*, 31 et la note sur la pudeur et les guérisons miraculeuses.

3. *D.* 7, 8 ; *Épigr.* 36. Elle apaisa même les tempêtes par ses prières.

4. *D.* 8, 22 (Grégoire précise, chap. 19, qu'il a le devoir de rappeler la beauté de la fin de Gorgonie) ; *Vie de Macrine,* 25.

Au cours de l'éloge donc, les contours se sont accusés : ces femmes qui ne sont plus de leur sexe et plus de leur monde sont devenues images de saintes, et l'on doit s'en souvenir et les honorer. L'une des nombreuses épigrammes que Grégoire a consacrées à sa mère les résume bien toutes : « L'une s'illustre par les travaux domestiques, l'autre par ses bienfaits ou sa chasteté, telle autre par les œuvres de sa piété et les tourments qu'elle inflige à sa chair, par ses larmes, par ses prières, par les soins que ses mains donnent aux pauvres ; mais Nonna, c'est par toutes ces vertus qu'elle doit être célébrée ; et s'il est permis d'appeler cela une fin, elle est morte en priant [1]. »

Ces mères, ces sœurs, ces amies d'évêques habitent désormais le calendrier des saints et chacun peut les célébrer à date fixe. D'aucuns, à juste titre peut-être, refusent leur sainteté [2]. Cependant, qu'elles soient de vraies saintes ou des femmes un peu plus qu'ordinaires, par le biais de la sophistique, grâce aux éloges que leurs proches ont eu l'audace de leur consacrer, elles ont atteint le but visé en proposant un nouvel idéal de femme qui ne manquera pas de séduire ou d'exaspérer au cours des siècles.

1. *Épigr.* 31.

2. Par ex. H. Delahaye, *Sanctus*, p. 155-156 (cf. *supra*, p. 57). Voir *Vie de Macrine*, SC 178, Introduction de P. Maraval, chap. I : « Genre littéraire et valeur historique ».

DISCOURS 9-12

I. Grégoire, évêque de Sasimes

« C'est un relais sur une grande route de Cappadoce, à la jonction de trois chemins ; pas d'eau, pas de verdure, absolument rien de ce qui plaît à un homme libre. C'est un petit village terriblement odieux et étroit. Il n'y a que de la poussière, du bruit, des chars, des plaintes, des gémissements, des percepteurs d'impôts, des instruments de torture, des chaînes. Comme population, rien que des étrangers et des vagabonds. Voilà mon église de Sasimes [1] ! ».

Lorsqu'il écrit le poème *Sur sa vie*, c'est encore sur le ton d'une véhémente amertume que Grégoire rappelle un épisode de son existence qui ébranla douloureusement son amitié pour Basile. L'évêque de Césarée, en nommant Grégoire, alors prêtre à Nazianze auprès de son père et désireux de ne pas assumer d'autres responsabilités ecclésiastiques, évêque contre son gré [2] d'une bourgade insignifiante et déshéritée, a été l'auteur, aux yeux de Gré-

1. *De vita sua*, v. 439-446 ; trad. Gallay, *Vie*, p. 108 ; Introduction aux *Lettres*, p. XI-XIII. Sur la situation et l'histoire de Sasimes, voir F. Hild, *Das byzantinische Strassensystem in Kappadokien* (Osterreichische Akademie der Wissenschaften Philosophisch-Historische Klasse. Denkschriften, 131 Bd), Wien 1977, p. 41-45 (carte, p. 42) ; F. Hild, M. Restle, *Tabula Imperii Byzantini 2. Kappadokien* (Osterreichische Akademie der Wissenschaften. Philosophische-Historische Klass. Denkschriften, 149 Bd), Wien 1981, « Sasima », p. 272-273 (bibliographie, p. 273). Nous adoptons, pour *Sasima*, la transcription *Sasimes* habituellement utilisée en français.

2. De même se plaint-il d'avoir reçu contre son gré le sacerdoce ; cf. *D.* 2. On sait combien le thème de la « tyrannie » est important dans l'œuvre de Grégoire ; cf. *SC* 247, Introd. de J. Bernardi, p. 41-43.

goire et de certains historiens, d'une regrettable méprise [1]. «Dans ce projet, écrit Grégoire, j'ai peur d'avoir été moi-même traité comme un accessoire... Là se trouve, en effet, l'origine de tout ce qui s'est abattu sur moi : le cours irrégulier pris par ma vie, la perturbation de celle-ci et l'impossibilité de pratiquer la philosophie ou d'avoir la réputation de le faire [2].» Quand il fait cette confidence, dans son éloge funèbre de Basile, peut-être en 382 [3], Grégoire est probablement l'ancien évêque de Constantinople, mais non en vérité l'ancien évêque de Sasimes, car il n'a jamais pris possession de son siège!

Les *Discours* 9-12 ont trait à cette étrange «histoire ecclésiastique» [4].

II. Circonstances [5]

Le partage de la Cappadoce

Basile succède en 370 à Eusèbe sur le siège épiscopal de Césarée, métropole de la Cappadoce; il a une dizaine d'évêques sous son autorité. Pendant l'hiver 371-372 l'empereur Valens décrète, sans doute pour des raisons fiscales, le partage de la Cappadoce en deux provinces : Césarée devient alors métropole de la Cappadoce I, et

1. Une étude a été consacrée à ces événements par S. Giet : *Sasimes, une méprise de saint Basile*, Paris 1941.

2. *D.* 43, 59.

3. Voir J. Bernardi, *SC* 384, p. 27.

4. *D.* 9, *PG* 35, col. 820-826; *D.* 10, col. 828-832; *D.* 11, col. 832-841; *D.* 12, col. 844-849. Autres sources : *D.* 43, 58-59; *Lettres* 48-50; *De vita sua*, v. 386-491; 1059-1060; Basile, *Lettres* 74-76; 97-98, 122.

5. Sur ces événements, voir Giet, *Sasimes*, p. 306-309; Gallay, *Vie*, p. 106-109; A. H. M. Jones, *The Cities of the Eastern Roman Province*, Oxford 1971, p. 182-185; Gain, *L'Église*, p. 306-309; Pouchet, *Basile le Grand*, p. 227-230.

Tyane, celle de la Cappadoce II[1]. Basile manifeste alors une vive opposition[2].

Conséquences ecclésiastiques

Anthime, évêque de Tyane et, comme tel, suffragant de Basile[3], exige d'être reconnu comme métropolitain de la Cappadoce II, sous prétexte que les circonscriptions ecclésiastiques doivent coïncider avec les circonscriptions administratives, et cherche à prendre possession des biens considérables de l'Église de Césarée qui se trouvent sur son territoire. Revendiquant en particulier les redevances en nature du monastère de Saint-Oreste (situé au pied du Taurus non loin de Tyane), destinées à l'église de Césarée, il en attaque les convois[4]. Anthime justifiait cette action violente en prétendant « qu'il ne fallait pas payer de revenu aux hérétiques », manifestant clairement par là à l'évêque de Césarée une opposition d'ordre doctrinal[5].

Basile donne alors « à ce malheur la meilleure solution possible en couvrant sa patrie d'évêques en nombre

1. On estime que cette décision fut prise après le 6 janvier 372, jour où Valens se trouve à Césarée. Sur la date de cette division, voir HAUSER-MEURY, *Prosopographie*, p. 41, n. 47 ; GAIN, *L'Église*, p. 306, n. 78 ; JONES, *Cities*, p. 182-185.

2. Sa correspondance en témoigne ; cf. p. 84, n. 4.

3. Voir HAUSER-MEURY, *ibid.*, « Anthimus I », p. 32-33. Sur les relations de Basile et d'Anthime et leurs querelles à l'occasion de la division de la Cappadoce, voir POUCHET, *Basile le Grand*, p. 227-233.

4. Voir *D.* 43, 58 ; *De vita sua* v. 449-453. On a peu de renseignements sur ce monastère ou simple sanctuaire, ainsi que sur ce saint local (P. MARAVAL, *Lieux saints et pèlerinages d'Orient*, Paris 1985, p. 373) ; sur ces événements, voir GIET, *Sasimes*, p. 75 ; COULIE, *Richesses*, p. 32-35 : « Le dossier de Saint-Oreste ».

5. Cf. *D.* 43, 58. Sur cette opposition, voir POUCHET, *Basile le Grand*, p. 227-228. L'auteur est « convaincu que la scission entre les évêques cappadociens a été ecclésiastique avant d'être administrative (p. 227) ».

accru[1] », c'est-à-dire en plaçant des hommes sûrs sur des sièges épiscopaux nouvellement créés. C'est ainsi qu'il crée, semble-t-il, le siège épiscopal de Nysse, à l'ouest de Césarée, pour son frère Grégoire[2], et celui de Sasimes, bourgade située sur la route de Cilicie, pour son autre « frère », Grégoire de Nazianze[3], après avoir obtenu l'appui de Grégoire l'Ancien pour convaincre son ami réticent[4].

Cette nomination de Grégoire à Sasimes, poste stratégique, à un carrefour de routes, et surtout lieu de passage

1. *D.* 43, 59. Cela correspondait à une forte préoccupation : « faire gouverner l'Église de Dieu par un plus grand nombre, avec un soin plus minutieux » (*Lettre* 190) ; sur la législation concernant l'érection des diocèses, voir GAUDEMET, *L'Église dans l'Empire romain, IVe-Ve siècles*, Paris 1958, p. 323-325 ; 328-329 ; GAIN, *L'Église*, p. 79, n. 79.

2. La seule allusion de Basile à l'ordination de son frère se trouve dans la *Lettre* 225 : « S'il y a eu quelque faute canonique, ceux qui ont fait l'ordination en sont responsables, non celui qui a été contraint (ἐκβιασθείς) d'accepter le ministère par une contrainte totale (trad. Courtonne). » Sur la date et les circonstances de la consécration épiscopale de Grégoire de Nysse, voir M. AUBINEAU, *Grégoire de Nysse, Traité de la virginité, SC* 119, Introduction, p. 29-30, 82 ; P. MARAVAL, « Nysse en Cappadoce », *RPHE*, 2, 1975, p. 243-244, note que Grégoire de Nysse a vraisemblablement été ordonné lors de la division de la Cappadoce, mais qu'on n'a « sur ce point aucun témoignage déterminant ».

3. Grégoire avait reçu le sacerdoce une dizaine d'années plus tôt. Il s'agit sans doute de lui dans une lettre de Basile à Eusèbe de Samosate (*Lettre* 98) : « Quant à notre frère Grégoire, je voudrais moi aussi qu'il gouvernât une Église qui fût en rapport avec sa nature. Or c'était toute Église groupée en une unité parfaite qui pût se trouver sous le soleil. Mais comme cela est impossible, qu'il soit évêque *non pour être honoré par son siège, mais pour honorer lui-même son siège.* En effet, la marque d'un homme vraiment grand, ce n'est pas seulement de s'élever à la taille des grandes choses, c'est encore de grandir les petites par sa propre puissance (trad. Courtonne). » Sur l'identification de Grégoire de Nazianze, voir M. AUBINEAU, *ibid.*, Introd., p. 30, n. 2 et p. 81, n. 7.

4. Voir *De vita sua*, v. 386-425 ; cf. v. 357-362 ; 495-522. Grégoire l'Ancien avait pris le parti de Basile au moment du partage : voir *Lettre* 47.

obligé des convois allant de Saint-Oreste à Césarée[1], avait évidemment un caractère politique, comme le suggère Grégoire lui-même avec amertume : « Voilà où me plaça Basile, alors qu'il se trouvait lui-même à l'étroit avec cinquante chorévêques ! Quelle munificence ! Et s'il me traita ainsi en instituant ce nouveau siège, c'était pour s'assurer la victoire quand on viendrait le dépouiller de force[2] ! »

La plupart des commentateurs s'accordent pour situer la date de l'érection des diocèses nouveaux en 372. La consécration épiscopale de Grégoire, ordonné par son père et par Basile[3], eut sans doute lieu peu avant Pâques 372[4], à Nazianze, comme le supposent Giet et Gallay contre Tillemont, qui la situe à Césarée[5].

Grégoire n'a jamais pris possession du siège de Sasimes, comme son propre témoignage l'atteste[6] : « De l'église qui m'était donnée, je n'approchai pas la main, même pour offrir à Dieu un seul sacrifice, pour prier avec le peuple ou pour imposer la main à l'un quelconque des clercs. » Après son sacre, il renonça à rejoindre son siège, peu désireux « de se battre pour des porcelets et des poulets,

1. Voir GAIN, *L'Église*, Appendice I : « Géographie et communications », p. 389-391. Basile, accompagné probablement de Grégoire, avait été victime d'une embuscade tendue par Anthime près de Saint-Oreste ; B. GAIN situe cet incident pendant le deuxième semestre 372 (Appendice II : « Voyages de Basile », p. 393-394)
2. *De vita sua*, v. 447-450 (trad. Gallay).
3. *De vita sua* v. 424-425 ; *D.* 10.
4. Argument de CLÉMENCET (I, 197 C) d'après la réponse d'Eusèbe de Samosate à une lettre qui lui avait été adressée après Pâques 372. Eusèbe désapprouve cette ordination qui vient d'avoir lieu. Cf. *supra*, p. 86, n. 3. Sur la date, voir GIET, *Sasimes*, p. 17, n. 2.
5. GIET, *Sasimes*, p. 69-97 ; GALLAY, *Vie*, p. 106-118 ; 130-131. Cf. *De vita sua*, v. 386-391 ; TILLEMONT, *Mémoires*, t. 9, p. 387. A ce sujet, voir GALLAY, *Vie*, p. 113, n. 2.
6. *De vita sua*, v. 529 s, 702 ; cf. cependant l'hypothèse de BENOIT, *Saint Grégoire de Nazianze*, p. 302.

comme s'il s'agissait des âmes et des canons[1]», et s'enfuit «dans la montagne»[2]. Mais son père l'arrache à sa solitude pour qu'il puisse l'aider à administrer le diocèse de Nazianze[3].

La rupture entre Basile et Anthime dura environ un an[4]. L'évêque de Tyane avait d'ailleurs demandé à Grégoire d'être l'artisan de sa réconciliation avec Basile[5].

Peu après la mort de son père, en 374[6], Grégoire se retira dans un monastère à Séleucie, en Isaurie (375). Sept ans plus tard, l'évêque titulaire de la petite bourgade de Sasimes devient celui de Constantinople[7].

III. Des discours de circonstance

C'est au cours de l'année 372 que furent sans doute prononcés, probablement à Nazianze[8], les *Discours* 9-12. Les

1. *Lettre* 48, en réponse à des lettres de reproche de Basile, que nous ne connaissons pas. «Je ne me battrai pas contre le belliqueux Anthime» (*ibid.*). Cf. *Lettre* 50, sur les agissements d'Anthime, qui a pris possession de Limnai.

2. *De vita sua*, v. 490-491 : «Je courus dans la montagne pour y mener, caché, la vie que j'aime et qui fait mes délices» (trad. Gallay).

3. Le *D.* 12 rappelle encore la contrainte qu'il a subie; cf. *De vita sua*, v. 495-525.

4. Voir Pouchet, *Basile le Grand*, p. 229, n. 2 : début 372-début 373.

5. Cf. Grégoire de Nazianze, *Lettre* 50, où il se considère comme un évêque «sans ville»; Basile, *Lettre* 97, au sénat de Tyane. «Le compromis (entre Anthime et Basile) rendit moins désirable la présence de Grégoire à Sasimes» (Giet, *Sasimes*, p. 80). Sur la conclusion de l'affaire, voir Gain, *L'Église*, p. 309.

6. Au cours de l'oraison funèbre qu'il consacre à son père, Grégoire rappelle amèrement qu'il l'a contraint : «Je ne vous fais qu'un reproche...» (*D.* 18, 37).

7. Voir *Lettres* 182, 183; Introd. de P. Gallay, p. XVI. «C'est un fait connu de tous que nous avons été promu évêque non pas de Nazianze, mais de Sasimes» (*Lettre* 182).

8. Voir les diverses hypothèses concernant dates et lieux, *infra*, dans la présentation de chaque discours.

trois premiers concernent directement l'élévation de Grégoire à l'épiscopat; le *Discours* 12 inaugure véritablement les fonctions épiscopales de Grégoire auprès de son père, à Nazianze, donnant une sorte de conclusion à cette affaire.

Nous adoptons l'hypothèse de P. Gallay, suivi par J. Bernardi, selon laquelle le *Discours* 10 précéderait le *Discours* 9.

1) Le *Discours* 10, prononcé à Nazianze devant Basile et Grégoire l'Ancien, mais adressé surtout à Basile, précède ou suit immédiatement la consécration. Grégoire présente une justification de son attitude de refus devant cette responsabilité, mais aussi une justification de l'action de Basile, pour exposer enfin les raisons de son acceptation de l'onction spirituelle.

2) Le *Discours* 9 est prononcé peu après la consécration, en présence de Basile encore. Grégoire confesse son sentiment d'indignité devant la charge spirituelle qui l'attend et demande à Basile de lui enseigner sa science pastorale.

3) Le *Discours* 11 s'adresse d'une part à Grégoire de Nysse, venu probablement pour l'exhorter à prendre possession de son siège, d'autre part au « peuple » à l'occasion d'une fête des martyrs.

4) Le *Discours* 12 inaugure son ministère à Nazianze auprès de son père et proclame le choix d'une voie moyenne.

Le *Discours* 10

Le *Discours* 10 concerne très précisément la consécration épiscopale de Grégoire (chap. 4), qu'il a reçue de Basile et de Grégoire l'Ancien. Peut-être vient-il de la recevoir au moment où il parle, comme le croient Tillemont et Sinko[1]. Peut-être est-il sur le point de la

1. TILLEMONT, *Mémoires*, t. 9, p. 388; SINKO, *De traditione*, p. 131.

recevoir, comme le supposent Gallay et Bernardi[1]. C'est cette hypothèse que nous suivons, bien qu'il soit difficile de trancher. On peut supposer que le discours a été prononcé le jour-même de la consécration, soit avant, soit après. On s'accorde généralement pour la situer à Nazianze[2] et la dater du début de l'année 372, avant Pâques[3].

Grégoire avoue qu'il a été « vaincu » par « la vieillesse » (Grégoire l'Ancien) et par « l'amitié » (Basile), et qu'il a dû renoncer à son attrait pour la retraite et la vie loin des affaires, à son projet de vivre en philosophe (chap. 1). Il rappelle que ce renoncement l'a rendu très amer, surtout parce qu'il s'est vu contraint par un ami très cher avec qui il avait partagé les mêmes idéaux ; il expose alors de façon vive et concise sa conception de l'amitié avec les puissants, qui est le droit de ne pas avoir à partager leur prospérité (chap. 2).

Après cette justification de sa propre attitude, Grégoire s'adresse directement à Basile et entreprend d'expliquer et de justifier celle de son ami (chap. 3), en cherchant à analyser les motifs, tout spirituels, de son action. Il reconnaît implicitement que l'évêque de Césarée l'a plutôt honoré en faisant passer « l'Esprit » avant l'amitié et en lui demandant de l'aider, comme un autre Barnabé ou Tite cet autre Paul, dans son action (parce qu'il veut mettre au jour le « talent » et la « lampe » de Grégoire[4]). Il importe à Grégoire de faire allusion aux bonnes raisons

1. P. GALLAY donne une traduction du *D.* 10, *Vie,* p. 112-113, et consacre une longue note (p. 112, n. 2) à une discussion sur le moment où Grégoire aurait prononcé ce discours. Pour lui, le présent employé par Grégoire, chap. 4, pour décrire la cérémonie, a le sens d'un futur immédiat et indique que celle-ci va avoir lieu ; BERNARDI, *Prédication,* p. 114.

2. Voir *supra,* p. 87, n. 5.

3. Voir *supra,* p. 87, n. 4.

4. Sur l'utilisation de ces paraboles dans l'œuvre de Grégoire, voir p. 141-142, n. 1.

qu'avait Basile de faire d'un homme « qui se dérobait » un « grand-prêtre (ἀρχιερεύς) ».

Le discours s'achève (chap. 4) sur la description, peu réaliste cependant, puisqu'elle reprend les mots mêmes appliqués à Aaron, de cette consécration épiscopale qu'il accepte finalement, mais en se demandant s'il est « digne »[1] de l'onction spirituelle et du ministère (διακονία) qui lui est confié.

Le *Discours* 9

On considère d'ordinaire que le *Discours* 9, probablement le premier discours de Grégoire évêque[2], a été prononcé peu après sa consécration épiscopale, à Nazianze, en présence de Grégoire l'Ancien et de Basile[3]. Il n'est certes pas exclu de supposer, avec Sinko[4], que Grégoire a prononcé ce discours à Sasimes, car il semble inaugurer ses nouvelles fonctions devant son « peuple », qu'il désigne par deux fois (chap. 3 et 6). Cette opinion a été réfutée par Gallay et Giet, s'appuyant sur quelques vers du *De vita sua* qui laissent entendre que Grégoire n'a jamais exercé le pouvoir épiscopal à Sasimes[5]. On ne peut cependant écarter complètement cette hypothèse et ignorer l'hyperbole de la poésie.

1. L'indignité sera le thème principal du *D.* 9 (peut-être un argument supplémentaire pour voir dans le *D.* 9 la suite du *D.* 10).

2. Chap. 4 : « Et voici que tu obtiens cette *parole* ». Ici, le λόγος est à la fois précisément ce discours et la parole de Grégoire, instrument de sa prédication.

3. GALLAY, *Vie*, p. 113-115 ; BERNARDI, *Prédication*, p. 115 ; GIET, *Sasimes*, p. 70-71. BENOÎT, *Saint Grégoire de Nazianze*, t. I, p. 286-289, suppose que le discours a été prononcé avant le sacre, hypothèse réfutée par GALLAY, *Vie*, p. 115, n. 1. Cf. *supra*, p. 90, n. 1.

4. SINKO, *De traditione*, p. 126-127.

5. *De vita sua*, v. 529 s., cités *supra*, p. 87. Voir GALLAY, *Vie*, p. 115, n. 1 ; GIET, *Sasimes*, p. 78.

Le *Discours* 10 présentait un homme qui avait perdu sa « tranquillité » et acceptait difficilement pour cela une charge qui lui paraissait « mondaine », réaction naturelle de tout philosophe. Avec le *Discours* 9, nous accédons à un stade supérieur. Ce n'est pas la même « lâcheté » qui est en cause : celle-ci désigne un temps d'arrêt (est-ce une fuite [1]?) dû au sentiment d'indignité, déjà avoué à la fin du *Discours* 10, qu'a provoqué en lui, non pas l'acceptation de la nouvelle charge spirituelle, mais la consécration elle-même, la venue de l'Esprit, un événement aussi fort que les visions d'Isaïe, de Manué, de Pierre, du Centurion.... [2] Au sentiment de crainte se joint celui de développer une vanité égale à celle que montrent de nombreux personnages qui ont reçu la grâce, et dont Saül est l'exemple même (chap. 1-2).

Vaincu par l'Esprit, Grégoire est tenu de faire une sorte de déclaration d'intention, la promesse d'exercer réellement ce nouveau ministère, dont il donne une courte définition (chap. 3), résumée bientôt par le maître mot de ce discours : la science pastorale (ποιμαντική), une science qui n'est certes pas réservée à l'évêque, puisqu'on la trouve déjà longuement exposée dans le *Discours* 2, qui concerne le prêtre. La victoire de l'Esprit est due à l'action de Basile, qui a lui-même « vaincu l'invincible », en poussant Grégoire à mettre son λόγος au service de l'Esprit (chap. 4), car une des principales fonctions de l'évêque est d'instruire par la parole [3]. Désormais collègues de Grégoire, Grégoire l'Ancien et Basile devront cependant rester ses pasteurs et lui enseigner leur science pastorale. Mais avant de préciser le contenu de sa

1. Chap. 3 : « Il me fallait un peu de temps. »

2. Selon les *Constitutions apostoliques* (VIII, 4, 6-5, 11), le peuple proclame la dignité de l'évêque et, après cela, celui-ci prononce un discours. Le *Discours* 9 est peut-être un témoignage de ces pratiques.

3. Cf. chap. 3.

demande (fin chap. 5, chap. 6) et se tournant vers Basile, qu'il interpelle avec un brin d'ironie, il lui fait de nouveaux reproches au sujet de sa « tyrannie »[1] pour mieux le flatter, semble-t-il.

Le nouveau berger Grégoire devient en effet modestement brebis de Basile et de Grégoire l'Ancien, sous la conduite du plus grand des bergers (ἀρχιποιμήν), Jésus-Christ.

Le *Discours* 11

Le *Discours* 11[2] est composé de deux parties bien distinctes, dont la première (chap. 1-3) concerne le frère de Basile, Grégoire, nouvellement installé sur le siège épiscopal de Nysse. Celui-ci avait accédé en effet à l'épiscopat en même temps que Grégoire de Nazianze, et probablement dans les mêmes conditions[3]. A la différence de l'évêque de Nysse, celui de Sasimes n'a pas rejoint son siège[4]. Grégoire de Nysse semble être venu en visite à Nazianze de la part de son frère pour exhorter son ami à assumer ses responsabilités (le chap. 3 évoque la défaite, la retraite, la désobéissance). Cette visite semble se situer peu après son ordination, peut-être au cours de l'été 372[5].

1. Cf. *D.* 10.

2. SINKO, *De traditione*, p. 128-129 (pour l'auteur, le *D.* 11 serait à placer avant le *D.* 9); BERNARDI, *Prédication*, p. 115-117 ; GALLAY, *Vie* p. 115-116. Les raisons que donne R. WEIJENBORG pour démontrer l'inauthenticité du *D.* 11 et l'attribuer à Maxime le Cynique ne nous semblent pas convaincantes (« Some evidence of Unauthenticity for Discourse XI in honour of Gregory of Nyssa attributed to Gregory of Nazianzen », *Studia Patristica*, vol. XVII, Part 3, Oxford 1982, p. 1145-1148).

3. Voir *supra*, p. 86, sur la consécration épiscopale de Grégoire de Nysse.

4. Voir *supra*, p. 87-88.

5. Il a déjà « l'autorité » (chap. 2).

Grégoire prononce ce discours le jour d'une fête des martyrs (chap. 4)[1], et la seconde partie, véritable exhortation adressée « au peuple », a trait à cet événement (chap. 4-6). Cette circonstance permet donc de préciser que le discours a été prononcé auprès d'un sanctuaire des martyrs. L'œuvre de Grégoire témoigne de la présence d'un *martyrium* près de Nazianze[2].

Les propos des chapitres 1-3, à l'adresse de Grégoire de Nysse, ont le ton d'amère ironie que Grégoire prend parfois, spécialement dans ses lettres à Basile[3]. Son homonyme (« celui qui m'est semblable par le nom et par l'esprit ») est présenté sous la forme d'une devinette ironique. La parole « peintre » (chap. 2) en fait un portrait qui se veut précis grâce à des touches de couleurs successives. Grégoire en profite pour développer un thème qui lui est cher (chap. 1), celui de l'amitié, dont il aime à évoquer les beautés et les devoirs. Il le fait là de façon plaisante et dans un esprit de fausse flatterie et de fausse modestie. Il ne s'agit pas de n'importe quel ami : Grégoire met en valeur son intelligence, son savoir, sa qualité d'homme de Dieu et de messager de Basile, pour insister sur le fait qu'il paraît impossible de douter d'un tel ami. La description est précisée (chap. 2) par une comparaison (σύγκρισις) des deux frères avec Moïse (Basile) et Aaron (Grégoire de Nysse), le porte-parole.

Mais Grégoire montre vite sa perplexité sur les motifs de la visite du frère de l'évêque de Césarée, puis son

1. Cf. le *D.* 32, prononcé en pareille occasion.

2. Le corps de Césaire est déposé près d'un *martyrium* (*D.* 7, 15 et note), dans un tombeau destiné à ses parents. Le titulaire en est inconnu (P. MARAVAL, *Lieux saints et pèlerinages d'Orient. Histoire et géographie. Des origines à la conquête arabe*, Paris 1985, p. 374) ; cf. H. DELEHAYE, *Les origines du culte des martyrs* (Subsidia Hagiographica, 20), Bruxelles 1933[2], p. 174, sur une église dédiée à saint Mamas, près de Nazianze.

3. Cf. les *Lettres* qui concernent son séjour à Annisa (*supra*, p. 19, n. 2).

agacement, dans un passage (chap. 3) où il évoque l'attitude des deux frères envers lui, et où il reproche à Grégoire de Nysse de n'avoir pas pris son parti et de s'ériger soudainement en juge. Ces reproches assez vifs se terminent, brutalement, par une véhémente et courte justification de sa propre attitude.

La deuxième partie (chap. 4-6) est une exhortation au peuple venu participer à une fête des martyrs. Il importe d'imiter ces « athlètes » et de mener leur combat, grâce à une purification (chap. 4) qui est essentiellement lutte contre les passions (chap. 5), représentées surtout, en cette circonstance, par les « plaisirs du ventre », dans une diatribe qui semble habituelle lors de l'évocation des fêtes. La fête des martyrs ne doit pas en effet être une occasion d'intempérance. Elle est spirituelle et ne peut être comparée aux fêtes des Grecs et des juifs[1]. Les récompenses qui attendent ceux qui se sont purifiés sont dignes des saints martyrs, et permettent de recevoir l'illumination de la Trinité (chap. 6).

Comme il le fait souvent, Grégoire termine son exhortation au peuple par un appel à la confession de foi, en insistant surtout, ici, sur la divinité du Saint-Esprit, et en attaquant précisément les « pneumatomaques », qui ne sont pas moins à combattre que les « ennemis du dehors ».

Bien que ce discours paraisse composite, la conclusion (chap. 7) concerne les deux parties (chap. 7), car le « dieu de paix » doit réunir « les frères », c'est-à-dire sceller la réconciliation entre Grégoire et ses deux amis, et mener à la perfection le peuple, surtout en le *rassasiant* spirituellement.

1. Voir M. Harl, « La dénonciation des festivités profanes dans le discours épiscopal et monastique, en Orient chrétien, à la fin du IVe siècle », *La fête, pratique et discours* (Centre de Recherches d'Histoire Ancienne, 42. Annales Littéraires de l'Université de Besançon, 262), Paris 1981, p. 123-147.

Grégoire de Nazianze et Grégoire de Nysse

Outre ce discours, nous connaissons huit lettres adressées par Grégoire de Nazianze à Grégoire de Nysse : *Lettres* 11, 72, 73, 74, 76, 81, 182, 197. Une épigramme consacrée à sa sœur Théosébie le mentionne également, semble-t-il (*Épigr.* 164)[1]. Les *Lettres* 74 et 76 particulièrement, à l'égal du début du *Discours* 11, montrent les liens d'amitié existant entre les deux hommes. La première « couleur » qu'applique le λόγος qui se veut peintre est bien celle de l'amitié.

Mais le portrait se précise et s'affine dans la comparaison de Grégoire de Nysse avec son frère Basile, puis dans celle des deux frères avec Moïse et Aaron, modèles de prêtres[2].

Les reproches adressés par Grégoire de Nazianze à son homonyme (chap. 2) confirment aux yeux de J. Daniélou « cette incertitude de caractère qui pouvait passer pour de la duplicité[3] ».

Une fête des martyrs

La coutume de célébrer les martyrs est ancienne. Toute la communauté se réunissait autour de leur tombe au jour anniversaire du martyre, et cette fête (πανήγυρις) donnait lieu à des rencontres commerciales et particulièrement à des *agapes*, dont témoignent autant la littérature que l'archéologie[4]. En raison des abus qu'entraînaient ces repas communautaires, la

1. Voir HAUSER-MEURY, *Prosopographie*, « Gregor von Nyssa », p. 91-92; J. DANIÉLOU, « Grégoire de Nysse à travers les lettres de saint Basile et de saint Grégoire de Nazianze », *Vigiliae Christianae*, 19, 1965, p. 31-41; M. AUBINEAU, *SC* 119, Introd., p. 61-65 (spécialement sur le contenu de la *Lettre* 11).

2. Cf. *D.* 11, 2; Voir M. HARL, « Les trois quarantaines de la vie de Moïse. Schéma idéal de la vie du moine-évêque chez les Pères cappadociens », *REG*, 80, 1967, p. 407-412.

3. J. DANIÉLOU, «Grégoire de Nysse... », p. 32.

4. Voir W. RORDORF, « Le culte des martyrs », *DSp*, 10, 1980, col. 723-

coutume des *agapes* disparut à la fin du IVe siècle. Grégoire stigmatise ces excès de table dans ce discours et dans diverses épigrammes[1]. Il n'est pas le seul évêque à s'indigner de voir dégénérer cette fête qui devrait être une assemblée spirituelle, se distinguant, comme il le répète souvent, des fêtes profanes et juives, bien qu'il n'interdise pas «la détente» (ἄνεσις). Basile avait consacré une de ses *Grandes Règles* à ce sujet. Augustin reprend ce thème[2].

Cette fête toute spirituelle doit amener à faire désirer encore une fois la concorde fraternelle, qui est l'image de la concorde entre les personnes de la Trinité, et faire proclamer tout particulièrement la divinité du Saint-Esprit.

Image de la fête céleste, la fête chrétienne, et spécialement la commémoration des martyrs – qui sont des médiateurs, parce qu'ils ont imité le sacrifice du Christ, et des instruments de divinisation –, vécue dans une joie spirituelle, doit conduire à la véritable allégresse, donner la participation à la joie (χάρα) du Seigneur[3].

Le *Discours* 12

Grégoire a renoncé définitivement au siège de Sasimes après l'intervention armée d'Anthime et sa fuite «dans la

726, avec bibliographie; P. MARAVAL, *Lieux saints et pèlerinages d'Orient*, p. 213-221 : «Pratiques organisées»; GAIN, *L'Église*, p. 216-225.

1. *Épigr.* 166, 169, 172, 175; cf. aussi *D.* 38, 4-6, à propos d'une fête de la Nativité.

2. BASILE, *GR* 40 (*PG* 31, 1020 D); AUGUSTIN, *Confessions* VI, 2, 2; *Epist.* 29, 9; *Sermo* 311, 5; cf. GRÉGOIRE DE NYSSE, *Lettre* 1, 24. Voir, au sujet de ces «désordres», P. MARAVAL, *ibid.*, p. 241-243. On lira les pages de V. SAXER, *Morts, martyrs, reliques* (Théologie Historique, 35), Paris 1980, p. 133-147, sur le jugement d'Augustin et son action pour mettre fin aux banquets funéraires en l'honneur des martyrs (avec liste des textes d'Augustin sur les banquets funéraires, p. 133-134).

3. M. HARL, étudie le vocabulaire de la fête et de l'allégresse, *art. cit.*, p. 125 et 138, n. 9. Cf. également le vovabulaire «festif» du *D.* 6, discours de réconciliation.

montagne »[1]. Il inaugure, avec ce *Discours* 12[2], ses fonctions épiscopales à Nazianze auprès de son père, dont il a accepté d'être l'auxiliaire.

Ce discours ressemble étrangement au précédent par sa structure, car il s'adresse dans un premier temps (chap. 2-3) à un homme, Grégoire l'Ancien ici (Grégoire de Nysse dans le *Discours* 11), et ensuite au peuple.

Dès les premiers mots, le discours se place sous le signe de la Trinité, et spécialement de l'Esprit (chap. 1). Ils sont ceux d'un homme apaisé et responsable, spécialement de la théologie (cf. chap. 5). Puis Grégoire se tourne vers son père (chap. 2-3) à la fois pour lui rendre hommage, dans un portrait où il le compare à Aaron et à Moïse (chap. 2), et justifier son comportement à son égard (chap. 3). S'adressant ensuite au peuple des fidèles (chap. 4), il l'appelle à l'aide et lui confie le motif de ses hésitations (jusqu'à présent il s'était justifié auprès de Grégoire l'Ancien, de Grégoire de Nysse ou de Basile) ; sa lutte entre le désir de retraite et celui d'accepter une responsabilié spirituelle. Finalement, Grégoire avoue à ce peuple sa résolution définitive : un compromis (chap. 5), un juste milieu qui lui permet seulement d'aider son père à mener le troupeau de Nazianze. Cette voie moyenne en fera un évêque remplissant totalement ses fonctions de pédagogue envers le troupeau qu'il aime le plus, bien qu'il lui soit imposé, mais en se réservant la liberté d'abandonner cette responsabilité quand son père ne sera plus là. Car s'il n'est pas question désormais qu'il accepte d'aller « ailleurs » (il faut entendre Sasimes, constamment présente en filigrane dans ce discours), il ne saurait non plus subir une nouvelle « tyrannie », puisque « notre loi » interdit la contrainte.

1. Sur ces événements, voir *supra*, p. 87-88.

2. TILLEMONT, *Mémoires*, t. 9, p. 388-391 ; BENOIT, *Saint Grégoire de Nazianze*, p. 306-308 ; SINKO, *De Traditione*, p. 132-136 ; GALLAY, *Vie*, p. 116-117 ; BERNARDI, *Prédication*, p. 117-118.

Mis sous le signe de l'Esprit[1], qui lui permet d'accepter cette charge et dont il affirme fortement la divinité (chap. 6), ce discours est peut-être une nouvelle justification de son attitude, il est surtout le premier acte de l'évêque pédagogue, celui qui doit enseigner la «théologie», c'est-à-dire la Trinité, présente dès les premiers mots.

IV. DES THÈMES PRIVILÉGIÉS

L'idéal de l'amitié

Adressés à des personnages chers à Grégoire, les *Discours* 9-12, par leur longueur, leur ton, ont bien des traits communs avec ses lettres. Ils jettent un éclairage particulier sur l'amitié[2] des Cappadociens entre eux et, surtout, sur celle qui lia Grégoire à Basile de Césarée, puisque l'affaire de Sasimes semble avoir été une pierre d'achoppement dans l'histoire de cette amitié.

Les *Épigrammes* 2-11 la magnifient : «Qu'un corps pût vivre sans âme plutôt que moi sans toi, voilà, Basile, serviteur du Christ, mon ami, ce que je pensais.»; «A quoi bon s'attarder sur la terre et s'y consumer, aspirant à une amitié dans le ciel?»; «Sois heureux, Basile, bien que tu nous aies quitté»[3].

Le *Poème sur sa vie,* ainsi que le *Discours* 43 (Éloge funèbre de Basile) rappellent l'histoire de cette amitié et, particulièrement, ses débuts au cours de leurs communes

1. Grégoire en est «l'instrument». La volonté de l'Esprit est celle du don de soi à la communauté, avec l'exemple fort du Christ, qu'aucun exemple ne pourra surpasser.

2. On sait que la correspondance est le lieu privilégié de l'expression de l'*amitié,* surtout en tant que lien social et utile très fort.

3. *Épigr.* 2, 6, 11.

études à Athènes[1]. «Je désire, dit Grégoire, ... ajouter des éléments qui me concernent personnellement ... en disant ce que furent la source, les circonstance et l'origine de cette amitié, ou encore de cette union de sentiments (συμπνοία) et de nature (συμφυΐα), pour m'exprimer de façon plus appropriée[2].» S'il évoque de nouveau dans le *Discours* 10 cette union parfaite lors de la jeunesse athénienne, c'est avec une certaine amertume, puisqu'il a le sentiment d'avoir été trahi. L'*Éloge funèbre* de Basile portera la trace de cette déception : «Moi qui admire tout dans cet homme – je ne saurai dire à quel point –, il y a une seule chose que je ne puisse approuver (je ferai l'aveu de ce que j'ai ressenti – le public d'ailleurs ne l'ignore pas –) c'est l'attentat (καινοτομία) et le manque de loyauté (ἀπιστία) dont nous avons été l'objet, dont le temps lui-même n'a pas effacé l'amertume[3].»

Grégoire, qui se vante «d'avoir tiré profit de l'amitié d'un homme qui, contribuait durant sa vie à (sa) *vertu*[4]», n'a pas admis de devoir être utilisé par un homme de pouvoir qui connaissait son désir de rester à l'écart du monde. Les discours prononcés au moment de l'affaire de Sasimes dénoncent particulièrement cette «tyrannie» inadmissible, selon lui, de la part d'un ami. Le *Discours* 11, adressé à Grégoire de Nysse, sert précisément de prétexte à Grégoire pour exposer son idéal de l'amitié.

Cependant Grégoire a fini par accepter cette charge épiscopale imposée par son ami, et ce n'est pas à un autre qu'il demandera des conseils pour mieux l'exercer, puisqu'il le considère comme le modèle des évêques[5].

1. *D.* 43, 14-22.
2. *D.* 43, 14.
3. *D.* 43, 59.
4. *D.* 43, 22.
5. Le *D.* 43 loue cet évêque modèle.

Le rôle de l'évêque

Prononcés à l'occasion de la consécration, les *Discours* 9-10, qui donnent très peu de détails sur la cérémonie elle-même, en sont heureusement le témoignage! Honneur « mondain », l'épiscopat semble arracher de façon brutale à la solitude un homme qui préfère, ou se doit de préférer, la vie ascétique, et qui méprise ceux qui recherchent le pouvoir; honneur spirituel, il peut mettre en relief l'indignité de celui qui a été choisi pour une responsabilité de cet ordre. Grâce à Grégoire, nous avons peut-être la trace d'un genre littéraire dont la littérature de l'antiquité nous a laissé peu de témoins : le discours d'intronisation.

Un tel discours suppose modestie et flatterie, et donc demande de patronage. La ποιμαντική doit être enseignée par ceux qui en ont déjà l'expérience, et qui sont, tel Basile, des modèles admirés, à celui qui devient responsable d'un troupeau.

Si les deux discours précédents ont été prononcés le jour-même du sacre, les *Discours* 11-12 sont véritables paroles d'évêque, même si Grégoire ne les prononce pas devant le « peuple » qui lui a été confié (puisque la prise de fonction dont il est question *Discours* 12 est celle d'un évêque auxiliaire).

Tous ces discours, on l'a vu, ont trait à des événements importants; ils sont les modèles des discours plus modestes que l'évêque a l'obligation d'adresser régulièrement à son peuple. L'évêque en effet a la responsabilité d'enseigner la théologie, c'est-à-dire de préserver l'héritage « de nos Pères », et de se consacrer à l'exhortation morale (comme le montre le *Discours* 11). Cette exhortation s'appuie principalement sur l'exposition des modèles proposés à l'imitation : les personnages bibliques, les martyrs, et, implicitement, l'évêque lui-même, qui doit être un modèle, même s'il est arraché à la solitude, de « philosophie chrétienne ».

La philosophie

Être appelé à l'épiscopat, c'est en effet devoir accepter un honneur, certes spirituel, mais « mondain », avec peines et combats, et le « philosophe » chrétien ne réclame pas moins que le païen l'ἡσυχία et l'ἀπαραγμοσύνη : la vie dans le silence et loin des affaires[1]. Appelé, contre son gré, dit-il, au sacerdoce, puis à l'épiscopat, Grégoire semble d'une part redouter les responsabilités spirituelles, parce qu'il ne s'en juge pas digne, d'autre part mépriser une politique ecclésiastique, dont l'affaire de Sasimes montre précisément qu'elle joue « tyranniquement » avec la liberté des individus. Tout au long de son œuvre, Grégoire insiste sur son désir de retraite, toujours insatisfait, pour prêcher précisément aux chrétiens le renoncement à la vie « d'en bas », et leur demander d'aspirer à la « Jérusalem d'en haut », en se détachant des liens du corps[2].

Mais si l'idéal de Grégoire n'est pas dans une vie d'action, il n'est pas non plus dans une vie totalement retirée, comme l'indique subtilement son « acceptation » du *Discours* 12, ainsi que la confidence du *Poème sur sa vie* : « Finalement, j'adoptai une situation intermédiaire entre celle des solitaires et celle de ceux qui sont mêlés au monde, décidant de méditer comme les premiers et de me rendre utile comme les seconds[3]. »

Ces discours ne nous apportent certes pas beaucoup

1. BASILE évoque le goût de son ami pour la « tranquillité », *Lettre* 33, 3-11. Voir l'exhortation de Grégoire à un « homme en vue », *D.* 40, 19 ; cf. *D.* 2, 7.

2. Cf. dans ce volume, *D.* 7-8.

3. Vers 280-312, trad. P. GALLAY, *Poèmes et Lettres*, p. 36-37.

de détails précis sur cette «affaire», dont nous avons essayé de donner les grandes lignes plus haut. Ils nous renseignent surtout sur la personnalité de Grégoire, ses relations avec Basile, sur son idéal «philosophique» et pastoral. Pas plus qu'il ne souhaitait le sacerdoce, Grégoire ne désire l'épiscopat, mais ayant appris l'art de bien mener les troupeaux (ποιμαντικὴ), il ne renonce plus à mettre «la lampe sur le chandelier», même s'il songe sans cesse au Carmel d'Élie, au désert de Jean, sans pouvoir jamais contenter vraiment son goût de la «tranquillité».

LE TEXTE

Dans l'attente de la parution de l'*editio maior critica* réalisée sous la direction de J. Mossay sous les auspices de la Goerres-Gesellschaft à Münster, la collection « Sources chrétiennes » publie depuis 1974 les œuvres oratoires de Grégoire de Nazianze en offrant une édition critique établie à partir d'une dizaine de manuscrits jugés parmi les plus représentatifs [1]. Nous avons donc consulté ces dix manuscrits pour l'établissement du texte des *Discours* 6-12 proposé dans ce volume [2].

I. Les manuscrits

Rappelons que les manuscrits des *Discours* se répartissent en deux groupes principaux, selon le nombre et l'ordre des discours [3] : recueil des 52 discours (famille *N*); recueil des 47 discours (famille *M*) [4]. Les discours édités ici se trouvent dans tous les manuscrits de la famille *N* dans l'ordre suivant, selon la numérotation donnée par les Mauristes : 7, 8, 6, (23), 9, 10, 11, 12; dans ceux de la famille *M* : 7, 8, (18) [5], 6 (SDPC); 12, 9, 10, 11 (SDC); 12, 10, 9, 11 (P).

1. *SC* 208, 247, 250, 270, 284, 309, 318, 358, 384 (voir *Abréviations bibliographiques*, p. 113-115).

2. Certains éditeurs ont consulté d'intéressants manuscrits complémentaires (voir les éditions de C. Moreschini et J. Bernardi). Notons que le manuscrit palimpseste (J), du VIIIe-IXe siècle, utilisé par J. Bernardi, ne contient pas les *Discours* 6-12.

3. Ces groupes ont été reconnus pat T. Sinko, *De traditione*, p. 149-150.

4. Pour la description des manuscrits, voir les éditions antérieures.

5. Les trois discours funèbres consacrés aux membres de sa famille sont donc réunis.

Famille N : recueil des 52 discours

A Milan, Bibliothèque Ambrosienne, *Ambrosianus E 49-50 inf.* (*gr. 1014*), du IXe siècle, en onciale :

D. 6 : p. 102-119 ; *D.* 7 : p. 70-88 (lacune importante, de 7, 1 ἤδη, l. 26, à 7, 7 Θεῷ δὲ καὶ, l. 17) ; *D.* 8 : p. 89-101 (lacune, de 8, 14 καὶ χαλάζης, l. 14, à 8, 19 ἐλλαμπόμεθα, l. 15) ; *D.* 9 : p. 129-133 ; *D.* 10 : p. 133-136 ; *D.* 11 : p. 136-142 ; *D.* 12 : p. 142-146.

Q Patmos, Monastère de saint Jean l'Évangéliste, *Patmiacus 43-44*, du Xe siècle :

D. 6 : fol. 72-85^v ; *D.* 7 : fol. 45^v-60 ; *D.* 8 : fol. 60-72 ; *D.* 9 : fol. 92^v- 96 ; *D.* 10 : fol. 96-98 ; *D.* 11 : fol. 98-102^v ; *D.* 12 : fol. 102^v-105^v.

B Paris, Bibliothèque Nationale, *Parisinus gr.* 510, du IXe siècle[6], en onciale :

D. 6 : fol. 53-61^v ; *D.* 7 : fol. 33-43^v ; *D.* 8 : fol. 44-53 ; *D.* 9 : fol. 68-69 (lacune à partir du titre jusqu'au chap. 3, l. 3 ἐκπλήξει) ; *D.* 10 : fol. 70-71 ; *D.* 11 : fol. 72-75 ; *D.* 12 : fol. 75^v-77^v. Les titres des *Discours* 10, 11, 12 sont illisibles (effacés ?).

W Moscou, Bibliothèque Synodale, *Mosquensis Synodalis. 64* (*Vlad. 142*), du IXe siècle :

D. 6 : fol. 44-51 ; *D.* 7 : fol. 28^v-37 ; *D.* 8 : fol. 37-43^v ; *D.* 9 : fol. 56-57^v ; *D.* 10 : fol. 57^v-59 : *D.* 11 : fol. 59-61 ; *D.* 12 : fol. 61-63.

V Vienne, National Bibliotek, *Vindobonensis theol. gr.* 126, du début du XIe siècle :

D. 6 : fol. 38-44^v ; *D.* 7 : fol. 26-32 (lacune du début jusqu'à 7, 4 -σία μετατεθῆναι, l. 28) ; *D.* 8 : fol. 32-38 ; *D.*

6. Ce beau manuscrit, souvent admiré pour ses miniatures, a été étudié récemment par J. IRIGOIN, « La disposition du texte dans le ms. Paris, B N, gr. 510 », *Mise en page et mise en texte du livre manuscrit*, sous la direction de H.-J. Martin et J. Vezin, Paris 1990, p. 122-124.

9 : fol. 47-49^{v} ; *D.* 10 : fol. 49^{v}-50^{v} ; *D.* 11 : fol. 50^{v}-52^{v} ; *D.* 12 : fol. 52^{v}-54.

T Moscou, Bibliothèque Synodale, *Mosquensis Synodalis 53* (*Vladimir 147*), du xe siècle :

D. 6 : fol. 49-57^{v} ; *D.* 7 : fol. 31 v-41^{v} ; *D.* 8 : fol. 41^{v}-49 ; *D.* 9 : fol. 62-64 ; *D.* 10 : fol. 64-65^{v} ; *D.* 11 ; fol. 65^{v}-68 ; *D.* 12 : fol. 68-70^{v}.

Famille M : recueil des 47 discours

S Moscou, Bibliothèque Synodale, *Mosquensis Synodalis 57* (*Vladimir 139*), du IXe siècle. Le texte présente de nombreuses corrections, par une main plus tardive.

D. 6 : fol. 86^{v}-95 ; *D.* 7 : fol. 53-62^{v} ; *D.* 8 : fol. 62^{v}-69^{v} ; *D.* 9 : fol. 27^{v}-29^{v} ; *D.* 10 : fol. 29^{v}-30^{v} ; *D.* 11 : fol. 30^{v}-33 ; *D.* 12 : fol . 25-27.

D Venise, Biblioteca Marciana, *Marcianus gr. 70*, du xe siècle :

D. 6 : fol. 96-104^{v} ; *D.* 7 : fol. 62-72 ; *D.* 8 : fol. 72^{v}-79 (lacune importante de 8, 14 βιασαμένου, l. 3, à 8, 16 τῆς εὐσεβείας, l. 11) ; *D.* 9 : fol. 34-36 : *D.* 10 : fol. 36-37^{v} ; *D.* 11 : fol. 37^{v}-40^{v} ; *D.* 12 : fol. 31^{v}-34.

P Patmos, Monastère de Saint Jean l'Évangéliste, *Patmiacus 33*, de 941 :

D. 6 : fol. 35, 20^{v}-23^{v} ; *D.* 7 : fol. 41-43^{v} (lacune très importante de νεκρός 7, 15, l. 31, à -μενοι τὰς ἡμετέρας 7, 24, l. 8) ; *D.* 8 : fol. 44-48 ; *D.* 9 : fol. 50^{v}-51^{v} ; *D.* 10 : fol. 18^{v}-19 ; *D.* 11 : fol. 51^{v}-53 ; *D.* 12 : fol. 17^{v}-18^{v}.

C Paris, Bibliothèque Nationale, *Parisinus Coislinianus 51*, du xe siècle :

D. 6 : fol. 104^{v}-114^{v} ; *D.* 7 : fol. 67-76^{v} ; *D.* 8 : fol. 76-84^{v} ; *D.* 9 : fol. 32-34 ; *D.* 10 : fol. 34^{v}-36 ; *D.* 11 : fol. 36^{v}-39^{v} ; *D.* 12 : fol. 29^{v}-32.

II. La présente édition

Le groupe des *Discours* 6-12 ne fait pas exception par rapport aux autres discours de Grégoire de Nazianze déjà édités. Le texte donné privilégiera l'accord entre les deux « familles » de manuscrits. La majorité des variantes ne portent que sur des détails[1], et il est bien rare de pouvoir trancher sûrement entre les leçons. Lorsqu'il y a désaccord, les manuscrits DPC se distinguent en règle générale du groupe AQBWVT, associé à S. Ces deux groupes sont assez systématiquement opposés en ce qui concerne le texte des *Discours* 7 et 8 (T corrigé s'alliant souvent à C pour ce dernier discours, C étant assez indépendant, parfois associé à S corrigé pour le *Discours* 7). Quant au texte du *Discours* 6, il montre parfois l'accord de S corrigé avec DPC ou l'accord de D avec l'autre groupe, et un certain nombre de variantes ne se trouvent que dans C. La tradition du texte des *Discours* 9-12 est probablement assez différente : l'accord entre les manuscrits est à peu près constant, et les variantes sont très peu importantes ; D est souvent indépendant de PC, et la famille *M* ne se distingue pas particulièrement, comme dans les autres discours, par une version plus longue.

Les manuscrits DPC donnent en effet une version légèrement plus longue et semblent représenter dans l'ensemble non pas un texte contenant des gloses, mais, par rapport à l'autre groupe, un état du texte révisé par quelqu'un (peut-être Grégoire de Nazianze lui-même[2]?) qui en améliore la présentation stylistique et en précise parfois, la plupart du temps brièvement, le sens.

Par rapport à l'autre groupe (AQBWVT + S), on remarque donc très peu d'omissions dans ces trois manus-

1. Sauf exception, les variantes orthographiques ne sont pas mentionnées dans l'apparat.

2. Sur « l'intervention » de Grégoire, voir J. Bernardi, *SC* 384, p. 21.

crits, mais au contraire des « additions » correctives ou explicatives pouvant faire supposer que c'est l'autre groupe qui est lacunaire [1]. Ainsi les verbes outils y sont plus nombreux, ce groupe de témoins répugnant aux phrases nominales, les formules explicatives (par ex. λέγω, τὸ δὴ λεγομένον...) plus fréquentes ; les noms Θεός et Χριστός sont presque toujours précédés de l'article. Les manuscrits DPC semblent souvent opter en réalité pour une phrase plus balancée et une expression plus « classique ».

Cette version « longue » donne, à bien des égards, même si elle peut passer pour une *lectio facilior*, l'impression d'être plus acceptable que l'autre, comme l'ont déjà souligné P. Gallay (qui la trouve « plus satisfaisante au regard de la réflexion critique » dans son introduction aux *Discours* 27-31 [2]), C. Moreschini [3], et J. Bernardi, qui a privilégié la leçon longue, sauf cas de faute, pour son édition du *Discours* 43, récemment publié [4].

Lorsque le choix principal, qui est celui de l'accord entre les deux familles, ne peut être fait, c'est donc cette version, dite longue, qui est le plus généralement préférée dans cette édition, le texte donné par DPC étant parfois confirmé, comme dans le cas du *Discours* 2, par la traduction latine que Rufin a donnée du *Discours* 6 [5],

1. C'est l'avis de J. BERNARDI : « Lorsqu'un mot ou un groupe de mots fait défaut dans un groupe de témoins, il s'agit en général d'une authentique omission ; exceptionnellement, il arrive que l'omission se constate dans DPC, mais le plus souvent DPC aident à réparer l'omission. » (Introd. des *Discours* 1-3, *SC* 247, p. 67 ; cf. p. 68).

2. *SC* 250, p. 22.

3. *SC* 318, p. 69.

4. *SC* 384, p. 40-45.

5. *Tyrannii Rufini Orationum Gregorii Nazianzeni novem interpretatio*, ed. A. Engelbrecht, *CSEL* 46, Vienne-Leipzig 1910, p. 208-233. A propos du *D.* 2, voir J. BERNARDI, *SC* 247, p. 64-67. P. GALLAY signale, *SC* 250, p. 17, l'apport du témoignage de Rufin pour confirmer bon nombre de leçons du *D.* 27. Cf. J. MOSSAY, à propos du *D.* 26, *SC* 284, p. 209-212.

bien qu'il soit difficile de faire entièrement confiance à cette traduction, comme l'a justement souligné C. Moreschini dans son introduction aux *Discours* 38-41 [1].

On ne peut oublier, d'autre part, que toute la tradition des discours est caractérisée par la contamination qui se produit entre les manuscrits des deux familles ; « une des particularités de cette contamination est qu'elle se fait de préférence par blocs, c'est-à-dire *pour un discours dans son ensemble* [2] », comme on peut le vérifier dans les discours publiés dans ce volume. Celle-ci semble avoir eu lieu à une époque ancienne.

Les « parenthèses » sont une autre particularité du texte de Grégoire : cette question a été abordée par J. Bernardi, principalement à propos de l'édition du *Discours* 42 [3]. La plus grande « longueur » des manuscrits DPC peut faire supposer qu'ils en contiennent un plus grand nombre. Mais, ici comme ailleurs, il est difficile de savoir s'il s'agit de commentaires introduits par l'auteur lui-même au moment de la réécriture de ses discours ou de gloses apportées plus tard.

En effet, outre quelques mots ou groupes de mots donnant généralement de petites précisions ou servant,

1. *SC* 358, p. 96-99 (à propos de la traduction des *D.* 38, 39, 41). Pour l'auteur, « Rufin suit un modèle antérieur à la subdivision en familles..., un modèle particulièrement ancien. Malheureusement... l'écrivain latin a fait son œuvre de traducteur avec une remarquable liberté. » Sur cette œuvre de traducteur, voir Monica WAGNER, *Rufinus the Translator. A Study of his theory and his practice as illustrated in his version of the Apologetica of St Gregory Nazianzen* (*The Cabolic University of America. Patristic Studies*, 73), Washington 1945 ; C. MORESCHINI, « Rufino traduttore di Gregorio Nazianzeno », *Rufino di Concordia e il suo tempo, Antichità Alto Adriatiche*, 31, Udine 1987, p. 227-244.

2. C. MORESCHINI, *SC* 318, p. 75.

3. *SC* 384, p. 20-24. « On ne peut exclure que ce que nous appelons des parenthèses aient été, en totalité ou en partie, des additions marginales de l'auteur ou des repentirs » (p. 24).

comme c'est le cas le plus fréquent, à l'harmonie de la phrase, les manuscrits DPC comportent aussi quelques phrases explicatives, particulièrement dans les *Discours* 6, 7, 8. Ainsi :

D. 6, 7, DPC *add. post* βιασθέντες : καὶ κατατοξευθέντες ἐν σκοτομήνῃ τὸν οὖν ἣν αὐτὸς ἡμῖν ἐπήγειρεν καὶ οὐκ οἶδ' ὅτι χρὴ λέγειν.

D. 6, 9, DPC *add.* : εἰ καὶ λόγοις πνευματικοῖς τὴν ποιμαντικὴν ἀναβάλλεται.

Aucune de ces deux «parenthèses» ne se trouve dans la traduction de Rufin. La première, que nous conservons cependant, semble couper intempestivement la structure de la phrase. La seconde paraît être une explication tardive des raisons qu'avait le personnage anonyme de ce passage de «différer» le moment de prendre ses responsabilités (avec reprise, en amont, du verbe ἀναβάλλεσται, *infra*, ligne 11). Comme la première, elle peut être une insertion postérieure de Grégoire de Nazianze lui-même.

D. 7, 9 (la plus longue insertion des *D.* 6-8) ; DPC *add. post* λαμπρότητος : καὶ τὴν μὲν ὡς σκηνὴν προβάλλοιτο, ἤ τι προσωπεῖον τῶν πολλῶν καὶ προσκαίρων, τὸ τοῦ κόσμου τούτου δρᾶμα ὑποκρινόμενος, αὐτὸς δὲ ζῴοι Θεῷ μετὰ τῆς εἰκόνος, ἣν οἶδε παρ' ἐκείνου λαβὼν καὶ ὀφείλων τῷ δεδωκότι.

Parenthèse de Grégoire ou interpolation plus tardive[1], cette «addition» assez longue par rapport au texte du groupe *N* + S est donnée par DPC et T *mg.* (de même

1. C. MORESCHINI, suppose que le *textus auctus* donné par DPC se limite à des additions courtes : «La famille m présente pour les D. 38-41, comme on l'a déjà vu pour les *D.* 32-37, un *textus auctus*, mais non pas sur l'étendue que croyait Sinko ; les plus longs des *addimenta* signalés par le savant polonais doivent être considérés comme des interpolations évidentes» (*SC* 358, p. 96).

que le deuxième exemple du *D.* 8), mais avant une phrase qui se relie plutôt au texte qui précède cette longue addition de DPC.

Les autres «additions» du *Discours* 7 sont plus courtes (chap. 15 et 23).

D. 8, 4 : à la place de ὧν τὸ δώρημα, donné par l'autre famille + S, DPC développent : τὸ ἀντιδωρηθὲν δώρημα αὐτολογικὸν σφαγίον, καὶ ὁ ἀντισαχθεὶς (ἀντεισαχθεὶς C) ἀμνός, καὶ ὁ τύπος τοῦ κρείσσονος. On peut supposer qu'il s'agit là d'une glose. Cette «addition» n'a donc pas été retenue.

D. 8, 19 : une autre explication assez longue se situe en fin de chapitre ; il paraît au contraire utile de la conserver[1] :

DPC *add. post* ἐκδημίαν : καὶ τὴν ἡμέραν ταύτην γνωρίσασα, ὡς ἂν ἑτοιμασθῆναι καὶ μὴ ταραχθῆναι τοῦ Θεοῦ πρυτανεύοντος.

Il ne semble pas inutile de conserver d'autre part la clarification apportée *D.* 8, 18 à propos du passage délicat concernant l'usage que fait Gorgonie des «antitypes». On lit dans DP et la marge de C, après ἐθησαύρισεν : τοῦτο καταμιγνῦσα τοῖς δάκρυσιν.

Un autre exemple d'allongement du texte est donné, dans tous les discours, par le texte des titres (précisant généralement, dans le groupe DPC, les circonstances, le lieu, les personnages en présence), et celui des doxologies finales. Mais on sait combien la transmission textuelle des titres et des doxologies est peu sûre ; il est donc impossible d'en tirer des conclusions éclairantes.

Les autres différences entre les deux groupes de manuscrits ont trait à de simples mots, au mode ou au temps

1. C'est également l'avis de J. Bernardi, *SC* 247, p. 67, qui juge cet apport de DPC très positif.

des verbes. On en trouvera le témoignage dans l'apparat critique. Il s'agit en général de mots très proches par la graphie, et parfois apparemment contradictoires (*D.* 6, 9 : λόγοις / λογίοις; 6, 12 ἔκγονον / ἔγγονον; *D.* 7, 9 : προστατεῖν / προστατεύειν; 7, 14 περιφάνειαν / ἐπιφάνειαν; *D.* 8, 6 : κάτωθεν / ἄνωθεν; 8, 11 : οἰκείοις / γυναικείοις; 8, 19 : ὕπνος / ὕμνος...).

Il est donc difficile, le plus souvent, de faire un choix. Un exemple pris dans le *Discours* 8, chap. 11, montre bien cette difficulté; on peut hésiter entre la leçon οἰκείοις (DPC) et la leçon γυναικείοις (AQBWVTS) : limites «propres» ou limites «féminines» de la piété? Grégoire de Nazianze insiste assez souvent sur les limites de l'εὐσέβεια; celles-ci semblent concerner tous les hommes (même si, traditionnellement, à la suite de saint Paul, on demande avec insistance aux femmes de rester à leur place), et il nous a paru paradoxal que l'auteur de l'éloge de Gorgonie fasse une pareille restriction, laissant sa sœur dans les limites «féminines» de la piété, alors qu'il en fait une «philosophe» égale aux hommes[1].

Si l'on excepte le problème posé par le texte plus «riche» donné par DPC, on constate une fois de plus que les variantes données par les différents manuscrits des discours de Grégoire de Nazianze utilisés dans nos éditions, à quelques exceptions près, ne concernent que des détails, et n'aident ni à résoudre les problèmes éventuels de compréhension du texte, ni à voir plus clair dans l'histoire de la tradition manuscrite. Nous attendons pour cela, comme les autres éditeurs de ces *Discours,* la publication de l'*editio maior critica.*

1. Voir *D.* 8, 11, note.

ABRÉVIATIONS ET SIGLES BIBLIOGRAPHIQUES

La liste ci-dessous ne contient que les ouvrages et articles plusieurs fois cités dans les notes avec leurs abréviations[1].

Œuvres de Grégoire de Nazianze[2] :

Discours : *PG* 35 : (*D.* 1-26) ; *PG* 36 : (*D.* 27-45). *Poèmes, PG* 37-38. *Lettres* : *PG* 37. Cette édition reproduit celle des Mauristes : *Gregorii theologi ... Opera omnia,* t. I, Paris 1778 ; t. II, Paris, 1840).

Discours funèbres en l'honneur de son frère Césaire et de Basile de Césarée, éd. et trad. F. Boulenger, Paris, 1908 = *Discours* 7 et 43.

Discours 1-3, éd. et trad. J. Bernardi, *SC* 247, Paris, 1978.

Discours 4-5, éd. et trad. J. Bernardi, *SC* 309, Paris, 1983.

Discours 20-23, éd. et trad. J. Mossay, *SC* 270, Paris, 1980.

Discours 24-26, éd. et trad. J. Mossay, *SC* 284, Paris, 1981.

Discours 27-31, éd. et trad. P. Gallay, *SC* 250, Paris, 1978.

Discours 32-37, éd. C. Moreschini, trad. P. Gallay, *SC* 318, Paris, 1985.

Discours 38-41, éd. C. Moreschini, trad. P. Gallay, *SC* 358, Paris, 1990.

Discours 42-43, éd. et trad. J. Bernardi, *SC* 384, Paris, 1992.

Lettres, éd. et trad. P. Gallay, *CUF,* 2 vol., Paris, 1964-1967. *Briefe,* éd. P. Gallay, *GCS,* Berlin, 1969.

Lettres théologiques, éd. et trad. P. Gallay, *SC* 208, Paris, 1974.

1. Il convient cependant de citer en outre : *Biblia Patristica. Index des citations et allusions bibliques dans la littérature patristique,* 5 : *Basile de Césarée – Grégoire de Nazianze – Grégoire de Nysse – Amphiloque d'Iconium* (C.A.D.P.), Paris 1991.

2. L'introduction et les notes de ce volume contiennent d'assez nombreuses citations de Grégoire de Nazianze en traduction française. Sauf indication contraire, celle-ci est due aux traducteurs cités dans cette liste.

De vita sua, Einleitung. Text. Uebersetzung. Kommentar, hg. C. Jungck (Wissenschaftliche Kommentar zu gr. und lat. Schriftsellern), Heidelberg, 1974.

Epigr. : *Anthologie grecque. Ière partie. Anthologie palatine*, t. VI (Livre VIII), éd. et trad. P. Waltz, CUF, Paris, 1944.

Thesaurus : *Thesaurus Sancti Gregorii Nazianzeni. Orationes, Epistulae, Testamentum cur.* J. Mossay et Cetedoc (*Corpus Christianorum. Thesaurus Patrum Graecorum*), Turnhout, 1990.

Rufin : *Tyranni Rufini Orationum Gregorii Nazianzeni novem interpretatio*, ed. A. Engelbrecht, *CSEL* 46, Vindobonae et Lipsiae, 1910.

Autres ouvrages :

Beaucamp, *Statut de la femme* : Joëlle Beaucamp, *Le statut de la femme à Byzance (4e-7e siècles)*. II. *Les pratiques sociales.* (Travaux et Mémoires du Centre de Recherche d'Histoire et civilisation de Byzance, Monographies 6), Paris, 1992.

Bernardi, *Prédication* : J. Bernardi, *La prédication des Pères capppadociens. Le prédicateur et son auditoire*, Paris, 1968.

Boulenger : voir Grégoire de Nazianze, *Discours funèbres*.

Coulie, *Richesses* : B. Coulie, *Les richesses dans l'œuvre de Grégoire de Nazianze, Étude littéraire et historique* (Publications de l'Institut Orientaliste de Louvain, 32), Louvain-La-Neuve, 1985.

Gain, *L'Église* : B. Gain, *L'Église de Cappadoce au* ive *siècle d'après la correspondance de Basile de Césarée (330-379)* (Orientalia Christiana Analecta, 225), Roma, 1985.

Gallay, *Vie* : P. Gallay, *La vie de saint Grégoire de Nazianze*, Lyon-Paris, 1943.

Giet, *Sasimes* : *Sasimes, une méprise de saint Basile*, Paris, 1941

Guignet, *Rhétorique* : M. Guignet, *Saint Grégoire de Nazianze et la rhétorique*, Thèse, Paris, 1911.

HAUSER-MEURY, *Prosopographie*: Marie-Madeleine HAUSER-MEURY, *Prosopographie zu den Schriften Gregors von Nazianz* (Theophaneia, 13) Dis., Bonn, 1960.

HÜRTH, *De orationibus*: X. HUERTH, *De Gregorii Nazianzeni orationibus funebribus* (Dissertationes philologicae argentoratenses selectae, 12, 1), Strasbourg, 1907.

KERTSCH, *Bildersprache*: M. KERTSCH, *Bildersprache bei Gregor von Nazianz. Ein Beitrag zur spätantiken Rhetorik und Popularphilosophie* (Grazer Theologischen Studien, 2), Graz, 1978.

MORESCHINI, « Platonismo » : C. MORESCHINI, « Il platonismo cristiano di Gregorio Nazianzeno », *Annali della Scuola Normale Superiore di Pisa. Cl. di Lettere e Filosofia*, 4, 1974, p. 1347-1392.

— « Luce » : C. MORESCHINI, « Luce e purificazione nella dottrina di Gregorio Nazianzeno », *Augustinianum* 13, 1973, p. 535-549.

— « Influenze » : C. MORESCHINI, « Influenze di Origene su Gregorio di Nazianzo », *Atti dell' Accademia Toscana di Scienze e Lettere La Columbaria*, 44, 1979, p. 33-57.

MOSSAY, *La mort et l'au-delà*: J. MOSSAY, *La mort et l'au-delà dans saint Grégoire de Nazianze* (Université de Louvain. Recueil de Travaux d'Histoire et de Philosophie, 4e série, fasc. 34), Louvain, 1966.

PERNOT, *Rhétorique de l'éloge*: L. PERNOT, *La rhétorique de l'éloge dans le monde gréco-romain.* T. I. *Histoire et technique.* T. II. *Les valeurs.* (Collection des Études Augustiniennes. Série Antiquité, 138-139), Paris, 1993.

PINAULT, *Platonisme*: H. PINAULT, *Le platonisme de saint Grégoire de Nazianze. Essai sur les relations du christianisme et de l'hellénisme dans son œuvre théologique*, Thèse, Paris et La Roche-sur-Yon, 1925.

PLAGNIEUX, *Grégoire théologien*: J. PLAGNIEUX, *Saint Grégoire de Nazianze théologien* (Études de Science Religieuse, 7), Paris, 1951.

PLRE: A.H.M. JONES, J.R. MARTINDALE and J. MORRIS, *The prosopography of the Later Roman Empire. I. A.D. 260-395*, Cambridge, 1975.

POUCHET, *Basile le Grand*: POUCHET, *Basile le Grand et son univers d'amis d'après sa correspondance. Une stratégie de communion* (Studia Ephemeridis « Augustinianum », 36), Roma, 1992.

SINKO, *De traditione* : Th. SINKO, *De traditione orationum Gregorii Nazianzeni*, I (*Meletemata patristica*, I), Cracovie, 1917.

ŠPIDLIK, *Introduction* : T. SPIDLIK, *Grégoire de Nazianze. Introduction à l'étude de sa doctrine spirituelle*, Rome, 1971.

SZYMUSIAK, *Éléments :* J.-M. SZYMUSIAK, *Éléments de théologie de l'homme selon Grégoire de Nazianze*, Roma, 1963.

TILLEMONT, *Mémoires* : S. LENAIN DE TILLEMONT, *Mémoires pour servir à l'histoire ecclésiastique*..., t. IX, Paris, 1714.

TLG : *Thesaurus Linguae Graecae*, CD-Rom, University of California, Irvine (CA), 1992.

SIGLES

Recueil des 52 Discours
(Famille *N*)

A	*Ambrosianus E 49-50 inf. (gr. 1014)*	saec. XI
Q	*Patmiacus 43-44*	saec. X
B	*Parisinus gr. 510*	circa 880
W	*Mosquensis synodalis 64* (*Vladimir 142*)	saec. IX
V	*Vindobonensis theol. gr. 126*	saec. XI
T	*Mosquensis synodalis 53* (*Vladimir 147*)	saec. X

Recueil des 47 Discours
(Famille *M*)

S	*Mosquensis synodalis 57* (*Vladimir 139*)	saec. IX
D	*Marcianus gr. 70*	saec. X
P	*Patmiacus 33*	an. 941
C	*Parisinus coislinianus 51*	saec. X

Maur. : Mauristae (*Gregorii Theologi ... Opera* I, Paris 1778)
Boul. : Boulenger (*D.* 7)
Migne : *PG* 35

TEXTE ET TRADUCTION

Εἰρηνικὸς πρῶτος ἐπὶ τῇ ἑνώσει τῶν μοναζόντων

PG 35

721 A **1.** Λύει μοι τὴν γλῶσσαν ἡ προθυμία, καὶ περιφρονῶ τὸν ἀνθρώπινον νόμον διὰ τὸν νόμον τοῦ Πνεύματος· καὶ δίδωμι τῇ εἰρήνῃ τὸν λόγον, οὔπω πρότερον οὐδενὶ συγχωρήσας. Πρότερον μὲν γὰρ ἡνίκα ἐστασίαζε πρὸς ἡμᾶς τὰ 5 μέλη, καὶ τὸ μέγα καὶ τίμιον σῶμα Χριστοῦ[a] διῃρεῖτο καὶ διεκόπτετο, ὡς μικροῦ καὶ διασκορπίζεσθαι «τὰ ὀστᾶ ἡμῶν παρὰ τὸν Ἅιδην[b]» – οἷον γῆς βάθος ἀρότρῳ ῥηγνύμενον καὶ κατὰ γῆς σκεδαννύμενον[c] –, καὶ τὸν ἄτμητον καὶ «ὑφαντὸν δι᾽ὅλου χιτῶνα[d]» κατατεμὼν ὁ Πονηρὸς ὅλον B 10 ἑαυτοῦ πεποίητο, τοῦτο δι᾽ἡμῶν δυνηθεὶς ὃ διὰ τῶν τὸν

Titulus εἰρηνικὸς πρῶτος (A' AWT) ἐπὶ τῇ ἑνώσει τῶν μοναζόντων AQWT : τοῦ αὐτοῦ ante εἰρηνικὸς A' add. V εἰρηνικὸς A' ἐπί τῇ ἑνώσει τῶν μοναζόντων ἐπὶ παρουσίᾳ τοῦ πατρός S εἰρηνικὸς A' ἐπί τῇ ἑνώσει τῶν μοναζόντων μετὰ τὴν σιωπὴν ἐπὶ παρουσίᾳ τοῦ πατρός DP Maur. (add. αὐτοῦ post πατρός) τοῦ αὐτοῦ ἐπὶ τῇ ἑνώσει τῶν μοναζόντων εἰρηνικὸς A' μετὰ τὴν σιωπὴν ἐπὶ παρουσίᾳ τοῦ πατρός C Titulus periit in B de reconciliatione et unitate monachorum *Rufinus*

1, 1 μοι : μου Q (μοι mg.) PC Maur. || 3 οὐδ'ἑνὶ C || 5 τοῦ Χριστοῦ Maur. || διῃρεῖτο : διεσκέδαστο D (διῃρεῖτο mg.) PC || 6 καὶ[2] om. D || 10 τῶν om. A || τὸν om. QBVT sup. l. S D mg.

---

1. a. Cf. I Cor. 12, 12, 27 b. Ps. 140, 7 c. Cf. *Ibid.* d. Jn 19, 23

---

1. Deux autres discours sont offerts «à la paix» : les *D.* 22 et 23; cf. chap. 3, sur son silence. *D.* 1, 2, Grégoire affirme n'avoir fait «aucune concession» à la Résurrection avant de lui offrir son discours

DISCOURS 6

Premier discours sur la paix à l'occasion du retour des moines à l'unité

1. L'empressement me délie la langue, et je ne tiens pas compte de la loi humaine à cause de la loi de l'Esprit : j'accorde à la paix ce discours, moi qui n'ai fait jusqu'à présent aucune concession[1]. Jusqu'à présent, en effet, nos membres se rebellaient contre nous et le grand et précieux corps du Christ[a] était tellement divisé et brisé[2] que, pour un peu, «nos os étaient dispersés jusqu'aux portes de l'Hadès[b]» – comme la terre est répandue lorsque la charrue ouvre profondément le sol[c] – et «la tunique» indivisible, sans couture et «tissée tout d'une pièce[d]», le Malin[3], après l'avoir déchirée, se l'était appropriée tout entière, réalisant ainsi, grâce à nous, ce qu'il n'avait pu faire par l'intermédiaire de ceux qui crucifièrent

2. Les chrétiens sont le corps du Christ; ses membres doivent être en paix les uns avec les autres pour sauvegarder l'unité du corps tout entier. Sur cette figure de l'Église qui a son origine dans *I Cor.* 12 et *Éphés.* 4, 16, voir R. BRUNET, art. «Église», *DSp* 4, 1960, col. 396-401 («Le corps»).

3. Cf. *infra*, chap. 7, 10, 13, 22. Le grand responsable du conflit est le Malin, le démon diviseur qu'il ne faut cesser de combattre; voir E. MANGENOT, art. «Démon d'après les Pères», *DTC* 4, 1, 1924, col. 361, à propos du démon dans l'œuvre de Grégoire de Nazianze; SZYMUSIAK, *Éléments de théologie*, p. 38-40.

Χριστὸν σταυρωσάντων οὐκ ἴσχυσεν, τότε μὲν δὴ φυλακὴν ἐθέμην τοῖς χείλεσιν[e], οὐδ' ἄλλως προθύμοις οὖσι περὶ τὸν λόγον, ὅτι τῇ δι' ἔργων φιλοσοφίᾳ καθᾶραι πρότερον ἑαυτόν, εἶτα τὸ στόμα τῆς διανοίας ἀνοίξας ἑλκῦσαι πνεῦμα[f], εἶτα
15 «ἐξερεύξασθαι λόγον ἀγαθόν[g]» καὶ «λαλεῖν Θεοῦ σοφίαν» τελείαν «ἐν τοῖς τελείοις[h]», ἀκολουθίας εἶναι πνευματικῆς ὑπελάμβανον· καὶ ὥσπερ «καιρὸς ἐπὶ παντὶ πράγματι[i]» καὶ μικρῷ καὶ μείζονι – τὸ γὰρ τοῦ Σολομῶντος εὖ ἔχει καὶ λίαν ἐπεσκεμμένως –, οὕτω καὶ λόγου καὶ σιωπῆς,
20 εἴ καί τις ἄλλος, καιρὸν[j] ἐγίνωσκον.

C **2.** Διὰ τοῦτο «ἐκωφώθην καὶ ἐταπεινώθην[a]», πόρρω παντὸς ἀγαθοῦ γενόμενος· καὶ οἷόν τι νέφος τὴν ἐμὴν καρδίαν ὑποδραμὸν συνεκάλυψε τὴν ἀκτῖνα τοῦ λόγου, «καὶ τὸ ἄλγημά μου νυκτὸς καὶ ἡμέρας ἀνεκαινίζετο[b]». Καὶ
5 πάντα μοι ἦν ὑπεκκαύματα καὶ ὑπομνήματα τῆς τῶν ἀδελφῶν διαζεύξεως ἐν ἀλλοτρίοις ὁρώμενα, ἀγρυπνίαι,
724 A νηστεῖαι, προσευχαί, δάκρυα, τύλοι γονάτων, στηθῶν ἐπι-

11-12 ἐθέμην φυλακήν DPC ‖ 13 πρότερον : πρῶτον A PC S mg. ‖ ἑαυτόν : ἐμαυτόν Maur. ‖ 15 λαλεῖν : λαβεῖν V ‖ Θεοῦ S mg. ‖ 19 καὶ[1] om. PC ‖ τοῦ sup.l. S

2, 6 ἐν ἀλλοτρίοις ὁρώμενα om. AQBWVT D mg. ‖ 7-8 ἐπιτίμησις AWVT

---

e. Cf. Ps. 38, 2; 140, 3 f. Cf. Ps. 118, 131 g. Ps. 44, 2 h. I Cor. 2, 6 i. Eccl. 3, 1 j. Cf. Eccl. 3, 7

2. a. Ps. 38, 3 b. *Ibid.*

---

1. Sur ce symbole très ancien de l'unité de l'Église, voir M. AUBINEAU, «La tunique sans couture. Exégèse patristique de *Jn* 19, 23-24», *Kyriakon. Festschrift Johannes Quasten* I, Münster 1970, p. 100-127.

2. Cf. *D.* 18, 15. Sur le sens du mot ἀκολουθία, voir J. DANIÉLOU, «'Ἀκολουθία chez Grégoire de Nysse», *RechSR* 23, 1953, p. 219-229 (= «L'enchaînement», dans *L'être et le temps chez Grégoire de Nysse*, Leiden 1970, p. 18-50).

3. Littéralement «la philosophie en œuvres». Sur les divers sens donnés par les auteurs chrétiens au mot φιλοσοφία, voir Anne-Marie

le Christ[4]. J'avais mis alors une garde à mes lèvres[e], du reste peu empressées à parler, car je concevais ainsi l'ordre voulu par l'Esprit[1] : se purifier tout d'abord soi-même par la pratique de la philosophie[2], puis ouvrir la bouche de l'intelligence pour y attirer l'esprit[f], puis « proférer de belles paroles[g] », et dire la sagesse de Dieu, « parfaite au milieu des parfaits[h] ». Et de même qu'il y a « un temps pour toute chose[i] », petite ou grande – la parole de Salomon est en effet juste et pleine de prudence –, je savais plus que tout autre qu'il y avait un temps pour la parole et un temps pour le silence[j][3].

2. Voilà pourquoi « j'étais resté muet et humble[a] », éloigné que j'étais de tout bien. On aurait dit qu'un nuage s'était glissé dans mon cœur pour voiler le rayon de la parole[4], « et ma douleur se renouvelait nuit et jour[b] ». Pour moi, tout ce que je voyais chez d'autres ranimait le souvenir de la désunion des frères[5] : veilles, jeûnes, prières, larmes, cals des genoux, meurtrissures de la poi-

MALINGREY, *Philosophia*, Paris 1961 (le chap.VII, p. 207-261, concerne Grégoire de Nazianze, Basile et Grégoire de Nysse). Vivre en philosophe, c'est viser à la perfection, surtout par l'ascèse, qui est purification ; cf. par ex. *D.* 27, 7 ; même idée *D.* 43, 2 ; *Lettre* 119.

4. Un des thèmes majeurs de Grégoire ; cf. par ex. *D.* 2, 115 ; 32, 13-14 ; cf. aussi *Poèmes* II, I, 34-38 ; *Lettres* 116, 118, 119, qui font allusion, en des termes voisins et avec les mêmes citations de l'Écriture, à son « carême silencieux » de 382 ; *D.* 32, 13, 14.

5. Cf. *D.* 7, 15. Sur cette image, voir KERTSCH, *Bildersprache*, p. 184, n. 1.

6. La vie monastique ou ascétique est souvent évoquée et louée par Grégoire ; cf. par ex. la *Lettre* 6 à Basile (où il emploie les mêmes termes), le *D.* 8, 13-14. Il a connu cette expérience à Annisa et en garde la nostalgie : cf. *D.* 43, 60-62. Ce passage est l'un des premiers textes, avec ceux de Basile, qui décrive les principaux aspects du monachisme et en donne une définition précise (*Règles* de BASILE, *PG* 31, col. 929-931 ; *Lettres* 2, à Grégoire, et 22). Voir, à ce sujet, J. PLAGNIEUX, « Saint Grégoire de Nazianze », dans *Théologie de la vie monastique*, Paris 1961, chap. VI (p. 115-130).

τιμήσεις, στεναγμὸς ἐκ βάθους ἀναπεμπόμενος, στάσις πάννυχος, νοῦ πρὸς Θεὸν ἐκδημία[c], θρῆνος ἐν δεήσει
10 λεπτός, φάρμακον τοῖς ἀκούουσι κατανύξεως, οἱ ψάλλοντες, οἱ δοξάζοντες, οἱ μελετῶντες τὸν νόμον Κυρίου ἡμέρας καὶ νυκτός[d], οἱ τὰς «ὑψώσεις τοῦ Θεοῦ ἐν τοῖς λάρυγξι[e]» φέροντες· καὶ ταῦτα δὴ τὰ καλὰ τοῦ κατὰ Θεὸν βίου προγράμματα καὶ μηνύματα, οἱ σιωπῶντες κήρυκες,
15 αὐχμῶσα καὶ πιναρὰ κόμη, πόδες γυμνοὶ καὶ τοῖς ἀποστολικοῖς ἑπόμενοι[f], μηδὲν νεκρὸν φέροντες, κουρὰ σύμμετρος, περιβολὴ τύφον κολάζουσα, ζώνη τῷ ἀκόσμῳ κοσμία, μικρόν τι τοῦ χιτῶνος ἀναστέλλουσα καὶ ὅσον μὴ ἀναστέλλειν, βάδισμα εὐσταθές, ὀφθαλμὸς οὐ πλανώμενος,
20 μειδίαμα προσηνές, μᾶλλον δὲ ὁρμὴ μειδιάματος, ἀκρασίαν
B γελῶτος σωφρονίζουσα, λόγος τῷ λόγῳ κινούμενος, σιωπὴ λόγου τιμιωτέρα, ἔπαινος «ἅλατι ἠρτυμένος[g]», οὐ πρὸς θωπείαν, ἀλλ᾽ὁδηγίαν τοῦ Κρείττονος, ἐπίπληξις εὐφημίας ποθεινοτέρα, μέτρα κατηφείας καὶ ἀνέσεως – καὶ ἡ δι᾽
25 ἀμφοτέρων μίξις καὶ κρᾶσις –, τὸ ἁπαλὸν σὺν τῷ γενναίῳ, τὸ αὐστηρὸν αἰδοῖ σύγκρατον, ὡς μηδ᾽ἕτερον ὑπὸ τοῦ

14 μηνύματα S mg. || 15 πιναρὰ : ῥυπαρὰ add. mg. DPC || 16 μηδὲν νεκρὸν φέροντες mg. QD || 25 τῷ ἁπαλῷ W || 26 σὺν om. Maur.

c. Cf. II Cor. 5, 8 d. Cf. Ps. 1, 2 e. Ps. 149, 6 f. Cf. Matth. 10, 10 g. Col. 4, 6

1. Cf. Basile, *Lettre* 2, 6. Sur l'aspect extérieur des moines, cf. par ex. Théodoret de Cyr, *Histoire des moines de Syrie* X, 2 (*SC* 234, p. 438 et note 2) : le moine Syméon est décrit comme un homme «sale et crasseux».

2. Cf. *Ex.* 3, 5, où Yahvé demande à Moïse d'ôter ses sandales, car il foule une terre sainte, un ordre que Grégoire explique *D.* 45, 19, en disant que celui qui doit fouler une terre sainte doit retirer, comme Moïse, ses sandales, afin de ne «porter rien de mort (μηδὲν νεκρὸν φέροντες), ni rien qui soit un intermédiaire entre Dieu et les hommes»; voir aussi Grégoire de Nysse, *Vie de Moïse* II, 22 (*SC* 1, p. 119), et la note de J. Daniélou sur les tuniques de peau.

3. Cf. Basile, *Règle* 22 (*PG* 31, 977-981); Évagre, *Traité Pratique* (*SC*

trine, gémissements profonds, nuits entières passées debout, migration de l'esprit jusqu'à Dieu [c], lamentations discrètes pendant la prière, qui donnent de la componction à ceux qui écoutent, le chant des psaumes, les doxologies, la méditation de la loi du Seigneur jour et nuit [d], «l'exaltation de Dieu dans leur gorge [e]», sans compter tous ces beaux détails qui annoncent et révèlent, hérauts silencieux, la vie selon Dieu : une chevelure sèche et négligée [1], des pieds nus à l'imitation des apôtres [f], ne portant rien de mort [2], une tonsure convenable, un vêtement refusant l'ostentation [3], une ceinture dont l'ornement est de n'être pas ornée [4], relevant quelque peu la tunique sans trop la relever, une démarche mesurée, un regard ne s'égarant pas çà et là, un sourire discret, ou plutôt l'ébauche d'un sourire [5], contenant l'intempérance du rire, la parole guidée par la raison, le silence plus précieux que la parole, la louange «assaisonnée de sel [g]», non pas pour flatter, mais pour guider vers le Bien supérieur [6], la réprimande plus désirée que la louange, la modération dans la tristesse comme dans la détente – et le mélange et la fusion de l'une avec l'autre [7] –; la délicatesse unie à la vigueur, l'austérité mêlée à la réserve de telle sorte qu'elles ne se nuisent pas mutuellement,

171, p. 484-485); sur le vêtement du moine, voir H. LECLERCQ, art. «Vêtement», *DACL*, 15, 2, 1953, col. 2996.

4. Cf. BASILE, *Règle* 23 (*PG* 31, col. 981) et *Lettre* 2, 6 : «Que cette ceinture ne soit ni placée au-dessus des flancs, ce serait féminin, ni assez lâche pour laisser flotter la tunique, ce serait une marque de mollesse» (trad. Courtonne).

5. C'est encore une exigence de BASILE (*Règle* 17, *PG* 31, col. 961-965), conforme d'ailleurs à l'idéal grec de modération : cf. par ex. *Odyssée* VIII, v. 300-327; ISOCRATE, *A Démonicos* : «Abstiens-toi d'un rire immodéré». Autres allusions *D.* 4, 122; 8, 9.

6. Cf. *D.* 7, 4; *D.* 24, 4 et la note de J. MOSSAY (*SC* 284, p. 47, n. 2).

7. Cf. *D.* 11, 6.

ἑτέρου παραβλάπτεσθαι, ἀλλ᾽ἀμφότερα δι᾽ἀλλήλων εὐδοκι-
μεῖν · μέτρα τῆς εἰς τὸ κοινὸν ἐπιμιξίας καὶ ὑποχωρήσεως,
τῆς μὲν τοὺς ἄλλους παιδαγωγούσης, τῆς δὲ τῷ Πνεύματι
30 μυσταγωγούσης, καὶ τῆς μὲν ἐν τῷ κοινῷ τὸ ἄκοινον
φυλαττούσης, τῆς δὲ ἐν τῷ ἀμίκτῳ τὸ φιλάδελφον καὶ
φιλάνθρωπον · καὶ ἃ μείζω τούτων ἔτι καὶ ὑψηλότερα, ὁ
ἐν πενίᾳ πλοῦτος[h], ἡ ἐν παροικίᾳ κατάσχεσις, ἡ ἐν ἀτιμίᾳ
δόξα[i], ἡ ἐν ἀσθενείᾳ δύναμις[j], ἡ ἐν ἀγαμίᾳ καλλιτεκνία
35 – εἴπερ κρείττονα τῶν ἀπὸ σαρκὸς ἐρχομένων τὰ κατὰ
Θεὸν γεννήματα – · οἱ τρυφῶντες τὸ μὴ τρυφᾶν, οἱ ταπεινοὶ
ὑπὲρ τῶν οὐρανίων[k], οἱ μηδὲν ἐν κόσμῳ καὶ ὑπὲρ τὸν
κόσμον, οἱ σαρκὸς ἔξω καὶ ἐν σαρκί, ὧν μερὶς Κύριος[l],
οἱ πτωχοὶ διὰ βασιλείαν καὶ διὰ πτωχείαν βασιλεύοντες[m].

3. Οὗτοί με καὶ παρόντες λαμπρὸν ἐποίουν, ἡ ἐμὴ
περιουσία, τὸ ἐμὸν ἀγαθὸν ἐντρύφημα, καὶ ἀπόντες συνέσ-
τελλον. Ταῦτα μοι συνεῖχε τὴν ψυχήν, ταῦτα ἐτάρασσεν[a].
Ἐκ τούτων ἐγὼ « πενθῶν καὶ σκυθρωπάζων[b] » ἐπορευόμην ·
D 5 διὰ ταῦτα μετὰ τῶν ἄλλων τερπνῶν καὶ τὸν λόγον
ἀπεσεισάμην[c]· ὅτι « ἀπελάκτισαν οἱ ἠγαπημένοι[d] », « καὶ
ἔστρεψαν ἐπὶ ἐμὲ νῶτα αὐτῶν καὶ οὐ πρόσωπον[e] », καὶ
γεγόνασι ποίμνιον ἐλευθεριώτερον τοῦ ποιμαίνοντος, ἵνα μὴ

27 καταβλάπτεσθαι WP ‖ 32 ἔτι τούτων C ‖ 35 ἀρχομένων Maur. ‖ 36 τὸ : τῷ Maur. ‖ 37 τὸν Dmg. om. PC ‖ 39 βασιλεύοντες : πτωχεύοντες D

3, 2 ἀγαθὸν om. AQBWVTS ‖ 7 πρόσωπα D

h. Cf. II Cor. 6, 10; 8, 9 i. Cf. II Cor. 6, 8 j. Cf. II Cor. 12, 9-10 k. Cf. Matth. 18, 3-4 l. Cf. Nombr. 18, 20; Ps. 15, 5 m. Cf. Jac. 2, 5

3. a. Cf. Jn 12, 27 b. Ps. 34, 14; 37, 7; 41, 10; 42, 2 c. Cf. Ps. 38, 3 d. Deut. 32, 15 e. Jér. 2, 27; cf. Zach. 11, 8

1. Cette description de la vie monastique est en réalité l'exposé de la φιλοσοφία que Grégoire définira bien des fois (cf. par ex. *D.* 27, 7;

mais se font valoir l'une l'autre, la modération dans la vie communautaire comme dans la retraite : l'une a pour but d'instruire les autres, l'autre d'initier au mystère de l'Esprit, l'une préserve ce qui n'est pas commun au sein de la vie commune, l'autre préserve dans la vie à l'écart l'amour des frères et l'amour des hommes ; et ce qui est plus grand et plus élevé encore : la richesse dans la pauvreté [h], l'établissement dans le déracinement, la gloire dans le mépris [i], la force dans la faiblesse [j], la possession de beaux enfants dans le célibat – puisque la progéniture selon Dieu surpasse celle qui vient de la chair –; trouver ses délices dans une vie sans délices, être la bassesse à cause des choses célestes [k], n'être rien dans le monde et être au-dessus du monde, hors de la chair et dans la chair, avoir pour part le Seigneur [l], être pauvres à cause du Royaume, et, à cause de la pauvreté, exercer la royauté [m 1].

3. Présents, ces frères me rendaient illustre, eux ma richesse, mes justes délices ; absents, ils me rabaissaient. Cette situation oppressait mon âme, elle me jetait dans le trouble [a]. C'est pour cela que je me laissais aller « au chagrin et à la mauvaise humeur [b] », à cause de cela que j'abandonnai, avec les autres plaisirs, celui de la parole [c], car « ils ont regimbé, ceux que j'aimais [d] », « ils m'ont montré le dos et non le visage [e] » et sont devenus un troupeau plus libre que le berger, si je ne parle pas trop har-

38, 4) et qui mène à la perfection par la modération et l'ascèse, l'union de la θεωρία et de la πρᾶξις ; voir, à ce sujet Th. Špidlík, « La *theoria* et la *praxis* chez Grégoire de Nazianze », *Studia Patristica* 14 (*TU* 117), Berlin 1976, p. 358-364. Elle se termine par une accumulation de ces expressions paradoxales chères à Grégoire : cf. par ex. *D.* 4, 71 ; 43, 60 (voir T. Sinko, *De traditione*, p. 99, n. 1) ; cf. aussi Grégoire de Nysse, *Vie de Macrine*, 11 (*SC* 178, p. 175-181).

εἴπω νεανικώτερον· ὅτι ἐστράφη εἰς πικρίαν ἐμοὶ «ἡ
10 ἄμπελος ἡ ἀληθινή[f]», καὶ τῷ καλῷ γεωργῷ κάλλιστα
κεκαθαρμένη[g], καὶ ταῖς θείαις ληνοῖς γεωργοῦσα τὸ καλὸν
γεώργιον· ὅτι «οἱ φίλοι μου καὶ οἱ πλησίον μου ἐξ
ἐναντίας μου ἤγγισαν καὶ ἔστησαν, καὶ οἱ ἔγγιστά μου
ἀπὸ μακρόθεν ἔστησαν[h]»· ὅτι διειλόμεθα τὸν Χριστὸν[i] οἱ
15 λίαν φιλόθεοι καὶ φιλόχριστοι, καὶ ὑπὲρ τῆς Ἀληθείας[j]
ἀλλήλων κατεψευσάμεθα, καὶ διὰ τὴν Ἀγάπην[k] μῖσος ἐμε-
λετήσαμεν, καὶ ὑπὲρ τοῦ Ἀκρογωνιαίου[l] διελύθημεν, καὶ
ὑπὲρ τῆς Πέτρας[m] ἐσείσθημεν· ὅτι πλέον ἢ καλῶς εἶχεν
ὑπὲρ τῆς Εἰρήνης[n] ἐπολεμήσαμεν, καὶ ὑπὲρ τοῦ ὑψωθέντος[o]
20 ἐπὶ τὸ ξύλον κατενηνέγμεθα, καὶ ὑπὲρ τοῦ ταφέντος καὶ
ἀναστάντος[p] ἐθανατώθημεν.

B **4.** Πρότερον μὲν ταῦτα. Καὶ τί ἄν τις ἐν καιρῷ
φαιδρότητος ἀναξαίνοι τὴν ἀηδίαν, ἐνδιατρίβων τοῖς
λυπηροῖς, ὧν ἀπευκταῖα μὲν ἡ πεῖρα, φευκτὴ δὲ ἡ μνήμη;
Κρείττων δὲ σιωπὴ λόγου, τὸ συμπεσὸν ἡμῖν θραῦσμα
5 λήθης βάθεσι συγκαλύπτουσα· πλὴν εἴ τις διὰ τοῦτο καὶ
μόνον ἀνακινοίη τὴν μνήμην τῶν λυπηρῶν, ἵνα τῷ

9 νεανικώτερον : ὑπερηφανώτερον D mg. ὑπερηφανέστερον P || 12 μου om. S || 13-14 καὶ – ἔστησαν D mg. || 14 διηλάμεθα A διειλάμεθα BD || 20 τοῦ ξύλου PC
4, 4 κρεῖττον AWVSD

f. Jn 15, 1; cf. Jér. 2, 21 g. Cf. Jn 15, 1-2 h. Ps. 37, 12 i. Cf. I Cor. 1, 13 j. Cf. Jn 14, 6 k. Cf. I Jn 4, 8, 16 l. Cf. Is. 28, 16; Éphés. 2, 20; I Pierre 2, 6 m. Cf. I Cor. 10, 4 n. Cf. Éphés. 2, 14 o. Cf. Jn 3, 14; 8, 28; 12, 32-34 p. Cf. I Cor. 15, 14

1. A la suite de l'exégèse du *Psaume* 8, 1 (voir THÉODORET, *In Ps.* 8, 1; *PG* 80, col. 913 A-B), le mot ληνός semble avoir désigné l'Église (cf. SUIDAS, *Lexicon*, 1, 3, p. 264 Adler). Grégoire parle plus d'une fois des pressoirs divins ou célestes; cf. par ex. *Épigr.* 40; *Poèmes* I, 1, 7, v. 2; II, II, 1, v. 154.

diment; car pour moi «la vraie vigne[f]» avait tourné à l'amertume, elle que le bon vigneron avait si bien purifiée[g], elle qui produisait, avec les divins pressoirs[1], la bonne récolte; car «mes amis et mes proches se sont avancés pour me faire front, et mes plus proches se sont tenus à distance[h]»; car nous avons partagé le Christ[i], nous qui aimions tant[2] Dieu et le Christ; nous nous sommes menti les uns aux autres pour la Vérité[j 3] et avons nourri des sentiments de haine à cause de l'Amour[k]; nous nous sommes séparés pour la Pierre angulaire[l], et nous avons été ébranlés pour le Rocher[m]; car nous avons combattu plus qu'il ne fallait pour la Paix[n], nous avons été jetés à terre pour celui qui a été élevé[o] sur le bois, et mis à mort pour celui qui a été enseveli et qui est ressuscité[p]!

4. Voilà ce qu'il en était jusqu'ici. Pourquoi rouvrir, dans un moment de joie, cette odieuse plaie, et nous attarder dans des chagrins dont l'expérience est détestable et dont le souvenir est à repousser? Il est meilleur que la parole, le silence qui enveloppe dans les profondeurs de l'oubli la blessure que nous avons reçue, à moins qu'on ne veuille réveiller le souvenir de ces cha-

2. Λίαν au sens de «très», «beaucoup», est caractéristique de la langue de Grégoire, comme le montre P. GALLAY, *Langue et style de Grégoire de Nazianze dans sa correspondance*, Paris 1933, p. 43; cf. *SC* 250, p. 75, n. 2.

3. Ici commence une longue énumération des titres du Christ; cf. *D* 2, 98 (*SC* 247, p. 219 et note complémentaire de J. BERNARDI, p. 256-257); *D*. 19, 17; 30, 20-21; 37, 4. Voir M. JOURJON, Introduction aux *Discours théologiques*, *SC* 250, p. 50, sur «les noms du Fils»; P. GALLAY, «La Bible de Grégoire de Nazianze le Théologien», *Le monde grec ancien et la Bible* (Bible de Tous les Temps), Paris 1984, p. 319-320. Les expressions paradoxales de ce chapitre, qui sont le signe de la discorde, font pendant aux expressions paradoxales du chap. 2 qui expriment, elles, ὁμόνοια et μέτρον; cf. *D*. 22, 4.

ὑποδείγματι παιδευώμεθα καὶ ὥσπερ ἐν τοῖς νοσήμασι φεύγωμεν τὰς αἰτίας ἐξ ὧν εἰς ταῦτα ὑπήχθημεν.

Νυνὶ δὲ ἡνίκα «ἀπέδρα ὀδύνη καὶ λύπη καὶ στεναγμός[a]»· 10 ἡνίκα γεγόναμεν οἱ τοῦ Ἑνὸς ἕν[b], καὶ οἱ τῆς Τρίαδος συμφυεῖς καὶ ὁμόψυχοι[c] καὶ ὁμότιμοι· οἱ τοῦ Λόγου[d] τῆς ἀλογίας ἐκτός· οἱ τοῦ Πνεύματος[e] οὐ κατ'ἀλλήλων, ἀλλὰ σὺν ἀλλήλοις ζέοντες[f]· οἱ τῆς Ἀληθείας[g] «τὸ αὐτὸ φρονοῦντες[h]» καὶ λέγοντες· οἱ τῆς Σοφίας[i] εὐσύνετοι· οἱ 15 τοῦ Φωτὸς[j] «ὡς ἐν ἡμέρᾳ εὐσχημονοῦντες[k]»· οἱ τῆς Ὁδοῦ[l] πάντες εὐθυποροῦντες[m]· οἱ τῆς Θύρας[n] πάντες ἐντός· οἱ C τοῦ Προβάτου[o] καὶ τοῦ Ποιμένος[p] πρᾶοι[q] καὶ τῆς αὐτῆς μάνδρας καὶ ποιμένος ἑνός[r] — οὐκ ἐν σκεύεσι «ποιμένος ἀπείρου[s]» ποιμαίνοντος οὐδὲ καταφθείροντος τὰ πρόβατα 20 τῆς νομῆς[t] οὐδὲ προιεμένου τοῖς λύκοις[u] καὶ τοῖς κρημνοῖς[v], ἀλλὰ καὶ λίαν περιεσκεμμένου καὶ ἐπιστήμονος —· ἡνίκα γεγόναμεν οἱ τοῦ πάθοντος ὑπὲρ ἡμῶν[w] συμπαθεῖς[x], καὶ

18 οὐκ : καὶ οὐκ PC

4. a. Is. 35, 10; 51, 11 b. Cf. Jn 10, 30; 17, 11. 21-23 c. Cf. Phil. 1, 27. 2, 2 d. Cf. Jn 1, 1 e. Cf. II Cor. 3, 17 f. Cf. Rom. 12, 11 g. Cf. Jn 14, 6 h. Rom. 12, 16 i. Cf. Lc 7, 35; I Cor. 1, 24 j. Cf. Jn 1, 9; 8, 12; 9, 5 k. Rom. 13, 13 l. Cf. Jn 14, 6 m. Cf. Act. 13, 10 n. Cf. Jn 10, 7-9 o. Cf. Act. 8, 32; Is. 53, 7 p. Cf. Jn 10 q. Cf. Matth. 5, 4 r. Cf. Jn 10, 16 s. Zach. 11, 15 t. Cf. Zach. 11, 16 u. Cf. Jn 10, 12 v. Cf. Matth. 12, 11 w. Cf. I Pierre 2, 21 x. Cf. Rom. 8, 17

1. Grégoire use volontiers de l'image de la maladie (surtout à propos de la discorde due à l'hérésie; cf. par ex. *D.* 32, 2), et de la comparaison entre la médecine de l'âme et celle du corps (cf. *infra*, chap. 17, 22; *D.* 2, 26-28); cf. ISOCRATE, *Discours* 8, 39 (Sur la Paix).

2. Première allusion, en raccourci, à la réconciliation et au motif, d'ordre doctrinal, de la discorde. Cf. Introduction, p. 27-31.

3. Jeu de mots difficile à rendre en français. Grégoire, virtuose du *logos,* aime particulièrement à jouer sur les divers sens de ce mot : cf. par ex. chap. 2 (l. 21-22), 5; *Lettre* 36 (μηδὲν ἄλογον εἶναι παρὰ τὸν

grins dans le seul but de nous instruire par l'exemple et d'éviter, comme dans le cas des maladies, les raisons des malheurs dans lesquels nous sommes tombés[1].

Mais maintenant « la peine, le chagrin et les gémissements se sont enfuis[a] », maintenant, appartenant à l'Un, nous sommes devenus un[b 2], appartenant à la Trinité, nous avons acquis une même nature, un même esprit[c], une même dignité, appartenant au Verbe[d], nous échappons à la déraison[3], appartenant à l'Esprit[e], nous sommes fervents, non pas les uns contre les autres, mais les uns avec les autres[f], appartenant à la Vérité[g], « nous pensons et disons la même chose[h] », appartenant à la Sagesse[i], nous sommes clairvoyants, appartenant à la Lumière[j], « nous avons la conduite qui sied au plein jour[k] », appartenant au Chemin[l], nous suivons tous la voie droite[m], appartenant à la Porte[n], nous sommes tous à l'intérieur, appartenant à la Brebis[o] et au Pasteur[p], nous sommes doux[q], nous avons le même bercail et un seul pasteur[r 4] – et ce pasteur-là ne va pas au pâturage « dans l'équipement d'un pasteur inexpérimenté[s] » : il ne laisse pas périr les brebis du troupeau[t] ni ne les abandonne aux loups[u] et aux précipices[v], mais c'est un pasteur très vigilant et très prudent –; maintenant, appartenant à Celui qui a souffert pour nous[w], nous sommes devenus compatissants[x] et nous allégeons mutuellement nos far-

λόγον); *D.* 7, *passim*. Voir G.J.M. BARTELINK, « Jeux de mots autour de λόγος, de ses composés et dérivés chez les auteurs chrétiens », *Mélanges offerts à Mlle Christine Mohrmann*, Utrecht-Anvers 1963, p. 23-27; cf. *infra*, n. 36, sur λογικός.

4. Ce pasteur n'est autre que Grégoire l'Ancien (cf. *D.* 7, 3 et note), dont le nom n'est jamais cité dans ce discours (seule autre allusion chap. 21 et peut-être chap. 9), qui a retrouvé toutes ses brebis. Grégoire montre dans toute son œuvre une particulière prédilection pour cette image très ancienne du prêtre ou de l'évêque et de la communauté chrétienne; cf. *D.* 9-12.

ἀλλήλοις τὰ βάρη συνεπικουφίζοντες[y] · οἱ τῆς Κεφαλῆς[z], σῶμα ἓν συναρμολογούμενοι καὶ συμβιβαζόμενοι[a] κατὰ
25 πᾶσαν συνάφειαν τὴν ἐν Πνεύματι · ἡνίκα « ὁ ποιῶν πάντα καὶ μετασκευάζων[b] » πρὸς τὸ λυσιτελέστερον ἔστρεφε τὸν
D κοπετὸν εἰς χαρὰν ἡμῖν καὶ τοῦ σάκκου τὴν εὐφροσύνην
728 A ἀντέδωκε[c], τηνικαῦτα συναποδύομαι τοῖς παρελθοῦσι τὴν σιωπὴν καὶ προσάγω τῷ παρόντι καιρῷ καὶ ὑμῖν τὸν
30 λόγον, μᾶλλον δὲ τῷ Θεῷ χαριστήριον θυσίαν οἰκειοτάτην, δῶρον χρυσοῦ καθαρώτερον, λίθων πολυτελῶν τιμαλφέστερον, ὑφασμάτων πολυτελέστερον, θυσίας νομικῆς ἁγιώτερον, πρωτοτόκων ἀπαρχῆς ἱερώτερον, ἀρέσκον « Θεῷ ὑπὲρ μόσχον νέον », κέρασι καὶ ὁπλαῖς[d] ἀτελῆ καὶ
35 ἀναίσθητον, ὑπὲρ θυμίαμα, ὑπὲρ ὁλοκαύτωμα, ὑπὲρ μυριάδας « ἀρνῶν πιόνων[e] », οἷς στοιχειώδης νόμος ἐκράτει τὸν ἔτι νήπιον Ἰσραήλ[f], ταῖς ἐναίμοις θυσίαις σκιαγραφῶν τὴν μέλλουσαν[g].

B **5.** Τοῦτο προσφέρω Θεῷ, τοῦτο ἀνατίθημι ὃ μόνον ἐμαυτῷ κατέλιπον, ᾧ πλουτῶ μόνῳ. Τὰ μὲν γὰρ ἄλλα παρῆκα τῇ ἐντολῇ καὶ τῷ Πνεύματι · καὶ τὸν πολύτιμον μαργαρίτην πάντων ὧν εἶχόν ποτε ἀντηλλαξάμην, καὶ
5 γέγονα μεγαλέμπορος[a], μᾶλλον δὲ γενέσθαι δι' εὐχῆς ἔχω τῶν μικρῶν καὶ πάντως φθαρησομένων ὠνησάμενος τὰ μεγάλα καὶ μὴ λυόμενα · τοῦ λόγου δὲ περιέχομαι μόνου

25 συνάφειαν S m g. ‖ 30 τῷ om. AQBWVT S[ac] ‖ 31 πολυτελῶν om. AQBWVT S mg. ‖ 31-32 τιμαλφέστερον : ἐντιμιότερον D mg. ‖ 32 ὑφασμάτων πολυτελέστερον Q mg. ‖ 33 πρωτοτόκων ἀπαρχῆς ἱερώτερον Dmg. ‖ 35 μυριάδων C ‖ 36 ὁ στοιχειώδης C ‖ 37 σκιογραφῶν TSDP
5, 4 ἠλλαξάμην AQ[pc]WTS

---

y. Cf. Gal. 6, 2 z. Cf. Éphés. 4, 15 a. Cf. Col. 2, 19 b. Amos 5, 8 c. Cf. Ps. 29, 12 d. Cf. Ps. 68, 32 e. Cf. Dan. 3, 39 f. Cf. Gal. 4, 3; Hébr. 5, 12-13 g. Hébr. 10, 1
5. a. Cf. Matth. 13, 45-46

deaux[y], appartenant à la Tête[z], nous formons un seul corps harmonieux et cohérent[a], selon l'union complète qui est dans l'Esprit; maintenant, «Celui qui fait tout et transforme tout[b]» en vue d'une plus grande utilité a changé, pour nous, notre douleur en joie et nous a donné l'allégresse en échange du sac[c]. Alors je renonce au silence en même temps qu'au passé et j'offre au moment présent et à vous ce discours[1]; ou plutôt, je l'offre à Dieu, en témoignage de reconnaissance, comme un sacrifice très approprié, un don plus pur que l'or, plus précieux que des pierreries, plus riche que des tissus, plus saint que le sacrifice de la Loi, plus sacré que l'offrande des premiers-nés et plus agréable «à Dieu qu'un jeune taureau, imparfait et grossier, avec cornes et sabots[d]», plus agréable que l'encens, l'holocauste, «les milliers d'agneaux gras[e]» par lesquels une loi élémentaire régissait Israël encore enfant[f], esquissant par des sacrifices sanglants le sacrifice futur[g][2].

5. Voilà ce que j'apporte à Dieu : je lui consacre la seule chose que j'aie gardée pour moi, et dont je sois riche. Le reste, je l'ai en effet abandonné au commandement et à l'Esprit. J'ai échangé alors contre la plus précieuse des perles tout ce que je pouvais avoir, et je suis ainsi devenu un grand négociant[a], ou plutôt, je souhaite le devenir, après avoir tiré de grands et indestructibles biens de choses petites et entièrement périssables. Mais

1. Le discours est un don qui complète la joie et l'allégresse de la réconciliation. Don, devoir, dette, tel le présente habituellement Grégoire, qui ne prend jamais la parole sans le justifier; cf. *D.* 7, 1; 8, 2; 43, 1 et les nombreux exemples donnés par B. COULIE, *Richesses*, p. 111-113, à propos de l'image de la dette littéraire.

2. Cf. *Épigr.* 34, 1.

ὡς Λόγου θεραπευτής, καὶ οὐκ ἄν ποτε ἑκὼν τούτου τοῦ κτήματος ἀμελήσαιμι· ἀλλὰ καὶ τιμῶ καὶ ἀσπάζομαι καὶ
10 χαίρω μᾶλλον ἢ πᾶσιν ὁμοῦ τοῖς ἄλλοις οἷς οἱ πολλοὶ χαίρουσιν· καὶ ποιοῦμαι παντὸς τοῦ βίου κοινωνόν, καὶ σύμβουλον ἀγαθὸν καὶ συνόμιλον[b], καὶ ἡγεμόνα τῆς ἐπὶ τὰ ἄνω ὁδοῦ, καὶ συναγωνιστὴν πρόθυμον· καὶ ἐπειδὴ πᾶν ἀτιμάζω τερπνὸν κάτω μένον, εἰς τοῦτό μοι πᾶν
15 ἐκενώθη τὸ φίλτρον μετὰ Θεόν· μᾶλλον δὲ καὶ εἰς τοῦτον
C ὅτι πρὸς Θεὸν φέρει μετὰ συνέσεως ᾧ δὴ καὶ μόνῳ Θεὸς καταλαμβάνεται γνησίως καὶ τηρεῖται καὶ ἐν ἡμῖν αὔξεται. «Εἶπον τὴν σοφίαν ἐμὴν ἀδελφὴν εἶναι[c]», καὶ ἐτίμησα ταύτην καὶ περιέλαβον[d] ὡς ἦν ἐφικτὸν ἐμοί· καὶ ζητῶ
20 τῇ ἐμῇ κεφαλῇ τὸν «στέφανον τῶν χαρίτων[e]» καὶ τῆς τρυφῆς, ἃ δὴ σοφίας χαρίσματα καὶ Λόγου τοῦ ἐν ἡμῖν τὸ ἡγεμονικὸν καταλάμποντος καὶ φωτίζοντος ἡμῖν τὰ κατὰ Θεὸν διαβήματα.

6. Τούτῳ χαλινῶ θυμὸν ἐκφερόμενον, τούτῳ κοιμίζω τήκοντα φθόνον, τούτῳ προσαναπαύω λύπην, δεσμὸν καρδίας, τούτῳ σωφρονίζω διάχυσιν ἡδονῆς, τούτῳ μετρῶ μῖσος, ἀλλ' οὐ φιλίαν – τὸ μὲν γὰρ μετρεῖσθαι δεῖ, τῆς

8 ἑκών om. P ‖ 14 καὶ κάτω C ‖ τοῦτον AQWTS ‖ 16 πρὸς : καὶ πρὸς D ‖ μόνη D ‖ Θεὸς D mg. ‖ 17 καὶ καταλαμβάνεται BT ‖ 22 ἡμῶν C

6, 2 φθόνον τήκοντα Maur.

---

b. Cf. Sag. 8, 9 c. Prov. 7, 4 d. Cf. Prov. 4, 8 e. Prov. 1, 9; 4, 9

---

1. Le λόγος est encore une fois riche de sens; cf., p. 130, n. 3. Autres exemples de l'expression de son amour pour le *Logos*: *D.* 2, 77; 4, 5 et 100 (avec les mêmes termes); 30, 20; *Lettre* 235; voir aussi *D.* 32, 1 et la note de C. MORESCHINI, *SC* 318, p. 84-85. SZYMUSIAK, *Éléments de théologie*, p. 71, rend le mot uniquement par «art de parler», voyant ainsi de la naïveté dans ce passage.

2. «La partie qui commande en nous», terme du vocabulaire stoïcien

au verbe seul je m'attache, en tant que serviteur du Verbe[1], et ce n'est jamais de ma propre volonté que je pourrais négliger ce bien. Plus encore, je l'estime, je le chéris et je m'en réjouis plus que de tous les autres biens réunis qui réjouissent la foule; j'en fais l'associé de toute ma vie, mon bon conseiller et compagnon[b], mon guide sur le chemin d'en haut et mon ardent compagnon de lutte. Et puisque je méprise tout plaisir d'ici-bas, c'est sur lui que tout mon amour s'est déversé, après Dieu; je dirais plutôt: sur lui aussi, car il porte vers Dieu avec l'aide de l'intelligence, lui qui est bien le seul à saisir Dieu réellement, à le garder et à le faire croître en nous. «J'ai dit que la sagesse était ma sœur[c]», je l'ai honorée et embrassée[d] autant que cela m'était possible, et je cherche à obtenir, pour ma tête, la «couronne de grâces[e]» et de délices, c'est-à-dire les dons de la sagesse et du Verbe, qui illumine notre raison[2] et éclaire notre marche vers Dieu[3].

6. C'est grâce à Lui que je freine la colère qui emporte[4], c'est grâce à Lui que j'assagis l'envie qui consume, grâce à Lui que j'apaise le chagrin qui noue le cœur[5], grâce à Lui que je modère le flot du plaisir, grâce à Lui que je fixe une mesure à la haine, mais non à l'amitié[6] – car

(ἡγημονικόν ou ἡγεμονικὸς νοῦς); cf. *D.* 2, 18 (par opposition à χεῖρον); 27, 3; 37, 13; 38, 7; 40, 37; 41, 11.

3. Cf. *D.* 8, 12.

4. Grégoire a consacré un long poème à la colère (*Poèmes* I, II, 25, v. 510-540); cf. ÉVAGRE, *Traité Pratique* 38 (*SC* 171, p. 587). Lieu commun d'origine stoïcienne également. Voir SZYMUSIAK, *Ibid.*, p. 44 et, sur ce thème, l'étude de M. G. DE DURAND, «La colère chez Jean Chrysostome», *Revue des Sciences Religieuses*, 1993, 1, p. 61-77.

5. Cf. *D.* 7, 21.

6. Grégoire a souvent célébré l'amitié, en particulier celle qui le liait à Basile; cf., *D.* 9-12 et 43, à propos de l'affaire de Sasimes, le rappel, parfois amer, de cette amitié.

D 5 δὲ μηδένα γινώσκειν ὅρον. Οὗτος εὐποροῦντά με ποιεῖ μέτριον καὶ πένητα μεγαλόψυχον· οὗτος εὐδρομοῦντί με
729 A πείθει συντρέχειν καὶ πίπτοντι χεῖρα ὀρέγειν καὶ ἀσθενοῦντι συνασθενεῖν[a] καὶ ἰσχύοντι συνευφραίνεσθαι[b]. Μετὰ τούτου πατρὶς καὶ ξένη τὸ ἴσον ἐμοί, καὶ τόπων μετάστασις
10 ἀλλοτρίων ὁμοίως, ἀλλ' οὐκ ἐμῶν. Οὗτός μοι διαιρεῖ κόσμους, καὶ τοῦ μὲν ἀπάγει, τῷ δὲ προστίθησιν· οὗτός με καὶ «διὰ τῶν δεξιῶν ὅπλων» διεξάγει «τῆς δικαιοσύνης[c]» οὐκ ἐπαιρόμενον, κἂν τοῖς ἀριστεροῖς καὶ τραχυτέροις συμφιλοσοφεῖ, τὴν οὐ καταισχύνουσαν ἐλπίδα[d]
15 παραζευγνύς, καὶ τὸ παρὸν κουφίζει τῷ μέλλοντι. Τούτῳ καὶ νῦν δεξιοῦμαι τοὺς ἐμοὺς φίλους καὶ ἀδελφοὺς καὶ προτίθημι τράπεζαν[e] λογικὴν καὶ κρατῆρα πνευματικὸν[f] καὶ ἀέναον· οὐχ οἷς ἡ κάτω τράπεζα κολακεύει τὴν καταρ-
B γουμένην γαστέρα[g] καὶ ἀθεράπευτον.

7. «Ἐσιώπησα, μὴ καὶ ἀεὶ σιωπήσομαι; Ἐκαρτέρησα ὡς ἡ τίκτουσα[a]», μὴ καρτερήσω διαπαντός; Τῷ μὲν γὰρ

7 πίπτοντα D || 13 κἂν : καὶ P || 13-14 καὶ τραχυτέροις P mg. om. C || 14 τραχυτέροις : βραχυτέροις S || 14-15 τὴν – παραζευγνύς S mg. || 15 κουφίζων AQBWVTS Maur. || τοῦτο D || 17 καὶ : add. ἵστημι Dmg. || 18 ἀένναον B[ac] W SP Maur.

7, 1 σιωπήσωμαι A || 2 ὡς ἡ codd. : ὡσεί Maur.

---

6. a. Cf. I Cor. 9, 22; II Cor. 11, 29 b. Cf. Rom. 12, 15 c. II Cor. 6, 7 d. Cf. Rom. 5, 5 e. Cf. Prov. 9, 2 f. Cf. I Cor. 10, 4 g. Cf. I Cor. 6, 13

7. a. Is. 42, 14

---

1. Cf. *Poèmes* I, II, 28, v. 544-565 : «Contre l'amour des richesses».

2. Le chrétien n'a pas de patrie; thème traditionnel, d'origine stoïcienne encore, depuis la *Lettre à Diognète* V, 6 et 8 (*SC* 33 bis, p. 62); cf. *supra*, chap. 2; *D.* 8, 6; 43, 49. Voir, à ce sujet, J. ROLDANUS, «Références patristiques au «chrétien-étranger» dans les trois premiers siècles», *Cahiers de Biblia Patristica* 1, Strasbourg 1987, p. 27-52.

3. Littéralement : les armes de droites (offensives) et de gauche (défensives). L'espérance allège le malheur : cf. *D.* 6, 19; *De vita sua*, v. 1942; *D.* 32, 27, un passage où Grégoire, à la suite de Socrate, demande

l'une doit être mesurée et l'autre ne doit connaître aucune limite –. C'est Lui qui me rend modéré dans l'abondance et magnanime dans la pauvreté[1], Lui qui me persuade d'accompagner celui qui court vite, de tendre la main à celui qui tombe, d'être faible avec le faible[a] et joyeux avec le fort[b]. Avec Lui, patrie et terre étrangère sont pour moi la même chose, et changer de lieu, c'est pour ainsi dire quitter non pas ma demeure, mais celle d'autrui[2]. C'est Lui qui distingue pour moi les mondes, m'éloigne de l'un et me rapproche de l'autre; c'est Lui qui m'entraîne «avec les armes offensives de la justice[c]», sans que j'en aie de l'orgueil, qui m'aide à pratiquer la sagesse avec les armes plus rudes de la défensive, en attachant à mon côté l'espérance qui ne fait pas honte[d], et qui allège le présent par l'avenir[3]. C'est grâce à Lui que j'accueille désormais mes amis et mes frères et que je dresse une table[e] raisonnable[4] et une coupe spirituelle[f] et inépuisable, sans avoir recours à ce qui, sur la table d'ici-bas, flatte ce ventre aboli[g] et incurable[5].

7. «Je me suis tu, me tairai-je donc toujours? J'ai eu la patience de la femme qui enfante[a]», mais aurai-je toujours cette patience[6]? En effet, Jean, en naissant, délivre

à l'homme de se connaître soi-même et de comprendre en particulier comment «la crainte fige ..., comment le chagrin resserre..., comment l'envie consume», ce qui rappelle le début de ce chap. 6.

4. Sur la richesse de l'adjectif λογικός, ses diverses significations et la difficulté qu'il y a à le traduire, voir C. MONDÉSERT, «Vocabulaire de Clément d'Alexandrie: le mot λογικός», *RechSR* 42, 2, 1954, p. 258-265; Christine MOHRMANN, «Rationabilis-logikos», *Étude sur le latin des chrétiens*, I, Rome 1961, p. 179-187.

5. Une telle fête nécessiterait en effet un banquet (cf. *D.* 11, 4). Cf. *D.* 43, 61, à propos de Basile: «Se gorger et se gaver, il avait laissé cela aux êtres moins doués de raison (ἀλογωτέροις)»; *D.* 36, 12: «Vous qui êtes portés vers le luxe de la table, soustrayez quelque chose à votre ventre, donnez-le à l'Esprit»; cf. *D.* 11, 5.

6. Même image *Lettre* 118, 2; *D.* 2, 115 (*SC* 247, p. 236, et la note 3 de J. BERNARDI).

Ζαχαρίᾳ λύει τὴν σιωπὴν γεννηθεὶς ὁ Ἰωάννης[b]· καὶ γὰρ οὐκ ἔπρεπε τὸν πατέρα τῆς φωνῆς[c] σιωπᾶν, ταύτης προελ-
5 θούσης· ἀλλ' ὥσπερ ἀπιστηθεῖσα τὴν γλῶσσαν ἔδησεν[d], οὕτω φανερωθεῖσα δοῦναι τῷ πατρὶ τὴν ἐλευθερίαν, ᾧ καὶ εὐηγγελίσθη καὶ ἐγεννήθη φωνὴ[e] καὶ λύχνος[f], Λόγου καὶ Φωτὸς[g] πρόδρομος. Ἐμοὶ δὲ λύει τὴν γλῶσσαν καὶ ὑψοῖ τὴν φωνὴν ὡς σάλπιγγος[h] ἡ παροῦσα εὐεργεσία, καὶ τὸ
10 κάλλιστον τοῦτο θέατρον, «τὰ τέκνα τοῦ Θεοῦ τὰ διεσκορπισμένα», συνηγμένα «εἰς ἕν[i]», καὶ ὑπὸ τὰς αὐτὰς ἀναπαυόμενα πτέρυγας[j], καὶ «εἰς τὸν οἶκον τοῦ Θεοῦ
C πορευόμενα ἐν ὁμονοίᾳ[k]», καὶ μίαν ἁρμονίαν ἡρμοσμένα τὴν τοῦ καλοῦ καὶ τοῦ Πνεύματος· ὅτε οὐκ ἔτι φέρομεν
15 ἀλλήλους καὶ ἄγομεν, τοσοῦτον ὑπὸ τοῦ Πονηροῦ κλαπέντες ἢ βιασθέντες, καὶ κατατοξευθέντες ἐν σκοτομήνῃ[l] τὸν νοῦν ἣν αὐτὸς ἡμῖν ἐπήγειρεν – καὶ οὐκ οἶδ' ὅτι χρὴ λέγειν – ὥστε καὶ τοῖς ἀλλήλων κακοῖς ἐπευφραίνεσθαι καὶ μὴ νομίζειν τοῦ παντὸς εἶναι ζημίαν τὴν ἀλλήλων κατάλυσιν·
20 ὅτε «Ἰούδας καὶ Ἰσραὴλ τίθενται ἑαυτοὺς ἀρχὴν μίαν[m]» καὶ Ἱερουσαλὴμ καὶ Σαμάρεια πρὸς μίαν «τὴν ἄνω Ἱερουσαλὴμ[n]» συνάγονται, καὶ οὐκ ἔτι Παύλου καὶ Ἀπολλῶ

4 ταύτης om. BWTS ‖ 4-5 προ /// ελθούσης C ‖ 5 ἀπιστηθεῖσαν D ἀπιστιθεῖσαν P ‖ 10 τὰ² om. AQVTD Maur. ‖ 14 ὅτι C ‖ φέρωμεν D ‖ 15 ἄγωμεν D^ac ‖ 15-16 τοσοῦτον κλαπέντες ὑπὸ τοῦ πονηροῦ ἢ βιασθέντες D ‖ 16-17 καὶ κατατοξευθέντες – λέγειν om. AQBWVTS *Rufinus* ‖ 19 καὶ ζημίαν D ‖ 20 ὅτι C ‖ ἑαυτοῖς C ‖ 22 Παύλῳ C

b. Cf. Lc 1, 20 c. Cf. Jn 1, 23 d. Cf. Lc 1, 20 e. Cf. Is. 40, 3; Matth. 3, 3 f. Cf. Jn 5, 35 g. Cf. Jn 1, 7-8 h. Cf. Is. 58, 1 i. Jn 11, 52 j. Cf. Matth. 23, 37 k. Ps. 54, 15 l. Cf. Ps. 10, 2; 63, 5 m. Osée 2, 2 n. Gal. 4, 26

1. Tout ce passage (de τῷ μὲν λύει Ζαχαρίᾳ à καὶ φωτὸς πρόδρομος), avec quelques variantes, avait été attribué à saint Irénée d'après une note marginale du manuscrit de Vienne *Theol. gr.* 71, et publié par A. Stieren ; voir *S. Irenei episcopi... contra omnes haereses... accedunt... frag-*

Zacharie de son silence[b], car il ne convenait pas que le père de la Voix[c] gardât le silence à la venue de celle-ci. Mais, de même que cette voix avait lié la langue parce qu'on l'avait mise en doute[d], de même, une fois apparue, devait-elle donner la liberté à ce père à qui avait été annoncé et qui eut pour enfant la Voix[e], le Flambeau[f], le précurseur du Verbe et de la Lumière[g][1]? Ma langue est déliée et ma voix, comme celle d'une trompette[h], s'élève devant le bienfait présent et le si beau spectacle que voici : «Les enfants de Dieu qui avaient été dispersés ne font plus qu'un[i]», reposent sous les mêmes ailes[j], «marchent jusqu'à la maison de Dieu dans la concorde[k]» et sont réconciliés dans la seule harmonie du bien et de l'Esprit. Car maintenant nous ne nous ruinons plus mutuellement : le Malin nous avait si bien séduits et violentés[2] et nous avait si bien percé l'esprit de traits dans une obscurité[l] rassemblée par lui-même[3] que – je ne sais comment le dire ! – nous en étions venus à nous réjouir mutuellement de nos malheurs, sans considérer que nous faisions tort à l'ensemble en nous détruisant les uns les autres ; car maintenant «Juda et Israël établissent pour eux une autorité unique[m]», et Jérusalem et Samarie se réunissent pour la seule «Jérusalem d'en haut[n]» ; car nous n'appartenons plus à Paul, à Apollos

menta, Leipzig 1853, p. 896, *fragment* 3 (cf. *PG* 7, col. 1264, *fragment* L ; Harvey, *S. Irenei libri quinque adversus haereses*, *fr.* 46, t. 2, p. 510). J. Viteau «Note sur un fragment grec attribué à S. Irénée», *Revue de Philologie* 34, 1910, p. 146-148, démontre que l'auteur en est bien Grégoire de Nazianze. Grégoire est la «voix» de son père ; cf. *D.* 23, 6, un passage qui pourrait faire supposer que le *D.* 23 est de la même époque que le *D.* 6 (cf. J. Mossay, *SC* 270, p. 293, n. 3).

2. Réminiscence probable de Platon, *Rép.* 413 a-b.
3. Cf. chap. 1, n. 4.

καὶ Κηφᾶ[o], ὑπὲρ ὧν καὶ καθ' ὧν ἡ φυσίωσις[p], πάντες δὲ Χριστοῦ γεγόναμεν[q].

732 A **8.** Ἀλλ' ἐπειδὴ κἀμὲ καὶ τὸν λόγον ἔχετε, διὰ τῆς ἀγάπης οὐκ ἄκοντα τυραννήσαντες, φθέγξομαι μέν, εἰ καὶ μόλις, ἐπειδὴ τοῦτο κελεύετε· φθέγξομαι δὲ εὐχαριστίας καὶ νουθεσίας ῥήματα.

5 Ἡ μὲν οὖν εὐχαριστία τοιαύτη· «Τίς λαλήσει τὰς δυναστείας τοῦ Κυρίου[a];» Τίς δὲ πάσαις ἀκοαῖς παραστήσει τὴν ἐπὶ πᾶσιν αἴνεσιν[b]; ὅτι γέγονε «τὰ ἀμφότερα ἓν καὶ τὸ μεσότοιχον τοῦ φραγμοῦ διαλέλυται[c]»· ὅτι ἔπαυσας ἡμᾶς ὄντας «παραβολὴν ἐν τοῖς ἔθνεσι, κίνησιν 10 κεφαλῆς ἐν τοῖς λαοῖς[d]»· ὅτι τοσοῦτον ἡμᾶς ἐκάκωσας ὅσον τὸ τῆς εἰρήνης ἀγαθὸν τῇ διαστάσει γνωρίσαι, καὶ ἀλγεῖν ποιήσας, πάλιν ἀποκατέστησας· ὢ τοῦ παραδόξου τῆς ἰατρείας· παιδεύσας εἰς εἰρήνην διὰ τοῦ μίσους B μισηθέντος ὡς τάχιστα, καὶ τῷ ἐναντίῳ τὸ ἐναντίον οἰκο- 15 νομήσας, καὶ τοσοῦτον ἡμᾶς διαζεύξας ὅσον θερμοτέρους προσδραμεῖν ἀλλήλοις· καθάπερ τῶν φυτῶν ἃ βίᾳ χερσὶ μετασπώμενα, εἶτα ἀφιέμενα πρὸς ἑαυτὰ πάλιν ἀνατρέχει καὶ τὴν πρώτην ἑαυτῶν φύσιν, καὶ δείκνυσι τὸ οἰκεῖον, βίᾳ μὲν ἀποκλινόμενα, οὐ βίᾳ δὲ ἀνορθούμενα· ὅτι μηκέτι 20 χεὶρ τὸν ὀφθαλμὸν περιφρονεῖ μηδ' ὀφθαλμὸς χεῖρα· ὅτι

8, 1 διὰ : καὶ διὰ Maur. ‖ 2-3 φθέγξομαι μὲν εἰ καὶ μόλις ἐπειδὴ τοῦτο κελεύετε W mg. ‖ 5 τοιαύτη om. AQBWVTS ‖ 12 ἀπεκατέστησας ABWD ‖ 13 εἰς om. C ‖ εἰρήνην πάλιν D ‖ 14-15 καὶ τῷ ἐναντίῳ τὸ ἐναντίον οἰκονομήσας Q mg. ‖ 16 παραδραμεῖν V ‖ 17 κατασπώμενα DC

o. Cf. I Cor. 1, 12. 3, 4, 22 p. Cf. I Cor. 4, 6 q. Cf. I Cor. 3, 23
8. a. Ps. 105, 2 b. Cf. *Ibid.* c. Éphés. 2, 14 d. Ps. 43, 15

1. Cf. *D.* 2, 89; 32, 5.

2. Lorsque Grégoire se plaint de subir une tyrannie, c'est qu'il a été arraché à la «tranquillité»; ainsi, au moment de son élévation au

ou à Céphas[o], pour lesquels et à propos desquels nous étions enflés d'orgueil[p], mais nous sommes tous au Christ [q] [1].

8. Eh bien, puisque vous nous tenez, ma parole et moi, et que je me soumets sans contrainte à la tyrannie de votre charité [2], je vais parler, quoi qu'il m'en coûte, puisque vous me le demandez. Et je prononcerai des paroles de reconnaissance et d'exhortation.

Voici donc ma reconnaissance : « Qui dira les prouesses du Seigneur[a]? » Qui fera entendre à toutes les oreilles sa louange à propos de tout[b]? Car « ce qui était deux est devenu un et le mur de séparation a été renversé [c] » ; car, grâce à toi, nous ne sommes plus une « fable parmi les nations, un hochement de tête parmi les peuples [d] ». Tu nous as tellement maltraités que tu nous as fait découvrir par la séparation le bien de la paix et, après nous avoir fait souffrir, tu nous as rétablis. Oh l'extraordinaire guérison ! Tu nous as formés le plus rapidement possible à la paix par la haine de la haine, nous procurant l'une par son contraire [3], et nous accourons les uns vers les autres avec d'autant plus d'ardeur que tu nous as si profondément désunis ! Il en est de même des plantes qui, lorsque nos mains les tirent avec force d'un côté puis les relâchent, reviennent de l'autre côté et à leur premier état et montrent ce qui leur est naturel : c'est la force qui les incline, ce n'est pas elle qui les redresse [4]. La main n'a plus de mépris pour l'œil ni l'œil pour la main,

sacerdoce (cf. *D.* 1, 1; 2, 72; 3, 1; *Poèmes* II, II, 11, v. 345), puis à l'épiscopat (cf. *D.* 10, 5; 36, 2; 43, 59); voir aussi *D.* 33, 14.

3. Cf. PLATON, *Phédon* 71 a.

4. Sur cette image de la juste mesure, qu'on retrouve presque dans les mêmes termes *D.* 2, 15, 36; 20, 5 et 23, 1 (appliquée ici au même sujet : une dissidence pour raisons doctrinales), dans un discours « sur la paix », voir l'étude de M. KERTSCH, « Ein Bildhefter Verleich bei Seneca, Themistios, Gregor von Nazianz und sein kynisch-stoischer Hintergrund », *Vigiliae Christianae*, 30, 4, 1976, p. 241-257.

μηκέτι ποδῶν κατεξανίσταται κεφαλὴ μηδὲ κεφαλῆς ἀλλοτριοῦνται πόδες[e], οὐ μᾶλλον βλάπτοντες ἢ βλαπτόμενοι τῇ ἀταξίᾳ καὶ ἀναρχίᾳ, ἣ καὶ τοῦ παντός ἐστι σύγχυσις καὶ διάλυσις· ἀλλὰ «τὸ αὐτὸ ὑπὲρ ἀλλήλων μεριμνῶσι τὰ
25 μέλη[f]» τάξει καὶ θεσμῷ φύσεως, τῷ δι' ἀλλήλων τὰ πάντα
C συνδήσαντι καὶ φυλάξαντι· καὶ πεφήναμεν ἓν σῶμα καὶ πνεῦμα ἓν καθὼς καὶ κεκλήμεθα «ἐν μιᾷ ἐλπίδι τῆς κλήσεως[g]».

9. Διὰ τοῦτο «ὁ λαὸς ὁ πτωχὸς» αἰνέσει σε[a], πλούσιος ἐξ ἀπόρου γενόμενος ὅτι «ἐθαυμάστωσας ἐφ' ἡμᾶς τὰ ἐλέη σου[b]», καὶ προστέθειται τοῖς παλαιοῖς διηγήμασιν. «Οὗ» γὰρ «ἐπλεόνασεν ἡ ἁμαρτία, ὑπερεπερίσσευσεν ἡ χάρις[c]»·
5 ὅτι, κόκκον καταβαλών, στάχυν ἐκομισάμην· ὅτι, πρόβατα πενθῶν, ποιμένας προεκτησάμην· καὶ προσλήψομαί γε, εὖ
733 A οἶδα, τῶν ποιμένων τὸν τιμιώτατον, εἰ καὶ λόγοις τισὶ πνευματικοῖς τὴν ποιμαντικὴν ἀναβάλλεται, πιστευθέντα μὲν τὸ Πνεῦμα καὶ τῶν ταλάντων τὴν ἐργασίαν[d] καὶ τοῦ

21 ἐξανίσταται S || 23 τῇ ἀναρχίᾳ D || 25 τῷ om. AQBWVTS || 27 ἓν P mg. (ut uid.) || καὶ sup. l. SP om. C

9, 2-3 τὰ ἐφ' ἡμᾶς ἐλέη σου Maur. || 3 post προστέθειται add. τι D sup. l. Maur. || 6 προσήψομαι B Migne || 7-8 εἰ καὶ λόγοις τισὶ πνευματικοῖς τὴν ποιμναντικὴν ἀναβάλλεται om. AQBWVTS *Rufinus* || 9 εὐεργεσίαν V

e. Cf. I Cor. 12, 21 f. I Cor. 12, 25 g. Éphés. 4, 4
9. a. Is. 25, 3; cf. Ps. 73, 21 b. Ps. 16, 7; cf. Ps. 30, 22 c. Rom. 5, 20 d. Cf. Matth. 25, 15

1. Les difficultés soulevées par le texte de ce chapitre tiennent à la variété des pronoms personnels sujets (qui représentent-ils?) et à l'identification du personnage anonyme qui est évoqué et qui, pour certains commentateurs, serait Basile (cf. Introd., p. 17). Une hypothèse différente peut être proposée, pour deux raisons : 1) ὅτι peut équivaloir ici aux deux points français (introduisant un style direct après un verbe signifiant «dire», ici : αἰνέσει). Le pronom personnel «je» désignerait alors le *peuple* (mis en parallèle avec ἐμοὶ δέ, plus bas, qui désigne

la tête ne se révolte plus contre les pieds, les pieds ne sont plus hostiles à la tête[e], et ne font pas plus de tort qu'ils n'en subissent par le désordre et l'anarchie, qui sont aussi confusion et dissolution de tout; mais «les membres se témoignent mutuellement la même sollicitude[f]» selon l'ordre et la loi de la nature, qui réunit et protège toutes choses les unes par les autres, et nous nous manifestons comme un seul corps et un seul esprit, de même que nous sommes appelés «par vocation à une seule espérance[g]».

9. Voilà pourquoi «le peuple qui mendiait» te louera[a], lui qui est devenu riche, de dénué qu'il était[1]: «Tu as manifesté sur nous ton admirable miséricorde[b]», et cela s'est ajouté aux récits anciens. En effet, «là où la faute a dépassé la mesure, la grâce a surabondé[c]»; j'avais semé une graine, et j'ai cueilli un épi; je pleurais des brebis, et j'ai gagné des pasteurs[2]. Et je m'attacherai du moins, j'en suis sûr, le plus cher des pasteurs[3], bien qu'il diffère d'assurer son ministère pastoral pour des raisons d'ordre spirituel[4]: il s'est vu confier l'Esprit, le rendement des

Grégoire, peut-être uni à son père); 2) Ce peuple, parlant du plus «cher» des pasteurs (*infra*, l. 7), peut désigner Grégoire lui-même, qui montre bien *D.* 2 sa lenteur à accepter les responsabilités. Cette hypothèse pourrait être confirmée par l'utilisation que fait habituellement Grégoire de la parabole des talents associée à celle de la lampe (en particulier *D.* 2, 72), en l'appliquant à lui-même (cf. *infra, D.* 10, 3; 12, 6).

2. Ces nouveaux pasteurs sont «les chefs que le groupe dissident s'est donnés (chap. 11)». Les moines avaient sans doute fait ordonner des prêtres.

3. Selon l'hypothèse exposée p. 142, n. 1, ce pasteur pourrait être Grégoire lui-même.

4. Cette justification ne se trouve que dans les manuscrits DPC: elle semble l'exemple même d'un commentaire introduit par Grégoire. Tout ce passage offre une définition de cette ποιμαντική dont les caractéristiques seront développées *D.* 9.

10 ποιμνίου τὴν ἐπιμέλειαν, καὶ χρισθέντα τῷ χρίσματι τῆς ἱερωσύνης καὶ τελειώσεως, ἔτι δὲ ἀναβαλλόμενον τὴν ἐπιστασίαν ὑπὸ σοφίας, καὶ τὸν λύχνον ὑπὸ τῷ μοδίῳ κατέχοντα, ὃν θήσει μετ᾽ὀλίγον «ἐπὶ τὴν λυχνίαν[e]», πᾶσαν τῆς Ἐκκλησίας ψυχὴν περιλάμψοντα, καὶ «φῶς ταῖς τρίβοις»
15 ἡμῶν ἐσόμενον[f], ἔτι περισκοποῦντα νάπας καὶ ὄρη καὶ νάματα[g], καὶ τοῖς ἅρπαξι τῶν ψυχῶν λύκοις[h] ἐπινοοῦντα θήρατρα, ἵν᾽ἐν καιρῷ εὐθέτῳ καὶ βακτηρίαν δέξηται καὶ συμποιμαίνῃ τῷ ἀληθινῷ ποιμένι τὸ λογικὸν τοῦτο ποίμνιον, «ἐν τόπῳ χλόης κατασκηνῶν» τοῖς ἀειθαλέσι τοῦ Θεοῦ
B 20 λόγοις «καὶ ἐκτρέφων ὕδατι ἀναπαύσεως[i]», εἴτ᾽ οὖν Πνεύματι. Τοῦτο μὲν οὖν καὶ ἐλπίζομεν καὶ εὐχόμεθα.

Ἐμοὶ δὲ ἤδη καιρὸς προσθεῖναι τῇ εὐχαριστίᾳ καὶ τὴν παραίνεσιν· ποιήσομαι δὲ καὶ ταύτην ὡς οἷόν τε βραχυτάτην, ἐπειδὴ τὸ πλεῖστον τῆς νουθεσίας διὰ τῶν
25 ἔργων αὐτῶν προειλήφατε καὶ οὐ μακροτέρων δεῖ λόγων τοῖς πείρᾳ πεπαιδευμένοις.

10. Ἔδει μέν, ἀδελφοί, μήτε διαιρεθῆναι τὸ πρῶτον μήτε τὸ παλαιὸν ἡμῖν καταλυθῆναι ἀξίωμα καὶ καλλώπισμα· ᾧ, καίτοι μικρὰν ἡμῶν οὖσαν τὴν ποίμνην καὶ μηδὲ ὀνομάζεσθαι ἐν ποιμνίοις ἀξίαν ἀριθμουμένοις, τοῖς

12 τῆς σοφίας P ‖ μωδίῳ AB^{ac} ‖ 13 τὴν τῆς T^{ac} P Maur. ‖ 14 περιλάμψατα AW^{ac}D ‖ 20 λογίοις BWVTS ‖ 23 προσθῆναι D ‖ 26 προειλήφαμεν DP (τε sup. l.) C
10, 3 οὖσαν ἡμῶν TDPC Maur. ‖ 4 ἐν om. C ‖ ἐν ποιμνίοις ἀξίαν AQBWVTS

e. Cf. Matth. 5, 15 f. Cf. Ps. 118, 105 g. Cf. Éz. 34, 6 h. Cf. Jn 10, 12 i. Ps. 22, 2

1. Pour Grégoire, l'image du talent, associée à celle de la lampe, désigne généralement le don spirituel que confère l'ordination, et qui doit apparaître au grand jour; ces paraboles sont appliquées précisément à lui-même *D.* 2, 72; 10, 3; 32, 1, où l'allusion est expliquée :

talents[d 1] et la charge du troupeau, il a reçu l'onction du sacerdoce et de la perfection, mais, par sagesse, il diffère encore d'en prendre la direction ; il garde la lampe sous le boisseau, mais il la placera dans peu de temps « sur le chandelier[e] » pour qu'elle illumine toute âme de l'Église et soit « la lumière de nos chemins[f] » ; il surveille encore vallons, montagnes et ruisseaux[g] et conçoit des pièges contre les loups, ravisseurs des âmes[h], afin de recevoir également la houlette au moment voulu et de faire paître en compagnie du pasteur véritable ce petit troupeau spirituel[2], en le parquant dans ce pré d'herbe fraîche que sont les enseignements toujours verdoyants de Dieu « et en l'abreuvant avec l'eau du repos[i] », c'est-à-dire avec l'Esprit. Tels sont donc nos espoirs et nos prières.

Mais, pour moi, le moment est venu d'ajouter l'exhortation à la reconnaissance. Je la ferai aussi brève que possible, puisque les faits eux-mêmes vous ont déjà grandement instruits et que n'ont pas besoin de trop longs discours ceux que l'expérience a instruits.

10. Mes frères, il ne fallait ni commencer par nous diviser, ni abolir notre dignité d'autrefois et l'objet de notre fierté. Bien que notre troupeau fût modeste et ne méritât même pas d'être placé au nombre des petits troupeaux dont on tient compte, cet honneur et cette fierté

« Je vais m'efforcer cependant, autant que je le puis, de ne pas cacher le don spirituel que j'ai reçu, de ne pas placer la lumière sous le boisseau, de ne pas enfouir le talent, c'est ce que je vous ai souvent entendu dire quand vous me reprochiez mon inaction et quand vous vous indigniez de mon silence. » Sur l'image du talent, voir J. LÉCUYER, *Le sacrement de l'ordination* (Théologie Historique, 65), Paris 1983, p. 82 ; COULIE, *Richesses*, p. 111.

2. Voir chap. 6, p. 137, n. 1. Le « pasteur véritable », qui désigne habituellement le Christ, peut ici également désigner Grégoire l'Ancien.

5 μεγίστοις ἐξ ἴσου εἶχον καὶ πλατυτάτοις· ἔστι δὲ ὧν καὶ
C προετίθουν ἐν τῇ δυνάμει τοῦ Πνεύματος. Καὶ γὰρ οὕτως
εἶχεν, ἄλλου μὲν ἄλλο τι καλλώπισμα ἢ μικρὸν ἢ μεῖζον,
τῆς δὲ ἡμετέρας ποίμνης ἰδιώτατον ἦν τὸ ἄρρηκτόν τε
καὶ ἀστασίαστον ὥστε καὶ τὴν Νῶε κιβωτὸν πολλάκις
10 ἡμᾶς ὀνομασθῆναι, μόνην διαφυγοῦσαν τὴν τοῦ κόσμου
παντὸς ἐπίκλυσιν καὶ τὰ σπέρματα τῆς εὐσεβείας ἐν ἑαυτῇ
διασῴζουσαν[a]. Ἐπειδὴ δὲ ἠλέγχθημεν ὄντες ἄνθρωποι, καὶ
οὐ παντὶ διεφύγομεν τοῦ Πονηροῦ τὸν φθόνον, οὐδὲ τῆς
πάντα κατεχούσης νόσου κρείττους πεφήναμεν· ἀλλὰ τῆς
15 κοινῆς συμφορᾶς μέρος καὶ αὐτοὶ μετειλήφαμεν καὶ τὴν
καλὴν καὶ πατρῴαν κληρονομίαν, τὸ τῆς ὁμονοίας ἀγαθόν,
D οὐκ εἰς τέλος διεφυλάξαμεν, οὐ μικρὸν μὲν κἀνταῦθα τοὺς
ἄλλους ἐπλεονεκτήσαμεν, εἴ τι δεῖ καὶ καυχήσασθαι[b] κατὰ
τῆς ἡμετέρας ἔχθρας Χριστῷ θαρρήσαντας, τὸ καὶ
736 A 20 τελευταῖοι ταῦτα παθεῖν καὶ πρῶτοι διορθωθῆναι. Τὸ μὲν
γὰρ ἀρρωστῆσαι τῆς κοινῆς φύσεως καὶ τῆς ἀσθενείας τῆς

5 εἶχον ἐξ ἴσου DPC ‖ 6 προετίθην C ‖ 7 εἶχον C ‖ 8 ἰδιώτατον ἦν om. AQBWVTS ‖ 9 ὥστε δὲ Maur. ‖ 10 ἡμᾶς om. Maur. ‖ τοῦ om. ABWVT ‖ 11 ἑαυτῇ : αὐτῇ S[ac] Maur. ‖ 14-15 ἀλλὰ – μετειλήφαμεν S mg. ‖ 16-17 τὸ τῆς ὁμονοίας ἀγαθόν D mg. ‖ 18 τοὺς ἄλλους κἀνταῦθα D ‖ 19 θαρρήσαντα S ‖ 20 τὸ : τῷ Q ‖ 21 ἀσθενείας : ἀρρωστίας T

---

10. a. Cf. Gen. 7, 23; Sag. 14, 6 b. Cf. II Cor. 12, 1

---

1. Grégoire évoque souvent la petitesse de Nazianze et le nombre peu important de ses ouailles; cf. par ex. *D.* 3, 1, où il s'attendrit sur cette «petite Bethléem»; 33, 7, 13; *Lettre* 41 : «Je suis un pasteur de peu d'importance, chef d'un troupeau minuscule et le plus petit des ministres de l'Esprit.» Sur la ville de Nazianze, voir H. LECLERCQ, art. «Nazianze», *DACL* 12, 1, 1935, col. 1054-1065; GALLAY, *Vie*, p. 12-16.

2. Sur le terme κιβωτός (coffre), pour lequel nous gardons ici la traduction traditionnelle (arche), plus parlante, voir Marguerite HARL, «Le nom de l'"arche" de Noé dans la Septante», *Alexandrina. Mélanges offerts au Père C. Mondésert*, Paris 1987, p. 15-43.

3. La traduction habituelle d'εὐσέβεια par «piété» ne permet guère de rendre compte de la richesse de ce terme, qu'il serait tentant de

me le faisaient considérer comme l'égal des plus grands et des plus importants[1]. Il est de ceux que je déclarais au pouvoir de l'Esprit. Voici en effet ce qu'il en était : un autre pouvait avoir sa raison de fierté, petite ou grande, notre troupeau possédait, lui, tout à fait en propre, ce caractère indestructible et à l'abri des factions qui nous le faisait souvent appeler « l'arche de Noé »[2], qui seule avait échappé à l'inondation du monde entier et conservé en elle les semences de la vraie piété[a][3]. Mais puisqu'il est bien vrai que nous sommes des hommes, nous n'avons pas non plus échappé complètement à l'envie du Malin et nous ne nous sommes pas montrés plus forts que la maladie qui sévissait partout[4]. Mais une partie du malheur commun nous est également échue, à nous aussi, et le bel héritage reçu de nos Pères, le bien de la concorde, nous ne l'avons pas préservé jusqu'au bout[5]. Nous n'avons pas eu, là encore, un mince avantage sur les autres, s'il faut nous vanter un peu[b] à propos de notre brouille, parce que nous avons eu confiance dans le Christ : derniers à subir ce malheur, nous avons été les premiers à nous redresser[6]. Car si nous avons été malades, nous le devons à la commune nature et à la faiblesse humaine,

traduire par « foi » (en concurrence alors avec πίστις). Dans la pensée de Grégoire, ce mot désigne le plus souvent, comme ici, l'orthodoxie, et, plus précisément, la fidélité à la doctrine trinitaire (cf. par ex. *D.* 27, 2; 42, 8), et on le traduira, dans ce cas, par « la vraie piété ». Grégoire rappelle à plusieurs reprises l'orthodoxie des chrétiens de Nazianze; cf. *D.* 3, 6; 18, 17, où la même image est développée; 21, 14.

4. L'hérésie est habituellement comparée à une maladie; cf. fin chap. 22. Le mot φθόνος est souvent appliqué au Démon (cf. *Sag.* 2, 24).

5. C'est-à-dire l'union dans la profession de foi de Nicée; cf. *D.* 6, 22 et note. Cf. *Lettre* 182, à Grégoire de Nysse (de 383) : « Nous n'avons pas gardé la paix que nous avons reçue de nos saints pères. »

6. Cette allusion fait supposer que la crise n'a pas atteint la seule ville de Nazianze. Un passage du *D.* 18 rappelant cette affaire le confirme (chap. 18).

ἀνθρωπίνης, ἣ πάντων ἅπτεται καὶ τῶν λίαν ἰσχυρῶν τὸ σῶμα καὶ τὴν διάνοιαν· τὸ δὲ θεραπευθῆναι καὶ πρὸς ἀλλήλους ἐπανελθεῖν τοῦ λογισμοῦ καὶ τῆς χάριτος, ἣ
25 καλῶς ἡμῖν καὶ δικαίως ἐβράβευσε, καὶ κρεῖττον ἢ κατὰ τὰς ἡμετέρας εὐχὰς καὶ τὰς τῶν ἄλλων ἐλπίδας.

11. Ἡμεῖς τε γὰρ τὰς δοθείσας τῷ τμήματι κεφαλάς, ὡς ὑπὲρ εὐσεβείας καινοτομηθείσας καὶ εἰς βοήθειαν τοῦ ὀρθοῦ λόγου κάμνοντος, ἐν χάριτι προσηκάμεθα καὶ οὐχ ὡς ἐχθροὺς ἀπεστράφημεν, ἀλλ' ὡς ἀδελφοὺς περι-
5 επτυξάμεθα μικρὸν ὑπὲρ κλήρου πατρικοῦ στασιάσαντας ἀδελφικῶς, ἀλλ' οὐ πονηρῶς· καὶ τῆς μὲν ἔχθρας οὐκ ἐπῃνέσαμεν, τοῦ ζήλου δὲ ἀποδεξάμεθα· κρείσσων γὰρ
B ἐμπαθοῦς ὁμονοίας ἡ ὑπὲρ εὐσεβείας διάστασις· καὶ διὰ τοῦτο προσθήκην ἑαυτῶν τὴν ὑφαίρεσιν πεποιήμεθα, κλέ-
10 ψαντες ἀγάπῃ τὴν καθ' ἡμῶν ἐπίνοιαν, καὶ τοσοῦτον τῆς τάξεως ἐναλλάξαντες ὅσον μὴ τῇ ψήφῳ τὴν χάριν ἀκολουθῆσαι, τὴν δὲ ψῆφον τῇ χάριτι, καὶ χερσὶν ἀλλοτρίαις εἰς ταύτην προσχρήσασθαι, μικρόν τι προληφθέντες ὑπὸ τοῦ Πνεύματος·

15 Ὑμεῖς τε, τὴν κατὰ τοῦ γράμματος ἀφέντες ὑπόνοιαν,

22 λίαν om. T ‖ 23 τὴν om. S ‖ 24 ἀλλήλοις C ‖ 25 καλῶς καὶ δικαίως ἡμῖν QDPC

11, 2-3 τοῦ λόγου A ‖ κάμνοντας W ‖ καὶ om. C ‖ 7 κρεῖσσον BD ‖ 9 ἑαυτὴν V ‖ 11 ὅσῳ D ‖ 13 προσλεφθέντα S^{pc}Q προσληφθέντες V

---

1. Cf. chap.13. Sur le terme καινοτομία (innovation), appliqué à la religion, voir *Lettres théologiques* I, 2, *SC* 108, p. 37, n. 2 (P. Gallay). On peut déceler dans cet usage du mot un souvenir de Platon, *Eutyphr.* 3 b, 16 a : περὶ τὰ θεῖα καινοτομία.

2. Le «zèle» des moines est compris, mais souvent mis en cause; cf. *D.* 21, 25; *D.* 22, 5; *D.* 32, 32, Grégoire ne permet pas le «discours sur la foi» à ceux qui «s'échauffent plus qu'il ne faut pour elle»; voir Introd., p. 22-23.

qui nous affecte tous, même les plus vigoureux de corps et d'esprit. Mais si nous avons été guéris et si nous nous sommes réconciliés, nous le devons à la raison et à la grâce, dont l'arbitrage a été bon et juste, bien meilleur que ce que nous demandions dans nos prières et que ce que les autres attendaient.

11. En ce qui nous concerne en effet, les chefs que le groupe dissident s'est donnés, dans l'idée de faire une innovation[1] pour la défense de la vraie piété et pour venir en aide à la doctrine orthodoxe souffrante, c'est avec faveur que nous les admettons auprès de nous. Nous ne nous en sommes pas détournés comme s'ils étaient des ennemis, mais nous leur avons ouvert les bras, comme à des frères qui nous ont quelque temps cherché querelle au sujet de l'héritage paternel, fraternellement et sans méchanceté : si nous n'avons pas approuvé la haine, du moins avons-nous compris le zèle[2]. Car mieux vaut un désaccord pour défendre la vraie piété qu'un accord malsain[3]. Et c'est ainsi que nous nous sommes adjoint ceux qui s'étaient dérobés[4], en couvrant, par charité, les pensées qu'ils avaient eues contre nous, et en bouleversant si bien l'ordre des choses qu'ils n'ont pas été élus avant de recevoir la grâce, mais ont reçu la grâce avant d'avoir été élus, et que nous avons accepté l'intervention de mains étrangères, laissant l'Esprit prendre quelque peu les devants[5].

Quant à vous, renonçant à votre soupçon concernant

3. Thème repris chap. 20 : « Je sais en effet que, s'il y a une division très bonne, il y a aussi une concorde très funeste. » ISOCRATE, *Panathénaïque*, 225-226, évoque cette union malsaine de ceux qui tombent d'accord entre eux « pour perdre les autres ».

4. Cf. *D.* 23, 5 : « Nous avons recueilli le fruit le meilleur, à savoir le développement de la communauté. » ; cf. aussi *D.* 33, 2.

5. Les « chefs » ont été ordonnés prêtres par un autre évêque que Grégoire l'Ancien (l'évêque impose les mains).

τῷ πνεύματι προσεδράμετε[a]· τῆς μὲν ἁπλότητος οὐκ ἐπαινέσαντες ἐπὶ τῷ φαινομένῳ τῶν ῥημάτων, ἀσέβειαν δὲ οὐκ ἐννοήσαντες· ἀλλ' εἰδότες ὅτι ἄπτωτος παρ' ἡμῖν ἡ Τριὰς καὶ ἀσάλευτος, οὐδέν γε ἧττον ἢ ἐν αὐτῇ τῇ φύσει,
20 καὶ τὸ περικόψαι τι τῶν Τριῶν ἢ ἀποξενῶσαι ἴσον ἡμῖν
C καὶ τὸ πᾶν ἀνελεῖν καὶ τὸ κατὰ πάσης χωρῆσαι γυμνῇ τῇ κεφαλῇ τῆς θεότητος.

Καὶ ταῦτα καὶ παρ' αὐτὴν ἀλλήλων ὑπεραπελογούμεθα τὴν διάστασιν, ἔστιν ὅτε καὶ παρ' οἷς ἀνθρώπων — ὅσπερ
25 δὴ καὶ μέγιστος τῆς ἀληθείας ἔλεγχος, οὐδ' ὑπὸ τοῦ καιροῦ νικωμένης οὐδὲ τῆς ἔχθρας παντελῶς τὸν σπινθῆρα τῆς ἐν ἡμῖν ἀγαπῆς καταλυούσης· ὅτι τὸ μέγιστον ὑπῆν ἡμῖν καὶ στασιάζουσιν ἡ ὁμοδοξία καὶ τὸ συνειδέναι μὴ ἑτεροζυγοῦσι[b] περὶ τὴν ἀλήθειαν μηδ' ἐναντίως διακειμένοις
30 ἀλλὰ τῷ αὐτῷ χαρακτῆρι μεμορφωμένοις τῆς πίστεως καὶ τῆς πρώτης ἡμῶν ἐλπίδος.

737 A **12.** Οὐδὲν γὰρ οὕτως ἰσχυρὸν εἰς ὁμόνοιαν τοῖς γνησίοις τὰ πρὸς Θεὸν ὡς ἡ περὶ Θεοῦ συμφωνία· καὶ οὐδὲν οὕτως ἕτοιμον εἰς διάστασιν ὡς ἡ περὶ τοῦτο διαφωνία. Καὶ γὰρ ὁ τ' ἄλλα ἐπιεικέστατος περὶ τοῦτο θερμότατος,

18 ἐννοήσαντες : ἐγκαλέσαντες (ἐννοήσαντες mg.) QP ἐγκαλέσαντες DC ‖ 21 τὸ² om. AQBWVTS Maur. ‖ 22 τῇ : τε Maur. ‖ 23 καὶ² om. T Maur. ‖ ὑπεραπολογούμεθα WDC Maur. ‖ 24 ὅσπερ : ὅπερ Maur. ὥσπερ S D^pc P^pc ‖ 31 ἡμῶν S mg.
12, 1 εἰς : πρὸς C ‖ γνησίως C ‖ 2 τὸν Θεὸν BVDP Maur. ‖ 3 τούτου TS

11. a. Cf. Rom. 2, 29 ; II Cor. 3, 6 b. Cf. II Cor. 6, 14

1. Première allusion à un texte ; la suite montre que la définition de la Trinité est en cause (cf. déjà chap. 4 et, chap. 10, allusion à la profession de foi de Nicée) ; Grégoire l'Ancien n'a pas vu le danger de la formule ambiguë qu'il signait. Autres allusions à cette « simplicité » (surtout parce qu'elle est une vertu !) *D.* 18, 8 ; *De vita sua*, v. 53. Elle est souvent la caractéristique de celui qui ne voit pas les pièges de

la lettre, vous avez couru vers l'esprit[a], sans approuver la simplicité que laissaient apparaître les mots, mais en reconnaissant qu'il n'y avait pas d'impiété[1] : vous saviez que, pour nous, la Trinité est solide et inébranlable, aussi bien qu'elle l'est dans sa nature même et que, pour nous, enlever quoi que ce soit aux Trois ou le tenir pour étranger à eux n'est pas autre chose que de supprimer la totalité[2] et avancer tête nue contre la divinité tout entière[3].

Voilà ce que parfois, devant certaines personnes, nous affirmions les uns des autres, pendant notre division même – ce qui est justement la plus grande preuve de la vérité, puisque celle-ci n'était pas vaincue par les circonstances et que l'inimitié n'anéantissait pas complètement l'étincelle de l'amour en nous[4]. Malgré nos dissensions, en effet, le plus important demeurait au fond de nous la conformité de foi et la conscience de ne pas former un attelage disparate[b] à l'égard de la vérité, ni de nous trouver en opposition, mais d'être marqués de la même empreinte, celle de la foi et de notre première espérance[5].

12. En effet, rien ne mène aussi fortement à la concorde ceux qui ont des sentiments sincères à l'égard de Dieu que l'accord au sujet de Dieu ; et rien ne mène aussi sûrement à la division que le désaccord à ce sujet. Car l'homme le plus modéré pour le reste devient le plus

l'hérésie ; voir M. GIRARDI « "Semplicità" e ortodossia nel dibattito antiariano di Basilio di Cesarea : la raffigurazione dell'eretico », *Vetera Christianorum*, 1978, p. 51-74, avec une bibliographie.

2. Cf. *D.* 31, 4.

3. C'est-à-dire : « avec impudence » ; cf. *D.* 2, 20. L'expression est proverbiale à la suite de PLATON, *Phèdre* 243 b ; cf. *CPG* II, p. 65.

4. Cf. *D.* 10, 2 ; *D.* 27, 31 : l'étincelle du beau ; *D.* 9, 2, il s'agit de l'étincelle du mal.

5. Cf. *D.* 22, 4 ; 7, 23. La première espérance est celle du baptême (cf. *Éphés.* 4, 4-5).

5 καὶ ὁ πραῢς ὄντως γίνεται μαχητής, ὅταν ἴδῃ τῇ μακοθυμίᾳ Θεὸν ζημιούμενος, μᾶλλον δὲ Θεὸν ζημιῶν τῷ ἑαυτοῦ πτώματι, τὸν ἡμᾶς πλουτοῦντά τε καὶ πλουτίζοντα[a]. Οὕτω μὲν οὖν, ὅπερ εἶπον, ἡμεῖς καὶ τὴν διάστασιν μετριώτεροι ὡς περιφανεστέραν γενέσθαι καὶ τὴν ὁμόνοιαν τῆς δια-
10 ζεύξεως, καὶ μικροῦ τὸ μέσον κλαπῆναι τοῖς ἀμφοτέρωθεν δεξιοῖς.

Ἐπεὶ δὲ οὐκ ἐξαρκεῖ τὸ τάχος τῆς εἰρήνης πρὸς τὴν ἀσφάλειαν εἰ μή τις καὶ λόγος ὁ ταύτης κρατῶν φανείη,
B καὶ Θεὸς ἔλθοι τῷ λόγῳ σύμμαχος, παρ᾽ οὗ καλὸν ἅπαν
15 καὶ ἄρχεται καὶ εἰς τέλος ἔρχεται, φέρε καὶ δι᾽ εὐχῶν καὶ διὰ λογισμῶν βεβαιωσώμεθα ταύτην εἰς δύναμιν· ἐκεῖνο πρῶτον ἐνθυμηθέντες ὅτι κάλλιστον μὲν τῶν ὄντων καὶ ὑψηλότατον Θεός, εἰ μή τῳ φίλον καὶ ὑπὲρ τὴν οὐσίαν ἄγειν αὐτόν, ἢ ὅλον ἐν αὐτῷ τιθέναι τὸ εἶναι, παρ᾽ οὗ καὶ
20 τοῖς ἄλλοις[b]· δεύτερον δὲ ὅσα ἐκ Θεοῦ πρῶτα καὶ περὶ Θεόν, τὰς ἀγγελικὰς λέγω δυνάμεις καὶ οὐρανίους, αἵ, πρῶται σπῶσαι τοῦ πρώτου φωτός, καὶ τῷ τῆς ἀληθείας λόγῳ τρανούμεναι, φῶς εἰσι καὶ αὐταὶ τελείου φωτὸς

5-6 Θεὸν ζημιούμενος τῇ μακροθυμίᾳ AQBWVTS ‖ 5 τῇ om. Maur. ‖ 8 οὖν sup. l. Q ‖ 9 καὶ om. D ‖ 10 ἀμφοθέρω P[ac] ‖ 16 βεβαιωσόμεθα SD ‖ 19 ἑαυτῷ W

12. a. Cf. Sag. 10, 11 b. Cf. I Cor. 8, 6

1. La combativité est la qualité première de celui qui «lutte pour la Trinité»; cf. *Lettre* 164, à Timothée. Écho de *Lc* 22, 36 : «Que celui qui n'a pas d'épée vende son manteau et en achète une.» Sur la combativité des moines (cf. *supra*, chap. 11, leur «zèle»), voir aussi *D.* 21, 25. Cf. *D.* 2, 82; 42, 13 : «Si l'Esprit arme pour le combat l'homme doux, c'est parce qu'il est capable de mener la guerre comme elle doit être menée.»

2. Ce «tort» est en général lié à une définition de la divinité; cf. *D.* 23, 9; 28, 13; 33, 17; 37, 24.

3. Dieu est la πρώτη οὐσία (cf. *D.* 28, 31), formule d'inspiration pla-

ardent à ce propos, et l'homme doux devient réellement combatif[1], quand il voit que sa patience le prive de Dieu ou plutôt que, par sa propre faute, il fait du tort à Dieu[29], dont nous sommes la richesse et qui nous rend riches[a]. Aussi, comme je l'ai dit, nous avons été assez mesurés, même dans notre division, pour que notre union même parût plus évidente que notre désunion, et pour que ce qui était entre nous disparût presque sous les heureuses circonstances qui l'entouraient.

Mais, puisque la rapidité de la paix ne suffit pas à donner la sécurité, si n'apparaît pas, de plus, une parole qui la fortifie et si Dieu ne vient pas comme auxiliaire de la parole, lui en qui tout bien prend son origine et s'accomplit, eh bien, confirmons cette paix dans la mesure de nos forces par des prières et des réflexions! Pour cela, mettons-nous d'abord dans l'esprit que Dieu est le plus beau et le plus élevé des êtres, sinon parce qu'on préfère le mettre au-dessus de l'essence[3], du moins parce qu'on place l'être totalement en lui-même, qui en est la source pour les autres[b]. En second lieu, considérons tout ce qui, au commencement, est venu de Dieu et auprès de Dieu, je veux dire les puissances angéliques et célestes[4] qui, parce qu'elles ont joui les premières de la première lumière et ont été illuminées les premières par la parole de la vérité, sont lumière et reflets, elles-mêmes,

tonicienne; voir à ce sujet Pinault, *Platonisme*, p. 55; 67; 79-80; C. Moreschini, «Platonismo», p. 1385.

4. Cf. *D.* 22, 14: «Les puissances angéliques et divines sont en paix avec Dieu et entre elles»; elles donnent donc le premier exemple d'unité, après Dieu. Sur la place, assez importante, des anges dans la pensée de Grégoire, voir *D.* Rousse, «Les anges et leur ministère selon saint Grégoire de Nazianze», *Mélanges de Science Religieuse*, 21, 1961, p. 134-152; voir aussi les notes de C. Moreschini, *D.* 28, 31, *SC* 250, p. 172-173, n. 5; *D.* 38, 9, *SC* 358, p. 122-123, n. 2; Id., «Influenze», p. 54-55.

ἀπαυγάσματα — τούτων δὲ οὐδὲν οὕτως ἴδιον ὡς τὸ ἄμαχόν
25 τε καὶ ἀστασίαστον. Οὔτε γὰρ ἐν θεότητι στάσις, ὅτι
μηδὲ λύσις — λύσις γὰρ στάσεως ἔγγονον —, ἀλλὰ τοσοῦτον
τὸ τῆς ὁμονοίας καὶ πρὸς ἑαυτὴν καὶ πρὸς τὰ δεύτερα
C ὥστε καὶ προσηγορίαν τῷ Θεῷ γενέσθαι μετὰ τῶν ἄλλων
καὶ πρὸ τῶν ἄλλων, οἷς χαίρει καλούμενος, τοῦτο τὸ
30 πλεονέκτημα· Εἰρήνη[c] γὰρ καὶ Ἀγάπη[d], καὶ τὰ τοιαῦτα
ὀνομάζεται ἡμῖν παρέχων διὰ τῶν ὀνομάτων ὡς Θεοῦ
τούτων μεταποιεῖσθαι τῶν ἀρετῶν.

13. Ἀγγέλων δὲ ὁ μὲν στασιάσαι τολμήσας καὶ ὑπὲρ
τὴν ἀξίαν ἀρθῆναι κατέναντι Κυρίου[a] παντοκράτορος
τραχηλιάσας, καὶ τὴν ὑπὲρ τὰ νέφη καθέδραν ἐπινοῶν[b],
D ὡς ὁ λόγος, δίκην ἔδωκε τῆς ἀπονοίας ἀξίαν σκότος ἀντὶ
5 φωτὸς εἶναι κατακριθείς[c] ἤ, τό γε ἀληθέστερον εἰπεῖν,
740 A ὑφ᾽ἑαυτοῦ γενόμενος· οἱ δὲ λοιποὶ μένουσιν ἐπὶ τῆς ἑαυτῶν
ἀξίας, ἧς πρῶτον τὸ εἰρηναῖον καὶ ἀστασίαστον, τὸ ἓν
εἶναι λαβόντες παρὰ τῆς ἐπαινετῆς καὶ ἁγίας Τριάδος,
παρ᾽ἧς καὶ τὴν ἔλλαμψιν. Ἐπεὶ κἀκείνη εἷς Θεός ἐστί τε
10 καὶ εἶναι πιστεύεται, οὐχ ἧττον διὰ τὴν ὁμόνοιαν ἢ τὴν
τῆς οὐσίας ταὐτότητα, ὥστε Θεοῦ μὲν καὶ τῶν θείων
ἐγγὺς οἱ τὸ τῆς εἰρήνης ἀγαθὸν ἀσπαζόμενοι φαίνονται,

26 ἔκγονον VPC Maur. || 30 καὶ[1] sup. l. P
13, 3 τὴν om. P[ac]C || 4 ὁ τοῦ προφήτου λόγος Maur. || 9 Θεὸς εἷς ABWVT[ac]S || 10 πεπιστεύεται DPC || ἢ διὰ D || 12 οἱ : ὅσοι B Maur.

c. Cf. Éphés. 2, 14 d. I Jn 4, 8, 16
13. a. Cf. Job 15, 25 b. Cf. Is. 14, 13-14 c. Cf. Is. 14, 12. 15

1. L'ange est la deuxième lumière après Dieu : cf. *D.* 38, 9; 40, 5; 41, 11; 44, 3; 45, 12. C. MORESCHINI a particulièrement étudié «la terminologie de la lumière» dans la réflexion de Grégoire : voir en particulier «Luce e purificazione nella dottrina di Gregorio Nazianzeno», *Augustinianum* 13, 1973, p. 535-549; *Introduction* aux *Discours* 38-41,

de la parfaite lumière [1] – et rien ne les caractérise autant que l'absence de lutte et de division. En effet, dans la divinité, il n'y a pas de division, puisqu'il n'y a pas de rupture – car la rupture est le fruit de la division [2]. Mais celui de la concorde est si grand et en elle-même et dans les secondes créatures qu'entre les autres appellations données à Dieu et qu'il se plaît à recevoir, celle-ci est son privilège : en effet, « Paix [c] » et « Amour [d] », tels sont les noms, et autres semblables, qu'on lui donne, car il se présente à nous par l'intermédiaire des noms pour que nous prenions notre part de ces qualités propres à Dieu [3].

13. Or, celui des anges qui a osé se rebeller et s'élever au-dessus de sa condition en redressant la tête face au Seigneur [a] tout-puissant et, comme il est dit, en espérant placer son trône au-dessus des nuées [b], trouva une juste punition de sa folie, en étant condamné à être obscurité au lieu de lumière [c] ou, pour dire plus vrai, en devenant de son fait même obscurité. Les autres restent dans leur condition, caractérisée principalement par la paix et l'absence de division, car ils ont reçu la participation à l'unité comme un don de la part de l'admirable et sainte Trinité, de qui ils tiennent aussi leur éclat [4] : celle-ci est en effet un seul Dieu – et nous avons foi en cela –, non moins par la concorde [5] que par l'identité de la substance. Ainsi sont proches de Dieu et de ce qui est divin ceux qui manifestent leur attachement au bien de la paix, haïssent

SC 358, p. 62-70, spécialement p. 63, à propos des anges; « Influenze », p. 54-56.

2. Cf. *D.* 28, 7, à propos de la divinité : « Il n'y a pas de division, pour qu'il n'y ait pas disparition. »

3. Voir chap. 3-4 (les noms de Dieu). Cf. *D.* 11, 7 ; 22, 4.

4. Cf. *D.* 28, 31.

5. La concorde des personnes divines (cf. chap. 22).

καὶ τῷ ἐναντίῳ τῇ στάσει ἀπεχθανόμενοί τε καὶ δυσχεραίνοντες · τῆς δὲ ἀντικειμένης μερίδος οἱ πολεμικοὶ
15 τὸν τρόπον καὶ τὸ εὐδόκιμον τῷ καινῷ θηρώμενοι καὶ τῇ ἑαυτῶν αἰσχύνῃ καλλωπιζόμενοι[d]. Ἐπεὶ κἀκεῖνος αὐτός τε στασιάζει πρὸς ἑαυτόν, καὶ τῷ πολυειδεῖ καὶ τοῖς πάθεσι κἀν τοῖς ἄλλοις ταὐτὸ τοῦτο ἐνεργεῖ ὡς « ἀνθρωποκτόνος
B ἀπ' ἀρχῆς[e] » καὶ μισόκαλος, ἵνα « ἐν σκοτομήνῃ κατα-
20 τοξεύῃ[f] » τὸ κοινὸν σῶμα τῆς Ἐκκλησίας[g], τῷ ζόφῳ τῆς στάσεως ἑαυτὸν ἐγκρύπτων, ὥσπερ οἶμαι, καὶ τοῖς καθ' ἕκαστον πρόσεισι σοφιστικῶς τὰ πολλὰ καὶ πανούργως, καὶ οἷον χώραν ἐν ἡμῖν ὑπανοίγων ἑαυτῷ διὰ τῆς τέχνης, ἵν' ὅλος εἰσπέσῃ, καθάπερ ἀριστεὺς στρατῷ τὸ παραρρη-
25 γνύμενον τοῦ τείχιου ἢ τῆς παρατάξεως.

14. Ἓν μὲν δὴ τοῦτο καὶ τοσοῦτον εἰς εὐνοίας καὶ συμφωνίας ἀνάγκην ἡ Θεοῦ καὶ τῶν θείων μίμησις · πρὸς ἃ βλέπειν ἀσφαλὲς μόνα τὴν κατ' εἰκόνα Θεοῦ γενομένην ψυχήν[a], ἵν' ὡς μάλιστα τὸ εὐγενὲς αὐτῇ διασῴζηται διὰ
5 τῆς πρὸς αὐτὰ νεύσεως καὶ ὡς ἐφικτὸν ὁμοιώσεως.

15 καινῷ : κοινῷ Q (καινῷ mg.) DC καιρῷ W || 16 τε om. C || 18 ταὐτὸ : ταὐτὸν B || 19-20 κατατοξεύσῃ DPC || 24 ὅλως Maur. || κατὰ τὸ QS Maur. || 24-25 παραρρηγνυμένῳ QS
14, 2 τε καὶ QTPC Maur. τε sup. l. B || 4 ὡς ἂν P

d. Cf. Phil. 3, 19 e. Jn 8, 44 f. Ps. 10, 2; cf. Ps. 63, 5 g. Cf. I Cor. 12, 12, 27; Col. 1, 18
14. a. Cf. Gen. 1, 26-27

1. Sur le terme μισόκαλος qualifiant le Démon, voir G. BARTELINK, « Μισόκαλος épithète du diable », *Vigiliae Christianae* 12, 1958, p. 37-44.

2. Cf. chap. 1, 7, 22; *D.* 7, 23, à propos de l'action du Démon; ses attaques sont très souvent suggérées par des images empruntées à l'art militaire : cf. par ex. GRÉGOIRE DE NYSSE, *Sur l'Ecclésiaste* 8 (*GNO* V, Leiden, 1962, p. 428-430).

3. Cf. *D.* 33, 12, et la note 2, p. 182-183; « C'est le souffle... que nous avons ordre de conserver, et avec lequel je dois me présenter pour rendre compte de la noblesse et de l'image venues d'en haut.

son contraire, la division, et la trouvent insupportable. Mais ils sont du parti adverse, ceux qui ont des mœurs belliqueuses, poursuivent la gloire en innovant et se vantent de ce qui fait leur honte[d]. Et celui dont j'ai parlé, en se rebellant contre lui-même, provoque la même chose chez les autres aussi, soit par son aspect changeant, soit par les passions, « homicide dès le commencement[e] » et ennemi du bien[1], pour « tirer des flèches dans l'obscurité[f] » contre le corps commun de l'Église[g], en se cachant lui-même dans les ténèbres de la division, à ce que je crois, et il s'approche de chacun de nous, la plupart du temps en sophiste et en fourbe, il s'ouvre en nous, en secret et avec habileté, une sorte de brèche, afin de s'y précipiter tout entier, comme le fait un chef d'armée quand il enfonce un mur ou une ligne de bataille[2].

14. Seule peut donc nous contraindre à la bienveillance et à l'harmonie l'imitation de Dieu et de ce qui est divin : c'est seulement dans cette direction qu'il est prudent que l'âme, faite à l'image de Dieu[a], porte ses regards pour conserver le plus possible sa noblesse en le prenant pour modèle[3] et, autant qu'elle le peut, en s'assimilant à lui[4].

Est donc noble quiconque a conservé cela en pratiquant la vertu et en tendant vers son archétype » ; cf. *D.* 8, 6 ; 25, 3 ; 32, 15 ; 38, 11. Sur ce thème, voir S. ZINCONE, « L'anima come immagine di Dio nell'opera di Gregorio Nazianzeno », *Civiltà classica e cristiana,* 1985, 3, p. 365-371. Sur le sens du mot νεῦσις (littéralement « inclinaison vers »), voir H. OOSTHOOT, « La vie contemplative : vie d'ascète ou vie de théologien. Purification et recherche de Dieu chez Athanase d'Alexandrie et Grégoire de Nazianze », *Fructus Centesimus. Mélanges offerts à G.J.M. Bartelink* (Instrumenta Patristica, 19), Dordrecht 1989, p. 259-267 ; voir aussi PINAULT, *Platonisme,* p. 149-170 ; MORESCHINI, « Platonismo », p. 1369-1370.

4. Cf. *D.* 8, 6 ; 24, 15. Sur la doctrine, d'origine platonicienne, de l'assimilation à Dieu, voir l'étude de H. MERKI, Ὁμοίωσις θεῷ *von der platonischen Angleichung an Gott zur Gottälnlichkeit bei Gregor von Nyssa,* Freiburg 1952 ; pour la pensée de Grégoire de Nazianze PINAULT, *Platonisme,* p. 149-170 ; MORESCHINI, « Influenze », p. 47-48 ; « Platonismo », p. 1365 s..

Δεύτερον δὲ ἀναβλέψωμεν «εἰς τὸν οὐρανὸν» ἄνω καὶ «εἰς τὴν γῆν κάτω[b]», θείας φωνῆς ἀκούοντες, καὶ καταμάθωμεν νόμους κτίσεως· ὅτι οὐρανὸς καὶ γῆ καὶ θάλασσα καὶ ὁ σύμπας οὗτος κόσμος, τὸ μέγα τοῦ Θεοῦ
10 στοιχεῖον καὶ περιβόητον, ᾧ καὶ δηλοῦται Θεὸς σιωπῇ κηρυττόμενος[c], ἕως μὲν εὐσταθεῖ καὶ εἰρηνεύει πρὸς ἑαυτόν, ἐν τοῖς ἰδίοις ὅροις μένων τῆς φύσεως, καὶ οὐδὲν τοῦ ἑτέρου κατεξανίσταται, οὐδὲ τῶν τῆς εὐνοίας ἐκβαίνει δεσμῶν οἷς ὁ τεχνίτης Λόγος τὸ πᾶν συνέδησε, κόσμος
15 τέ ἐστιν, ὅπερ λέγεται, καὶ κάλλος ἀπρόσιτον, καὶ οὐδὲν μήποτε τούτου τις ἐπινοήσειε λαμπρότερον ἢ μεγαλο-
D πρεπέστερον. Ὁμοῦ δὲ τοῦ εἰρηνεύειν πέπαυται καὶ τοῦ
741 A εἶναι κόσμος. Ἢ γὰρ οὐ δοκεῖ σοι οὐρανὸς μὲν εὐτάκτως ἀέρι καὶ γῇ κοινωνῶν, τῷ μὲν φωτός, τῇ δὲ ὑετῶν, εὐνοίας
20 κρατεῖσθαι νόμῳ; Γῆ δὲ καὶ ἀήρ, ἡ μὲν τροφάς, ὁ δὲ τὸ ἀναπνεῖν χαριζόμενοι ζῴοις ἅπασι, καὶ διὰ τούτων τὸ ζῆν συνέχοντες, γονέων ἀπομιμεῖσθαι φιλοστοργίαν;

15. Ὧραι δὲ ἡμέρως κιρνάμεναι, καὶ κατὰ μικρὸν ἀλλήλαις ὑπεξιοῦσαι, καὶ τὸ τῶν ἄκρων αὐστηρὸν τῇ

6 δὲ om. AQWVTS ‖ 7 ἀκούσαντες AQBWVT Maur. ‖ 9 κόσμος οὗτος P ‖ 13 τῶν : τὸν A ‖ 15 ὅπερ : ὥσπερ Migne ‖ 16 λαμπρότεφον ὕλης ἔργον DPC λαμπρότερον ἢ μεγαλοπρεπέστερον : λαμπρότερον (mg. ὕλης ἔργον ἢ μεγαλοπρεπέστερον) S‖ 21 τούτων : τοῦτο C Maur. ‖ 22 συνέχοντος A[ac] Migne ‖ συνέχοντες δοκοῦσι DPC
15, 2 καὶ om. V

b. Is. 51, 6 c. Cf. Ps. 18, 2-4

1. La citation d'*Isaïe* 51, 6, précède aussi *D.* 32 un développement semblable (chap. 7-10) destiné à exposer les bienfaits de la concorde. L'harmonie du monde est un thème d'origine stoïcienne fréquemment repris par les auteurs chrétiens, qui l'utilisent souvent comme preuve de l'existence du créateur ou modèle d'unité. La paix qui règne dans le *cosmos* est le modèle de celle qui doit régner entre chrétiens. CLÉMENT DE ROME a utilisé ce thème dans son *Épître aux Corinthiens,* 20 (*SC* 167, p. 135); voir encore THÉOPHILE D'ANTIOCHE, *A Autolycus* I, 6-7 (*SC* 20,

« Levons ensuite les yeux vers le ciel et baissons-les vers la terre[b] », en écoutant la voix divine, et cherchons à connaître les lois de la création[1] : le ciel, la terre, la mer et le monde tout entier, ce grand principe divin souvent célébré, où Dieu se révèle par une proclamation silencieuse[c], tant que cet ensemble demeure bien à sa place et reste en paix avec lui-même, en se tenant dans les limites propres de sa nature, tant qu'aucun de ses éléments ne se soulève contre l'autre, ni ne sort des liens de la bienveillance par lesquels le Verbe artisan[2] a lié l'univers, tout cela forme un *cosmos*[3], comme on le dit précisément : c'est une beauté inaccessible, et jamais rien ne pourrait être conçu de plus splendide ou de plus magnifique. Mais dès qu'il cesse d'être en paix, il cesse aussi d'être *cosmos*. En effet, est-ce que le ciel, associé selon un plan à l'air et à la terre, à l'un par la lumière, à l'autre par les pluies, ne te paraît pas commandé par la loi de la bienveillance ? Et la terre et l'air, en accordant à tous les êtres vivants, l'une la nourriture, l'autre la respiration, et en conservant ainsi la vie, ne te paraissent-ils pas représenter l'affection des parents pour leurs enfants ?

15. Et les saisons[4], qui se mêlent avec douceur, succèdent peu à peu les unes aux autres et font accepter

p. 63-65) ; thème fréquemment repris par les auteurs chrétiens plus tardifs : voir à ce sujet M. SPANNEUT, *Le stoïcisme des Pères de l'Église*, Paris 1957, p. 371-377.

2. C'est le Fils (τεχνίτης Λόγος ou δημιουργὸς Λόγος) qui est créateur de l'Univers ; cf. *D.* 7, 7. 24 ; 8, 8 ; 14, 20 ; 32, 7, 27 ; 34, 8 ; 38, 11. Sur le « Logos créateur », voir T. ŠPIDLIK, *Grégoire de Nazianze*, p. 92-93.

3. Le mot κόσμος est pris ici dans son double sens : « monde » et « ordre ». Faute d'équivalent en français, on conserve le terme grec.

4. Comparer la description plus développée et plus lyrique que Grégoire donne de la création dans le *D.* 28, une quinzaine d'années plus tard.

μεσότητι τιθασσεύουσαι, πρός τε ἡδονὴν ἅμα καὶ χρείαν ἐπιτηδείως εἰρήνῃ βραβεύεσθαι; Τί δαὶ ἡμέρα καὶ νύξ,
5 ἰσομοιρίαν πρὸς ἀλλήλας λαχοῦσαι καὶ περιτροπὴν ἔμμετρον, καὶ ἡ μὲν εἰς ἔργον ἡμᾶς ἐγείρουσα, ἡ δὲ ἀναπαύουσα; Τί δαὶ ἥλιος καὶ σελήνη καὶ κάλλος ἀστέρων καὶ πλῆθος,
B ἐν τάξει φαινομένων τε καὶ ὑπαπιόντων; Θάλασσα δὲ καὶ γῆ πράως ἀλλήλαις ἐπιμιγνύμενα καὶ διαδιδόντα χρηστῶς
10 καὶ ἀντιλαμβάνοντα, φιλανθρώπως τὸν ἄνθρωπον τρέφει καὶ ἀνθρώπῳ τὰ παρ' ἑαυτῶν χορηγοῦντα πλουσίως καὶ φιλοτίμως; Ποταμοὶ δὲ δι' ὀρέων καὶ πεδίων ἑλκόμενοι καὶ οὐχ ὑπερβαίνοντες[a] ὅτι μὴ πρὸς τὸ χρήσιμον, οὐδὲ ἐπιστρέφοντες καλῦψαι τὴν γῆν; Στοιχείων δὲ μίξεις καὶ
15 κράσεις, καὶ μελῶν συμμετρίαι καὶ συμφωνίαι; Ζῴων δὲ τροφαὶ[b] καὶ γενέσεις καὶ οἰκήσεις μεμερισμέναι, καὶ τὰ κρατοῦντα καὶ τὰ κρατούμενα, καὶ τὰ ὑπεζευγμένα ἡμῖν καὶ τὰ ἐλεύθερα; Ταῦτα πάντα οὕτως ἔχοντα καὶ κατὰ τὰς πρώτας αἰτίας τῆς ἁρμονίας – εἴτ' οὖν συρροίας τε καὶ
20 συμπνοίας –, εὐθυνόμενά τε καὶ διεξαγόμενα, τί ποτ' ἐχρῆν
C δοκεῖν ἕτερον ἢ φιλίας τε καὶ ὁμονοίας εἶναι κηρύγματα καὶ νομοθετεῖν ἀνθρώποις δι' ἑαυτῶν τὸ ὁμόψυχον;

16. Ὅταν δὲ στασιάσῃ πρὸς ἑαυτὴν ἡ ὕλη καὶ δυσκάθεκτος γένηται, μελετῶσα τὴν λύσιν διὰ τῆς στάσεως,

4 εἰρήνην C ‖ δαὶ : δὲ ABWSD ‖ 7 δαὶ : δὲ ABWSD ‖ 8 τῶν φαινομένων C ‖ ὑπανιόντων AV Migne ‖ 8 δὲ : τε D ‖ 9 ἀλλήλοις D ‖ ἐπιμιγνύμεναι C ‖ 10 ἀντιλαμβάνοντα om. AQBWVT Maur. S mg. ‖ καὶ φιλανθρώπως PC ‖ τρέφει om. AQBVT ‖ 11 καὶ ἀνθρώπῳ τὰ παρ' ἑαυτῶν : καὶ χορηγεῖ τῷ ἀνθρωπίνῳ βίῳ τὰ παρ' ἑαυτῶν W ‖ χορηγοῦντα om. AQBWVT S mg. ‖ 13 μὴ : μηδὲ D ‖ μὴ τὸ P ‖ 15 δὲ : τε D ‖ 21 τε om. ABWVTS ‖ 22 ἑαυτὸν A ‖ ὁμότιμον DC

---

15. a. Cf. Ps. 103, 6-9 b. Cf. Ps. 103, 27-28

---

1. Même idée *D*. 28, 30 et 32, 8. Dans ce dernier passage, P. GALLAY traduit le mot μεσότης par «progression», lui donnant le sens plato-

la rudesse de leurs extrêmes par la moyenne[1], ne te paraissent-elles pas dirigées par la paix, de façon appropriée, en vue du plaisir comme de l'utilité? Et que dire du jour et de la nuit, qui ont obtenu chacun une part égale, et dont le retour périodique est bien mesuré, l'un nous poussant au travail, l'autre nous mettant au repos? Que dire du soleil et de la lune, de la beauté et du nombre des astres qui apparaissent, puis s'éclipsent en ordre? de la mer et de la terre qui se pénètrent facilement l'une l'autre et font des échanges utilement, nourrissent l'homme avec bonté et humanité, en lui fournissant leurs biens en abondance et avec générosité? des fleuves qui suivent leur cours à travers montagnes et plaines, ne débordent[a] que pour rendre service et ne se détournent pas pour submerger la terre? du mélange et de la fusion[2] des éléments, et des proportions et accords des membres? des aliments, des races et des habitations différentes des animaux[b]? des animaux qui dominent ou de ceux qui sont dominés, de ceux qui dépendent de nous ou de ceux qui sont libres? Puisque toutes choses sont ainsi, bien gouvernées et régies conformément aux causes premières de l'harmonie – ou bien de la rencontre et de l'accord[3] –, pourquoi faudrait-il y voir autre chose que la proclamation de l'amitié et de la concorde et une règle de bonne entente que leur exemple impose aux hommes?

16. Mais quand la matière se rebelle contre elle-même et devient difficile à maîtriser, parce qu'elle recherche la

nicien qu'il a dans *Timée* 36 a : « ce qui remplit les intervalles » (*SC* 318, p. 101, n. 2); cf. *D.* 20, 6, où le mot concerne la foi.

2. Cf. chap. 2.

3. Idée stoïcienne : voir *SVF* 2, 172; cf. *D.* 28, 16, où il est également question de l'ordre du monde, et 29, 2, à propos de la Trinité. J. Daniélou, dans *L'Être et le Temps chez Grégoire de Nysse*, Leiden 1970, p. 58, définit le mot σύμπνοια comme « l'unité du cosmos dans l'accord des éléments contraires », et le traduit par « conspiration ».

ἢ Θεός τι παρασαλεύσῃ τῆς ἁρμονίας εἰς φόβον τῶν ἁμαρτανόντων καὶ κόλασιν — ἢ θαλάσσης ἐπεξιούσης, ἢ
5 γῆς βρασσομένης, ἢ ξένων ὑετῶν φερομένων, ἢ συγκαλυφθέντος ἡλίου[a], ἢ πλεοναζούσης ὥρας, ἢ πυρὸς ὑπερβλύζοντος —, ἀκοσμία κατὰ τοῦτο, καὶ φόβος περὶ τὸ πᾶν, καὶ τὸ τῆς εἰρήνης ἀγαθὸν τῇ στάσει δείκνυται. Καὶ ἵνα
744 A παρῶ δήμους, καὶ πόλεις, καὶ βασιλείας, ἔτι δὲ χορούς,
10 καὶ στρατούς, καὶ οἴκους, καὶ νηῶν πληρώματα, καὶ συζυγίας, καὶ ἑταιρίας, ὑπὸ μὲν εἰρήνης συνεχομένας, ὑπὸ δὲ στάσεως καταλυομένας, ἐπὶ τὸν Ἰσραὴλ εἶμι τῷ λόγῳ καὶ τῶν ἐκείνου παθῶν ὑπομνήσας ὑμᾶς, καὶ τῆς διασπορᾶς, καὶ τῆς ἄλης, ἥν τε νῦν ἔχουσι καὶ ἣν ἐπὶ πλεῖστον ἕξουσι
15 — πείθομαι γὰρ ταῖς περὶ αὐτῶν προρρήσεσιν —, ἔπειτα ἐρήσομαι ἀκριβῶς εἰδότας ὑμᾶς τί τὸ τῶν συμφορῶν τούτων αἴτιον, ἵνα παιδευθῶμεν τοῖς τῶν ἄλλων κακοῖς τὴν ὁμόνοιαν.

17. Οὐχ ἕως μὲν εἰρήνην εἶχον καὶ πρὸς ἀλλήλους καὶ
B πρὸς Θεόν[a], Αἰγύπτῳ τῇ καμίνῳ τῇ σιδηρᾷ πιεζόμενοι[b] καὶ ὑπὸ τῆς κοινῆς θλίψεως συναγόμενοι — ἔστι γὰρ ὅτε καὶ τοῦτο φάρμακον ἀγαθὸν εἰς σωτηρίαν ἡ θλῖψις —, λαός
5 τε ἅγιος[c] ἤκουον καὶ « μερὶς Κυρίου[d] » καὶ « βασίλειον ἱεράτευμα[e] ». Καὶ οὐ τοῖς μὲν ὀνόμασιν οὕτως, τοῖς δὲ

16, 4 ὑπεξιούσης PC Maur. ‖ 5 καταφερομένων D ‖ 6-7 ὑπερβλύσαντος DPC ‖ 11 ἑταιρείας TSD Maur. ‖ 14 ἄλλης WDC ‖ ἕξωσι Migne ‖ 16 τὸ sup. l. Q

17, 6 οὕτω Q Maur.

---

16. a. Cf. Jos. 10, 12-14

17. a. Cf. Rom. 5, 1 b. Cf. Deut. 4, 20; Jér. 11, 4; III Rois 8, 51 c. Cf. Ex. 19, 6; I Pierre 2, 9 d. Deut. 32, 9 e. Ex. 19, 6; I Pierre 2, 9

---

1. Calque de l'expression platonicienne μελέτη θανάτου (*Phédon* 81 a).

rupture[1] par la division, ou que Dieu disloque quelque élément de cet ordre harmonieux pour effrayer et punir les pécheurs[2] – que la mer se déchaîne, ou que la terre tremble, que tombent des pluies étranges, ou que le soleil soit entièrement éclipsé[a], qu'une saison soit démesurée ou que le feu se propage –, alors se manifestent le désordre et la peur à propos de tout, et l'on réalise, par la division, quel bien est la paix. Et sans parler des peuples, des villes et des royaumes, sans parler des chœurs, des armées, des maisons, des équipages de navires, des couples, des amis, qui sont réunis grâce à la paix, mais détruits par la division, je vais prendre l'exemple du peuple d'Israël pour illustrer mon propos[3]. Après vous avoir rappelé ses malheurs, sa dispersion et la vie errante qui est la sienne maintenant et qui le sera très longtemps – car je me fie aux prédictions qui ont été faites à son sujet[4] –, je vous demanderai ensuite, puisque vous le savez parfaitement, quelle est la raison de ces mésaventures, afin que les malheurs des autres nous apprennent la concorde.

17. Tant que ces hommes conservèrent la paix, et entre eux et avec Dieu[a], alors qu'ils étaient accablés en Égypte dans le creuset de fer[b] et réunis par les communes tribulations – car il y a des moments où les tribulations sont aussi un bon moyen de salut –, ne les appelait-on pas le peuple saint[c], «l'héritage du Seigneur[d]» et «le sacerdoce royal[e]»? Et il n'y a pas d'une part les noms,

2. Exemples parallèles *D.* 22, 3; *D.* 32, 8.

3. Grégoire ne cesse d'insister sur le rôle des exemples (cf. dans ce discours chap. 4, 9, 10, 16...). Il invoque souvent celui d'Israël (cf. *D.* 4, 75; 22, 2), suivant en cela *I Cor.* 10, 11 disant que son malheur était destiné figurativement à «notre instruction».

4. Actualisation des oracles concernant la dispersion (cf. par ex. *Jér.* 13, 24; 13, 16).

ἔργοις ἑτέρως, ἀλλὰ καὶ στρατηγοῖς ἤγοντο ἀγομένοις ὑπὸ Θεοῦ, καὶ στύλῳ πυρὸς καὶ νεφέλης[f] ὡδηγοῦντο νυκτὸς καὶ ἡμέρας· καὶ θάλασσα μὲν αὐτοῖς διΐστατο[g] φεύγουσι,
10 πεινῶσι δὲ οὐρανὸς ἐχορήγει τροφήν[h], πέτρα δὲ διψῶσιν ἐπήγαζε[i], πολεμοῦσι δὲ χειρῶν ἔκτασις[j] ἀντὶ μυριάδων ἦν, δι' εὐχῆς ἐγείρουσα τρόπαια[k] καὶ ὁδοποιοῦσα τὰ ἔμπροσθεν· ποταμοὶ δὲ ὑπεχώρουν τὴν συγγενῆ μιμούμενοι θάλασσαν[l], καὶ στοιχεῖα ἵστατο[m], καὶ τείχη σάλπιγξι κατεσείετο[n].
15 Καὶ τί δεῖ λέγειν Αἰγυπτίων πληγὰς[o] τούτοις χαριζομένας
C καὶ Θεοῦ φωνὰς ἐξ ὄρους ἀκουομένας[p] καὶ νομοθεσίαν διπλῆν[q] τὴν μὲν ἐν γράμματι, τὴν δὲ ἐν πνεύματι[r], καὶ τἄλλα οἷς ἐτιμῶντο πάλαι παρὰ τὴν ἑαυτῶν ἀξίαν ὁ Ἰσραήλ.

20 Ἐπεὶ δὲ νοσεῖν ἤρξαντο καὶ κατ' ἀλλήλων ἐμάνησαν καὶ διέστησαν εἰς μέρη πολλά, τοῦ σταυροῦ πρὸς τὴν ἐσχάτην αὐτοὺς συνελαύνοντος[s], καὶ τῆς ἀπονοίας ἣν κατὰ τοῦ Θεοῦ καὶ Σωτῆρος ἡμῶν ἀπενοήθησαν, τὸν ἐν ἀνθρώπῳ Θεὸν ἀγνοήσαντες, καὶ τὴν ῥάβδον τὴν σιδηρᾶν[t] πόρρωθεν
25 ἀπειλουμένην αὐτοῖς ἐφ' ἑαυτοὺς εἵλκυσαν — τὴν νῦν ἐπι-

10-11 ἔκστασις P ‖ 14 κατεσείοντο W ‖ 21 ἐσχάτην ἀπώλειαν Maur. ‖ 22 συνελαύντος : συν- supra l. S ‖ καὶ τῆς ἀπονοίας : ///// ἀπόνοιαν W 25 ἐφ' : ὑφ' C ‖ εἵλκουσαν S

f. Cf. Ex. 13, 21-22 g. Cf. Ex. 14, 21-22 h. Cf. Ex. 16, 4-15; Nombr. 11, 9 i. Cf. Ex. 17, 6; Nombr. 20, 11 j. Cf. Ex. 17, 11-13 k. Cf. Ex. 17, 15 l. Cf. Jos. 3, 16-17 m. Cf. Jos. 10, 12-13 n. Cf. Jos. 6, 20 o. Cf. Ex. 7, 14-29; 8; 9; 10; 12, 29-34 p. Cf. Ex. 19, 16 s. q. Cf. Cf. Ex. 32, 15-16; 34, 28-29; Deut. 9, 15; 10, 4 r. Cf. Rom. 2, 29; II Cor. 3, 6 s. Cf. Matth. 27, 22-25 t. Cf. Ps. 2, 9; Apoc. 2, 27; 12, 5; 19, 15

d'autre part les réalités : ils étaient conduits par des chefs eux-mêmes conduits par Dieu et avaient pour guide, la nuit et le jour, une colonne de feu et de nuée[f]; la mer s'écartait pour eux[g] pendant leur fuite, le ciel leur fournissait de la nourriture quand ils avaient faim[h], le rocher faisait sourdre de l'eau quand ils avaient soif[i] et, quand ils combattaient, des mains s'étendaient[j], qui en valaient des milliers, pour élever des trophées de victoire[k] et rendre praticable le chemin à faire grâce à la prière; et les fleuves se retiraient, imitant la mer, leur semblable[l], les éléments s'immobilisaient[m], et les murs étaient renversés par le son de la trompette[n]. Et pourquoi parler des plaies d'Égypte[o] qui firent leur joie, des voix de Dieu qu'ils entendaient de la montagne[p], de la double législation[q], l'une dans la lettre, l'autre dans l'esprit[r], et de tout ce qui fit jadis l'honneur d'Israël au-delà de son mérite[1]?

Mais lorsque ces hommes commencèrent à être malades[2], s'emportèrent les uns contre les autres et se divisèrent en de nombreuses fractions, quand la croix les eut réduits à l'extrémité[s], ainsi que leur folle témérité vis-à-vis de notre Dieu et Sauveur[3], puisqu'ils avaient ignoré Dieu en l'homme, et lorsqu'ils attirèrent sur eux la verge de fer[t] qui les menaçait de loin – je veux parler de cette

1. Cf. *D.* 4, 18-19. Sur les bienfaits accordés au peuple juif, cf. par ex. JEAN CHRYSOSTOME, *Lettre d'exil* 13 (*SC* 103, p. 119-127).

2. Cf. chap. 4

3. Cf. *D.* 41, 17 (et la note, *SC* 358, p. 353); la dispersion des juifs est traditionnellement interprétée comme la punition qu'ils ont reçue pour avoir condamné à mort le Christ.

κρατοῦσαν ἀρχὴν λέγω καὶ βασιλείαν –, τί γίνεται καὶ τί πεπόνθασι;

D **18.** Θρηνεῖ μὲν αὐτοὺς Ἰερεμίας ἐπὶ τοῖς προτέροις πάθεσι καὶ τὴν ἐπὶ Βαβυλῶνα αἰχμαλωσίαν ὀδύρεται· καὶ γὰρ ἦν ὄντως κἀκεῖνα θρήνων καὶ ὀδυρμῶν ἀξία. Πῶς δὲ οὐ τῶν μεγίστων τείχη κατεσκαμμένα, πόλις ἠδα-
5 φισμένη, ἁγίασμα καθῃρημένον, ἀναθήματα σεσυλημένα, πόδες βέβηλοι καὶ χεῖρες[a] – οἱ μὲν τοῖς ἀβάτοις ἐμβα-
745 A τεύοντες, αἱ δὲ καὶ τῶν ἀψαύστων κατατρυφῶσαι[b] –, προφῆται σιγῶντες[c], ἱερεῖς ἀγόμενοι, πρεσβῦται μὴ ἐλεούμενοι[d], παρθένοι καθυβριζόμεναι, νεότης πίπτουσα[e], πῦρ
10 ἀλλότριον καὶ πολέμιον, αἵματος ποταμοὶ ἀντὶ τοῦ ὁσίου πυρὸς καὶ αἵματος, Ναζιραῖοι κατασυρόμενοι, θρῆνοι τοῖς ὕμνοις ἀντεγειρόμενοι, καὶ ἵν' ἐξ αὐτῶν εἴπω τι τῶν Ἰερεμίου θρήνων, «οἱ υἱοὶ Σιών, οἱ τίμιοι καὶ ἀντιτιθέμενοι χρυσίῳ[f]», οἱ τρυφεροὶ καὶ κακῶν ἀπαθεῖς, ξένην
15 ὁδὸν ὁδεύοντες[g], καὶ ὁδοὶ Σιὼν πενθοῦσαι παρὰ τὸ μὴ εἶναι τοὺς ἑορτάζοντας[h]; Καὶ μικρὸν πρὸ τούτων· «χεῖρες γυναικῶν οἰκτιρμόνων[i]», οὐ τροφὴν ὀρέγουσαι τέκνοις – τῆς πολιορκίας ἐπικρατούσης –, ἀλλ' ἐπὶ τροφὴν ταῦτα σπαράττουσαι καὶ λιμοῦ φάρμακον τὰ ἑαυτῶν ποιούμεναι
20 φίλτατα. Ταῦτα πῶς οὐ δεινὰ καὶ πέρα δεινῶν, οὐ τοῖς
B πάσχουσι τότε μόνον, ἀλλὰ καὶ νῦν τοῖς ἀκούουσιν; Ἐγὼ γοῦν ὁσάκις ἂν ταύτην ἀναλάβω τὴν Βίβλον καὶ τοῖς θρηνοῖς

18, 7 καὶ om. AQWVTS ‖ 8 ἱερεῖς ἀγόμενοι σιγῶντες D ‖ 11 Ναζηραῖοι DC Ναζαραῖοι Maur. ‖ 13 οἱ[1] om. BDPC ‖ 13 τίμιοι : ἰσοστάσιοι add. mg. QT ‖ 15 πενθοῦσι D^{ac} P^{ac} ‖ 17 ὀρεγοῦσι P^{ac} ‖ 21-22 ἐγώγε οὖν T

---

18. a. Cf. IV Rois 25, 9-21; II Chron. 36, 17-20; Jér. 52, 13-27 b. Cf. Lam. 1, 10 c. Cf. Lam. 2, 9-10 d. Cf. Lam. 4, 16 e. Cf. Lam. 4, 7 f. Lam. 4, 2 g. Cf. Lam. 4, 5 h. Cf. Lam. 1, 4 i. Lam. 4, 10; cf. 2, 20

autorité et de ce royaume qui domine actuellement –, qu'arrive-t-il et quels sont leurs malheurs[1]?

18. Jérémie se lamente sur leurs premiers malheurs et déplore la captivité de Babylone, qui était bien digne en vérité de lamentations et de gémissements! Et comment eussent-ils été exagérés devant les murs renversés, la ville rasée, le temple détruit, les offrandes pillées, les pieds et les mains profanes[a] – les uns pénétraient dans le sanctuaire, et les autres manipulaient même les objets sacrés[b]–, les prophètes réduits au silence[c], les prêtres emmenés, les vieillards traités sans pitié[d], les jeunes filles outragées, les jeunes gens morts[e], un feu étranger et ennemi, et des fleuves de sang au lieu du feu et du sang consacrés, les Nazaréens entraînés de force, les gémissements s'élevant à la place des hymnes, et, pour citer les lamentations mêmes de Jérémie, «les fils de Sion, qui étaient précieux et pouvaient être comparés à de l'or[f]», qui étaient délicats et n'avaient pas été atteints par le mal, marchant sur un chemin étranger[g], et les chemins de Sion en deuil parce qu'on ne célébrait plus de fête[h]! Et encore est-ce peu en comparaison «des mains de ces femmes naguère compatissantes[i]», n'offrant pas de nourriture à leurs enfants – on était en effet au plus fort du siège –, mais déchirant leurs corps pour s'en nourrir et faisant de ce qu'elles avaient de plus cher un remède contre la faim! Ces malheurs ne sont-ils pas terribles et plus que terribles, non seulement pour ceux qui les subissaient alors, mais aussi pour ceux qui en écoutent le récit aujourd'hui? En ce qui me concerne tout au moins, chaque fois que je prends le Livre et que je lis les Lamen-

1. Allusion à l'interdiction faite aux juifs d'approcher Jérusalem, après la domination romaine sur la Palestine et les révoltes du Ier et du IIe siècles; cf. chap. 18. Grégoire évoque plus d'une fois les malheurs de Jérusalem; cf. par ex. *D.* 25, 12; 33, 3; 43, 45-47.

συγγένωμαι – συγγίνομαι δὲ ὁσάκις ἂν εὐημερίαν σωφρονίσαι ἐθελήσω τῷ ἀναγνώσματι –, ἐγκόπτομαι τὴν
25 φωνὴν καὶ συγχέομαι δάκρυσι, καὶ οἷον ὑπ'ὄψιν μοι τὸ πάθος ἔρχεται, καὶ συνθρηνῶ τῷ θρηνήσαντι.

Τὴν δὲ τελευταίαν αὐτῶν πληγήν τε καὶ μετανάστασιν, καὶ τὸν νῦν ἐπικείμενον αὐτοῖς τῆς δουλείας ζυγὸν καὶ τὴν περιβόητον ὑπὸ Ῥωμαίοις ταπείνωσιν, ἧς οὐδὲν οὕτως
30 ὡς ἡ στάσις αἴτιον, τίς θρηνήσει πρὸς ἀξίαν τῶν θρήνους γράφειν εἰδότων καὶ λόγον ἐξισοῦν πάθει; Ποῖαι βίβλοι ταῦτα χωρήσουσι; Μία στήλη τούτοις τῆς συμφορᾶς ἡ οἰκουμένη πᾶσα καθ'ἧς ἐσπάρησαν, καὶ ἡ λατρεία
C πεπαυμένη, καὶ αὐτῆς Ἱερουσαλὴμ τὸ ἔδαφος μόλις
35 γινωσκόμενον, ἧς τοσοῦτον ἐπιβατὸν αὐτοῖς ἐστι μόνον, καὶ τοσοῦτον ἀπολαύουσι τῆς ποτε αὐτῶν δόξης ὅσον ἐν ἡμέρᾳ φανέντες θρηνῆσαι τὴν ἐρημίαν.

19. Δεινοῦ δὲ ὄντος οὕτω τοῦ στασιάζειν καὶ τοσούτων αἰτίου κακῶν – ὡς τά τε εἰρημένα δείκνυσι καὶ διὰ πλειόνων ὑποδειγμάτων ἐστὶ μαθεῖν –, ἔτι πόλλῳ δεινότερον τό, καταλύσαντας μικροψυχίαν, καὶ τῶν τῆς εἰρήνης γευ-
5 σαμένους καλῶν, πρὸς τὴν αὐτὴν νόσον πάλιν ὑπενεχθῆναι
D καὶ πρὸς τὸν ἴδιον ἔμετον ἐπεστρέψαι[a], τὸ δὴ λεγόμενον,

23 συγγένομαι S ‖ 24 σωφρονῆσαι DC ‖ θελήσω AQBWTS ‖ 27 μετανάστασιν : ἐπάναστασιν A ἀνάστασιν B ἀπανάστασιν QVT sup. l. P ‖ 29 Ῥωμαίων PC ‖ 34 μόγις Maur. ‖ 35 γινωσκομένης V (-ον sup. l.) ‖ ἐστι αὐτοῖς S ‖ 37 φανέντος W (ε sup. l.)

19, 1 οὔτως Q[ac] T Maur. ‖ τοσοῦτον D ‖ 2 τε sup. l. Q om. S[pc] ‖ τὸ δὴ λεγόμενον om. AQBWVTSC

19. a. Cf. Prov. 26, 11; II Pierre 2, 22

1. Note personnelle au cœur d'un développement rhétorique; «j'ai la voix coupée» est un témoignage de la pratique habituelle de la lecture à haute voix. Voir COULIE, *Richesses*, p. 24 sur les allusions aux livres dans l'œuvre de Grégoire.

tations – et je le fais chaque fois que je veux modérer le bonheur d'un succès par la lecture –, j'ai la voix coupée, je verse des larmes, et en même temps que sous mes yeux commence la souffrance, en même temps je me lamente avec l'auteur des Lamentations[1].

Mais leur dernier malheur, leur dernière émigration, le joug de leur servitude présente et l'humiliation bien connue que les Romains leur font subir, et dont il n'y a pas d'autre cause que la division, qui les déplorera comme il convient parmi ceux qui savent écrire des lamentations et mettre la parole à la hauteur de la souffrance[2]? Quels livres contiendront ces faits? C'est la terre tout entière, dans laquelle ils se sont dispersés, qui est l'unique stèle[3] de leurs malheurs; leur culte est abandonné, et ils connaissent à peine le sol de Jérusalem elle-même; ils ne peuvent y mettre le pied et jouir de leur gloire passée que pour se lamenter, en y paraissant un seul jour, sur sa dévastation[4].

19. Bien que la division soit aussi terrible et la cause d'aussi grands maux – ce que je viens de dire le montre et de multiples exemples peuvent l'enseigner –, il est encore beaucoup plus terrible, quand on s'est libéré de la petitesse d'âme et qu'on a goûté aux beautés de la paix, de se trouver de nouveau atteint de la même maladie et de retourner, comme on dit, à son propre vomissement[a], sans avoir été assagis par l'expérience, à la

2. Cf. *D.* 4, 13. Vieux cliché rhétorique : cf. par ex. Isocrate, *Plataïque* 4.

3. Cf. *D.* 4, 20; 5, 42 la stèle infamante des méfaits de Julien. L'image de la stèle est au contraire associée à la louange *D.* 7, 7.

4. Probablement le jour du grand Pardon. Ce discours est contemporain de la restauration du Temple par Julien, dont il est question dans les *Invectives* (*D.* 5, 3-4)

μηδ' ὃ τοὺς ἀνοήτους παιδεύει τῇ πείρᾳ σωφρονισθέντας. Καὶ γὰρ ὁρῶ κούφους καὶ ἀνοήτους οὐ τούτους ὑπολαμ-
748 A βανομένους, οἳ ἂν κακῷ τινι παραμένωσιν, ἀλλὰ τοὺς
10 ῥᾳδίως ἐπ' ἀμφότερα φερομένους καὶ μεταρρέοντας, καθάπερ αὔρας μεταπιπτούσας ἢ μεταβολὰς καὶ παλιρροίας Εὐρίπων ἢ θαλάσσης ἄστατα κύματα.

Σκοπῶ δὲ κἀκεῖνο ὅτι τοὺς μὲν ἐπὶ τῆς στάσεως μένοντας ἥ γοῦν ἐλπὶς τῆς ὁμονοίας ῥᾴους ποιεῖ, καὶ τὸ πλεῖστον
15 αὐτοῖς ἐπικουφίζει τῆς συμφορᾶς. Μεγίστη γὰρ ἐπικουρία τοῖς ἀτυχοῦσι μεταβολῆς ἐλπὶς καὶ τὸ κρεῖττον ἐν ὀφθαλμοῖς κείμενον· οἱ δὲ πολλάκις μὲν ὁμονοήσαντες, ἀεὶ δὲ πρὸς τὴν κακίαν παλινδρομήσαντες, ἀφήρηνται μετὰ τῶν ἄλλων καὶ τοῦ κρείττονος τὴν ἐλπίδα· οὐχ ἧττον τῆς στάσεως
20 δεδοικότες ἀεὶ τὴν ὁμονοίαν, καὶ μηδ' ἑτέρῳ θαρροῦντες, διὰ τὸ ἐν ἀμφοτέροις εὐκίνητον καὶ ἀστάθμητον.

B **20.** Καὶ μηδεὶς οἰέσθω με λέγειν ὅτι πᾶσαν εἰρήνην ἀγαπητέον. Οἶδα γὰρ ὥσπερ στάσιν τινὰ βελτίστην, οὕτω καὶ βλαβερωτάτην ὁμόνοιαν· ἀλλὰ τήν γε καλὴν καὶ ἐπὶ καλῷ καὶ Θεῷ συνάπτουσαν. Εἰ δὲ δεῖ συντόμως διελέσθαι
5 περὶ αὐτῶν, οὕτω γινώσκω οὔτε νωθέστερον εἶναι τοῦ μετρίου καλὸν οὔτε θερμότερον ὡς ἢ δι' εὐκολίαν πᾶσι συμφέρεσθαι ἢ δι' ἀταξίαν πάντων ἀποστατεῖν· ὁμοίως γὰρ

9 παραμείνωσιν DPC ‖ καὶ τοὺς C ‖ 12 Εὐρίππων BD Εὐρίπτων S ‖ 12 ἄτακτα W ‖ 15 αὐτοῖς D mg. ‖ 18 μετὰ : μὲν C
20, 3 γε : τε DP ‖ 4 δεῖ : δὴ D ‖ 6 ὡς D mg.

1. Peut-être une réminiscence d'Hésiode, *Travaux*, v. 218. On peut encore rappeler ici Isocrate, *Discours* 8 (*Sur la paix*), 25 : « Je pense que nous ne devons pas quitter cette assemblée sans avoir non seulement voté la paix, mais encore pris des mesures pour la conserver, au lieu d'agir selon notre habitude : nous donner quelques instants de répit pour retomber dans les mêmes troubles » ; trad. G. Mathieu (*CUF*), 1966, p. 19.

manière dont s'instruisent les sots[1] ! Je crois en effet qu'on peut tenir pour légers et sots non pas tant ceux qui persévèrent dans un mal quelconque, mais bien les gens facilement ballottés de ci, de là, et qui passent d'un endroit à l'autre, comme les vents qui changent de direction, les courants alternés des Euripes[2] ou les flots instables de la mer.

Mais j'observe encore ceci : l'espoir de la concorde rend du moins d'humeur facile ceux qui se tiennent dans la division et allège pour une grande part leur malheur. C'est un très grand secours en effet, si l'on est malheureux, que l'espoir d'un changement et la perspective d'un meilleur état. Mais ceux qui, après s'être souvent accordés, retournent toujours au mal, se trouvent privés, entre autres choses, de l'espoir d'un meilleur état. Habituellement, ils ne craignent pas moins la concorde que la division et n'ont confiance ni dans l'une ni dans l'autre, à cause de leur inconsistance et de leur incertitude dans l'une et l'autre situation.

20. Et que personne n'aille croire que je déclare satisfaisante n'importe quelle paix! Je sais en effet que, s'il y a une division très bonne, il y a aussi une concorde très funeste[3]. Mais celle dont je parle est belle et se rattache au Bien et à Dieu. S'il faut donner une brève explication à ce sujet, telle est ma pensée : il n'est pas bon d'être plus lent ou plus ardent que de raison et d'en arriver ainsi ou à s'accorder à tous par facilité ou à s'éloigner de tous par indiscipline! Car autant la lenteur

2. Cf. *D.* 26, 1. L'Euripe, détroit entre l'Eubée et la Béotie, renommé pour l'agitation de ses flots, est devenu proverbialement le symbole de l'instabilité et de l'inconstance. Cf. ARISTOTE, *Éthique à Nicomaque* 1167 b 7 (= IX, 6, 3), précisément à propos de la concorde. Sur cette image, voir KERTSCH *Bildersprache*, p. 14-18.

3. Cf. chap. 11.

καὶ τὸ νωθὲς ἄπρακτον καὶ τὸ εὐκίνητον ἀκοινώνητον. Ἀλλ' οὗ μὲν ἂν ᾖ πρόδηλα τὰ τῆς ἀσεβείας, καὶ πυρὶ καὶ
10 σιδήρῳ καὶ καιροῖς καὶ δυνάσταις καὶ πᾶσι πρότερον ὁμόσε χωρητέον, ἢ τῆς ζύμης μεθεκτέον τῆς πονηρᾶς[a], καὶ συγκαταθετέον τοῖς κακῶς ἔχουσι – καὶ οὐδὲν οὕτω τῶν πάντων εὐλαβητέον ὡς ἄλλο τι πρὸ Θεοῦ φοβηθῆναι καὶ διὰ τοῦτο προδοῦναι τοὺς περὶ πίστεως λόγους καὶ τῆς
15 ἀληθείας, ἀληθείᾳ δουλεύοντας[b].

Οὗ δὲ τὸ λυποῦν ὑπόνοια καὶ φόβος ἀνεξέταστος, βελτίων τοῦ τάχους ἡ μακροθυμία, καὶ τῆς αὐθαδείας ἡ συγκατάβασις, καὶ πολλῷ κρεῖττον καὶ λυσιτελέστερον, ἐν τῷ κοινῷ σώματι μένοντας, καταρτίζειν ἀλλήλους ὡς
20 « ἀλλήλων μέλη[c] » καὶ καταρτίζεσθαι, ἢ προκαταγνόντας διὰ τῆς ἀποστάσεως καὶ τὸ ἀξιόπιστον τῷ χωρισμῷ λύσαντας, ἔπειτα ἐξ ἐπιτάγματος ὥσπερ τυράννους ἀλλ' οὐκ ἀδελφούς, νομοθετεῖν τὴν διόρθωσιν.

D **21.** Ταῦτα εἰδότες, ἀδελφοί, περιλάβωμεν ἀλλήλους, περιπτυξώμεθα, γενώμεθα γνησίως ἕν, μιμησώμεθα τὸν « τὸ μεσότοιχον τοῦ φραγμοῦ λύσαντα[a] » καὶ διὰ τοῦ αἵματος

9 πρόδηλα : πρόδηλον AQBWVTS ‖ τὰ sup. l. Q ‖ ἀσεβείας : εὐσεβείας D (ἀ- mg.) ‖ 10 δυναστείαις PC ‖ ὁμόσαι D ‖ 12 ἁπάντων S[pc] Maur. ‖ 13 εὐλαβητέον : φοβητέον AQBWVTS D mg. pertimescendum *Rufinus* ‖ 14-15 τοὺς περὶ πίστεως λόγους : περὶ τῆς πίστεως λόγους Maur. ‖ 16 βέλτιον BVDC ‖ 17 αὐθαδίας ASD
21, 1 περιβάλωμεν Q mg.

---

20. a. Cf. I Cor. 5, 8 b. Cf. I Thess. 1, 9 c. Cf. I Cor. 12, 25-27 d. Éphés. 4, 25
21. a. Éphés. 2, 14

---

1. Explication plus précise donnée *D.* 32, 21 : « Que ta promptitude aille jusqu'à la confession de foi si jamais on te la demande; mais pour ce qui est au-delà de cette confession, sois plutôt timide. Dans le premier cas en effet, c'est la lenteur qui est dangereuse, dans le

est inefficace, autant l'inconstance est inutile à la communauté[1]. Mais, dans le cas où les marques de l'impiété sont évidentes, on doit entrer en lutte contre le feu, contre le fer, contre les circonstances[2], contre les princes et contre tous, plutôt que d'avoir à partager le levain de perversité[a] et de donner son assentiment à ceux qui sont dans le mal – et rien de tout cela ne doit nous inspirer une crainte qui surpasse notre crainte envers Dieu et nous fasse trahir ainsi les paroles de la foi et de la vérité, nous qui sommes asservis à la vérité[b].

Mais dans le cas où le mécontentement vient d'un soupçon[3] et où la crainte n'est pas examinée, la patience est meilleure que la précipitation, et l'indulgence meilleure que la présomption. Il est alors bien plus important et plus utile, en restant dans le corps commun[c], de nous ordonner les uns aux autres comme « membres les uns des autres[d] » et de former un tout, que de nous porter préjudice en faisant sécession, et détruire notre confiance en nous séparant, pour finir par imposer par un ordre, comme des tyrans et non pas comme des frères, la conduite correcte[4].

21. Puisque nous savons cela, frères, accueillons-nous les uns les autres et à bras ouverts. Devenons sincèrement un, imitons celui « qui a détruit le mur de sépa-

second cas c'est la promptitude (ταχυτής). » Cf. encore *D.* 2, 72 : « Mieux vaut une lenteur circonspecte qu'une rapidité inconsidérée. » ; *D.* 1, 1 ; 2, 72.

2. Cf. *Lettre* 7, 3.

3. Cf. chap. 11 ; *D.* 32, 31.

4. Cf. *D.* 32, 19, où l'on trouve une critique précise de l'attitude de certains moines : « Il serait honteux que nous choisissions le vêtement et le régime des plus simples ... (suit une description de la vie ascétique) et que nous soyons des despotes *tyranniques* quand il s'agit de parler de Dieu, que nous ne cédions la place absolument à personne et que nous levions le sourcil plus que tous les docteurs de la loi. »

αὐτοῦ πάντα συναγαγόντα καὶ εἰρηνεύσαντα[b]. Εἴπωμεν τῷ
5 κοινῷ πατρὶ τούτῳ, τῇ σεμνῇ πολιᾷ, τῷ πράῳ καὶ ἠπίῳ
ποιμένι· «Ὁρᾷς τὰ ἐπίχειρα τῆς ἐπιεικείας; Ἆρον κύκλῳ
τοὺς ὀφθαλμούς σου καὶ ἰδὲ ἐπισυνηγμένα τὰ τέκνα σου[c]»,
ὃν τρόπον ἐπόθεις καὶ ὃ προστεθῆναί σοι μόνον ᾔτοῦ
νυκτὸς καὶ ἡμέρας ἵν' ἐν γήρᾳ καλῷ καταλύσῃς τὴν
10 παροικίαν. «Ἰδοὺ πάντες ἥκασι[d]» πρός σε καὶ ὑπὸ τὰς
σὰς ἀναπαύονται πτέρυγας[e] καὶ τὸ ἑαυτῶν κυκλοῦσι
θυσιαστήριον[f], μετὰ δακρύων ἀποφοιτήσαντες καὶ
μετ' εὐφροσύνης προστρέχοντες. «Χαῖρε καὶ κατατέρπου[g]»,
πατέρων ἄριστε καὶ φιλοτεκνότατε, ὅτι πάντας αὐτοὺς
15 ἐνδέδυσαι καὶ περιβέβλησαι ὡς κόσμον νύμφη[h]. Φθέγξαι
καὶ σὺ πρὸς ἡμᾶς· «Ἰδοὺ ἐγὼ καὶ τὰ παιδία ἅ μοι
ἔδωκεν ὁ Θεός[i].» Πρόσθες καὶ ἄλλην φωνὴν δεσποτικὴν
καὶ μάλα οἰκείαν· «Οὓς δέδωκάς μοι ἐφύλαξα καὶ οὐκ
ἀπώλεσα ἐξ αὐτῶν οὐδένα[j].»

22. Μηδέ γε ἀπόλοιτο μηδείς, ἀλλὰ πάντες μένωμεν
«ἐν ἑνὶ πνεύματι, μιᾷ ψυχῇ συναθλοῦντες τῇ πίστει τοῦ
Εὐαγγελίου[a]», σύμψυχοι, «τὸ ἓν φρονοῦντες[b]», ὡπλισμένοι
«τῷ θυρεῷ τῆς πίστεως[c]», «περιεζωσμένοι τὴν ὀσφὺν ἐν
5 ἀληθείᾳ[d]», ἕνα μόνον εἰδότες τὸν κατὰ τοῦ Πονηροῦ
πόλεμον καὶ τῶν ὑπ' ἐκείνου στρατηγουμένων[e], μὴ φοβούμενοι τοὺς δυναμένους ἀποκτεῖναι τὸ σῶμα, τῆς δὲ ψυχῆς
λαβέσθαι μὴ δυναμένους, φοβούμενοι δὲ τὸν καὶ ψυχῆς καὶ
σώματος Κύριον[f]· φυλάσσοντες τὴν καλὴν παρακα-

7 ἐπισυνηγμένα : ἐπι- del. S ἐπισεσυγνημένα DP || 9-10 τὴν παροικίαν : τὸν βίον D (τὴν παρ. mg.) || 17 δέδωκεν QWV
22, 1 μηδ'εἷς AQBWVTS || μένωμεν : -οι- sup. l. T || 8 καὶ[1] om. PC || 9-10 παραθήκην A

---

b. Cf. Col. 1, 20 c. Is. 60, 4; cf. 49, 18 d. *Ibid.* e. Cf. Matth. 23, 37 f. Cf. Ps. 25, 6 g. Soph. 3, 14 h. Cf. Is. 49, 18; Apoc. 21, 2 i. Is. 8, 18; Hébr. 2, 13 j. Jn 17, 12; 18, 9
22. a. Phil. 1, 27 b. Phil. 2, 2 c. Éphés. 6, 16 d. Éphés. 6, 14 e. Cf. Éphés. 6, 12 f. Cf. Matth. 10, 28

ration[a] » et qui, par son sang, a tout rassemblé et pacifié[b]. Disons à notre père commun, à cette vénérable tête blanche, à ce pasteur doux et bienveillant[1] : « Vois-tu les récompenses de ta clémence? Lève les yeux autour de toi et vois tes enfants rassemblés[c] », comme tu le désirais. Vois, accordée, la seule chose que tu demandais, nuit et jour, pour terminer ton séjour ici-bas[2] dans une belle vieillesse. « Voici que tous sont venus[d] » vers toi, se reposent sous tes ailes[e] et entourent leur autel[f] : s'ils s'en sont éloignés avec des larmes, c'est avec joie qu'ils accourent de nouveau vers lui. « Réjouis-toi, sois dans l'allégresse[g] », toi le meilleur et le plus aimant des pères : tu t'es revêtu et tu t'es entouré d'eux tous, comme une jeune mariée de sa parure[h]. Prends toi aussi la parole pour nous dire : « Me voici, et voici les petits enfants que Dieu m'a donnés[i]. » Ajoute encore cette autre parole du Seigneur, qui convient parfaitement : « Ceux que tu m'as donnés, je les ai gardés, et je n'ai perdu aucun d'entre eux[j]. »

22. Eh bien, plaise au ciel qu'il ne s'en perde aucun, mais restons tous « dans un même esprit, luttant ensemble et d'une même âme pour la foi de l'Évangile[a] », avec « une seule âme, une même pensée[b] », armés « du bouclier de la foi[c] », « les hanches ceintes de la ceinture de vérité[d] ». Ne connaissons qu'une seule lutte, celle qui doit être menée contre le Malin et contre ceux qui combattent sous sa conduite[e], sans craindre qui peut tuer le corps[3], et ne saurait prendre l'âme, mais dans la crainte du Maître de l'âme et du corps[f], « gardant le bon dépôt[g] » que nous

1. Grégoire l'Ancien n'apparaît donc vraiment qu'à la fin du discours, après une vague allusion 6, 4. Cf. *D.* 7, 3 à propos de sa « douceur », qualité essentielle d'un bon pasteur.
2. Cf. chap. 3.
3. Cf. chap. 1, 7, 13.

10 ταθήκην[g] » ἣν παρὰ τῶν Πατέρων εἰλήφαμεν, προσκυνοῦντες
C Πατέρα καὶ Υἱὸν καὶ ἅγιον Πνεῦμα · ἐν Υἱῷ τὸν Πατέρα, ἐν Πνεύματι τὸν Υἱὸν γινώσκοντες, εἰς ἃ βεβαπτίσμεθα, εἰς ἃ πεπιστεύκαμεν, οἷς συντετάγμεθα, πρὶν συνάψαι διαιροῦντες, καὶ πρὶν διελεῖν συνάπτοντες οὔτε τὰ Τρία ὡς
15 ἕνα – οὐ γὰρ ἀνυπόστατα τὰ ὀνόματα, ἢ κατὰ μιᾶς ὑποστάσεως, ὡς εἶναι τὸν πλοῦτον ἡμῖν ἐν ὀνόμασιν ἀλλ' οὐ πράγμασι –, καὶ τὰ Τρία ἕν. Ἓν γὰρ οὐχ ὑποστάσει ἀλλὰ θεότητι · Μονὰς ἐν Τριάδι προσκυνουμένη καὶ Τριὰς εἰς Μονάδα ἀνακεφαλαιουμένη[h], πᾶσα προσκυνητή, βασιλικὴ
20 πᾶσα, ὁμόθρονος, ὁμόδοξος, ὑπερκόσμιος, ὑπέρχρονος, ἄκτιστος, ἀόρατος, ἀναφής, ἀπερίληπτος, πρὸς μὲν ἑαυτὴν ὅπως ἔχει τάξεως αὐτῇ μόνῃ γινωσκομένη, σεπτὴ δ' ἡμῖν
D ὁμοίως καὶ λατρευτή, καὶ μόνη τοῖς Ἁγίοις τῶν Ἁγίων
752 A ἐμβατεύουσα, τὴν δὲ κτίσιν πᾶσαν ἐκτὸς ἐῶσα, τὴν
25 μὲν τῷ πρώτῳ, τὴν δὲ τῷ δευτέρῳ διειργομένην καταπετάσματι[i], πρώτῳ μὲν τὴν οὐράνιον καὶ ἀγγελικὴν ἀπὸ τῆς θεότητος, δευτέρῳ δὲ τὴν ἡμετέραν ἀπὸ τῶν οὐρανίων[j].

10 τῶν om. B || 12 καὶ εἰς PC || 14 διελεῖν : διαιρεῖν QVDPC Maur. || καὶ – συνάπτοντες S mg. || 14-15 ὡς ἕνα : εἰς ἕνα Q εἰς ἓν PC || 15 τὰ ὀνόματα om. AQBWVT S^{ac} Maur. nomine nominamus *Rufinus* || ὡς ἕνα P mg. || 18-19 καὶ εἰς Τρίαδα μόνας PC || 20 ὑπερχρόνιος DPC || 22 ἔχοι Q ἔχῃ BC || 22 γινώσκουσα B^{pc} PC || 24 ἐῶσαν C

g. II Tim. 1, 14 h. Cf. Éphés. 1, 10 i. Cf. Hébr. 9, 3-7 j. Cf. Ex. 26, 31-37 ; Hébr. 6, 19

1. Il s'agit de la profession de foi de Nicée (19 juin 325), à laquelle Grégoire a déjà fait allusion chap. 10 en parlant du bien de la « concorde » hérité de « nos Pères » ; cf. *D.* 12, 6. Voir GAIN, *L'Église*, p. 329, au sujet de Basile.

avons reçu de nos Pères[1], adorant le Père, le Fils et le Saint-Esprit, reconnaissant dans le Fils le Père, dans l'Esprit le Fils, en qui nous avons été baptisés, en qui nous avons mis notre foi, avec qui nous sommes réunis, les distinguant avant de les unir, et les unissant avant de les diviser, reconnaissant que les Trois ne sont pas comme un seul – car les noms ne sont pas sans hypostase, ou attribués à une seule hypostase, comme si la richesse était pour nous dans les mots et non dans les réalités[2] –, mais que les Trois sont Un. En effet, ils sont Un non pas par l'hypostase[3], mais par la divinité. L'Unité est adorée dans la Trinité et la Trinité récapitulée dans l'Unité[h] : tout entière adorable, royale tout entière, elle a un unique trône, une unique gloire, elle est au-dessus du monde, au-dessus du temps, incréée, invisible, intangible, incompréhensible[4], seule à connaître l'ordre qui réside en elle-même, mais digne d'être honorée et servie par nous de façon égale, et elle est seule à pénétrer dans le Saint des Saints, laissant au dehors toutes les créatures : les unes séparées par le premier voile, les autres par le second[i], les créatures célestes et angéliques séparées par le premier de la divinité, les créatures que nous sommes séparées des puissances célestes par le second[j].

2. Cf. *D.* 42, 16, même expression à propos de la Trinité. La première hérésie est celle de Sabellius, qui exclut la trinité des personnes, la seconde celle d'Arius, comme Grégoire le dit, plus explicitement, dans la profession de foi qu'il fait pour son père dans le *D.* 18, 16; cf. *D.* 31, 30; *D.* 43, 16 (σαβελλίζειν).

3. Cf. *Lettres théologiques* 101, 21 (*SC* 250, p. 47). Pour le sens du mot « hypostase », voir M. JOURJON, *Ibid.*, Introd., p. 60-61; PLAGNIEUX, *Grégoire théologien*, p. 449-452.

4. Sur ces termes de théologie négative, voir PINAULT, *Platonisme*, p. 69; MORESCHINI, « Platonismo », p. 1375-1377.

Ταῦτα πράσσωμεν καὶ οὕτως ἔχωμεν, ἀδελφοί, καὶ τοὺς
30 ἑτέρως φρονοῦντας, ὡς λύμην τῆς ἀληθείας, ἕως μὲν ἂν
ᾖ δυνατόν, προσλαμβανώμεθα καὶ θεραπεύωμεν· ἀνιάτως
δ' ἔχοντας ἀποστρεφώμεθα μὴ τῆς νόσου μεταλάβωμεν, πρὶν
μεταδοῦναι τῆς ἑαυτῶν ὑγιείας· καὶ « ὁ Θεὸς τῆς εἰρήνης[k] »
ἔσται μεθ' ἡμῶν, « τῆς πάντα νοῦν ὑπερεχούσης[l] » ἐν
35 Χριστῷ Ἰησοῦ τῷ Κυρίῳ ἡμῶν, ᾧ ἡ δόξα εἰς τοὺς αἰῶνας
τῶν αἰώνων. Ἀμήν.

35-36 ᾧ ἡ δόξα εἰς τοὺς αἰῶνας τῶν αἰώνων om. AQBWVTS

---

k. Rom. 15, 33; II Cor. 13, 11 l. Phil. 4, 7

Agissons ainsi et soyons dans ces dispositions, frères! Ceux qui ont d'autres sentiments, donnons-leur autant que possible notre aide et nos soins[1], puisqu'ils sont la ruine de la vérité. Mais ceux qui sont incurables, détournons-nous-en[2] de peur de contracter leur maladie avant de leur faire recouvrer la santé. Et «le Dieu de paix[k]» sera parmi nous, «cette paix qui surpasse toute intelligence[l]» dans le Christ Jésus notre Seigneur à qui est la gloire pour les siècles des siècles. Amen.

1. Le prêtre est médecin des âmes; cf. par ex. *D.* 2, 26-27; 32, 2.
2. Même idée *Lettre* 102, 3.

Εἰς Καισάριον τὸν ἑαυτοῦ ἀδελφὸν ἐπιτάφιος

756 A **1.** Οἴεσθέ με ἴσως, ὦ φίλοι καὶ ἀδελφοὶ καὶ πατέρες – τὸ γλυκὺ καὶ πρᾶγμα καὶ ὄνομα –, θρήνους ἐπιβαλοῦντα τῷ ἀπελθόντι καὶ ὀδυρμούς, ὑποδέχεσθαι προθύμως τὸν λόγον, ἢ μάκρους ἀποτενοῦντα καὶ κομψοὺς λόγους οἷς οἱ 5 πολλοὶ χαίρουσιν. Καὶ οἱ μὲν ὡς συμπενθήσοντες καὶ συνθρηνήσοντες παρεσκευάσθε, ἵν' ἐν τῷ ἐμῷ πάθει τὰ οἰκεῖα δακρύσητε, ὅσοις τι τοιοῦτόν ἐστι, καὶ σοφίσησθε τὸ ἀλγοῦν ἐν φιλικοῖς πάθεσιν, οἱ δὲ ὡς τὴν ἀκοὴν ἑστιάσοντες καὶ ἡδίους ἐσόμενοι. Χρῆναι γὰρ ἡμᾶς ἐπίδειξιν ποιήσασθαι 10 καὶ τὴν συμφοράν, οἷά ποτε ἦν τὰ ἡμέτερα, ἡνίκα τἄλλα ἦμεν ἱκανῶς περιττοὶ καὶ τῆς ὕλης καὶ τὰ περὶ λόγους

Titulus εἰς Καισάριον τὸν ἑαυτοῦ ἀδελφὸν ἐπιτάφιος AQWT Boul. τοῦ αὐτοῦ εἰς Καισάριον τὸν ἀδελφὸν ἐπιτάφιος B εἰς Καισάριον τὸν ἴδιον ἀδελφὸν ἐπιτάφιος περιόντων ἔτι τῶν γονέων SDP τοῦ αὐτοῦ εἰς τὸν ἴδιον ἀδελφὸν αὐτοῦ Καισάριον ἐπιτάφιος περιόντων τῶν γονέων C εἰς Καισάριον τὸν ἑαυτοῦ ἀδελφὸν ἐπιτάφιος περιόντων τῶν γονέων Maur. usque ad -σίᾳ μετατεθῆναι (c. 4, l. 29) deficit V

1, 5 ὡς συνθρηνήσοντες PC ‖ 7 τοιοῦτό ἐστι PC ‖ 10 ἡνίκα καὶ D

1. Lieu commun d'origine platonicienne (cf. *Prot.* 336 c; *Rép.* 605 d; *Gorg.* 458 c etc.), souvent repris par Grégoire : cf. chap. 3; *D.* 2, 67; 18, 30; 24, 7 : 25, 18 etc. Sur la topique de l'exorde, voir PERNOT, *Rhétorique de l'éloge*, p. 301-305.

DISCOURS 7

Discours funèbre pour son frère Césaire

1. Vous croyez peut-être, ô mes amis, mes frères, mes parents – la douce chose et le doux nom ! – que je prends la parole avec empressement pour répandre des lamentations et des plaintes sur celui qui s'en est allé, ou bien pour faire de ces développements longs et recherchés [1] qui plaisent à la plupart des gens. Et vous êtes tout prêts, les uns à partager mon deuil et mes plaintes, afin de pleurer, dans mon malheur, vos malheurs particuliers, s'il vous en est arrivé de semblables, et afin de tromper votre souffrance dans les malheurs de vos amis, les autres à en régaler vos oreilles et à y trouver du plaisir ! Il faudrait en effet que nous fassions un exposé de l'épreuve même, comme nous en avions jadis l'habitude, au temps où nous nous distinguions en tout et même dans la matière [2], et recherchions la gloire

2. Le mot ὕλη peut désigner « la rhétorique », « cette science que nous avons recherchée jadis, quand nous étions un homme à courte vue », opposée à « cette science que nous recherchons, de préférence à l'autre, maintenant que nous avons levé nos regards vers les hauteurs de la vertu » (*Lettre* 39). Certains traducteurs (voir Introd., p. 41) lui ont donné le sens de « biens terrestres » (Genouille, 1857), d'autres son sens rhétorique étroit, et ont traduit περιττοὶ τῆς ὕλης par « maîtres de notre sujet » (L. de Sinner, 1836; E. Sommer, 1898; voir BOULENGER, p. LVI, n. 3.

B φιλότιμοι, πρὶν ἀναβλέψαι πρὸς τὸν ἀληθῆ Λόγον καὶ ἀνωτάτω, καὶ πάντα δόντες Θεῷ, παρ' οὗ τὰ πάντα[a], Θεὸν ἀντὶ πάντων λαβεῖν.

15 Μηδαμῶς, μὴ τοῦτο περὶ ἡμῶν ὑπολάβητε εἴ τι ὑπολαμβάνειν βούλεσθε δεξιόν. Οὔτε γὰρ θρηνήσομεν τὸν ἀπελθόντα πλέον ἢ καλῶς ἔχει, οἵ γε μηδὲ τῶν ἄλλων τὰ τοιαῦτα ἀποδεχόμεθα, οὔτε ἐπαινεσόμεθα πέρα τοῦ μετρίου καὶ πρέποντος, καίτοι γε δῶρον φίλον καὶ 20 οἰκειότατον εἴπερ τι ἄλλο τῷ λογίῳ λόγος καὶ τῷ διαφερόντως ἀγαπήσαντι τοὺς ἐμοὺς λόγους ἡ εὐφημία· 757 A καὶ οὐ δῶρον μόνον, ἀλλὰ καὶ χρέος ἁπάντων χρεῶν δικαιότατον· ἀλλ' ὅσον ἀφοσιώσασθαι τὸν περὶ ταῦτα νόμον καὶ δακρύσαντες καὶ θαυμάσαντες – οὐδὲ γὰρ τοῦτο ἔξω 25 τῆς καθ' ἡμᾶς φιλοσοφίας· « Μνήμη τε γὰρ δικαίων μετ' ἐγκωμίων[b] » καί· « Ἐπὶ νεκρῷ, φησί, κατάγαγε δάκρυα καὶ ὡς δεινὰ πάσχων ἔναρξαι θρήνου[c] » –, ἴσον ἀναλγησίας χωρίζων ἡμᾶς καὶ ἀμετρίας, τὸ μετὰ τοῦτο ἤδη τῆς τε ἀνθρωπίνης φύσεως τὴν ἀσθένειαν ἐπιδείξομεν, 30 καὶ τοῦ τῆς ψυχῆς ἀξιώματος ὑπομνήσομεν, καὶ τὴν ὀφειλομένην τοῖς ἀλγοῦσι παράκλησιν ἐπιθήσομεν, καὶ μεταθήσομεν τὴν λύπην ἀπὸ τῆς σαρκὸς καὶ τῶν προσκαίρων ἐπὶ τὰ πνευματικὰ καὶ ἀΐδια[d].

15 ὑπολάβοιτε DPC ‖ 16 γὰρ om. AQWTS ‖ θρηνήσωμεν DC ‖ 18 ἐπαινεθήσομεθα A ‖ 19 μετρίου : μέτρου AQBWTS Maur. Boul. ‖ καὶ πρέποντος om. AQBWTS Boul. ‖ 20 οἰκειώτατον D ‖ 22 ἀφωσιώσασθαι C ‖ 26 τε καὶ B ‖ 27 ἴσως DPC ‖ 29 ἤδη – Θεῷ δὲ καὶ (c. 7, l. 17) deficit A ‖ τε sup. l. S ‖ 30 ὑπομνησθῶμεν DC ‖ 31-32 μεταθήσωμεν D

1. a. Cf. I Cor. 8, 6 b. Prov. 10, 7 c. Sir. 38, 16 d. Cf. II Cor. 4, 18

1. Jeu de mots sur λόγος; cf. *D.* 6, 4, n. 24.
2. Cf. *D.* 6, 4, n. 25; *D.* 8, 3. Le discours a bien plus de prix encore quand il est offert au λόγιος (l'homme *éloquent,* mais aussi *cultivé*).
3. Même justification au début de l'éloge de Gorgonie (*D.* 8, 1). Cf.

dans l'éloquence, avant de lever les yeux vers le vrai Verbe[1], le très haut, et de tout donner à Dieu, de qui tout vient[a], pour recevoir Dieu en échange de tout.

Eh bien non, ne croyez pas cela de nous si vous voulez avoir une opinion juste! Nous ne pleurerons pas plus que de raison celui qui s'en est allé, nous qui n'admettons rien de tel chez les autres, et nous ne le louerons pas au-delà de la mesure et de ce qui convient. Et pourtant, un présent apprécié et plus approprié que tout autre est bien, pour l'homme éloquent, un discours, et pour celui qui aima particulièrement mes discours, l'éloge, non seulement présent, mais dette, et la plus juste de toutes les dettes[2]. Mais nous nous acquitterons suffisamment de notre devoir envers les règles du genre par nos larmes et nos témoignages d'admiration – ce qui n'est pas étranger à notre philosophie[3]: «La mémoire des justes, en effet, est accompagnée de louanges[b]»[4] et: «Sur un mort, est-il dit, répands des larmes et, comme un homme durement éprouvé, commence à te lamenter[c]» –, en nous tenant à égale distance de l'insensibilité et de la démesure. Après cela, nous montrerons alors la faiblesse de la nature humaine, nous rappellerons la dignité de l'âme, nous ajouterons la consolation due à ceux qui souffrent et nous ferons passer le chagrin, de la chair et de ce qui est temporaire, à ce qui est spirituel et éternel[d].

LYSIAS, *Discours* II, 81 (*Oraison funèbre*): «Nous devons cependant, pour nous conformer à un usage antique et par respect pour la loi de nos pères, accompagner de nos gémissements les funérailles de ces héros» (trad. L. Gernet, L. Bizos, *CUF*, Paris 1967, p. 63). Sur l'expression ἡ καθ' ἡμᾶς φιλοσοφία au sens de «doctrine chrétienne», voir MALINGREY, *Philosophia*, p. 237-238; MOSSAY, *La mort et l'au-delà*, p. 294.

4. GRÉGOIRE DE NYSSE justifie aussi le discours d'éloge par ce verset (*Éloge de Basile*, *PG* 46, col. 816 C). A ce sujet, voir M. HARL, «Les modèles d'un temps idéal», dans *Le temps chrétien de la fin de l'antiquité au moyen âge (3e-12e siècle)*, Paris 1984, p. 232, n. 6.

B **2.** Καισαρίῳ πατέρες μέν – ἵν' ἐντεῦθεν ἄρξωμαι ὅθεν ἡμῖν πρεπωδέστατον –, οὓς πάντες γινώσκετε, καὶ ὧν τὴν ἀρετὴν καὶ ὁρῶντες καὶ ἀκούοντες ζηλοῦτέ τε καὶ θαυμάζετε καὶ διηγεῖσθε τοῖς ἀγνοοῦσιν, εἴπερ τινές εἰσιν ἀνθρώπων,
5 ἄλλος ἄλλο τι μέρος ἀπολαβόντες· ἐπεὶ μὴ πάντα τὸν αὐτὸν οἷόν τε μηδὲ μιᾶς γλώσσης τὸ ἔργον, κἂν σφόδρα τις ᾖ τῶν φιλοπονωτάτων καὶ φιλοτίμων. Οἷς πολλῶν καὶ μεγάλων ὑπαρχόντων εἰς εὐφημίαν – εἰ μή τῳ περιττὸς εἶναι δοκῶ τὰ οἰκεῖα θαυμάζων –, ἓν μέγιστον ἁπάντων
10 καὶ ὥσπερ ἄλλο τι ἐπίσημόν ἐστιν ἡ εὐσέβεια· τοὺς σεμνοὺς τούσδε λέγω καὶ πολιοὺς καὶ οὐχ ἧττον δι' ἀρετὴν αἰδεσίμους ἢ διὰ γῆρας· ὧν τὰ μὲν σώματα χρόνῳ κέκμηκεν, αἱ ψυχαὶ δὲ Θεῷ νεάζουσιν.

C **3.** Πατὴρ μὲν ἐκ τῆς ἀγριελαίου καλῶς ἐγκεντρισθεὶς εἰς τὴν καλλιέλαιον, καὶ τοσοῦτον κοινωνήσας τῆς πιότητος[a] ὥστε καὶ ἄλλους ἐγκεντρίζειν πιστευθῆναι καὶ θεραπείαν ἐγχειρισθῆναι ψυχῶν, ὑψηλὸς ὑψηλῶς τοῦ λαοῦ τοῦδε προ-

2, 1 ἄρξομαι S ‖ 3 τε om. BQT Maur. <τε> Boul. ‖ 8 εἰς εὐφημίαν ὑπαρχόντων DPC ‖ 12 αἰδεσίμους : ὁμοτίμους Q (αἰδεσίμους mg.) WTS
3, 4 τοῦ λαοῦ S mg.

3. a. Cf. Rom. 11, 17

1. Césaire et Gorgonie se distinguent, comme leurs parents, par leur vertu (ἀρετή), qui n'est pas celle de l'hellénisme, mais la qualité principale que donne la φιλοσοφία chrétienne ; cf. *Poèmes* I, II, 9-10 (Περὶ ἀρετῆς).

2. Sur cette hyperbole, voir DELEHAYE, *Passions*, p. 147 ; cf. BASILE, *Sur les martyrs de Sébastée, PG* 31, col. 507 C, qui n'a pas assez de « quarante langues pour célébrer dignement les vertus des martyrs »). Cf. *D.* 8, 7.

3. Notion essentielle dans cet éloge (le mot εὐσέβεια revient 13 fois) comme dans celui de Gorgonie ; cf. *D.* 6, 10, p. 146, n. 3.

4. Cf. *D.* 2, 103.

2. Les parents de Césaire – pour commencer par ce qui nous paraît le plus convenable –, vous tous, vous les connaissez : leur vertu[1], dont vous êtes les témoins et dont vous entendez parler, est l'objet de votre envie et de votre admiration, et vous en instruisez ceux qui l'ignorent, si toutefois il y en a, chacun retenant un aspect particulier, car tout ne peut être à la portée du même homme, ni l'œuvre d'une seule langue, même avec beaucoup de zèle et la plus grande application[2]. S'il y a bien des raisons importantes de faire leur éloge – à moins que je ne paraisse porter une excessive admiration à ma famille ! –, il en est une, la plus importante de toutes, qui est aussi comme une marque distinctive : la piété[3]. Je veux parler de ces vénérables têtes blanches, non moins respectables par la vertu que par la vieillesse. Leur corps est fatigué par le temps[4], mais leur âme est jeune pour Dieu.

3. Le père, parfaitement greffé de l'olivier sauvage sur l'olivier cultivé[5], en a si bien assimilé la sève[a] qu'il s'en est même vu confier d'autres à greffer et qu'on l'a chargé du soin des âmes. Majestueux, présidant majestueusement

5. Cf. *D.* 18, 11 ; *Épigr.* 13, avec la même image. Dans le passage de *Rom.* 11, 17-24, l'olivier greffé représente le païen devenu chrétien, ce qui est le cas de Grégoire l'Ancien, venu de la secte des « hypsistariens », dont les membres célébraient le sabbat et adoraient un Dieu unique, « le Très-Haut » (θεὸς ὕψιστος), précision du *D.* 18, 5 ; on remarquera que le nom n'est pas cité, mais suggéré par le jeu de mots ὕψηλος ὑψηλῶς. Grégoire de Nysse fait allusion aux ὑψιστιανοί dans l'*Adv. Eunom.*, livre II (*PG* 45, col. 484 A) ; voir G. Bareille, art. « Hypsistariens », *DTC* 7, 1927, col. 572. Cf. le *D.* 6 (où le père de Grégoire est très présent, quoique non cité), le *D.* 8, 4-5, le *Poème De vita sua*, v. 52 s., les *Épigrammes* 12-23, et surtout le *D.* 18 (oraison funèbre). Voir Hauser-Meury, *Prosopographie*, p. 88-90, *s.v.* « Gregor der Ältere » ; Gallay, *Vie*, p. 12-23.

5 καθεζόμενος, Ἀαρών τις δεύτερος[b], ἢ Μωϋσῆς[c], Θεῷ[d] πλησιάζειν ἠξιωμένος καὶ θείαν φωνὴν χορηγεῖν τοῖς ἄλλοις ἱσταμένοις πόρρωθεν[e], πρᾶος, ἀόργητος, γαληνὸς τὸ εἶδος, θερμὸς τὸ πνεῦμα, πολὺς τὸ φαινόμενον, πλουσιώτερος τὸ κρυπτόμενον[f]. Τί ἂν ὑμῖν ἀναζωγραφοίην τὸν γινωσκόμενον;
10 Οὐδὲ γὰρ εἰ μακρὸν ἀποτείνοιμεν λόγον, εἴποιμεν ἄν τι τοσοῦτον ὅσον ἄξιον καὶ ὅσον ἕκαστος συνεπίσταταί τε καὶ ἀπαιτεῖ τὸν λόγον· καὶ βέλτιον ταῖς ὑπονοίαις παραχωρεῖν ἢ τῷ λόγῳ τὸ πολὺ περικόπτειν τοῦ θαύματος.

D **4.** Μήτηρ δὲ ἄνωθεν μὲν καὶ ἐκ προγόνων καθιερωμένη
760 A Θεῷ, καὶ κλῆρον ἀναγκαῖον οὐκ εἰς ἑαυτὴν μόνον, ἀλλὰ καὶ τοὺς ἐξ αὐτῆς κατάγουσα τὴν εὐσέβειαν, ἐξ ἁγίας ἀπαρχῆς ὄντως ἅγιον φύραμα[a], τοσοῦτον δὲ αὐτὸν
5 αὐξήσασά τε καὶ πλεονάσασα ὥστε ἤδη τισί — φθέγξομαι γάρ, εἰ καὶ τολμηρὸς ὁ λόγος —, μηδὲ τὴν τοῦ ἀνδρὸς τελειότητα ἑτέρου τινὸς ἢ ταύτης ἔργον γενέσθαι, πισ-

7 εἶδος : ἦθος W ‖ 8 θερμὸς τὸ πνεῦμα S mg ‖ 9 ζωγραφοίην C ‖ 10 ἀποτείνομεν C ‖ 11 συνενίσταται C ‖ 13 παραχωρεῖν συγχωρεῖν QBWTS Boul.

4, 1 μὲν Smg. ‖ 2 μόνην PC ‖ 4 τοσοῦτον : ἡ τὸν QBWTS ‖ αὐτὸ Maur. Boul.

b. Cf. Ex. 4, 14-16 c. Cf. Ex. 7, 1-2 d. Cf. Ex. 24, 2-3 e. cf. Deut. 5, 5 f. Cf. I Pierre 3, 4

4. a. Cf. Rom. 11, 16

1. Grégoire l'Ancien est pour son fils un second Aaron (cf. *D.* 12, 2; *Épigr.* 83) ou un Moïse (cf. *D.* 2, 103; *Épigr.* 14), modèles par excellence des prêtres; cf. *D.* 11, 2. Il est parfois aussi un autre Abraham (*D.* 8, 4; *Épigr.* 27).

2. Qualité toute stoïcienne (ἀόργητος est l'un des premiers mots des *Pensées* de MARC-AURÈLE, I, 1; cf. ÉPICTÈTE, *Entretiens*, III, 20, 9); cf. *D.* 6, 21; *Épigr.* 12, où Grégoire l'Ancien est qualifié de «μείλιχος, ἡδυεπής»; «la douceur de ses mœurs» lui permet d'être un bon pasteur (*Épigr.* 18; cf. *infra*, *D.* 9, 5 à propos de Basile). Sur l'idéal grec de

à ce peuple, c'est un second Aaron[b], ou un Moïse[c][1], qui a été jugé digne d'approcher Dieu[d] et de dispenser la parole divine à tous ceux qui se tiennent éloignés[e], un homme doux, sans colère[2], l'air serein, l'esprit fervent, opulent d'apparence[3], plus riche de ce qu'il cache[f]. Mais pourquoi vous dépeindre celui que vous connaissez? Non, ferions-nous un long discours, nos paroles ne pourraient égaler son mérite et convenir à ce que chacun sait et réclame. Il vaut mieux nous en remettre à ce que nous en savons déjà que de mutiler par la parole l'essentiel de ce prodige[4].

4. La mère doit à son ascendance même[5] d'être consacrée à Dieu dès l'origine, et elle fait descendre la piété comme un héritage naturel non seulement sur elle-même, mais aussi sur ses enfants, pâte véritablement sainte de prémices saintes[a]. Et elle l'augmenta et elle l'amplifia si bien que certains ont même cru et affirmé – je le dirai en effet, malgré la hardiesse du propos – que la perfection même de son mari n'a pas été l'œuvre d'une

douceur et ses nuances chrétiennes, voir J. DE ROMILLY, *La douceur dans la pensée grecque*, Paris 1979, p. 309-328 : «Païens et chrétiens». Cf. *Poèmes* I, II, 25 : «Contre l'emportement».

3. Voir COULIE, *Richesses*, p. 24 et n. 64, à propos de l'aisance matérielle de Grégoire l'Ancien.

4. L'orateur doit feindre l'embarras pour exalter son sujet (αὔξησις). On retrouve ce lieu commun de l'éloge dans les prologues des vies de saints et de héros (voir par ex. THÉODORET DE CYR, *Histoire des moines de Syrie*, Prologue, 7 (*SC* 234).

5. A propos de Nonna, voir aussi *D.* 8, 4-5; 18, 8 s.; *De vita sua*, v. 57 s.. Grégoire ne semble pas avoir consacré d'éloge funèbre à sa mère, mais lui dédia deux épigrammes (*Épigr.* 27-28). Il la compare souvent à Sarah (cf. *D.* 2, 103; 8, 4). Voir HAUSER-MEURY, *Prosopographie*, p. 134-135; E.G. DOELGER «Nonna, ein Kapitel über christliche Volskfrömmigseit der 4. Jahrhunderts», *Antike und Christentum* V, 1936. Grégoire est l'un des rares auteurs de l'antiquité qui ait parlé de sa mère.

τευθῆναι τε καὶ ῥηθῆναι· καί, ὢ τοῦ θαύματος, ἆθλον εὐσεβείας δοθῆναι μείζονα καὶ τελεωτέραν εὐσέβειαν.

10 Φιλόπαιδες ἄμφω καὶ φιλόχριστοι – τὸ παραδοξότατον –, μᾶλλον δὲ φιλόχριστοι πλέον ἢ φιλόπαιδες[b]· οἷς γε καὶ τῶν τέκνων μία τις ἀπόλαυσις ἦν, τὸ ἀπὸ Χριστοῦ καὶ γνωρίζεσθαι καὶ ὀνομάζεσθαι, καὶ εἷς εὐπαιδίας ὅρος ἡ ἀρετὴ καὶ ἡ πρὸς τὸ Κρεῖττον οἰκείωσις· «εὔσπλαγχνοι, B 15 συμπαθεῖς[c]», ἁρπάζοντες τὰ πολλὰ σητῶν καὶ ληστῶν[d] καὶ τοῦ κοσμοκράτορος[e], ἐκ τῆς παροικίας εἰς τὴν κατοικίαν μετασκευαζόμενοι[f] καὶ κλῆρον μέγιστον τοῖς παισὶ τὴν ἐκεῖθεν λαμπρότητα θησαυρίζοντες. Οὕτω τοι καὶ «εἰς λιπαρὸν» ἔφθασαν «γῆρας», ὁμότιμοι καὶ τὴν 20 ἀρετὴν καὶ τὴν ἡλικίαν, καὶ «πλήρεις ἡμερῶν[g]», τῶν τε μενουσῶν ὁμοίως καὶ τῶν λυομένων· παρὰ τοσοῦτον ἑκάτερος οὐκ ἔχων τὰ πρῶτα τῶν ἐπὶ γῆς, παρ'ὅσον ὑπ'ἀλλήλων εἰς τὸ πρωτεῖον ἐκωλύοντο, καὶ πάσης εὐδαιμονίας μέτρον ἐπλήρωσαν, πλὴν τῆς τελευταίας ταύτης, 25 ὡς ἂν οἰηθείη τις, εἴτε δοκιμασίας χρὴ λέγειν εἴτε οἰκονομίας· ἡ δέ ἐστιν, ὡς ὁ ἐμὸς λόγος, τὸν σφαλερώτερον τῶν παίδων δι'ἡλικίαν προπέμψαντες, οὕτως ἤδη καταλῦσαι

11 φιλοχριστότατοι C ‖ 12 καὶ om. D ‖ 13 τε καὶ D ‖ 14 ἡ om. B ‖ 17 κλῆρον : πλοῦτον PC

b. Cf. Matth. 10, 37 c. I Pierre 3, 8 d. Cf. Matth. 6, 19-20 e. Cf. Éphés. 6, 12 f. Cf. II cor. 5, 1. 6-8; Hébr. 11, 9 g. Gen. 25, 8

1. Cf. *Épigr.* 27. Comme Nonna, sa fille Gorgonie conduisit son mari au baptême (*D.* 8, 20).

2. Cf. *chap.* 13 et la note.

3. Cf. *D.* 6, 2. Grégoire est aussi l'un des rares auteurs à mettre en valeur le *couple*; cf. *D.* 8, 5.

4. Cf. *D.* 6, 6.

5. Jeu sur les divers sens du mot λαμπρότης (cf. chap. 8, 9, 13, 17), une «splendeur» qui peut-être «terrestre», désignant alors un statut

autre personne et que, ô merveille, en récompense de la piété, une plus grande et plus parfaite piété a été accordée[1].

Tous deux aiment leurs enfants et ils aiment le Christ, ou plutôt – le plus extraordinaire! –, ils aiment plus le Christ qu'ils n'aiment leurs enfants[b] : le seul plaisir en vérité qu'ils pouvaient trouver dans leurs enfants était de les voir tenir du Christ leur renom et leur nom[2], et la seule règle qu'ils donnaient à leur bonheur d'avoir des enfants était la vertu et la familiarité avec le Bien supérieur[3]. «Miséricordieux, compatissants[c]», ils préservent la plupart de leurs biens des vers, des brigands[d] et du maître de ce monde[e]. Ils passent de l'exil à l'établissement[f][4] et mettent en réserve pour leurs enfants, comme un très grand héritage, la splendeur[5] qui leur vient de là-bas. C'est ainsi qu'ils sont arrivés à «une riche vieillesse[6]», également dignes d'honneur par leur vertu et par leur âge et «pleins de jours[g]», aussi bien de ceux qui restent que de ceux qui passent. Dans la mesure où ils s'interdisent l'un à l'autre la prééminence, aucun des deux n'a eu la première place sur la terre et ils ont rempli la pleine mesure d'un bonheur total, sauf en ce qui concerne cette fin, qu'on doive parler, selon ses propres convictions, d'épreuve ou de providence[7]. Mais, à mon avis, voici ce qu'il en est : ils ont envoyé devant eux celui de leurs enfants le plus fragile à cause de son âge, si

social, et/ou spirituelle; voir, sur ce mot, COULIE, *Richesses*, p. 166, n. 97.

6. *Odyssée* XI, 136; XIX, 368 etc.. Cf. *Épigr*. 13; cette citation, recommandée par le PS.-DENYS D'HALYCARNASSE (Ἐπιτάφιοι, *Menander Rhetor*, p. 375), rejoint le verset, cité peu après, de *Gen*. 25, 8 concernant Abraham.

7. Cette formulation, comme d'autres expressions de ce discours, laisse supposer que l'orateur s'adresse à un public mêlé de païens et de chétiens.

τὸν βίον ἐν ἀσφαλείᾳ καὶ πρὸς τὰ ἄνω πανοικεσίᾳ μετατεθῆναι.

C **5.** Καὶ ταῦτα διῆλθον οὐ τούτους ἐγκωμιάσαι βουλόμενος οὐδὲ ἀγνοῶν ὅτι μόλις ἄν τις τῆς ἀξίας ἐφίκοιτο, καὶ ὅλην ὑπόθεσιν λόγου τὸν τούτων ἔπαινον ἐνστησάμενος, ἀλλὰ ἵν' ἐπιδείξαιμι ἐκ πατέρων ὀφειλομένην Καισαρίῳ τὴν 5 ἀρετήν. Καὶ μὴ θαυμάζητε μηδ' ἀπιστῆτε εἰ τοιούτων τυχὼν γεννητόρων τοιούτων ἑαυτὸν παρέσχεν ἐπαίνων ἄξιον, ἀλλὰ τοὐναντίον εἰ πρὸς ἑτέρους εἶδεν, τῶν οἰκείων καὶ τῶν ἐγγύθεν ἀμελήσας ὑποδειγμάτων.

Τὰ μὲν δὴ πρῶτα τοιαῦτα, οἷα προσῆκεν εἶναι τοῖς 10 ὄντως εὖ γεγονόσι καὶ καλῶς βιώσεσθαι μέλλουσιν. Ἵνα δὲ τὰ ἐν μέσῳ συντέμω, κάλλος καὶ μέγεθος καὶ τὴν ἐπὶ πᾶσι τοῦ ἀνδρὸς χάριν καὶ ὥσπερ ἐν φθόγγοις εὐαρμοστίαν, ὅτι μηδὲ πρὸς ἡμῶν τὰ τοιαῦτα θαυμάζειν, εἰ καὶ τοῖς ἄλλοις οὐ μικρὰ φαίνεται, πρὸς τὰ ἐφεξῆς βαδιοῦμαι τοῦ D 15 λόγου καὶ ἃ μηδὲ βουλομένῳ παραλιπεῖν ῥᾴδιον.

761 A **6.** Ὑπὸ δὴ τοιούτοις ἤθεσι τραφέντες καὶ παιδευθέντες καὶ τοῖς ἐνταῦθα μαθήμασιν ἱκανῶς ἐνασκηθέντες, ἐν οἷς ἐκεῖνος τάχει τε καὶ μεγέθει φύσεως οὐδ' ἂν εἴποι τις ὅσον ὑπὲρ τοὺς πολλοὺς ἦν — ὢ πῶς ἀδακρυτὶ τὴν τούτων 5 παρέλθω μνήμην, καὶ μή με ἀφιλόσοφον ἐλέγξῃ τὸ πάθος παρὰ τὴν ὑπόσχεσιν —, ἀλλ' ἐπείδη γε ἀποδημίας καιρὸς

28 ἐν : σύν QBWTS ‖ 29 V repetitur

5, 2 μόγις P ‖ 3 συστησάμενος C ‖ 6 τοιούτων : τοιοῦτον P ‖ 9 καὶ post τοιαῦτα P mg. ‖ 10 ὄντως del. T ‖ 12 ὥσπερ : ὡς S ‖ 14-15 τῷ λόγῳ S^pc

1. Cf. *D.* 8, 3. Ce rejet des *topoi* concernant les qualités extérieures du héros n'est pas spécifiquement chrétien ; cf. *SC* 178, p. 152 ; PERNOT, *Rhétorique de l'éloge*, p. 159.

bien qu'ils peuvent désormais achever leur vie dans l'assurance et passer avec toute leur maison là-haut.

5. Et j'ai donné ces détails non par désir de les vanter ou par ignorance de la difficulté qu'il y aurait à atteindre leur mérite, même si leur éloge fait l'objet d'un discours tout entier, mais pour montrer que Césaire devait sa vertu à ses parents, et pour que vous ne trouviez pas étonnant ou incroyable qu'avec de tels ascendants il se soit montré digne de tels éloges! Vous pourriez l'être au contraire s'il avait regardé vers d'autres et négligé les exemples de sa famille et de ses proches.

Ses débuts furent donc ceux qui conviennent aux hommes réellement bien nés et qui doivent vivre honorablement. Mais je ne m'étendrai pas sur ce qui est exposé à tous les regards : la beauté, la taille, la grâce de cet homme en tout, comme l'harmonie de sa voix par exemple, parce qu'il ne nous appartient pas d'admirer de telles choses, même si cela ne paraît pas sans importance aux autres[1]. Mais j'en viendrai à la suite de mon discours et à ce qu'il ne serait pas facile, même en le voulant, de passer sous silence.

6. Après avoir été élevés et éduqués de la sorte et convenablement exercés aux sciences qu'on enseigne ici[2], dans lesquelles on ne saurait dire à quel point, par la promptitude de sa capacité naturelle, il surpassait la plupart – Oh! Comment pourrais-je sans larmes en passer sous silence le souvenir[3]? Comment ma douleur ne prouverait-elle pas que je manque de philosophie, malgré ma promesse[4]? –, eh bien, quand le moment sembla venu

2. C'est-à-dire à Nazianze, et probablement à Césarée de Cappadoce, une ville dont Grégoire vante les mérites pédagogiques *D.* 43, 13; voir Introd., p. 47.

3. Cf. *D.* 43, 20.

4. Cf. chap. 1; *Lettres* 1; 32.

ἐδόκει, καὶ τότε πρῶτον ἀπ' ἀλλήλων ἐσχίσθημεν, ἐγὼ μὲν τοῖς κατὰ Παλαιστίνην ἐγκαταμείνας παιδευτηρίοις ἀνθοῦσι τότε κατὰ ῥητορικῆς ἔρωτα, ὁ δὲ τὴν Ἀλεξάνδρου πόλιν
10 καταλαβών, παντοίας παιδεύσεως καὶ τότε καὶ νῦν οὖσάν τε καὶ δοκοῦσαν ἐργαστήριον.

Τί πρῶτον ἢ τί μέγιστον εἴπω τῶν ἐκείνου καλῶν; Τί δὲ παρεὶς μὴ τῷ μεγίστῳ ζημιώσω τὸν λόγον; Τίς μὲν
B ἐκείνου διδασκάλοις πιστότερος; Τίς δὲ ἥλιξι προσφιλέσ-
15 τερος; Τίς μὲν ἀπέφυγε μᾶλλον τὴν τῶν μοχθηρῶν ἑταιρίαν καὶ ὁμιλίαν; Τίς δὲ τῇ τῶν βελτίστων ἑαυτὸν προσέθηκε πλέον, ἄλλοις τε καὶ τῶν ἐκ τῆς πατρίδος τοῖς εὐδοκιμωτάτοις καὶ γνωριμωτάτοις, εἰδὼς οὐδὲ τοῦτο φέρειν μικρὸν εἰς ἀρετὴν ἢ κακίαν τὰς συνουσίας; Ἐξ ὧν τίς
20 μὲν ἄρχουσιν ἐκείνου τιμιώτερος; Τίς δὲ τῇ πόλει πάσῃ, καίτοι γε διὰ τὸ μέγεθος πάντων ἐγκρυπτομένων, ἢ ἐπὶ σωφροσύνῃ γνωριμότερος ἢ ἐπὶ συνέσει περιφανέστερος;

7. Ποῖον μὲν εἶδος οὐκ ἐπῆλθε παιδεύσεως; Μᾶλλον δὲ ποῖον ὡς οὐδὲ μόνον ἕτερος; Τίνι δὲ παρῆκεν ἐγγὺς αὐτοῦ

6, 7 καὶ om. B || 8 ἐμμείνας QBWVTS || 13 δὲ : δαὶ Q || 15 μᾶλλον ἀπέφυγε Maur. Boul. || 16-17 τίς – πλέον S mg. || 17 πλεῖον QWVT

1. Il s'agit de Césarée de Palestine, célèbre par l'école fondée au IIIe siècle par Origène; cf. *D.* 43, 13, à propos de Basile; Gallay, *Vie*, p. 32-33. Grégoire y a été l'élève du rhéteur Thespésios, comme l'atteste Jérôme, *De viris inlustribus*, 113. On notera la restriction apportée par τότε, qui indique une certaine décadence de Césarée; cf. au contraire ce qui est dit ensuite d'Alexandrie. Voir J. Ringel, *Césarée de Palestine. Étude historique et archéologique*, Paris 1975.

2. Alexandrie était encore renommée à cette époque, en particulier pour les sciences. Grégoire dit de lui-même qu'il avait acquis quelque science à Alexandrie avant de rejoindre la Grèce (*De vita sua*, v. 128-129, éd. Jungck, p. 60, et la note, p. 157). Voir Gallay, *Vie*, p. 33-35; Pinault, *Platonisme*, p. 15-22. Pour l'expression, cf. *D.* 43, 12 et les exemples donnés par Boulenger, *Discours funèbres*, p. LXI.

3. Grégoire, qui ne cesse de répéter que le chrétien n'a pas de patrie

de quitter notre pays, ce fut aussi la première fois que nous nous séparâmes : moi-même, je séjournai dans les écoles de Palestine, alors florissantes, par amour de la rhétorique [1], et lui, il s'installa dans la ville d'Alexandre, qui était et passait pour être alors, comme elle l'est encore maintenant, le laboratoire de toutes sortes de sciences [2].

Parmi les qualités de cet homme, laquelle appellerai-je la première ou la plus grande? Et laquelle passerai-je sous silence sans causer le plus grave préjudice à ce discours? Qui a été plus fidèle que lui à ses maîtres? Et qui a été plus aimé des jeunes gens de son âge? Qui a échappé, mieux que lui, à la camaraderie et à la compagnie des méchants? Et qui rechercha davantage celle des meilleurs, surtout ceux de ses compatriotes [3] les plus estimés et les plus connus, sachant que les fréquentations ne sont pas de peu d'importance pour mener à la vertu ou au vice [4]? Aussi, qui fut plus honoré que lui des magistrats? Et qui, dans toute cette ville si étendue que tout le monde est ignoré, fut plus connu pour sa réserve [5] ou plus remarquable par son intelligence?

7. Quel genre d'étude n'a-t-il pas abordé? Ou plutôt, quel genre n'aborda-t-il pas comme un autre n'en aborde même pas seulement un [6]? A qui a-t-il permis d'atteindre

(cf. *D.* 6, 6), et qui se défend ici d'exalter la sienne, aime à rappeler sa Cappadoce natale et la solidarité des Cappadociens entre eux (cf. *Lettre* 37); nous connaissons l'un d'entre eux par l'*Épigr.* 100 : il s'agit de Philagrios, qui devint fonctionnaire en Égypte : « Écoute, Alexandrie... Jamais tu ne renverras de pareilles fleurs chez les Cappadociens aux beaux chevaux. »

4. Cf. *D.* 43, 20.

5. Le mot σωφροσύνη, qui peut prendre des nuances diverses, semble faire référence ici aux bonnes mœurs de Césaire (cf. chap. 10); cf. *D.* 8, 8.

6. Développement du *topos* de la παιδεία; cf. *D.* 24, 6; *D.* 43, 23; GRÉGOIRE DE NYSSE, *Vie de Macrine*, chap. 3 (*SC* 178, p. 149).

γενέσθαι καὶ κατὰ μικρόν, μὴ ὅτι τῶν καθ' ἑαυτὸν καὶ
C τῆς αὐτῆς ἡλικίας, ἀλλὰ καὶ τῶν πρεσβυτέρων καὶ
5 παλαιοτέρων ἐν τοῖς μαθήμασι, καὶ πάντα ὡς ἓν ἐξασκήσας
καὶ ἀντὶ πάντων ἕκαστον, τοὺς μὲν πτηνοὺς τὴν φύσιν
φιλοπονίᾳ νικήσας, τοὺς δὲ γενναίους τὴν ἄσκησιν διανοίας
ὀξύτητι, μᾶλλον δὲ τάχει μὲν τοὺς ταχεῖς, σπουδῇ δὲ τοὺς
φιλοπόνους ὑπερβαλών, καὶ τοὺς κατ' ἄμφω δεξιοὺς
10 ἀμφοτέροις.

Γεωμετρίας μέν γε καὶ ἀστρονομίας καὶ τῆς ἐπικινδύνου
τοῖς ἄλλοις παιδεύσεως, ὅσον χρήσιμον ἐκλεξάμενος, τοῦτο
δὲ ἦν ἐκ τῆς τῶν οὐρανίων εὐαρμοστίας καὶ τάξεως τὸν
δημιουργὸν θαυμάσαι, ὅσον βλαβερὸν ταύτης διέφυγεν, οὐ
15 τῇ φορᾷ τῶν ἄστρων διδοὺς τὰ ὄντα καὶ τὰ γινόμενα ὡς
οἱ τὴν ὁμόδουλον ἑαυτοῖς κτίσιν ἐπανιστάντες τῷ κτίσαντι[a],
Θεῷ δὲ καὶ τἆλλα πάντα, ὥσπερ εἰκός, ἀνατιθεὶς καὶ τὴν
τούτων κίνησιν. Ἀριθμῶν δὲ καὶ λογισμῶν καὶ τῆς
D θαυμασίας ἰατρικῆς, ὅση τὰ περὶ φύσεις καὶ κράσεις καὶ
20 τὰς ἀρχὰς τῶν νοσημάτων φιλοσοφεῖ ὥστε ταῖς ῥίζαις
ἀναιρουμέναις συνεκκόπτειν καὶ τὰ βλαστήματα, τίς οὕτως
ἀμαθὴς ἢ φιλόνεικος ὡς ἐκείνῳ δοῦναι τὰ δεύτερα καὶ μὴ

7, 3 κατὰ : παρὰ DPC || 11 καὶ^2 : [καὶ] Boul. || 17 Θεῷ A repetitur || 18 δὲ : τε A || συλλογισμῶν W

7. a. Cf. Gen. 1, 27

1. Cf. *Épigr.* 91-92 (la connaissance des astres par Césaire). Voir H. I., Marrou, *Histoire de l'Éducation dans l'antiquité,* Paris 1965, chap. VIII, p. 265-279 : « Les études scientifiques ». Boulenger omet καί devant τῆς ἐπικινδύνου, arguant du fait qu'ἀστρονομία est synonyme d'ἀστρολογία (voir *Discours funèbres,* p. LXII-LXIII) – et il est vrai qu'il y a un certain flottement dans l'usage des deux mots pendant toute l'antiquité. On peut supposer que l'expression introduite par καί désigne l'art divinatoire d'après l'étude des astres et sous-entend ἀστρολογία, un mot qui n'est jamais employé par Grégoire. Dans le développement suivant, il ne vise pas que cette « science » (cf. au contraire *D.* 5, 4),

son niveau, si peu que ce soit, non seulement parmi ses proches et ceux de son âge, mais même parmi les plus âgés et les plus chevronnés dans les sciences? Lui qui les pratiqua toutes à l'égal d'une seule, et chacune comme il l'aurait fait de toutes, il l'emporta sur les hommes légers de nature par l'amour du travail et sur les hommes sérieux dans l'exercice par l'acuité de la pensée; ou plutôt, il surpassa les rapides en rapidité, les laborieux en zèle, et les hommes dotés de ces deux qualités dans les deux à la fois.

En ce qui concerne justement la géométrie, l'astronomie, et cette science dangereuse pour les autres [1], il choisit en elles tout ce qui était utile, c'est-à-dire à travers l'harmonie et l'ordre des choses célestes, l'admiration de l'artisan [2], et il fuit ce qu'il y avait de nuisible dans cet enseignement, en n'attribuant pas au cours des astres ce qui est et ce qui arrive, comme ceux qui dressent la créature, leur compagne d'esclavage, contre son créateur [a], mais en rapportant à Dieu, comme il est naturel, leur mouvement ainsi que tout le reste. Quant à l'arithmétique et à l'admirable médecine [3], tout ce qui a pour objet l'étude des natures, des constitutions et des principes des maladies, pour pouvoir en arracher les germes une fois les racines supprimées, qui aurait été assez ignorant ou jaloux pour lui donner la seconde place et ne pas être

mais l'ensemble des sciences « du dehors », en en préconisant le bon usage chrétien, comme *D.* 43, 11. Voir E. Laroche, « Les noms grecs de l'astronomie », *Revue de philologie*, 1946, p. 118-123; P. Louis, « *Astronomia* et *astrologia* à l'époque de Platon et d'Aristote », *Documents pour l'histoire du vocabulaire scientifique*, Paris 1983, p. 1-5.

2. C'est le Verbe qui est appelé ainsi (τεχνίτης ou δημιουργός). Cf. chap. 24; *D.* 8, 8; voir *D.* 6, 14 et note.

3. Les étudiants les plus ambitieux vont apprendre la médecine à Alexandrie. Sur cet enseignement, voir Marrou, *Histoire de l'éducation*, p. 288-291. Grégoire décrit l'art du médecin *D.* 2, 18.

764 A ἀγαπᾶν εἰ μετ᾽ἐκεῖνον εὐθὺς ἀριθμοῖτο, τὸ πρεσβεῖον ἐν τοῖς δευτέροις φερόμενος; Καὶ ταῦτα οὐ λόγος ἐστὶν
25 ἀμάρτυρος, ἀλλ᾽ἑῴα τε λῆξις ὁμοῦ καὶ ἑσπέριος καὶ ὅσην ἐκεῖνος ἐπῆλθεν ὕστερον ἐπίσημοι στῆλαι τῆς ἐκείνου παιδεύσεως.

8. Ἐπεὶ δὲ πᾶσαν ἀρετήν τε καὶ μάθησιν, ὥσπερ μεγάλη φορτὶς παντοδαπὴν ἐμπορίαν, εἰς μίαν τὴν ἑαυτοῦ ψυχὴν συλλεξάμενος, ἐπὶ τὴν ἑαυτοῦ πόλιν ἐστέλλετο, ὡς ἂν καὶ τοῖς ἄλλοις μεταδοίη τῶν καλῶν ἀγωγίμων τῆς ἑαυτοῦ
5 παιδεύσεως, ἐνταῦθα τι καὶ συνηνέχθη πρᾶγμα θαυμάσιον· οὐδὲν δὲ οἷον, καὶ γὰρ ἐμέ γε πάντων μάλιστα εὐφραίνει
B τοῦτο μνημονευθέν, καὶ ὑμᾶς ἂν ἡδίους ποιήσειεν, ἐν βραχεῖ διηγήσασθαι.

Ηὔχετο μὲν ἡ μήτηρ εὐχὴν μητρικήν τινα καὶ φιλόπαιδα,
10 ὥσπερ ἐξέπεμψεν ἀμφοτέρους, οὕτω καὶ σὺν ἀλλήλοις ἐπανελθόντας ἰδεῖν. Ξυνωρὶς γὰρ ἐδοκοῦμέν τις, καὶ εἰ μὴ τοῖς ἄλλοις μητρί γ᾽οὖν, εὐχῆς καὶ θέας ἀξία σὺν ἀλλήλοις ὁρώμενοι, ἡ νῦν κακῶς ὑπὸ τοῦ φθόνου διαλυθεῖσα. Θεοῦ δὲ οὕτω κινήσαντος ὃς ἀκούει δικαίας εὐχῆς καὶ φίλτρον
15 τιμᾷ γονέων εἰς παῖδας εὐγνώμονας, ἐξ οὐδεμιᾶς ἐπινοίας οὐδὲ συνθήματος, ὁ μὲν ἀπὸ τῆς Ἀλεξανδρείας, ὁ δὲ ἀπὸ τῆς Ἑλλάδος, κατὰ τὸν αὐτὸν χρόνον εἰς τὴν αὐτὴν πόλιν, ὁ μὲν ἀπὸ τῆς γῆς, ὁ δὲ ἀπὸ θαλάσσης κατήραμεν. Ἡ

23 πρεσβεῖον : πρωτεῖον W || 25 ὁμοῦ λῆξις Maur. Boul.
8, 1 ἐπεί : ἐπειδὴ DPC || 3 πάλιν B || 6 γε : τε AQBWVTS || μάλιστα πάντων Boul. || 14 δ᾽ οὕτως PC || 17 εἰς τὴν αὐτὴν πόλιν del. A || 18 τῆς om. P

1. Cf. *Épigr.* 95. A propos de l'image de la stèle, voir *D.* 6, 18. L'*Épigr.* 91 ajoute à la géométrie, à l'astronomie, à l'arithmétique et à la médecine «la logique et ses joutes, la grammaire, l'art oratoire et sa puissance».

2. Cf. *D.* 43, 24.

satisfait d'être compté aussitôt après lui, en obtenant l'honneur du second rang? Et ce que je dis là n'est pas sans témoignage : les extrémités de l'Orient comme de l'Occident, et toutes les régions que cet homme parcourut plus tard, sont des stèles qui portent la marque de son savoir[1].

8. Comme il avait rassemblé toutes sortes de vertus et de sciences en sa seule personne, tel un grand navire de charge des marchandises de tous pays, et rentrait dans sa ville pour partager avec les autres la belle cargaison de son savoir[2], il arriva alors un autre fait prodigieux. Le mieux est de le raconter brièvement, car, pour ma part, le souvenir que j'en ai me réjouit plus que tout et, pour vous, il peut être encore plus agréable.

Notre mère avait fait le vœu d'une mère qui aime ses enfants : celui de nous voir revenir ensemble comme elle nous avait laissés partir tous les deux en même temps. Vus ensemble, nous faisions figure, en effet, si ce n'est aux yeux des autres, du moins à ceux d'une mère, d'un attelage digne qu'on désire le voir, lui qui est maintenant cruellement séparé par l'Envie[3]. Or, Dieu en ayant ainsi disposé, lui qui entend une juste prière et récompense l'affection des parents pour des enfants qui se conduisent bien, il arriva que, sans intention ni accord préalable, l'un venant d'Alexandrie, l'autre de Grèce[4], nous parvînmes en même temps dans la même ville, l'un par la

3. Cf. *D.* 43, 22; *De vita sua*, v. 228, où il s'agit du couple formé par Grégoire et Basile. L'Envie (φθόνος) personnifiée est une image traditionnelle de la mort utilisée aussi bien par les chrétiens que par les païens; on la trouve fréquemment chez Grégoire de Nazianze; cf. par ex. *Lettre* 30; *Épigr.* 85 bis, 90, 100, 121, 126, 128.

4. Sur le séjour de Grégoire à Athènes et l'amitié qu'il y noua avec Basile, cf. *D.* 43, 14-24; *De vita sua*, v. 211-236; voir GALLAY, *Vie*, p. 37-63. Grégoire rentra à Nazianze vers 358-359 et s'arrêta à Constantinople sur le chemin du retour.

πόλις δὲ ἦν τὸ Βυζάντιον, ἡ νῦν προκαθεζομένη τῆς
C 20 Εὐρώπης πόλις, ἐν ᾗ τοσοῦτον Καισάριος κλέος οὐ πολλοῦ
χρόνου διελθόντος ἠνέγκατο ὥστε δημοσίας τιμὰς αὐτῷ
καὶ γάμον τῶν εὐδοκίμων καὶ τῆς συγκλήτου Βουλῆς
μετουσίαν προτεθῆναι, καὶ πρὸς βασιλέα πρεσβείαν σταλῆναι
τὸν μέγαν ἀπὸ κοινοῦ δόγματος, τὴν πρώτην πόλιν τῷ
25 πρώτῳ λογίων κοσμηθῆναί τε καὶ τιμηθῆναι – εἴ τι μέλλειν
αὐτῷ τοῦ πρώτην ἀληθῶς εἶναι καὶ τῆς ἐπωνυμίας ἀξίαν –,
καὶ τοῦτο προστεθῆναι πᾶσι τοῖς ὑπὲρ αὐτῆς διηγήμασι
τὸ Καισαρίῳ καλλωπίζεσθαι καὶ ἰατρῷ καὶ οἰκήτορι, καίτοι
γε μετὰ τῆς ἄλλης λαμπρότητος πολλοῖς καὶ μεγάλοις
30 εὐθηνουμένην ἀνδράσι κατά τε φιλοσοφίαν κατά τε τὴν
ἄλλην παίδευσιν.

Ἀλλὰ τοῦτο μὲν ἱκανῶς. Τότε δ' οὖν τὸ γενόμενον τοῖς
μὲν ἄλλοις συντυχία τις ἔδοξεν ἄλογος καὶ ἀναίτιος, οἷα
D φέρει πολλὰ τὸ αὐτόματον ἐν τοῖς ἡμετέροις, τοῖς δὲ
35 φιλοθέοις καὶ λίαν εὔδηλον ἦν μὴ ἄλλο τι τὸ συμβὰν εἶναι
ἢ γονέων θεοφιλῶν ἔργον ἐκ γῆς καὶ θαλάττης τοὺς παῖδας
συναγόντων εἰς μίαν εὐχῆς ἐκπλήρωσιν.

765 A **9.** Φέρε μηδὲ τοῦτο τῶν Καισαρίου καλῶν παρέλθωμεν
ὃ τοῖς μὲν ἄλλοις ἴσως μικρὸν καὶ οὐδὲ μνήμης ἄξιον,

19 ἦν om. AQBWVTS ‖ 21 αὐτῷ τιμὰς T ‖ 23 σταλῆναι om. AQBWVT S mg. D mg. ‖ 25 λογίῳ B Migne ‖ μέλειν ABWV Maur. μέλον Boul. ‖ 28 τὸ : τῷ BSDC ‖ 30 εὐθυνουμένην QTS Maur. ‖ 32 ἀλλὰ τοῦτο μὲν ἱκανῶς del. A ‖ 32-33 τοῖς μὲν ἄλλοις Q mg. ‖ 33 ἀναίτιος : αι sup. l. P ‖ 34 τὸ om. TSC Maur. ‖ 37 συναγαγόντων DPC

1. Une rencontre «miraculeuse» se produit également entre Grégoire et Basile à Athènes (cf. *D.* 43, 15 : «C'est Dieu qui nous avait ainsi poussés.»).

2. Byzance était devenue Constantinople en 330; *D.* 43, 14 la ville est appelée la «métropole de l'Orient». Voir G. DAGRON, *Naissance d'une capitale* (Bibliothèque Byzantine, Études, 7), Paris 1974, p. 68-69, à propos de «Constantinople, citadelle de l'Occident». «La ville de Constantin est un lien – et aussi bien une défense – entre l'Europe et

terre, l'autre par la mer[1] ! La ville était Byzance, cette ville qui est aujourd'hui la métropole de l'Europe[2]. Césaire, en peu de temps, y obtint une telle réputation qu'on lui proposa des honneurs officiels, un mariage parmi les notables, une place au Sénat[3], et qu'une ambassade fut envoyée auprès du grand roi[4], en vertu d'un décret public, pour que la première ville eût à se parer et à s'honorer du premier des savants[5] – si du moins il devait vraiment en faire la première des villes et la rendre digne de ce nom –, en ajoutant à tout ce qu'on disait d'elle la gloire d'avoir Césaire comme médecin et comme habitant, bien qu'elle soit riche, entre autres splendeurs, en hommes importants aussi bien dans la philosophie que dans le reste du savoir.

Mais en voilà assez sur ce sujet. A ce moment donc, l'événement fut pour les autres une rencontre fortuite et non préméditée, comme le hasard en produit bien souvent dans nos affaires. Mais pour ceux qui aiment Dieu, il fut aussi tout à fait évident que cet événement n'était rien d'autre que l'œuvre de parents aimés de Dieu, faisant venir en même temps leurs enfants de la terre et de la mer pour le seul accomplissement d'un vœu[6].

9. Allons ! Ne négligeons pas celle des belles actions de Césaire que les autres jugent peut-être insignifiante et

l'Asie, une "citadelle de l'Europe" (THÉMISTIOS, *D.* 6, 75 c-d ; HIMÉRIOS, *D.* 41, 4-5) à la frontière de l'Asie. De plus en plus cette opposition fait perdre aux termes d'Europe et d'Asie leur sens provincial pour leur donner la signification générale d'Orient et d'Occident confrontés. »

3. Voir Introd., p. 48.

4. Constance (317-361) se trouve à ce moment-là à Sirmium, dans les Balkans (d'octobre 357 au 28 mai 359).

5. Cf. *D.* 43, 13 : « Parmi les villes ... chacune se glorifie de parures qui lui sont propres. » A propos de Constantinople, première des cités ou deuxième après Rome, voir G. DAGRON, *ibid.* p. 55 ; cf. *Lettre* 96, à Hypatios.

6. Cf. *Épigr.* 30.

ἐμοὶ δὲ καὶ τότε καὶ νῦν μέγιστον ἔδοξεν, εἴπερ τῶν ἐπαινετῶν ἡ φιλαδελφία, καὶ οὐ παύσομαι τιθεὶς ἐν πρώτοις
5 ὁσάκις ἂν τὰ ἐκείνου ἐκδιηγῶμαι.

Κατεῖχε μὲν αὐτὸν αἷς εἶπον τιμαῖς ἡ Πόλις, καὶ οὐδ' ἂν εἴ τι γένοιτο μεθήσειν ἔφασκεν· ἐγὼ δὲ ἀνθέλκων ἴσχυσα, ὁ πάντα Καισαρίῳ πολὺς καὶ τίμιος, καὶ τοῖς γονεῦσι τὴν εὐχὴν πληρῶσαι καὶ τῇ πατρίδι τὸ χρέος καὶ ἐμαυτῷ τὸ
10 πόθον, λαβὼν τῆς ὁδοῦ κοινωνὸν καὶ συνέμπορον, καὶ προτιμηθεὶς οὐ πόλεων καὶ δήμων μόνον οὐδὲ τιμῶν καὶ πόρων, οἳ πολλοὶ καὶ πολλαχόθεν οἱ μὲν συννέρρεον ἐκείνῳ, οἱ δὲ ἠλπίζοντο, ἀλλὰ καὶ αὐτοῦ βασιλέως σχεδὸν καὶ τῶν ἐκεῖθεν ἐπιταγμάτων.

B 15 Ἐντεῦθεν ἐγὼ μὲν φιλοσοφεῖν διέγνων καὶ πρὸς τὸν ἄνω βίον μεθαρμοσθῆναι, ὥσπερ τινὰ βαρὺν δεσπότην καὶ ἀρρώστημα χαλεπὸν πᾶσαν φιλοτιμίαν ἀποσεισάμενος — μᾶλλον δὲ ὁ μὲν πόθος πρεσβύτερος, ὁ δὲ βίος ὕστερος. Τὸν δὲ τὰ πρῶτα τῆς παιδεύσεως ἀναθέντα τῇ ἑαυτοῦ
20 πατρίδι καὶ θαυμασθέντα τῶν πόνων ἀξίως, μετὰ τοῦτο δόξης ἐπιθυμία καὶ τοῦ προστατεῖν τῆς πόλεως, ὡς ἐμέ γε συνέπειθεν, τοῖς βασιλείοις δίδωσιν, οὐ πάνυ μὲν ἡμῖν φίλα ποιοῦντα καὶ κατὰ γνώμην. Καὶ γὰρ ἀπολογήσομαι πρὸς ὑμᾶς ὅτι πολλοστὸν τετάχθαι παρὰ Θεῷ κρεῖττον

9, 6-7 οὐδ' ἂν εἴ : οὐδὲ εἴ AQWVTS (οὐδ' εἴ) ‖ 16 βαρύν τινα DPC ‖ 18 ὁ δὲ βίος ὕστερος S mg. ‖ 21 προστατεῖν : προστατεύειν VD Maur.

1. Grégoire insiste particulièrement sur son propre rôle ; on remarquera le contraste entre l'éloge de la réussite sociale de Césaire et les réprimandes que son frère lui adresse.

2. Grégoire reviendra dans sa « consolation » sur la vanité des honneurs, développant un thème favori des chrétiens : leur mépris pour la chose publique ; cf. *D.* 40, 9.

3. Cf. *D.* 6, 1. Il s'agit précisément du choix de la vie monastique.

même indigne de mémoire, mais qui fut alors, comme elle l'est encore maintenant, très grande à mes yeux, si toutefois l'amour fraternel est à louer, et que je ne cesserai de placer au premier plan chaque fois que j'aurai à raconter ce qu'il a fait.

La Ville le retenait par ces honneurs dont j'ai parlé et prétendait qu'elle ne le laisserait partir sous aucun prétexte. Mais, tirant en sens contraire[1], je réussis, moi qui fus toujours considéré et apprécié par Césaire, à satisfaire à la fois les vœux de nos parents, les exigences de la patrie et mon propre désir ! Car je le pris comme compagnon de route et de voyage, et je fus préféré non seulement à des villes et à des peuples, à des honneurs et à des richesses qui affluaient en grand nombre et de tous côtés vers lui, ou qu'on lui faisait espérer, mais presque au roi lui-même et aux ordres qui venaient de lui[2].

Dès lors, je décidai pour ma part de vivre en philosophe et de m'appliquer à la vie d'en haut[3], après m'être débarrassé de toute ambition, comme on le fait d'un despote insupportable ou d'une infirmité pénible – à vrai dire, si le désir était ancien, c'est plus tard que j'adoptai cette vie. Mais lui, après qu'il eut consacré les prémices de sa science à sa patrie et suscité une admiration digne de ses travaux, le désir d'acquérir la gloire et de protéger la ville[4], comme il cherchait à m'en persuader, le livre à la Cour, ce qui n'était pas précisément à mon goût ni à mon gré. Je me justifierai en effet devant vous en disant qu'il est meilleur et plus élevé, semble-t-il, de

Grégoire est allé vivre quelque temps à Annisa, dans le Pont, avec Basile.

4. Les manuscrits V et D donnent le verbe προστατεύειν, préféré par COULIE (*Richesses*, p. 144, n. 145) à προστατεῖν, qui semble désigner habituellement chez Grégoire la direction d'une église.

25 εἶναι δοκεῖ τε καὶ ὑψηλότερον ἢ παρὰ τῷ κάτω βασιλεῖ τὰ πρῶτα φέρεσθαι.

Οὐ μὴν ἄξιος γε μέμψεως· φιλοσοφεῖν μὲν γὰρ ὅσῳ C μέγιστον τοσούτῳ καὶ χαλεπώτατον, καὶ οὐ πολλῶν τὸ ἐγχείρημα, οὐδ' ἄλλων ἢ τῶν ὑπὸ τῆς θείας προκεκλημένων 30 μεγαλονοίας ἣ τοῖς προῃρημένοις καλῶς χεῖρα δίδωσιν· οὐ μικρὸν δ' εἴ τις, τὸν δεύτερον προστησάμενος βίον, καλοκἀγαθίας μεταποιοῖτο καὶ πλείω λόγον ἔχοι Θεοῦ καὶ τῆς ἑαυτοῦ σωτηρίας ἢ τῆς κάτω λαμπρότητος· καὶ τὴν μὲν ὡς σκηνὴν προβάλλοιτο ἤ τι προσωπεῖον τῶν πολλῶν 35 καὶ προσκαίρων, τὸ τοῦ κόσμου τούτου δρᾶμα ὑποκρινόμενος, αὐτὸς δὲ ζῴοι Θεῷ μετὰ τῆς εἰκόνος ἣν οἶδε παρ' ἐκείνου λαβὼν καὶ ὀφείλων τῷ δεδωκότι· ὅπερ ἀμέλει καὶ Καισάριον διανοηθέντα γινώσκομεν.

D **10.** Τάττεται μὲν γὰρ τὴν πρώτην ἐν ἰατροῖς τάξιν, οὐδὲ πολλοῦ πόνου προσδεηθείς, ἀλλ' ἐπιδείξας μόνον τὴν παίδευσιν, μᾶλλον δὲ βραχύν τινα τῆς παιδεύσεως οἷον 768 A πρόλογον, κἀν τοῖς φίλοις τοῦ βασιλέως εὐθὺς ἀριθμού-5 μενος, τὰς μεγίστας καρποῦται τιμάς. Ἄμισθον δὲ τὴν τῆς

25 εἶναι δοκεῖ om. AQBWVTS (εἶναι δοκεῖ τε D Maur.) || 30 καλῶς sup. l. S || 33-37 καὶ τὴν μὲν – δεδωκότι om. ABWVQS T mg. || 36 ζῴοι : ζώη P ζῶν C

10, 4 τοῦ om. AQWVT sup. l. S

---

1. Selon A.-M. MALINGREY (*Philosophia*, p. 256), cette expression désigne pour Grégoire « la vie d'un chrétien dans le monde, à laquelle il reconnaît un certain mérite. Il réserve le mot *philosophia* à un désir de perfection qui dépasse la moyenne. » Cf. *D.* 43, 21 : « Deux chemins étaient connus de nous, l'un qui était *le premier* et le plus estimable et l'autre qui venait à *la seconde place* et ne jouissait pas de la même considération : c'étaient celui qui conduit à nos demeures sacrées et

n'avoir qu'une petite place auprès de Dieu que d'occuper la première auprès du roi d'ici-bas.

Cependant, il ne mérite pas de reproche, car il est très grand, mais très difficile aussi de vivre en philosophe, et il est peu d'hommes qui peuvent l'entreprendre hormis ceux qui ont été appelés par la magnanimité divine, qui tend avec bonté la main aux élus. Mais ce n'est pas peu de chose, quand on s'est proposé la seconde vie[1], de participer à la vertu et de faire plus de cas de Dieu et de son salut personnel que de son illustration d'ici-bas, de considérer cette illustration comme une scène ou un masque de beaucoup de choses éphémères pour jouer la tragédie de ce monde[2], et de vivre soi-même pour Dieu avec l'image que l'on sait avoir reçue de lui et dont nous sommes redevables à celui qui l'a donnée[3]. Or, nous le savons bien, telles furent aussi les pensées de Césaire.

10. Il occupe en effet le premier rang parmi les médecins[4], sans avoir besoin de beaucoup d'effort, mais en manifestant seulement sa science, ou plutôt comme un bref aperçu de sa science, et, compté aussitôt au nombre des amis du roi, il recueille les plus grands honneurs. D'autre part, il propose aux hauts fonctionnaires

aux maîtres qui s'y trouvent, et celui qui mène aux professeurs de l'extérieur. »

2. Cf. *infra*, 7, 10. Pour les images puisées dans le vocabulaire du théâtre, voir BOULENGER, *Discours funèbres*, p. XLIV; SPANNEUT, *Stoïcisme*, p. 258 s.

3. Cf. *D.* 6, 14. Cette « parenthèse » (de καὶ τὴν μὲν ἀ δεδωκότι) ne se trouve que dans les manuscrits DPC et T mg. Est-elle de Grégoire lui-même ou est-ce une interpolation plus tardive, peut-être en parallèle avec le développement sur la « scène » que l'on trouve à la fin du chap. 10?

4. Sur la fonction de Césaire à Constantinople, voir Introd., p. 48.

τέχνης φιλανθρωπίαν τοῖς ἐν τέλει προτίθησιν, εἰδὼς οὐδὲν οὕτως ὡς ἀρετὴν καὶ τὸ ἐπὶ τοῖς καλλίστοις γινώσκεσθαι προάγειν εἰς τὸ ἔμπροσθεν. Καὶ ὧν τῇ τάξει δεύτερος ἦν, τούτων κατὰ πολὺ περιῆν τῇ δόξῃ, πᾶσι μὲν ὢν διὰ
10 σωφροσύνην ἐπέραστος, καὶ διὰ τοῦτο τὰ τίμια πιστευόμενος καὶ μηδὲν Ἱπποκράτους ὁρκιστοῦ προσδεόμενος, ὡς μηδὲν εἶναι καὶ τὴν Κράτητος ἁπλότητα πρὸς τὴν ἐκείνου θεωρουμένην· πᾶσι δὲ πλέον ἢ κατὰ τὴν ἀξίαν αἰδέσιμος, μεγάλων μὲν ἀεὶ τῶν παρόντων ἀξιούμενος, μειζόνων δὲ
15 ἄξιος εἶναι τῶν ἐλπιζομένων κρινόμενος τοῖς τε βασιλεῦσιν αὐτοῖς καὶ ὅσοι τὰ πρῶτα μετ' ἐκείνους ἔχουσιν.

Τὸ δὲ μέγιστον, ὅτι μήτε ὑπὸ τῆς δόξης μήτε ὑπὸ τῆς
B ἐν μέσῳ τρυφῆς τὴν τῆς ψυχῆς εὐγένειαν διεφθάρη, ἀλλὰ πολλῶν καὶ μεγάλων ὑπαρχόντων αὐτῷ πρῶτον ἦν εἰς
20 ἀξίωμα χριστιανὸν καὶ εἶναι καὶ ὀνομάζεσθαι· καὶ πάντα ὁμοῦ παιδιά τις ἐκείνῳ καὶ λῆρος πρὸς ἓν τοῦτο κρινόμενα. Τὰ μὲν γὰρ ἄλλα ὡς ἐπὶ σκηνῆς καὶ ἄλλοις παίζεσθαι

6 προστίθησιν C ‖ εἰδὼς δὲ C ‖ 7 ἀρετὴ S^{pc} ‖ καλοῖς B ‖ 11 μηδὲν : οὐδὲν PC ‖ 12 ἀπαλότητα T ($α^2$ sup. l.) PC ‖ 15 τε om. A ‖ 17 δὲ : δὴ SC δὲ δὴ P ‖ 21 λῆρος : κλῆρος A

---

1. L'expression οἱ ἐν τέλει désigne une fonction publique, mais il est difficile d'en donner une traduction précise. P. Petit (*Libanius et la vie municipale à Antioche au IVe siècle ap. J.-C.*, Paris 1955, p. 30) lui attribue trois sens différents : magistrats supérieurs des cités à l'époque classique, sénateurs de Rome, bouleutes (ce dernier sens est attesté dans l'œuvre de Libanios, Julien, Basile, Théodoret). Attestations et divers sens rassemblés par Coulie, *Richesses,* p. 142-143, n. 135. L'exaltation de la **φιλανθρωπία** est un *topos* du discours d'éloge (voir Pernot, « Les *topoi* de l'éloge chez Ménandre le Rhéteur », *REG* 99, 1986, p. 50).

2. Cf. chap. 20, où τὰ τιμία désigne explicitement *femmes et enfants*; c'est le sens que nous donnons aussi à cette expression ici, d'après cette phrase du *Serment* d'Hippocrate, à laquelle pense probablement Grégoire : « Dans quelque maison que j'entre, j'y entrerai pour l'utilité des malades, me préservant de tout méfait volontaire ou corrupteur, et

le service gratuit de son art[1], sachant que rien n'assure une promotion comme la vertu et le renom dû aux actions les plus belles. Quant à ceux auxquels il était inférieur par le rang, il les dépassait de beaucoup par la gloire. Il fut aimé de tous pour sa réserve; aussi se vit-il confier leurs biens précieux, sans qu'il eût à se prévaloir du serment d'Hippocrate[2], si bien que la simplicité même de Cratès[3] n'était rien, comparée à la sienne. Et il fut vénéré de tous plus que ne l'exigeait son rang, car il mérita toujours les grands biens qu'il possédait alors, et fut jugé digne par les rois eux-mêmes et par tous ceux qui occupent les premières places après eux des biens plus grands encore qu'il pouvait espérer.

Mais le plus important, c'est que ni la gloire, ni la vie de luxe qui était à sa portée, ne corrompirent la noblesse de son âme[4] : malgré le nombre et l'importance de ses titres de gloire, il s'honorait principalement d'être chrétien et d'être appelé ainsi[5]. Et tout était pour lui à la fois amusement et bagatelle en comparaison de cela seul. Quant au reste, il le laissait jouer aux autres aussi sur

surtout de la séduction des femmes et des garçons, libres ou esclaves. » (*Œuvres complètes d'Hippocrate*, trad. É. Littré, Paris 1844 repr. Amsterdam 1978, p. 628-633). Voir J. JOUANNA, *Hippocrate*, Paris 1992.

3. Cratès de Thèbes, philosophe cynique du IVe siècle av. J.-C, célèbre pour son détachement. Grégoire, comme beaucoup d'autres, aime donner sa sagesse en exemple, mais le considère comme inférieur à « nos philosophes » (*D.* 4, 72; cf. 25, 7; 43, 60). Voir DIOGÈNE LAËRCE, VI, 87; *CPG*, II, p. 486. Césaire ne sera pas comparé à d'autres modèles

4. Cf. *D.* 6, 14; 8, 7 à propos de la noblesse de l'âme.

5. Cf. chap. 13, la proclamation qu'en fait Césaire devant Julien; *D.* 43, 21 : « Chaque groupe porte une dénomination tirée de ses origines ou de son implantation, des pratiques ou des actions qui lui sont propres : pour nous, la grande affaire et le titre suprême consistait à être chrétien et à en porter le nom. » C'est l'un des thèmes favoris de la littérature apologétique (à la suite de *Mc* 13, 13; *Matth.* 10, 22) : cf. ATHÉNAGORE, *Supplique* I (*SC* 379, p. 73 et la note de B. POUDERON).

τάχιστα πηγνυμένης τε καὶ καταλυομένης, τάχα δὲ φθειρομένης ῥᾷον ἢ συνισταμένης, ὡς εἶναι ἰδεῖν ἐκ τῶν πολλῶν
25 τοῦ βίου μεταβολῶν καὶ τῆς ἄνω καὶ κάτω μεταπιπτούσης εὐετηρίας · μόνον δὲ ἴδιον ἀγαθὸν εἶναι καὶ παραμένον ἀσφαλῶς τὴν εὐσέβειαν.

C **11.** Ταῦτα Καισαρίῳ ἐφιλοσοφεῖτο κἀν τῇ χλανίδι· ταύταις καὶ συνέζησε ταῖς ἐννοίαις καὶ συναπῆλθε, μείζω τῆς φαινομένης εἰς τὸ κοινὸν εὐσεβείας Θεῷ γνωρίζων καὶ παριστὰς τὴν κατὰ τὸν κρυπτὸν ἄνθρωπον[a]. Καὶ εἴ με
5 δεῖ πάντα παρέντα τὴν προστασίαν τῶν ἐκ γένους ἀτυχησάντων, τὴν ὑπεροψίαν τοῦ τύφου, τὴν πρὸς φίλους ἰσοτιμίαν, τὴν πρὸς τοὺς ἄρχοντας παρρησίαν, τοὺς ὑπὲρ ἀληθείας ἀγῶνας καὶ λόγους — οὓς πολλοὺς πολλάκις καὶ πρὸς πολλοὺς συνεστήσατο, οὐ λογικῶς μόνον, ἀλλὰ καὶ
10 λίαν εὐσεβῶς τε καὶ διαπύρως —, ἓν ἀντὶ πάντων εἰπεῖν τῶν ἐκείνου τὸ γνωριμώτατον.

Ἐλύσσα καθ' ἡμῶν βασιλεὺς ὁ δυσώνυμος, καὶ καθ' ἑαυτοῦ πρῶτον μανεὶς ἐκ τῆς εἰς Χριστὸν ἀθετήσεως ἀφόρητος
D ἤδη καὶ τοῖς ἄλλοις ἦν, οὐδ' ἐν ἴσῳ τοῖς λοιποῖς
15 χριστομάχοις μεγαλοψύχως ἀπογραφόμενος εἰς τὴν

11, 8 πολλάκις om. D Maur. ‖ 15 μεγαλόψυχος C ‖ εἰς om. W

11. a. Cf. I Pierre 3, 4

1. Cf. *supra* fin du chap. 9.

2. Dans l'esprit de Grégoire, le mot χλανίς (manteau de laine fine et précieuse, pour homme ou femme) est probablement opposé à τρίβων, qui désigne un manteau grossier, celui du pauvre et, précisément, du philosophe (cf. pour cette opposition ARISTOPHANE, *Guêpes*, v. 1131-1133; *L'assemblée des femmes*, v. 848-850). Voir R. BRILLANT, art. «Tribôn», *DAGR* V, 1919, p. 414-416; G. LEROUX, art.«*Pallium*», *DAGR* IV, 1907, p. 285-293 (sur la χλανίς, p. 290). M.-M. HAUSER-MEURY, *Prosopographie*, p. 49, y voit un synonyme de χλαμύς.

3. La παρρησία envers les magistrats est une qualité qui appartient aussi à Basile : cf. *D.* 43, 34. Voir G.J.M. BARTELINK, «*Parrésia* dans les

une scène[1] très rapidement montée et défaite, et peut-être encore plus rapidement et plus facilement détruite que construite, comme on peut le constater d'après les nombreux changements de la vie et le retournement complet des états de prospérité. Il n'y a qu'un bien personnel et qui soit durable : la piété.

11. Voilà le philosophe qu'était Césaire, même en chlanide[2]. Voilà avec quelles pensées il a vécu et s'en est allé, en faisant connaître et en montrant à Dieu une plus grande piété que celle qu'il manifestait en public : celle qui se trouve dans l'homme caché[a]. Et s'il me faut tout passer sous silence : la protection qu'il accorda aux membres de sa famille tombés dans le malheur, le mépris de la vanité, l'égale considération qu'il avait envers ses amis, son franc-parler à l'égard des magistrats[3], ses luttes en paroles pour la vérité – luttes nombreuses, soutenues fréquemment et contre bien des gens, non seulement à l'aide de sa raison, mais encore avec une très grande piété et une très grande ardeur –, à la place de tout cela, je mentionnerai une seule de ses actions, la plus connue.

Il était enragé contre nous, le roi au nom odieux et, rendu fou d'abord contre lui-même depuis qu'il avait rejeté le Christ[4], il était désormais également insupportable aux autres. Loin de faire comme le reste des adversaires du Christ et d'avoir la grandeur de s'enrôler dans

œuvres de Jean Chrysostome», *Studia Patristica,* 16 (*TU* 129), p. 441-448. Pour un autre sens du mot, voir *D.* 8, 19, 22; 11, 6.

4. Julien, qui ne résida à Constantinople que de décembre 361 à mai 362, moment où la Cour se transporta à Antioche : on ne sait si Césaire l'y a suivi. Même expression concernant sa «folie» *D.* 4, 3; voir J. BERNARDI, «Grégoire de Nazianze, critique de Julien», *Studia Patristica,* 14 (*TU* 117), p. 282-289. Sur l'attitude de Julien envers les chrétiens, voir R. BRAUN, «Julien et le christianisme», dans *L'empereur Julien. De l'histoire à la légende (331-1715),* Paris 1978, p. 159-187.

ἀσέβειαν, ἀλλὰ κλέπτων τὸν διωγμὸν ἐν ἐπιεικείας πλάσματι, καὶ κατὰ τὸν « σκολίον ὄφιν[b] », ὃς τὴν ἐκείνου κατέσχε ψυχήν, παντοίαις μηχαναῖς ὑποσπῶν τοὺς ἀθλίους
769 A εἰς τὸ ἑαυτοῦ βάραθρον. Καὶ τὸ μὲν πρῶτον αὐτοῦ τέχνασμά
20 τε καὶ σόφισμα ἵνα μηδὲ τῆς ἐπὶ τοῖς ἄθλοις τιμῆς τυγχάνωμεν — ἐφθόνει γὰρ καὶ ταύτης χριστιανοῖς ὁ γεννάδας — πάσχοντας ὡς χριστιανούς, ὡς κακούργους κολάζεσθαι· τὸ δὲ δεύτερον πειθοῦς ὄνομα προσεῖναι τῷ γινομένῳ, μὴ τυραννίδος, ὡς ἂν μεῖζον ᾖ τοῦ κινδύνου τὸ
25 τῆς αἰσχύνης αὐθαιρέτως χωροῦσι πρὸς τὴν ἀσέβειαν. Καὶ τοὺς μὲν χρήμασι, τοὺς δὲ ἀξιώμασι, τοὺς δὲ ὑποσχέσεσι, τοὺς δὲ παντοίαις τιμαῖς ὑφελκόμενος — ἃς οὐδὲ βασιλικῶς προσῆγεν, ἀλλὰ καὶ λίαν δουλοπρεπῶς ἐν ταῖς ἁπάντων ὄψεσι —, πάντας δὲ τῇ γοητείᾳ τῶν λόγων καὶ τῷ καθ' ἑαυτὸν
30 ὑποδείγματι, ἐπὶ πολλοῖς πειρᾶται καὶ Καισαρίου. Φεῦ τῆς παραπληξίας καὶ τῆς ἀνοίας, εἰ Καισάριόν τε ὄντα καὶ
B ἀδελφὸν ἐμὸν καὶ τῶν γονέων τούτων συλήσειν ἤλπισεν.

12. Ἀλλ' ἵνα μικρὸν προσδιατρίψω τῷ λόγῳ καὶ κατατρυφήσω τοῦ διηγήματος ὡς οἱ παρόντες τοῦ θαύματος, εἰσήει μὲν ὁ γεννάδας ἐκεῖνος τῷ τοῦ Χριστοῦ σημείῳ φραξάμενος καὶ τὸν μέγαν Λόγον ἑαυτοῦ προβαλλόμενος

19 αὐτῷ BT DP ‖ 20-21 ἵνα μηδὲ – γεννάδας transp. post κολάζεσθαι (23) PC Boul. ‖ 21 τυγχάνοιμεν QV ‖ 24 γενομένῳ P ‖ 28 ἀλλὰ καὶ λίαν δουλοπρεπῶς B mg. ‖ πάντων B ‖ 31 τε del. P ‖ 32 καὶ om. S
12, 1 καὶ om. Boul. ‖ 2 θαύματος : θεάματος Boul. ‖ τοῦ Χριστοῦ DPC

b. Is. 27, 1

1. Cf. *D.* 4, 24; cf. JULIEN, *Lettre* 43 (115 Bidez, *CUF*), où l'empereur expose sa méthode à l'égard des chrétiens. Voir BRAUN, *ibid.*, p. 169-175.

2. Le mot γεννάδας est appliqué ici par dérision à Julien (comme *D.* 4, 55; *D.* 5, 17-20; cf. *De vita sua*, v. 835, à propos de Pierre

le rang des impies, il cachait la persécution sous une apparence d'équité et, à la façon du « serpent tortueux [b] » qui possédait son âme, il attirait par tous les moyens les malheureux dans son propre abîme [1]. Et la première de ses ruses et de ses habiletés fut, pour que nous ne puissions même pas avoir l'honneur de combattre – en effet, même cela, le brave [2], il le refusait aux chrétiens [3] ! –, de châtier comme des malfaiteurs ceux qui souffraient comme chrétiens ; la seconde, de donner à ce fait le nom de persuasion, non celui de tyrannie, afin qu'il y eût plus de honte que de danger à marcher de plein gré vers l'impiété. Et comme il attirait les uns par des richesses, les autres par des distinctions, les uns par des promesses, les autres par toutes sortes d'honneurs – qu'il offrait non pas comme un roi, mais en véritable esclave, et cela aux regards de tous –, et tous par la magie des mots et son propre exemple, ce qu'il a tenté sur beaucoup d'autres, il le tente aussi sur Césaire. Ah, folie et déraison que d'avoir essayé de le séduire, lui qui était Césaire, mon frère, fils de tels parents [4] !

12. Mais je veux m'arrêter un peu à ce propos, et m'abandonner à la joie de ce récit, comme les spectateurs s'abandonnèrent à la joie de ce prodige : il s'avançait, le vrai brave, protégé par le signe du Christ [5], s'abritant derrière le grand Verbe, contre l'homme puissant par les

d'Alexandrie), alors qu'il s'applique justement à Césaire, par contraste, *infra*, chap. 12, l. 3. Voir JUNGCK, *De vita sua*, p. 187 ; COULIE, *Richesses*, p. 48, 49, n. 179.

3. Cf. *D.* 4, 58.

4. La *Lettre* 7 témoigne de l'inquiétude de Grégoire et de sa famille ; cf. Introd., p. 48.

5. Il s'agit sans doute du signe de la croix (*Matth.* 24, 30), que les chrétiens considèrent comme une protection contre le Malin ; cf. ATHANASE D'ALEXANDRIE, *Vie d'Antoine* 13, 5, *SC* 400, p. 171, et la n. 2 de G. BARTELINK.

5 πρὸς τὸν πολὺν ἐν ὅπλοις καὶ μέγαν ἐν λόγων δεινότητι· οὐδὲν δὲ καταπλαγεὶς πρὸς τὴν ὄψιν οὐδὲ θωπείᾳ τι καταβαλὼν τοῦ φρονήματος, ἀθλητὴς ἕτοιμος ἦν καὶ λόγῳ καὶ ἔργῳ πρὸς τὸν ἐν ἀμφοτέροις δυνατὸν ἀγωνίζεσθαι. Τὸ μὲν οὖν στάδιον τοιοῦτον καὶ ὁ τῆς εὐσεβείας ἀγωνιστὴς 10 τοσοῦτος· καὶ ἀγωνοθέτης, ἔνθεν μὲν Χριστὸς τοῖς ἑαυτοῦ πάθεσι τὸν ἀθλητὴν ἐξοπλίζων, ἐκεῖθεν δὲ δεινὸς τύραννος τῇ τῶν λόγων οἰκειότητι προσσαίνων καὶ τῷ τῆς ἐξουσίας C ὄγκῳ δεδιττόμενος· θέατρον δὲ ἀμφοτέρωθεν, τῶν τε τῇ εὐσεβείᾳ λειπομένων ἔτι, καὶ τῶν ὑπ᾽ἐκείνου συνηρ-15 πασμένων, ὅπη νεύσῃ τὰ κατ᾽αὐτοὺς ἀποσκοπούντων, ὅστις νικήσειε πλείω τὴν ἀγωνίαν ἐχόντων ἢ περὶ οὓς τὸ θέατρον.

13. Ἆρ᾽οὐκ ἔδεισας περὶ Καισαρίου μή τι πάθῃ τῆς προθυμίας ἀνάξιον; « Ἀλλὰ θαρσεῖτε[a] »· μετὰ Χριστοῦ γὰρ ἡ νίκη τοῦ τὸν κόσμον νικήσαντος[b]. Τὰ μὲν οὖν καθ᾽ἕκαστον τῶν τότε ῥηθέντων ἢ προτεθέντων ἐκδιηγεῖσθαι τὰ 5 νῦν ἐγὼ μέν, εὖ ἴστε, τοῦ παντὸς ἂν ἐτιμησάμην· καὶ γὰρ καὶ λογικάς τινάς ἐστιν ἃς ἔχει στροφὰς καὶ κομψείας D ὁ λόγος, ἐμοὶ γοῦν οὐκ ἀηδεῖς εἰς μνήμην· ἔξω δ᾽ἂν εἴη 772 A παντελῶς τοῦ καιροῦ καὶ τοῦ λόγου. Ὡς δὲ πάσας αὐτοῦ τὰς ἐν τοῖς λόγοις πλοκὰς διαλύσας καὶ πεῖραν ἅπασαν 10 ἀφανῆ τε καὶ φανερὰν ὥσπερ τινὰ παιδιὰν παρωσάμενος,

9 τοιοῦτο P ‖ 15 νεύσει VTP (ει sup. l. C)
13, 5 καὶ om. C ‖ 6 τινάς om. AQBWVS sup. l. T ‖ 7 ὁ λόγος om. AQBWVS ‖ 8 αὐτοῦ : αὐτοῖς AW

---

13. a. Jn 16, 33 b. Cf. *Ibid.*; I Jn 5, 4

---

1. Il est encore une fois difficile de rendre les jeux de mots sur λόγος. Ce récit d'une lutte verbale entre Julien et Césaire s'appuie sur une série de métaphores agonistiques, comme on en trouve abondamment dans l'œuvre de Platon pour exprimer les luttes dialectiques, et comme les auteurs chrétiens aiment en user pour dire la vie chrétienne à la suite de *I Cor.* 9, 24-27.

2. Césaire est ici comparé aux martyrs, considérés habituellement (ainsi que les ascètes) comme des athlètes; cf. *D.* 11, 4.

armes et grand par son habileté oratoire [1]. Mais sans être aucunement frappé de crainte par ce qu'il voyait, sans que la flatterie lui fît rien rabattre de son courage, c'était un athlète [2] prêt à combattre en parole et en action contre un homme aussi puissant dans l'une que dans l'autre. Tel était donc le stade et tel était le combattant de la piété [3]. Les agonothètes [4] étaient d'un côté le Christ, qui armait l'athlète de ses propres souffrances, de l'autre un terrible tyran qui flattait par la justesse de son langage et intimidait par l'ampleur de son pouvoir. Quant aux spectateurs, il y avait, de part et d'autre, ceux qui demeuraient encore dans la piété, et ceux qui en avaient été arrachés par cet homme : ils observaient de loin de quel côté pencherait leur parti, plus inquiets que ceux qui étaient l'objet du spectacle de savoir qui serait vainqueur.

13. N'as-tu pas craint pour Césaire qu'il eût quelque sentiment indigne de son zèle? «Eh bien, ayez confiance [a]!», car la victoire est avec le Christ, qui a vaincu le monde [b]. Aussi, pour ma part, j'estime qu'il serait important, sachez-le bien, de raconter ce qui fut dit alors ou mis en avant, car il ne me serait certes pas désagréable de rappeler quelques finesses et subtilités de raisonnement de cette discussion. Mais ce serait tout à fait inopportun et hors de propos. Après avoir réfuté, comme en s'amusant, tous les artifices de ses arguments et déjoué toutes ses ruses, cachées ou manifestes, il pro-

3. J. PLAGNIEUX (*Grégoire théologien*, p. 201, n. 99) tire argument de ce passage pour démontrer que les *Dialogues* attribués à Césaire ne manquent peut-être pas d'authenticité. Il semble cependant que cette œuvre date du VIe siècle; cf. Introd., p. 51, n. 3.

4. L'agonothète est le président des concours; appliquée au Christ (cf. aussi *Lettre* 238), cette métaphore est également utilisée par GRÉGOIRE DE NYSSE (voir *Vie de Moïse*, II, 246, et la note de J. DANIÉLOU, *SC* 1 ter, p. 276-277).

μεγάλῃ καὶ λαμπρᾷ τῇ φωνῇ τὸ χριστιανὸς εἶναί τε καὶ μένειν ἀνεκήρυξεν, οὐδὲ οὕτω μὲν παντελῶς ἀποπέμπεται· καὶ γὰρ δεινὸς ἔρως εἶχε τὸν βασιλέα τῇ Καισαρίου παιδεύσει συνεῖναι καὶ καλλωπίζεσθαι, ἡνίκα καὶ τὸ περιβόητον
15 τοῦτο ἐν ταῖς πάντων ἀκοαῖς ἐφθέγξατο· «Ὦ πατρὸς εὐτυχοῦς, ὦ παίδων δυστυχῶν», ἐπειδὴ καὶ ἡμᾶς ἠξίωσε τιμῆσαι τῇ κοινωνίᾳ τῆς ἀτιμίας, ὧν καὶ τὴν παίδευσιν Ἀθήνησιν ἔγνω καὶ τὴν εὐσέβειαν. Δευτέρᾳ δὲ εἰσόδῳ ταμιευθείς, ἐπειδή γε κατὰ Περσῶν ἐκεῖνον ἡ Δίκη καλῶς
B 20 ἐξώπλισεν, ἐπάνεισι πρὸς ἡμᾶς φυγὰς μακάριος καὶ τροπαιοῦχος ἀναίμακτος καὶ περιφανέστερος τὴν ἀτιμίαν ἢ τὴν λαμπρότητα.

14. Ταύτην ἐγὼ τὴν νίκην τῆς πολλῆς ἐκείνου χειρὸς καὶ τῆς ὑψηλῆς ἁλουργίδος καὶ τοῦ πολυτελοῦς διαδήματος ὑψηλοτέραν κρίνω μακρῷ καὶ τιμιωτέραν· τούτῳ τῷ διηγήματι πλέον ἐπαίρομαι ἢ εἰ πᾶσαν ἐκείνῳ τὴν
5 βασιλείαν ἀπεμερίσατο. Τοῖς μὲν οὖν πονηροῖς ὑποχωρεῖ χρόνοις, καὶ τοῦτο κατὰ τὴν ἡμετέραν νομοθεσίαν, ἐνστάντος μὲν καιροῦ, διακινδυνεύειν ὑπὲρ τῆς ἀληθείας

15 πάντων : ἁπάντων VC τῶν πάντων T (τῶν sup. l.) D Maur. Boul. ‖ 16-17 ἠξίωσε τιμῆσαι : ἀξίως ἐτίμησε W S mg. ‖ 19 ἡ δίκη καλῶς ἐκεῖνον C

14, 7 μὲν γὰρ T ‖ ὑπὲρ : ὑπὸ S

---

1. Allusion aux lois de Julien écartant les chrétiens d'un certain nombre de fonctions (dont la «loi scolaire» du 17 juin 362). Césaire a probablement été exempté de ces lois. C'est pourquoi il s'agit d'un «déshonneur» (ἀτιμία); la *Lettre* 7 évoque «le rang si méprisé de chrétien».

2. Julien avait rencontré Grégoire lors d'un bref séjour qu'il fit à Athènes en 355. Sur le séjour de Grégoire à Athènes, voir GALLAY, *Vie*, p. 37-63; cf. chap. 8.

3. La comparaison avec les jeux du stade se poursuit : εἴσοδος désigne l'admission sur les listes de concurrents dans les jeux.

4. Formulation voisine *D.* 21, 33. Allusion ironique au paganisme de Julien et à sa prétention d'être un souverain *juste*; cf. AMMIEN MARCELLIN, *Histoire*, XXII, 10 : «Le poète Aratus a peint la Justice fuyant

clama à voix haute et claire qu'il était et resterait chrétien. Même alors, il n'est pas congédié tout à fait[1]! Car le roi était tenu par un violent désir de s'attacher la science de Césaire et d'en tirer gloire. C'est alors que tout le monde put entendre cette fameuse exclamation : «Ô heureux père! Ô malheureux enfants!», puisqu'il jugea digne de nous honorer nous aussi en nous associant à ce déshonneur, nous dont il avait connu à Athènes et la science et la piété[2]. Mais comme il avait été mis en réserve pour une seconde entrée[3], quand la Justice eut armé heureusement celui-là contre les Perses[4], le voici qui revient vers nous, exilé bienheureux, vainqueur net de sang, plus illustre par sa disgrâce que par sa splendeur[5].

14. Quant à moi, cette victoire, je l'estime bien plus sublime et bien plus honorable que la grande puissance de cet homme, sa pourpre sublime et son somptueux diadème[6]. Ce récit me satisfait plus que je ne le serais s'il avait partagé toute la royauté avec lui. Dans ces fâcheuses circonstances, il se retire donc, et cela conformément à notre loi qui ordonne, certes, de s'exposer au danger pour la vérité quand l'occasion se présente, et de

au ciel la perversité des hommes. Sur les exemples que j'ai cités... on eût pu dire, comme s'en vantait Julien lui-même, que son règne avait ramené cette *déesse* sur la terre.» (*Collection des auteurs latins*, Paris 1869, p. 180). Voir J. BIDEZ, La vie de *l'empereur Julien*, Paris 1965, p. 245-246; P. HUART, «Julien et l'hellénisme. Idées morales et politiques», dans *L'empereur Julien. De l'histoire à la légende*, p. 114. *Infra*, chap. 14, il est question du «juste jugement».

5. Il n'est pas facile de rendre toutes les nuances du mot λαμπρότης (cf. chap. 4, p. 188), qui peut également avoir son acception sociale et signifier *clarissimat*, une titulature à laquelle Césaire avait droit en tant que sénateur (voir COULIE, *Richesses*, p. 166, n. 97). Césaire est-il plus illustre par sa *disgrâce* que par son *clarissimat?*

6. La robe et le manteau de pourpre, ainsi que le bandeau garni de perles et de pierres précieuses, sont les insignes impériaux.

καὶ μὴ προδιδόναι δειλίᾳ τὴν εὐσέβειαν, ἕως δ' ἂν ἐξῇ μὴ προκαλεῖσθαι τοὺς κινδύνους κελεύουσαν, εἴτε δέει τῶν
10 ἡμετέρων ψυχῶν εἴτε φειδοῖ τῶν ἐπαγόντων τὸν κίνδυνον.

C Ἐπεὶ δὲ ὁ ζόφος ἐλύθη καὶ ἡ ὑπερορία καλῶς ἐδίκασε καὶ ἡ στιλβωθεῖσα ῥομφαία τὸν ἀσεβῆ κατέβαλε καὶ χριστιανοῖς ἐπανῆλθε τὰ πράγματα, τί δεῖ λέγειν μεθ' οἵας δόξης τε καὶ τιμῆς ἢ τῶν μαρτυρίων οἵων καὶ ὅσων – καὶ
15 ὡς διδοὺς χάριν μᾶλλον ἢ κομιζόμενος –, τοῖς βασιλείοις αὖθις ἀναλαμβάνεται καὶ διαδέχεται τὴν προτέραν τιμὴν ἡ δευτέρα; Καὶ βασιλεῖς μὲν ὁ χρόνος παρήμειψε, Καισαρίῳ δὲ τὸ τῆς εὐδοξίας ἄλυτον καὶ τῶν παρ' αὐτοῖς πρωτείων, καὶ ἀγὼν βασιλεῦσιν ὅστις μᾶλλον Καισάριον οἰκειώσηται
20 καὶ οὗ μᾶλλον ἐκεῖνος ὀνομασθῇ φίλος καὶ γνώριμος. Τοιαῦτα Καισαρίῳ τὰ τῆς εὐσεβείας καὶ παρὰ τῆς εὐσεβείας. Ἀκουέτωσαν καὶ νέοι καὶ ἄνδρες, καὶ διὰ τῆς αὐτῆς ἀρετῆς πρὸς τὴν αὐτὴν ἐπιφάνειαν ἐπειγέσθωσαν –
D «ἀγαθῶν γὰρ πόνων καρπὸς εὐκλεής[a]» –, ὅσοις καὶ τοῦτο
25 διὰ σπουδῆς καὶ μέρος εὐδαιμονίας ὑπολαμβάνεται.

15. Ἀλλ' οἷον δὴ καὶ τοῦτο τῶν περὶ αὐτὸν θαυμάτων,
773 A ὁμοῦ τε τῆς τῶν γονέων θεοσεβείας καὶ τῆς ἐκείνου μεγίστην ἔχον ἀπόδειξιν; Διέτριβε μὲν ἐν τῇ Βιθυνῶν, τὴν οὐ πολλοστὴν ἀπὸ βασιλέως διέπων ἀρχήν· ἡ δὴ ἦν
5 ταμιεύειν βασιλεῖ τὰ χρήματα καὶ τῶν θησαυρῶν ἔχειν

9 προσκαλεῖσθαι B ‖ 11 ἡ om. S ‖ 12 κατέλαβε P (corr. sup. l.) ‖ 18 τῶν ... πρωτείων : τὸ ... πρωτεῖον W ‖ 21-22 καὶ παρὰ τῆς εὐσεβείας S mg. add. P[pc] ‖ 22 καὶ[1] om. AQWV sup. l. S ‖ 23 ἐπιφάνειαν : περι- add. Q sup. l. περιφάνειαν SPC

15, 1 δὴ S mg. ‖ 2 τε καὶ S ‖ 3 ἀπόδειξιν ἔχον D Maur. ‖ ἐν : ἐπὶ C (ἐν mg.) ‖ 4 δὴ : δὲ SPC Boul. ‖ 5 βασιλεῖ ταμιεύειν S

---

14. a. Sag. 3, 15

---

1. Cf. *D.* 4, 88; 43, 6, où Grégoire expose également cette «loi du martyre», qui a son origine dans *Matth.* 10, 23; voir H. LECLERCQ, «Fuite de la persécution», *DACL*, 5, 2, 1923, col. 2660-2684..

ne pas trahir la piété par lâcheté, mais, dans la mesure où on le peut, de ne pas provoquer les dangers, soit par crainte pour nos âmes, soit par ménagement pour ceux qui suscitent le danger[1].

Mais quand les ténèbres se furent dissipées, quand la terre étrangère eut rendu un juste jugement, quand la fulgurante épée eut renversé l'impie[2] et que le pouvoir revint aux chrétiens, faut-il dire la gloire et l'honneur ou les témoignages nombreux qui accompagnèrent son retour à la Cour – et il paraissait là accorder une faveur plutôt que l'obtenir –, et comment de nouveaux honneurs succédèrent aux premiers[3]? Certes, le temps changea les rois, mais Césaire ne cessa de jouir de leur faveur et d'avoir les premières places auprès d'eux : parmi les rois, ce fut à qui s'attacherait le plus Césaire et qui serait le plus connu pour en être l'ami ou le familier. Voilà comment Césaire manifestait sa piété, voilà les effets de sa piété. Qu'ils entendent, les jeunes gens et les hommes mûrs, qu'ils se hâtent, par la même vertu, d'atteindre le même renom – « car le fruit des labeurs honnêtes est plein de gloire [a] »[4] –, s'ils considèrent cela avec sérieux et comme une part de bonheur.

15. Mais quelle est donc, parmi les merveilles qui le concernent, celle qui manifeste le plus la piété de ses parents en même temps que la sienne? Il séjournait dans le pays des Bithyniens[5], assumant là au nom du roi une charge qui n'était pas sans importance : il s'agissait de percevoir l'argent pour le roi et d'exercer la surveillance

2. Julien est mort le 26 juin 363, après vingt mois de règne. Sur sa mort, voir *D.* 5, 13.
3. Sous Jovien et Valens; voir Introd., p. 49.
4. Seule la vertu donne la gloire au héros chrétien; cf. *D.* 8, 1.
5. Sur la Bithynie à cette époque, voir JONES, *Cities*, p. 164-166.

τὴν ἐπιμέλειαν · ἐντεῦθεν γὰρ αὐτῷ τὰς μείζους ἀρχὰς βασιλεὺς προοιμιάζεται. Τοῦ δὲ πρῴην συνενεχθέντος ἐν Νικαίᾳ σεισμοῦ, ὃς δὴ χαλεπώτατος τῶν πώποτε μνημονευομένων γεγονέναι λέγεται — μικροῦ τοὺς πάντας ἐγκα-
10 ταλαβόντος καὶ τῷ τῆς πόλεως κάλλει συναφανίσαντος —, μόνος τῶν ἐπιφανῶν ἢ κομιδῇ σὺν ὀλίγοις ἐκ τοῦ κινδύνου περισῴζεται, καὶ σωτηρίαν ἀπιστουμένην αὐτῷ σκεπασθεὶς τῷ συμπτώματι καὶ μικρὰ σημεῖα τοῦ κινδύνου φερόμενος, ὅσον τὸν φόβον παιδαγωγὸν λαβεῖν τῆς μείζονος σωτηρίας
B 15 καὶ ὅλος τῆς ἄνω γενέσθαι μοίρας, μεταθέμενος τὴν στρατείαν ἐκ τῶν κινουμένων καὶ ἀμείψας ἑαυτῷ τὰ βασίλεια.

Τοῦτο μὲν οὖν καὶ διενοεῖτο καὶ κατὰ σπουδὴν ἑαυτῷ συνηύχετο, ὡς πρὸς ἐμὲ γράφων ἔπειθεν ἁρπάσαντα τὸν
20 καιρὸν εἰς νουθέτησιν — ὅπερ οὐδ᾽ ἄλλοτε ποιῶν ἐπαυσάμην, ζηλοτυπῶν τὸ ἐκείνου μεγαλοφυὲς στρεφόμενον ἐν τοῖς χείροσι καὶ τὴν φιλόσοφον οὕτω ψυχὴν ἐν τοῖς δημοσίοις καλινδουμένην καὶ ὥσπερ ἥλιον νέφει συγκαλυπτόμενον.

Ἀλλὰ τοῦ μὲν σεισμοῦ κρείττων ἐγένετο, τῆς νόσου δὲ
25 οὐκ ἔτι · καὶ γὰρ ἦν ἄνθρωπος. Καὶ τὸ μὲν ἴδιον ἐκείνου, τὸ δὲ κοινὸν πρὸς τοὺς ἄλλους · καὶ τὸ μὲν τῆς εὐσεβείας, τὸ δὲ τῆς φύσεως. Καὶ προὔλαβεν ἡ παραμυθία τὸ πάθος,

8 καὶ πᾶσαν μικροῦ τὴν πόλιν κατέγκαντος post σεισμοῦ add. PC ‖ 10-11 καὶ – συναφανίσαντος Q mg. ‖ τῷ κάλλει τῆς πόλεως C ‖ 15 ὅλως ABD Maur. ‖ 16 κινουμένων : κινδύνων AW add. Q mg.

---

1. Il est difficile de préciser la charge de Césaire, peut-être comte des largesses diocésain; voir Introd., p. 49, n. 5.

2. Le 11 octobre 368; voir Introd., p. 50.

3. Cf. chap. 17 : Césaire mort est maintenant près du grand Roi, passé de la Cour terrestre à la Cour céleste. Noter également les images suscitées par l'évocation du tremblement de terre, ici : τῶν κινουμένων, plus bas : σεισθέντες; écho d'*Hébr.* 12, 28 (cf. *D.* 28, 25). Sur ce «service», voir COULIE, *Richesses*, p. 141.

des trésors[1]; par là en effet le roi préludait pour lui à d'autres charges plus importantes. Or, lors du récent tremblement de terre de Nicée[2], qui fut vraiment, dit-on, le plus terrible qu'il y eut jamais de mémoire d'homme – il s'en fallut de peu qu'il en surprît tous les habitants et les fît disparaître en même temps que la beauté de la ville –, seul parmi les personnages en vue, ou certainement avec très peu d'entre eux, il échappe au danger, trouvant un salut incroyable, puisqu'il fut protégé par l'affaissement même, et ne porta que des traces minimes du danger couru, assez pour que cette peur le guidât vers un salut plus grand et pour qu'il se donnât tout entier à la région d'en haut après avoir changé de service, en choisissant une autre Cour loin de ce qui est soumis à ébranlement[3].

Voilà donc ce qu'il avait dans l'esprit et ce qu'il souhaitait ardemment, comme j'en fus convaincu par ce qu'il m'écrivait, alors que j'avais saisi l'occasion de l'admonester[4] – ce que je n'avais cessé de faire en d'autres temps aussi, vivement ému de voir sa noble nature évoluer dans la médiocrité et sa personnalité de philosophe se complaire dans les affaires publiques, comme le soleil se cache derrière un nuage[5].

Mais s'il a été plus fort que le tremblement de terre, il ne l'a pas été plus que la maladie, car il était homme. Cela lui a été particulier, ceci lui a été commun avec les autres. Cela a été le fait de sa piété, ceci le fait de la nature. Et la consolation a pris le pas sur la souffrance

4. *Lettre* 20; cf. *Lettre* 7 et *D.* 7, 9. BASILE écrivit également à Césaire (*Lettre* 26: «Nous t'exhortons à servir Dieu encore plus, en faisant croître sans cesse ta crainte par de nouveaux progrès...»).

5. Cf. *D.* 6, 2; sur cette image voir KERTSCH, *Bildersprache*, p. 184 et n. 1. Le vrai «philosophe» doit vivre loin des affaires du monde; cf. *D.* 10, 1.

ἵνα τῷ θανάτῳ σεισθέντες τῷ παραδόξῳ τῆς τότε σωτηρίας
C 30 ἐγκαυχησώμεθα.

Καὶ νῦν ἡμῖν ὁ πολὺς Καισάριος ἀποσέσωσται, κόνις τιμία, νεκρὸς ἐπαινούμενος, ὕμνοις ἐξ ὕμνων παραπεμπόμενος, μαρτύρων βήμασι πομπευόμενος, γονέων χερσὶν ὁσίαις τιμώμενος, μητρὸς λαμπροφορίᾳ τῷ πάθει
35 τὴν εὐσέβειαν ἀντεισαγούσης, δάκρυσιν ἡττωμένοις φιλοσοφίᾳ, ψαλμῳδίαις κοιμιζούσαις τοὺς θρήνους, καὶ τῆς νεοκτίστου ψυχῆς, ἣν τὸ Πνεῦμα δι᾽ ὕδατος ἀνεμόρφωσεν, ἄξια τὰ γέρα καρπούμενος.

16. Τοῦτό σοι, Καισάριε, παρ᾽ ἐμοῦ τὸ ἐντάφιον· αὗται τῶν ἐμῶν λόγων αἱ ἀπαρχαί, οὓς κρυπτομένους πολλάκις μεμψάμενος, ἐπὶ σεαυτὸν γυμνώσειν ἔμελλες. Οὗτος ὁ παρ᾽ ἐμοῦ κόσμος· σοὶ δὲ κόσμου παντός, εὖ οἶδα, φίλτατος,
D 5 οὐ σήρων περιρρέοντα καὶ μαλακὰ νήματα, οἷς οὐδὲ περιὼν

32 νεκρὸς – -μενοι τὰς ἡμετέρας (c. 24, l. 8) deficit P
16, 3 πεμψάμενος D Migne ‖ 4 σοὶ : σὺ A ‖ φίλτατος : τιμιώτερος C

1. Basile écrit à Césaire, *Lettre* 26 : « Si c'est à nous tous que s'adresse l'ordre de se présenter à Dieu comme venant de la mort à la vie (*Rom.* 6, 13), comment ne s'adresserait-il pas surtout à ceux qui ont été remontés des portes de la mort? » Le salut terrestre grâce à la foi est illustré de même dans l'éloge funèbre de Gorgonie, qui survit aussi à un accident avant de tomber malade (*D.* 8, 15). Cependant, la maladie de Césaire n'est pas décrite, car son éloge est moins hagiographique que celui de sa sœur.

2. A Nazianze. H. Delehaye donne maints exemples de la pratique, très répandue dans l'antiquité chrétienne, en Occident comme en Orient, de choisir pour les morts le voisinage du tombeau des martyrs : *Les origines du culte des martyrs* (Subsidia hagiographica, 20), Bruxelles 1933 [2], p. 131-137; les parents de Grégoire y seront également déposés, comme l'attestent les *Épigr.* 33, 76, 99; cf. aussi *Épigr.* 118. La dépouille de Macrine, sœur de Grégoire de Nysse, est déposée près des reliques des Quarante Martyrs de Sébastée, où se trouve aussi le tombeau de ses parents (*Vie de Macrine*, 34-35, et Introd. de P. Maraval, *SC* 178,

pour que, ébranlés par la mort, nous puissions nous glorifier du caractère étonnant de son salut à ce moment[1].

Et maintenant le grand Césaire nous a été rendu, cendre précieuse, mort célébré, accompagné d'une succession d'hymnes, porté en procession au sanctuaire des martyrs[2], honoré par les saintes mains de ses parents, par l'éclatant vêtement[3] d'une mère qui substitue la piété à la douleur, par des larmes que vainc la philosophie, par des psalmodies qui apaisent les gémissements[4] : il recueille les dignes récompenses dues à l'âme recréée, que l'Esprit a transformée par l'eau[5].

16. Voilà pour toi, Césaire, le présent funèbre que tu reçois de moi[6]. Ce sont là les prémices de mes paroles, que tu m'as souvent reproché de tenir cachées et que tu devais dévoiler à ton sujet[7]. Voilà la parure qui te vient de moi, et plus aimée de toi, je le sais bien, que tout autre parure : ce ne sont pas d'amples et moelleuses étoffes de soie qui ne te donnaient même pas de plaisir,

p. 87-88). Voir W. Rordorf, « Le culte des martyrs », art. « Martyre », *DSp* 10, 1090, col. 723-726. Le *D.* 12 a été prononcé, probablement à Nazianze, à l'occasion d'une fête des martyrs.

3. Λαμπροφορία est un terme rare qu'on retrouve dans trois autres discours : *D.* 25, 2 ; 40, 6 ; 45, 2. Voir Mossay, *La mort et l'au-delà,* p. 40-42 ; M. Harl, « La dénonciation des festivités profanes dans le discours épiscopal et monastique, en Orient chrétien, à la fin du IVe siècle », dans *La fête, pratique et discours* (Centre de Recherches d'Histoire Ancienne, 42. Annales de l'Université de Besançon, 262), Paris 1981, p. 139, n. 13.

4. Voir P. Maraval, *SC* 178, p. 77-89 : « La mort et les funérailles chrétiennes ».

6. Allusion au baptême de Césaire, qui a sans doute eu lieu peu avant sa mort ; cf. *D.* 8, 20 (baptême de Gorgonie).

6. L'éloge funèbre comporte généralement l'interpellation (προσφώνησις) du mort. Grégoire fera de même lors des éloges de sa sœur (*D.* 8, 22-23), de son père (*D.* 18, 40) et de Basile (*D.* 43, 82).

7. Sur l'offrande des prémices, source de cette image, voir *Vie de Macrine*, *SC* 178, p. 186-187, n. 1 (P. Maraval).

ἔχαιρες κατὰ τοὺς πολλούς, ἀρετῇ μονῇ κοσμούμενος, οὐδὲ
776 A λίνου διαφανοῦς ὑφάσματα οὐδὲ μύρων πολυτίμων ἐπιχύσεις,
ἃ ταῖς γυναικωνίτισιν ἀπεπέμπου καὶ πρότερον καὶ ὧν
ἡμέρα μία λύει τὴν εὐώδιαν, οὐδ' ἄλλο τι τῶν μικρῶν καὶ
10 τοῖς μικροῖς τιμίων, ἃ πάντα κατέκρυψεν ἂν σήμερον ὁ
πικρὸς λίθος οὗτος μετὰ τοῦ καλοῦ σώματος. Ἐρρέτωσάν
μοι καὶ ἀγῶνες ἑλληνικοὶ καὶ μῦθοι, δι' ὧν ἔφηβοι δυστυχεῖς
ἐτιμήθησαν, μικρὰ μικρῶν ἀγωνισμάτων προτιθέντες τὰ
ἔπαθλα· καὶ ὅσα διὰ χοῶν τε καὶ ἀπαργμάτων ἢ
15 στεμμάτων τε καὶ ἀνθέων νεοδρέπτων ἀφοσιοῦνται τοὺς
ἀπελθόντας ἀνθρώπους, νόμῳ πατρίῳ μᾶλλον καὶ ἀλογίᾳ
πάθους ἢ λόγῳ δουλεύοντες. Τὸ δὲ ἐμὸν δῶρον λόγος, ὃ
τάχα καὶ ὁ μέλλων ὑπολήψεται χρόνος ἀεὶ κινούμενον καὶ
οὐκ ἐῶν εἰς τὸ παντελὲς ἀπελθεῖν τὸν ἐνθένδε μεταχω-
B 20 ρήσαντα, φυλάσσον δὲ ἀεὶ καὶ ἀκοαῖς καὶ ψυχαῖς τὸν
τιμώμενον, καὶ πινάκων ἐναργεστέραν προτιθεὶς τὴν εἰκόνα
τοῦ ποθουμένου.

17. Τὰ μὲν οὖν παρ' ἡμῶν τοιαῦτα· εἰ δὲ μικρὰ καὶ
τῆς ἀξίας ἐλάττω, καὶ Θεῷ φίλον τὸ κατὰ δύναμιν. Καὶ
τὰ μὲν ἀποδεδώκαμεν, τὰ δὲ δώσωμεν, τὰ δι' ἔτους προσφέ-
ροντες τιμάς τε καὶ μνήμας, οἵ γε τῷ βίῳ περιλειπόμενοι.

10 σήμερον T mg. ‖ 11 οὗτος λίθος C ‖ 15 ἀφωσιοῦνται BTD Maur. ‖ 16-17 ἀλογίᾳ πάθους : ἀλογίαν πλήθους C ‖ 17 ἐμὸν δὲ C ‖ 18 κινούμενος W ‖ 19 ἐὸν D C Maur. ‖ 20 φυλάσσων AQBWVTS ‖ 21 ἐνεργεστέραν C ‖ τιθεὶς W

1. Sur la parure du mort, voir *ibid.*, p. 82.

2. Cf. *D.* 2, 104; 25, 2. Peut-être une réminiscence des funérailles de Patrocle (*Il.* 23). Ce rejet des usages traditionnels permet surtout de mieux mettre en valeur le don personnel de Grégoire. Voir MOSSAY, *La mort et l'au-delà* p. 221-222.

3. Grégoire songeait donc à la postérité. De la même façon, mais pour faire connaître les méfaits de Julien (*D.* 5, 42), l'avenir accueillera

comme à la plupart des gens, alors que tu vivais, paré que tu étais de ta seule vertu, ni des tissus de lin transparent, ni une profusion de parfums de prix que, même autrefois, tu laissais aux gynécées, et dont il suffit d'un jour pour dissiper la bonne odeur, ni rien d'autre de ces choses petites chères aux petits, que recouvrirait toutes aujourd'hui cette pierre cruelle, avec ton beau corps[1]. Loin de moi concours et fables des Grecs, par lesquels on honorait de malheureux éphèbes et qui proposaient de petites récompenses à de petits combats, et tout ce par quoi, libations et prémices, ou bandelettes et fleurs fraîchement cueillies, on rend les honneurs funèbres aux hommes qui s'en sont allés, en suivant servilement, plutôt que la raison, la coutume ancestrale et l'égarement de la douleur[2]! Mon présent, c'est un discours, que peut-être l'avenir accueillera, dans un mouvement perpétuel[3], sans laisser partir tout à fait celui qui s'est éloigné d'ici, et en maintenant toujours dans nos oreilles et dans nos âmes l'homme que nous honorons, et qui propose avec plus de vérité que des tableaux le portrait de celui que nous regrettons[4].

17. Voilà donc nos présents. Ils sont peut-être petits et inférieurs à ton mérite, mais ce que l'on fait selon ses possibilités est agréable à Dieu aussi[5]! Or, les uns, nous les avons donnés, les autres, nous les donnerons, en apportant les honneurs et commémorations annuels[6], tant que nous resterons en vie.

la stèle que représente le discours de Grégoire : «Il est impossible qu'elle ne se mette pas en route (κινούμενον) pour se faire connaître de tous et partout; les temps futurs eux aussi lui feront accueil, j'en suis certain.»

4. Voir *D.* 11, 2 à propos de l'image de la peinture.
5. Cf. *D.* 32, 1.
6. Voir *Constitutions apostoliques,* VIII, 42.

5 Σὺ δὲ ἡμῖν οὐρανοὺς ἐμβατεύοις, ὦ θεία καὶ ἱερὰ κεφαλή, καὶ ἐν κόλποις Ἀβραάμ[a], οἵτινες δή οὗτοί εἰσιν, ἀναπαύσαιο καὶ ἀγγέλων ἐποπτεύοις χορείαν καὶ μακαρίων ἀνδρῶν δόξας τε καὶ λαμπρότητας· μᾶλλον δὲ συγχορεύοις καὶ
C συναγάλλοιο, πάντα διαγελῶν τὰ τῇδε ἀφ' ὕψους, τούς τε
10 καλουμένους πλούτους καὶ τὰς ἐρριμμένας ἀξίας, καὶ τὰς ψευδομένας τιμάς, καὶ τὴν διὰ τῶν αἰσθήσεων πλάνην, καὶ τὴν τοῦ βίου τούτου περιφοράν, καὶ τὴν ὥσπερ ἐν νυκτομαχίᾳ σύγχυσίν τε καὶ ἄγνοιαν, βασιλεῖ τῷ μεγάλῳ[b] περιστάμενος καὶ τοῦ ἐκεῖθεν φωτὸς πληρούμενος· οὗ
15 μικρὰν ἀπορροὴν ἐντεῦθεν δεξάμενοι ὅσον ἐν ἐσόπτροις φαντάζεσθαι καὶ αἰνίγμασιν[c], αὐτῇ τῇ πηγῇ τοῦ καλοῦ μετὰ ταῦτα ἐντύχοιμεν καθαρῷ νῷ καθαρὰν τὴν ἀλήθειαν ἐποπτεύοντες καὶ τοῦτον μισθὸν εὑρισκόμενοι τῆς περὶ τὸν καλὸν ἐνταῦθα φιλοπονίας, τὴν τελεωτέραν ἐκεῖσε τοῦ καλοῦ
20 μετουσίαν καὶ θεωρίαν· ὅπερ δὴ τῆς ἡμετέρας τέλος μυσταγωγίας βίβλοι τε καὶ ψυχαὶ θεολόγοι θεσπίζουσιν.

17, 6 ἀναπαύσῃ ABWV || 8 λαμπρότητα Q (-τας mg.) || 9 συναγάλλοις A || 10-11 καὶ τὰς ψευδομένας τιμάς om. B || 14 παριστάμενος TC || 15 ἐντεῦθεν : ἐνταῦθα S^{pc} C || 16 φαντάζεται AQB^{pc}WVS || 18 εὑρίσκοιμεν Q^{pc}WVTC

---

17. a. Cf. Lc 16, 22-23 b. Cf. Ps. 47, 3 c. Cf. I Cor. 13, 12

---

1. Grégoire interpelle de la même façon Gorgonie (*D.* 8, 23) et Athanase (*D.* 21, 37, et note de J. Mossay); cf. *Lettres* 32, à Philagrios (note de P. Gallay, p. 123); 68, à Basile. Références également dans la note de P. Maraval (Grégoire de Nysse, *Vie de Macrine*, 26, 28), *SC* 178, p. 233.

2. L'expression désigne le repos des justes. Grégoire souhaite lui-même trouver le repos dans le sein d'Abraham; cf. *Poèmes* II, I, 1, v. 580; II, I, 89, v. 37. L'image a été largement exploitée dans l'iconographie médiévale. Les mots qui suivent («quel qu'il soit») donnent à penser que Grégoire refuse (comme dans le *D.* 38, 12) l'interprétation du paradis. Saint Augustin manifeste la même hésitation (voir par ex.

Mais toi, puisses-tu entrer dans les cieux, ô divine et sainte tête[1], et dans le sein d'Abraham[a][2], quel qu'il soit, puisses-tu te reposer et contempler le chœur des anges ainsi que la gloire et la splendeur des hommes bienheureux! Ou plutôt, puisses-tu participer à leur chœur et à leur allégresse, en te moquant d'en haut de toutes les choses d'ici-bas : de ce que l'on appelle les richesses, des dignités abjectes, des honneurs trompeurs, de l'illusion que donnent les sens, de l'égarement de cette vie, de la confusion et de l'ignorance comparables à celles d'un combat nocturne[3], en te tenant auprès du grand roi[b], comblé de la lumière de là-bas[4]! Nous qui n'en avons reçu ici que le faible rayonnement qui peut apparaître dans les miroirs et les énigmes[c], puissions-nous trouver après cela la source même du beau, en contemplant avec un esprit pur la pure vérité, et obtenir comme récompense des efforts que nous faisons ici-bas en vue du beau une plus complète possession et vision du beau là-bas. Car là précisément est le terme de cette initiation que nous annoncent les livres et les hommes qui nous parlent de Dieu[5].

Conf. IX, III, 6, et la note complémentaire d'A. SOLIGNAC, *Œuvres*, 14, p. 549-550).

3. Réminiscence de THUCYDIDE VII, 44 : « Comment, dans un combat de nuit..., aurait-on pu avoir une connaissance sûre de quoi que ce fût? » Cf. *D.* 2, 81 la même image précède celle du combat naval (THUCYDIDE II, 84).

4. Cf. *D.* 8, 23 l'évocation de l'au-delà (pour Gorgonie, Grégoire le voit comme une réalité, mais pour Césaire il s'agit d'un souhait). Voir MOSSAY, chap. II, 1 : « Le ciel, lieu commun des éloges », p. 68-71; MORESCHINI, « Luce ».

5. L'Écriture, les théologiens, mais aussi les philosophes platoniciens (cf. *D.* 28, 4), comme le montrera la suite de ce discours. Sur le θεο-λόγος, voir ŠPIDLIK, *Saint Grégoire de Nazianze*, p. 136-137; SZYMUSIAK, *Éléments de théologie*, p. 7-24.

D **18.** Τί λοιπὸν ἔτι; Τὴν ἐκ λόγου θεραπείαν τοῖς ἀλγοῦσι
777 A προσενεγκεῖν. Μεγὰ δὲ τὸ παρὰ τῶν συναλγούντων
φάρμακον· καὶ οἱ τὸ ἴσον τοῦ πάθους ἔχοντες πλέον εἰσὶν
εἰς παραμυθίαν τοῖς πάσχουσιν. Μάλιστα μὲν οὖν πρὸς
5 τοιούτους ἐστὶν ἡμῖν ὁ λόγος, ὑπὲρ ὧν αἰσχυνοίμην ἄν,
εἰ μὴ καθάπερ ἄλλου παντὸς τῶν καλῶν, οὕτω καὶ
καρτερίας τὰ πρῶτα φέροιντο. Καὶ γὰρ εἰ φιλόπαιδες
πάντων μᾶλλον, ἀλλὰ καὶ πάντων μᾶλλον φιλόσοφοι καὶ
φιλόχριστοι[a], καὶ τὴν ἐντεῦθεν μετάβασιν ἐκ πλείονος αὐτοί
10 τε μελετήσαντες καὶ τοὺς ἐξ αὐτῶν διδάξαντες, μᾶλλον
δὲ τὸν βίον ὅλον μελέτην λύσεως ἐνστησάμενοι. Εἰ δὲ ἔτι
τὸ πάθος ἐπισκοτεῖ τοῖς λογισμοῖς καὶ καθάπερ λήμη τις
τὸν ὀφθαλμὸν ὑπελθοῦσα καθαρῶς συνιδεῖν οὐκ ἐᾷ τὸ δέον,
φέρε, δέξασθε παράκλησιν οἱ πρεσβύτεροι τοῦ νέου καὶ
B 15 τοῦ παιδὸς οἱ πατέρες, καὶ τοῦ νουθετεῖσθαι παρὰ τῶν
τηλικούτων ὀφείλοντος, οἱ πολλοὺς νουθετήσαντες, καὶ τῷ
πολλῷ χρόνῳ τὴν ἐμπειρίαν συλλέξαντες. Θαυμάσητε δὲ
μηδὲν εἰ νέος νουθετῶ γέροντας· καὶ τοῦτο ὑμέτερον, εἴ τι
πολιᾶς ἄμεινον συνορᾶν ἔχω.

20 Πόσον ἔτι βιωσώμεθα χρόνον, ὦ τίμιαι πολιαί, καὶ Θεῷ
πλησιάζουσαι; Πόσον ἐνταῦθα κακοπαθήσωμεν; Οὐδὲ ὁ

18, 2 τοῖς πενθοῦσι post μέγα δὲ add. D Maur. Boul. || συναλγούντων : σύν- sup. l. Q || 5 ἡμῖν ἐστιν SC || 10 ἑαυτῶν C || 11 τὸν τὸν A || 12 λύμη V || τις om. AQWV sup. l. S || 13 τὸν om. BTC || 15 νουθετεῖσθαι : νομοθετεῖσθαι T || 17 πολλῷ : μακρῷ S^{pc}C || 20 βιωσόμεθα AQBWVTS Boul. || 21 κακοπαθήσομεν AQBWVTS Boul.

18. a. Cf. Matth. 10, 37

1. Cf. *Lettre* 165 : « La compassion est un puissant moyen de consolation. » Ici commence une assez longue consolation, essentiellement consacrée à un développement sur les *vanités.* Le *D.* 8 ne comportera pas de consolation comparable; c'est la révélation des θαύματα de la vie de Gorgonie qui en tient lieu, comme le dit Grégoire *D.* 8, 17.

2. Grégoire et Nonna, les parents; cf. *D.* 8, 15, la καρτερία de Gorgonie dans les épreuves.

18. Que reste-t-il encore? A apporter aux affligés les soins que donne la parole. C'est un grand remède que la compassion d'autrui : ceux qui prennent une part égale dans la douleur sont plus propres à consoler ceux qui souffrent[1]. Mon discours s'adresse surtout à ceux-là qui me feraient rougir si, de même qu'en tout autre vertu, ils ne tenaient pas le premier rang aussi dans la force d'âme[2]. S'ils aiment en effet leurs enfants plus que tous, plus que tous aussi ils aiment la sagesse et ils aiment le Christ[a]. Et le départ d'ici-bas, il y a bien longtemps qu'ils s'en sont préoccupés eux-mêmes et en ont instruit leurs enfants; ou plutôt, ils ont fait de toute leur vie une préparation de son dénouement[3]. Mais si la souffrance obscurcit encore le raisonnement et, comme une sorte de chassie voilant les yeux, ne permet pas de voir clairement ce qu'on doit voir[4], eh bien, recevez une consolation, vous les vieillards, du jeune homme, et de votre enfant, vous les parents; de celui qui devrait recevoir des exhortations de gens de votre âge, vous qui avez exhorté beaucoup de gens et amassé une longue expérience. Et ne vous étonnez nullement si, jeune homme, j'exhorte des vieillards : c'est grâce à vous que je peux mieux voir que ceux qui ont des cheveux blancs[5].

Combien de temps nous faut-il vivre encore, ô chères têtes blanches, vous qui êtes proches de Dieu? Combien de temps nous faut-il souffrir ici? Elle n'est pas longue,

3. Cf. *Phéd.* 67 d; 80 d, e; même idée *Lettre* 31 (avec la citation de Platon). Voir P. HADOT, *Exercices spirituels et philosophie antique*, Paris 1981, p. 49-59 : «Apprendre à mourir».

4. On retrouve l'image de la chassie dans d'autres passages (*D.* 18, 5; 19, 5; 22, 7), peut-être un souvenir d'ARISTOPHANE, *Plout.* 581, renouvelant la métaphore de PLATON, *Phéd.* 99 e; voir J. TAILLARDAT, *Les images d'Aristophane*, Paris 1962, p. 270.

5. Cf. *Épigr.* 85 bis. Lieu commun de la consolation chrétienne; voir MOSSAY, *La mort et l'au-delà*, p. 101.

πᾶς ἀνθρώπων βίος μακρός, ὡς τῇ θείᾳ φύσει καὶ ἀτελευτήτῳ παραβάλλειν, μὴ ὅτι τὸ τῆς ζωῆς λείψανον καὶ ἡ λύσις, ὡς ἂν εἴπομεν, τῆς ἀνθρωπίνης πνοῆς καὶ
25 τοῦ προσκαίρου βίου τὰ τελευταῖα. Πόσον ἡμᾶς ἔφθη Καισάριος; Πόσον ἔτι τὸν ἀπελθόντα πενθήσομεν; Οὐ πρὸς τὴν αὐτὴν ἐπειγόμεθα μονήν; Οὐ τὸν αὐτὸν ὑποδυσόμεθα λίθον αὐτίκα; Οὐχ ἡ αὐτὴ κόνις μετὰ μικρὸν ἐσόμεθα;
C Οὐ τοσοῦτον κερδανοῦμεν ἐν ταῖς μικραῖς ταύταις ἡμέραις,
30 ὅσον πλείω κακά, τὰ μὲν ἰδόντες, τὰ δὲ παθόντες, τὰ δὲ καὶ πράξαντες ἴσως, λειτουργῆσαι τῷ τῆς φύσεως νόμῳ τὴν κοινὴν εἰσφορὰν καὶ ἀσάλευτον, καὶ τοῖς μὲν ἐπαπελθεῖν, τῶν δὲ προαπελθεῖν, καὶ τοὺς μὲν κλαῦσαι, ὑπὸ δὲ τῶν θρηνηθῆναι, καὶ παρ᾽ἄλλων ἀντιλαβεῖν ὃν προεισ-
35 σηνέγκαμεν ἄλλοις τῶν δακρύων ἔρανον;

19. Τοιοῦτος ὁ βίος ἡμῶν, ἀδελφοί, τῶν ζώντων πρόσκαιρα· τοιοῦτο τὸ ἐπὶ γῆς παίγνιον· οὐκ ὄντας γενέσθαι, καὶ γενομένος ἀναλυθῆναι[a]. Ὄναρ ἐσμὲν οὐχ
D ἱστάμενον, φάσμα τι μὴ κρατούμενον[b], πτῆσις ὀρνέου
5 παρερχομένου[c], ναῦς ἐπὶ θαλάσσης ἴχνος οὐκ ἔχουσα[d], κόνις, ἀτμίς, ἑωθινὴ δρόσος[e], ἄνθος καιρῷ φυόμενον καὶ καιρῷ λυόμενον[f]. « Ἄνθρωπος, ὡσεὶ χόρτος αἱ ἡμέραι αὐτοῦ, ὡσεὶ ἄνθος τοῦ ἀγροῦ οὕτως ἐξανθήσει[g]. » Καλῶς ὁ θεῖος Δαυῒδ περὶ τῆς ἀσθενείας ἡμῶν ἐφιλοσόφησεν καὶ
10 ἐν ἐκείνοις πάλιν τοῖς ῥήμασι· « Τὴν ὀλιγότητα τῶν ἡμερῶν μου ἀνάγγειλόν μοι[h] » καὶ παλαιστῶν μέτρον τὰς

23 παραβαλεῖν WTD Maur. Boul. ‖ 27 κατεπειγόμεθα C ‖ 30 ὅσῳ VC ‖ 31 καὶ om. T ‖ 34 ὃν : ὧν C ‖ 34-35 προσηνέγκαμεν S προεισενέγκαμεν C

19, 2 τοιοῦτον ATC

---

19. a. Cf. Sag. 5, 13 b. Cf. Job 20, 8 c. Cf. Sag. 5, 11 d. Cf. Sag. 5, 10 e. Osée 13, 3 f. Cf. Ps. 89, 6 g. Ps. 102, 15 h. Ps. 101, 24

---

1. Cf. *D.* 37, 1; *Poèmes* I, II, 15, v. 66. Sur le jeu, image de la vie,

la vie tout entière des hommes, comparée à la nature divine et éternelle, à plus forte raison ce qui nous reste à vivre et la dissolution, pour ainsi dire, du souffle humain et les derniers moments de cette vie passagère. De combien de temps Césaire nous a-t-il devancés? Combien de temps encore pleurerons-nous celui qui est parti? Ne nous hâtons-nous pas vers la même demeure? Ne serons-nous pas recouverts dans un moment de la même pierre? Ne serons-nous pas dans peu de temps la même cendre? Gagnerons-nous, en ces courtes journées, autre chose que davantage de maux, spectateurs des uns, victimes des autres, peut-être même auteurs de certains, pour payer à la loi de la nature la contribution commune et constante, et suivre les uns, devancer les autres, pleurer ceux-ci, être pleurés de ceux-là, et des uns recevoir en échange le tribut des larmes que nous aurons auparavant données à d'autres?

19. Telle est notre vie, frères, à nous qui vivons des moments passagers. Tel est notre jeu [1] sur terre : naître alors que nous ne sommes pas et, une fois que nous sommes nés, disparaître [a]. Nous sommes un songe inconsistant, un fantôme insaisissable [b], le vol d'un oiseau qui passe [c], un navire qui ne laisse pas de trace sur la mer [d], de la cendre, de la vapeur, une rosée matinale [e], une fleur qui croît en un instant et se fane en un instant [f]. «L'homme, ses jours sont comme l'herbe; ainsi que la fleur des champs, il fleurira [g].» Le divin David [2] a bien médité sur notre faiblesse, et une autre fois en ces termes : «Le petit nombre de mes jours, fais-le moi connaître [h]», et c'est avec une mesure de palmes [3] qu'il délimite les

voir F.-X. Duret, *Langage, images et visages de la mort chez Jean Chrysostome* (Collection d'Études Classiques, 3), Namur 1990, p. 172-176.

2. David était habituellement considéré comme l'auteur de tous les Psaumes; cf. chap. 22; *D.* 8, 14.

3. La palme est une mesure linéaire qui vaut quatre doigts.

780 A ἀνθρωπίνας ἡμέρας ὁρίζεται[i]. Τί δ' ἂν εἴποις πρὸς Ἰερεμίαν, ὃς καὶ τῇ μητρὶ μέμφεται τῆς γεννήσεως ἀλγῶν καὶ ταῦτα ἐπ' ἀλλοτρίοις πταίσμασι[j]; « Πάντα εἶδον », φησὶν ὁ Ἐκκλη-
15 σιαστής[k], πάντα ἐπῆλθον λογισμῷ τὰ ἀνθρώπινα, πλοῦτον, τρυφήν, δυναστείαν, δόξαν τὴν ἄστατον, σοφίαν τὴν ὑποφεύγουσαν πλέον ἢ κρατουμένην, πάλιν τρυφήν, σοφίαν πάλιν, ἐπὶ τὰ αὐτὰ πολλάκις ἀνακυκλούμενος, γαστρὸς ἡδονάς, παραδείσους, πλῆθος οἰκετῶν, πλῆθος κτημάτων,
20 οἰνοχόους καὶ οἰνοχόας, ᾄδοντας καὶ ᾀδούσας, ὅπλα, δορυφόρους, ἔθνη προσπίπτοντα, φόρους συλλεγομένους, ὀφρὺν βασιλείας, ὅσα περιττὰ τοῦ βίου, ὅσα τῶν ἀναγκαίων, οἷς ὑπὲρ πάντας ἦλθον βασιλεῖς τοὺς ἔμπροσθεν· καὶ τί ἐπὶ πᾶσι τούτοις; « Πάντα ματαιότης » ματαιοτήτων, « καὶ
B 25 προαίρεσις πνεύματος[l] », εἴτ' οὖν ὁρμή τις ψυχῆς ἀλόγιστος καὶ περισπασμὸς ἀνθρώπου τοῦτο κατακριθέντος ἴσως ἐκ τοῦ παλαιοῦ πτώματος[m]. Ἀλλὰ « τέλος λόγου », φησί, « τὸ πᾶν ἄκουε· τὸν Θεὸν φοβοῦ[n] »· ἐνταῦθα τῆς ἀπορίας ἵσταται· καὶ τοῦτό σοι μόνον τῆς ἐνταῦθα ζωῆς τὸ κέρδος,
30 ὁδηγηθῆναι διὰ τῆς ταραχῆς τῶν ὁρωμένων καὶ σαλευομένων ἐπὶ τὰ ἑστῶτα καὶ μὴ κινούμενα.

20. Μὴ τοίνυν πενθῶμεν Καισάριον, οἵων ἀπηλλάγη κακῶν εἰδότες, ἀλλ' ἡμᾶς αὐτούς, οἵοις ὑπειλείφθημεν καὶ οἷα θησαυρίσομεν, εἰ μὴ γνησίως Θεῷ προσθέμενοι καὶ παραδραμόντες τὰ παρατρέχοντα πρὸς τὴν ἄνω ζωὴν
5 ἐπειγοίμεθα· ἔτι ὑπὲρ γῆς ὄντες, καταλιπόντες τὴν γῆν
C καὶ τῷ Πνεύματι φέροντι πρὸς τὰ ἄνω γνησίως ἀκολου-

16 ἄστατον καὶ C ‖ 20 ᾀδούσας καὶ ᾄδοντας ABWT ‖ 22 τοῦ om. AQWVT ‖ 24 πᾶσι Q mg. ‖ 24 τὰ πάντα ματαιότης post ματαιοτήτων add. BTD Boul. ‖ 25 εἴτ' : ἦτ' C ‖ 26 κατακριθέντες Q (-τος mg.) V ‖ 27 ἀλλὰ : τἀλλὰ Boul.
20, 5 γῆν C ‖ 6-7 ἀκολουθήσαντες T

jours humains[i]. Et que diras-tu à Jérémie qui va jusqu'à reprocher à sa mère les douleurs de sa naissance, et cela à propos des fautes d'autrui[j]? «J'ai tout vu», dit l'Ecclésiaste[k], j'ai parcouru par la pensée toutes les choses humaines : la richesse, le luxe, la puissance, la gloire incertaine, la sagesse qui fuit plus qu'on ne la retient; de nouveau le luxe, la sagesse de nouveau, en revenant souvent aux mêmes choses : les plaisirs du ventre, les jardins, une quantité de domestiques, une quantité de biens, des échansons, hommes et femmes, des chanteurs et des chanteuses, des armes, des gardes du corps, des peuples agenouillés, des impôts collectés, l'orgueil de la royauté, tout le superflu de la vie et tout le nécessaire par quoi je me suis élevé au-dessus de tous les rois passés. Et que reste-t-il après tout cela? «Tout est vanité» des vanités «et poursuite de vent[l]», c'est-à-dire élan irréfléchi de l'âme et affolement de l'homme condamné à cela peut-être à la suite de l'ancienne chute[m]. Mais «pour finir mon propos, dit-il, écoute l'essentiel : crains Dieu[n]». Là il cesse d'être dans l'embarras; et c'est pour toi le seul gain de cette vie d'ici : être conduit, à travers le désordre des choses visibles et agitées, vers ce qui est stable et non mouvant.

20. Ne pleurons donc pas Césaire, puisque nous savons à quels maux il a échappé; mais pleurons sur nous-mêmes, pour les maux auxquels nous avons été réservés et ceux que nous accumulerons, si nous ne nous approchons pas sincèrement de Dieu et si nous ne passons pas à côté de ce qui passe à côté de nous, pour nous hâter vers la vie d'en haut, laissant la terre alors que nous sommes encore sur la terre, et suivant sincèrement l'Esprit, qui nous porte vers les choses d'en haut. Cela

i. Cf. Ps. 38, 6 j. Cf. Jér. 15, 10; 20, 14-18 k. Cf. Eccl. 1, 12-18; 2, 1-11 l. Eccl. 1, 14; 2, 11 m. Cf. Gen. 3, 6-24 n. Eccl. 12, 13

θήσαντες. Ταῦτα καὶ ἀλγεινὰ τοῖς ὀλιγοψύχοις καὶ κοῦφα τοῖς ἀνδρικοῖς τὴν διάνοιαν.

Σκοπῶμεν δὲ οὕτως. Οὐκ ἄρξει Καισάριος; Ἀλλ᾽οὐδὲ 10 ἀρχθήσεται πρὸς ἄλλων. Οὐ φοβήσει τινάς; Ἀλλ᾽οὐδὲ δείσει βαρὺν δεσπότην, πολλάκις τὸν οὐδὲ ἄρχεσθαι ἄξιον. Οὐ συνάξει πλοῦτον; Ἀλλ᾽οὐδὲ ὑπόψεται φθόνον ἢ ψυχὴν ζημιωθήσεται κακῶς συνάγων καὶ τοσοῦτον ἀεὶ προσλαμβάνειν ζητῶν ὅσον ἐκτήσατο. Τοιαύτη γὰρ ἡ τοῦ πλουτεῖν νόσος 15 ὅρον τοῦ δεῖσθαι πλείονος οὐκ ἔχουσα, ἀλλὰ τὸ ποτὸν ἀεὶ δίψους ἔτι ποιουμένη φάρμακον. Οὐκ ἐπιδείξεται λόγους; Ἀλλ᾽ὑπὸ λόγων γε θαυμασθήσεται. Οὐ φιλοσοφήσει τὰ Ἱπποκράτους καὶ Γαληνοῦ καὶ τῶν ἀντιθέτων ἐκείνοις; D Ἀλλ᾽οὐδὲ κακοπαθήσει νόσοις, ἰδίας ἐπ᾽ἀλλοτρίαις 20 συμφοραῖς λύπας καρπούμενος. Οὐκ ἀποδείξει τὰ Εὐκλείδου καὶ Πτολεμαίου καὶ Ἥρωνος; Ἀλλ᾽οὐδὲ ἀλγήσει τοῖς ἀπαι- 781 A δεύτοις φυσῶσι μείζονα. Οὐ καλλωπιεῖται τοῖς Πλάτωνος καὶ Ἀριστοτέλους καὶ Πύρρωνος καὶ Δημοκρίτοις δή τισι καὶ Ἡρακλείτοις, καὶ Ἀναξαγόραις, Κλεάνθαις τε καὶ Ἐπι- 25 κούροις, καὶ οὐκ οἶδ᾽οἷστισι τῶν ἐκ τῆς σεμνῆς Στοᾶς

9 σκοπῶ C ‖ 12-13 ζημιώσεται QWVT -θη- sup. l. B ‖ 15 ὅρον τοῦ δεῖσθαι πλείονος οὐκ ἔχουσα : ὅρον τοῦ πλείονος οὐκ εἰδὼς ABWTS (ὅρον – ἔχουσα S mg.) ‖ 16 ἔτι om. Q αἴτιον C ‖ ποιούμενος ABWTS ‖ 17 γε del. Q om. C ‖ ἀλλ᾽ – Πύρρωνος (l. 23) Q mg. ‖ 22 καλλωποιεῖται D Maur. ‖ 25 Κλεάνθεσί τε C

1. Ce passage est un parallèle négatif du chap. 7 (l'énumération des connaissances de Césaire). Grégoire va démontrer la vanité des connaissances, de la médecine à la philosophie, en crescendo ; cf. *Épigr.* 91-92.

2. Dans cette liste, probablement traditionnelle, des plus grands savants, le plus récent est l'astronome Claude Ptolémée (IIe siècle ap. J.-C.). Elle commence bien sûr par les deux plus grands auteurs de corpus médicaux, toujours enseignés à Alexandrie : Hippocrate (v. 460-377) et Galien (v. 131-201), qui procède de lui. L'ami de Julien, Oribase

est aussi pénible aux pusillanimes que léger aux esprits virils.

Mais voyons ce qu'il en est[1]. Césaire n'exercera pas le commandement? Mais il ne sera pas commandé non plus par d'autres. Il ne se fera pas craindre de certains? Mais il ne craindra pas non plus un maître insupportable, un homme qui, souvent, est même indigne de commander. Il n'amassera pas une fortune? Mais il ne redoutera pas non plus l'envie ni ne perdra son âme en amassant malhonnêtement et en cherchant toujours à acquérir autant qu'il a acquis. Telle est en effet la maladie de la richesse, qui ne connaît pas de limites au besoin d'avoir plus, mais encore fait continuellement de la boisson un remède à la soif. Il ne fera pas étalage de discours? Mais ce seront du moins des discours qui le loueront. Il ne méditera pas les ouvrages d'Hippocrate, de Galien et de leurs adversaires[2]? Mais il ne sera pas non plus atteint de maladies, en récoltant des peines personnelles dans les malheurs d'autrui[3]. Il n'expliquera pas les ouvrages d'Euclide, de Ptolémée et de Héron[4]? Mais il ne souffrira pas non plus du fait des ignorants encore plus enflés d'orgueil. Il ne se parera pas de ceux de Platon, d'Aristote, de Pyrrhon, ou encore de quelques Démocrites, Héraclites, Anaxagores, Cléanthes, Épicures et de je ne sais encore quels membres du vénéré Por-

(325-403), contemporain de Césaire, auteur d'une monumentale encyclopédie médicale, fut leur continuateur.

37. Comme le dit Hippocrate, *De flatibus* I. Cf. *D.* 2, 27, où Grégoire signale son emprunt : « comme l'a dit l'un des plus savants d'entre eux » ; cf. aussi Eusèbe, *H.E.*, X, IV (*SC* 55, p. 84)

4. Ces trois célèbres mathématiciens ont vécu à Alexandrie : Euclide, auteur des *Éléments de géométrie* (IIIe siècle av. J.-C.), Claude Ptolémée (*ca* 90 – *ca* 168 ap. J.-C.), auteur d'une *Composition mathématique* (ou *Almageste*) et d'une *Géographie*, Héron (deuxième moitié du Ier siècle après J.-C.)

καὶ Ἀκαδημίας; Ἀλλ᾽ οὐδὲ φροντίσει ὅπως διαλύσῃ τούτων τὰς πιθανότητας.

Τί με δεῖ μνημονεύειν τῶν ἄλλων; Ἀλλὰ ταῦτα δὴ τὰ τίμια πᾶσι καὶ περισπούδαστα· οὐ παραστήσεται γαμετήν, 30 οὐ παῖδας; Ἀλλ᾽ οὐδὲ θρηνήσει τούτους ἢ θρηνηθήσεται ὑπὸ τούτων, ἢ καταλιπὼν ἄλλοις ἢ καταλειφθεὶς συμφορᾶς ὑπόμνημα. Οὐ κληρονομήσει χρημάτων; Ἀλλὰ κληρονομηθήσεται ὑφ᾽ ὧν χρησιμώτατον καὶ ὧν αὐτὸς ἠθέλεσεν, ἵνα πλούσιος ἐνθένδε μεταναστῇ, πάντα μεθ᾽ ἑαυτοῦ φερό- B 35 μενος. Ὦ τῆς φιλοτιμίας· ὢ τῆς καινῆς παρακλήσεως· ὢ τῆς μεγαλοψυχίας τῶν ἐπιβαλλομένων. Ἠκούσθη κήρυγμα πάσης ἀκοῆς ἄξιον καὶ μητρὸς πάθος κενοῦται δι᾽ ὑποσχέσεως καλῆς καὶ ὁσίας δοῦναι τὰ πάντα τῷ παιδὶ τὸν ἐκείνου πλοῦτον ὑπὲρ ἐκείνου δῶρον ἐντάφιον, καὶ 40 μηδὲν ὑπολειφθῆναι τοῖς προσδοκήσασιν.

21. Οὔπω ταῦτα ἱκανὰ πρὸς παραμυθίαν; Προσοίσω τὸ μεῖζον φάρμακον. Πείθομαι σοφῶν λόγοις ὅτι ψυχὴ πᾶσα καλή τε καὶ θεοφιλής, ἐπειδὰν τοῦ συνδεδεμένου λυθεῖσα σώματος ἐνθένδε ἀπαλλαγῇ, εὐθὺς μὲν ἐν συναισθήσει καὶ

26 διαλύσει Q^{pc} S ‖ 30 οὐ : ἢ AQWVS ‖ 36 ἐπιβαλομένων C^{pc}

---

1. Liste de philosophes fondateurs ou représentatifs de diverses écoles de l'antiquité : Platon, Aristote, Pyrrhon (365-275), fondateur de la philosophie sceptique, Démocrite (*ca* 460- *ca* 370), fondateur de l'école d'Abdère, connu pour sa doctrine des atomes, Héraclite (*ca* 540- *ca* 480), Anaxagore (*ca* 500-428), Cléanthe (331-232), philosophe stoïcien, Épicure (341-270). Sur la vanité des connaissances profanes, cf. *D.* 25, 6, à propos du philosophe chrétien Héron : « Il repousse le plus loin possible et rejette les Péripatéticiens, les Académies, le vénérable Portique, la théorie de l'être spontané en même temps que l'atomisme et l'hédonisme d'Épicure ... »

2. Voir chap. 10, n. 56 à propos de τιμία.

3. Gorgonie aura la chance de ne pas être appelée veuve (*D.* 8, 12).

tique et de l'Académie[1]? Mais il ne cherchera pas non plus à savoir comment se débarrasser de leurs arguments spécieux.

Que dois-je encore rappeler d'autre? Mais précisément ces biens précieux et recherchés par tous : il n'aura pas de femme? pas d'enfants[2]? Mais il ne les pleurera pas non plus, ni ne sera pleuré par eux, soit qu'il laisse à d'autres, soit qu'il reste lui-même un monument de malheur[3]! Il n'héritera pas de richesses? Mais il aura pour héritiers ceux qui en ont le plus besoin et qu'il a lui-même voulus pour s'en aller riche d'ici-bas, emportant tout avec lui. Oh la libéralité! Oh la nouvelle consolation! Oh la magnanimité[4] de ceux qui lèguent leurs biens! Elle a été entendue, la proclamation qui mérite d'être entendue par tous; et la souffrance d'une mère est dissipée grâce à cette belle et sainte promesse de tout donner à son enfant, en donnant la fortune de cet enfant comme un présent funéraire en son honneur, et de ne rien laisser à ceux qui l'attendaient[5].

21. Cela ne suffit-il pas encore à vous consoler? J'ajouterai le plus grand remède : je crois à ces paroles des sages[6] disant que toute âme, si elle est belle et aimée de Dieu, après avoir été délivrée du corps auquel elle était liée[7] et s'être éloignée d'ici, en accédant aussitôt à

4. Gorgonie possède également cette vertu. Sur l'emploi du mot μεγαλοψυχία dans l'œuvre de Grégoire, voir COULIE, *Richesses*, p. 27-28 et n. 83 : pour l'auteur, « l'application du terme à Grégoire l'Ancien, mais aussi à Césaire et à Gorgonie, pourrait signifier leur appartenance à la classe curiale ».

5. Cf. *De vita sua,* v. 371-374; *Lettre* 29, à Sophronios; BASILE, *Lettre* 32, au même. Sur le testament de Césaire, voir Introd., p. 50.

6. Les philosophes platoniciens, comme le démontre tout ce passage (chap. 21-23) très platonisant.

7. Cf. *Phèdre* 246 b.

5 θεωρίᾳ τοῦ μένοντος αὐτὴν καλοῦ γενομένη — ἅτε τοῦ
C ἐπισκοτοῦντος ἀνακαθαρθέντος ἢ ἀποτεθέντος ἢ οὐκ οἶδ' ὅ
τι καὶ λέγειν χρή —, θαυμασίαν τινὰ ἡδονὴν ἥδεται καὶ
ἀγάλλεται, καὶ ἵλεως χωρεῖ πρὸς τὸν ἑαυτῆς δεσπότην,
ὥσπερ τι δεσμωτήριον χαλεπὸν τὸν ἐνταῦθα βίον ἀπο-
10 φυγοῦσα, καὶ τὰς περικειμένας ἀποσεισαμένη πέδας ὑφ' ὧν
τὸ τῆς διανοίας πτερὸν καθείλκετο καὶ οἷον ἤδη τῇ φαντασίᾳ
καρποῦται τὴν ἀποκειμένην μακαριότητα· μικρὸν δ' ὕστερον
καὶ τὸ συγγενὲς σαρκίον ἀπολαβοῦσα[a], ᾧ τὰ ἐκεῖθεν συνε-
φιλοσόφησε, παρὰ τῆς καὶ δούσης καὶ πιστευθείσης γῆς,
784 A 15 τρόπον ὃν οἶδεν ὁ ταῦτα συνδήσας καὶ διαλύσας Θεός,
τούτῳ συγκληρονομεῖ τῆς ἐκεῖθεν δόξης· καὶ καθάπερ τῶν
μοχθηρῶν αὐτοῦ μετέσχε διὰ τὴν συμφυΐαν, οὕτω καὶ τῶν
τερπνῶν ἑαυτῆς μεταδίδωσιν, ὅλον εἰς ἑαυτὴν ἀναλώσασα
καὶ γενομένη σὺν τούτῳ ἓν καὶ πνεῦμα καὶ νοῦς καὶ θεός,
20 καταποθέντος ὑπὸ τῆς ζωῆς τοῦ θνητοῦ τε καὶ ῥέοντος[b].
Ἄκουε γοῦν οἷα περὶ συμπήξεως ὀστῶν τε καὶ νεύρων
φιλοσοφεῖται τῷ θείῳ Ἰεζεκιήλ[c], ὅσα μετ' ἐκεῖνον τῷ θείῳ
Παύλῳ[d] περὶ σκηνώματος ἐπιγείου καὶ οἰκίας ἀχειρο-
ποιήτου — τοῦ μὲν καταλυθησομένου, τῆς δὲ ἀποκειμένης
25 ἐν οὐρανοῖς —· καὶ τὴν μὲν ἀπὸ τοῦ σώματος ἐκδημίαν
ἐνδημίαν πρὸς τὸν Κύριον εἶναι φάσκοντος, τὴν δὲ σὺν

21, 11 καὶ om. AQBWVS

---

21. a. Cf. Gen. 2, 7 b. Cf. II Cor. 5, 4 c. Cf. Éz. 37, 1-10 d. Cf. II Cor. 5, 1-10

---

1. Cf. chap. 18, l'image de la chassie.
2. Cf. *D.* 8, 23. L'image du corps prison de l'âme dérive de *Phédon* 62 b; *Cratyle* 400 c. Sur sa fortune, voir P. COURCELLE, *Connais-toi toi-même. De Socrate à saint Bernard* (Études Augustiniennes), Paris 1975, t. II, p. 345-380 : «Prison de l'âme».
3. Cf. *D.* 2, 7; 37, 8. Réminiscence de *Phèdre* 246 a-256 e; voir P. COURCELLE, *ibid.*, t. III, p. 562-623 : «L'envol de l'âme».

la perception et à la contemplation du bien qui l'attend – parce que ce qui obscurcit[1] a été purifié ou écarté, ou que faut-il dire encore? Je ne le sais –, jouit d'un merveilleux plaisir, se trouve dans l'allégresse et s'avance joyeuse vers son maître, échappée de la vie d'ici-bas comme d'une prison pénible, et débarrassée des liens qui l'entouraient[2] et qui appesantissaient l'aile de la pensée[3]; et ainsi, elle récolte déjà la félicité qu'elle avait mise en réserve par l'imagination. Et, peu de temps après, elle reprend la chair, sa parente[a][4], avec qui elle méditait sur les choses de là-bas, don de la terre qui l'avait donnée et à qui elle avait été confiée, d'une façon que connaît le Dieu qui les unit et qui les sépara, et elle lui fait partager l'héritage de la gloire de là-bas. Et de même qu'elle avait participé à ses souffrances à cause de son union intime avec elle, de même lui donne-t-elle une part de ses plaisirs, puisqu'elle l'a tout entière assimilée en elle-même et ne fait qu'un avec elle : un seul esprit, une seule pensée, un seul dieu, la vie ayant absorbé ce qui était mortel et périssable[b][5]. Écoute par exemple les réflexions du divin Ézéchiel au sujet de l'assemblage des os et des nerfs[c]; et, ensuite, celles du divin Paul[d] sur l'habitation terrestre et la maison qui n'est pas faite de main d'homme – l'une sera dissoute et l'autre est mise en réserve dans les cieux –; et quand il dit que s'exiler du corps, c'est se fixer auprès du Seigneur, quand il

4. Voir É. des Places, *Syngeneia. La parenté de l'homme avec Dieu d'Homère à la patristique* (Études et commentaires, LI), Paris 1964, Livre V : « La *syngeneia* chrétienne », p. 202-204; cf. *SC* 119, p. 334, n. 2.

5. Cf. chap. 22, 23; *D.* 11, 5; sur le thème de la divinisation dans l'œuvre de Grégoire, voir Szymusiak, *Éléments de théologie*, p. 27-28; J. Gross, *La divinisation*, p. 244-250. Une vie conforme à la philosophie permet la divinisation dans l'au-delà. Ici, le corps ressuscité est lui-même divinisé.

B τούτῳ ζωὴν ὡς ἐκδημίαν ὀδυρομένου, καὶ διὰ τοῦτο ποθοῦντος καὶ σπεύδοντος τὴν ἀνάλυσιν[e].

Τί μικροψυχῶ περὶ τὰς ἐλπίδας; Τί γίνομαι πρόσκαιρος[f];
30 Ἀναμένω τὴν τοῦ ἀρχαγγέλου φωνήν[g], τὴν ἐσχάτην σάλπιγγα[h], τὸν οὐρανοῦ μετασχηματισμόν, τὴν γῆς μεταποίησιν, τὴν τῶν στοιχείων ἐλευθερίαν, τὴν κόσμου παντὸς ἀνακαίνισιν[i]. Τότε Καισάριον αὐτὸν ὄψομαι, μηκέτι ἐκδημοῦντα, μηκέτι φερόμενον, μηκέτι πενθούμενον, μηκέτι
35 ἐλεούμενον, λαμπρόν, ἔνδοξον, ὑψηλόν, οἷός μοι καὶ κατ' ὄναρ ὤφθης πολλάκις, ὦ φίλτατε ἀδελφῶν ἐμοὶ καὶ φιλαδελφότατε, εἴτε τοῦ βούλεσθαι τοῦτο ἀνατυποῦντος εἴτε τῆς ἀληθείας.

22. Νυνὶ δέ, ἀφεὶς τοὺς θρήνους, εἰς ἐμαυτὸν βλέψω μή τι θρήνων ἄξιον λάθω φέρων, καὶ τὰ ἐμαυτοῦ περι-
C σκέψομαι. « Υἱοὶ ἀνθρώπων », μέτεισι γὰρ πρὸς ὑμᾶς ὁ λόγος, « ἕως πότε βαρυκάρδιοι καὶ παχεῖς τὴν διάνοιαν;
5 Ἵνα τί ἀγαπᾶτε ματαιότητα καὶ ζητεῖτε ψεῦδος[a] » μέγα τι τὸν ἐνταῦθα βίον καὶ τὰς ὀλίγας ταύτας ἡμέρας πολλὰς ὑπολαμβάνοντες, καὶ τὴν διάζευξιν ταύτην, τὴν ἀσπαστὴν καὶ ἡδεῖαν, ὡς δή τι βαρὺ καὶ φρικῶδες ἀποστρεφόμενοι; Οὐ γνωσώμεθα ἡμᾶς αὐτούς; Οὐ τὰ φαινόμενα ῥίψωμεν;
10 Οὐ πρὸς τὰ νοούμενα βλέψωμεν; Οὐκ, εἴ τι καὶ λυπεῖσθαι χρή, τοὐναντίον ἀνιασώμεθα τῇ παροικίᾳ μηκυνομένῃ, κατὰ

32 τὴν τῶν στοιχείων ἐλευθερίαν S mg. ‖ 33 ἀνακαίνωσιν ABW ‖ καὶ Καισάριον AQWC ‖ αὐτὸν T mg.

22, 1 δὴ Boul. ‖ 6 ταύτας T mg. ‖ 9 γνωσόμεθα QW^{pc}VTS ‖ 9 ῥίψομεν QVTSC^{pc} Boul. ‖ 10 βλέψομεν QVTSC^{pc} Boul. ‖ 11 ἀνιασόμεθα QVTC Boul. ‖ τῆς παροικίας μηκυνομένης C

---

e. Cf. Phil. 1, 23 f. Cf. Matth. 13, 21 g. Cf. I Thess. 4, 16
h. Cf. I Cor. 15, 52 i. Cf. II Pierre 3, 10; Matth. 24, 29-31
22. a. Ps. 4, 3

déplore comme un exil sa vie avec le corps et que, pour cette raison, il désire et recherche la délivrance[e] [1].

Pourquoi suis-je pusillanime dans mes espérances? Pourquoi suis-je provisoire[f]? J'attends la voix de l'archange[g], la trompette dernière[h], la transformation du ciel, la métamorphose de la terre, la libération des éléments, le renouvellement du monde entier[i]. Alors je verrai Césaire lui-même, non plus exilé, non plus porté, non plus pleuré, non plus regretté, mais brillant, glorieux, élevé, tel que je t'ai vu en songe souvent, ô le plus aimant et le plus aimé des frères, que mon désir l'ait imaginé ou que ce soit la vérité.

22. Mais à présent, je vais abandonner les lamentations et tourner les yeux vers moi-même, de peur de porter en moi, caché, quelque sujet digne de lamentations, puis examiner ce qui me concerne. «Fils d'hommes», car c'est à vous que s'adresse ce discours, «jusqu'à quand aurez-vous le cœur insensible et l'esprit épais? A quoi bon aimer la vanité et rechercher le mensonge[a]?» Vous faites grand cas de cette vie d'ici-bas et jugez nombreux ces quelques jours, et vous détournez votre esprit de cette séparation[2], qui est désirable et douce, comme si elle devait être pénible et effrayante. Ne devons-nous pas nous connaître nous-mêmes[3]? Ne devons-nous pas rejeter les apparences? Ne devons-nous pas tourner nos regards vers les choses de l'esprit? S'il faut nous attrister de quelque chose, ne devons-nous pas

1. Cf. *D.* 40, 15. Sur ce passage et la doctrine eschatologique de Grégoire, voir ŠPIDLIK, *Grégoire de Nazianze*, p. 102.

2. La mort, comme séparation de l'âme et du corps; cf. *D.* 8, 5, 14.

3. Voir P. COURCELLE, *Connais-toi toi-même.*, t. I, p. 97-112 : «D'Origène aux Cappadociens», spécialement, p. 108-109 à propos de Grégoire de Nazianze.

τὸν θεῖον Δαυΐδ, σκηνώματα σκοτασμοῦ[b] καὶ τόπον κακώσεως καὶ «ἰλὺν βυθοῦ[c]» καὶ «σκιὰν θανάτου[d]» τὰ τῇδε ἀποκαλοῦντα· ὅτι βραδύνομεν ἐν τοῖς τάφοις οἷς

D 15 περιφέρομεν, ὅτι ὡς ἄνθρωποι ἀποθνήσκομεν τὸν τῆς ἁμαρτίας θάνατον, θεοὶ γεγονότες;

Τοῦτον ἐγὼ φοβοῦμαι τὸν φόβον, τούτῳ καὶ νύκτωρ καὶ

785 A μεθ' ἡμέραν σύνειμι, καὶ οὐκ ἐᾷ με ἀναπνεῖν ἡ ἐκεῖθεν δόξα καὶ τὰ ἐκεῖσε δικαιωτήρια· ὧν τῆς μὲν ἐφιέμαι

20 μέχρι καὶ τοῦ δύνασθαι λέγειν· «Ἐκλείπει εἰς τὸ σωτήριόν σου ἡ ψυχή μου[e]», τὰ δὲ φρίττω καὶ ἀποστρέφομαι. Ἐκεῖνο δὲ οὐ δέδοικα μή μοι τὸ σῶμα τοῦτο διαρρυὲν καὶ διαφθαρὲν παντελῶς οἰχήσεται, ἀλλὰ μὴ τὸ τοῦ Θεοῦ πλάσμα τὸ ἔνδοξον – ἔνδοξον γὰρ κατορθοῦν, ὥσπερ ἄτιμον

25 ἁμαρτάνον, ἐν ᾧ λόγος, νόμος, ἐλπίς –, τὴν αὐτὴν τοῖς ἀλόγοις ἀτιμίαν κατακριθῇ, καὶ μηδὲν πλέον ᾖ μετὰ τὴν διάζευξιν· ὡς ὄφελόν γε τοῖς πονηροῖς καὶ τοῦ ἐκεῖθεν πυρὸς ἀξίοις.

B **23.** Εἴθε νεκρώσαιμι «τὰ μέλη τὰ ἐπὶ τῆς γῆς[a]». Εἴθε πάντα τῷ πνεύματι δαπανήσαιμι, τὴν στενὴν καὶ ὀλίγοις βατὴν ὁδεύσας, μὴ τὴν πλατεῖαν καὶ ἄνετον[b]. Ὡς τά γε μετὰ τοῦτο λαμπρὰ καὶ μεγάλα, καὶ μείζων ἢ κατὰ τὴν

5 ἀξίαν ἐλπίς. «Τί ἐστιν ἄνθρωπος, ὅτι μιμνήσκῃ αὐτοῦ[c];» Τί τὸ καινὸν τοῦτο περὶ ἐμὲ μυστήριον; Μικρός εἰμι καὶ μέγας, ταπεινὸς καὶ ὑψηλός, θνητὸς καὶ ἀθάνατος[d], ἐπίγειος

14 ἀποκαλοῦντος BSC ἀποκαλοῦντες AQWV || 20 τοῦ καὶ AQBWVT || 23 οἰχήσηται VD Maur. || 27 ὤφελον D

23, 2 τὰ πάντα C || 3 ὁδὸν ante βατὴν add. D mg.

---

b. Cf. Ps. 119, 5 c. Ps. 68, 3 d. Ps. 43, 20 e. Ps. 118, 81

23. a. Col. 3, 5 b. Cf. Matth. 7, 13-14 c. Ps. 8, 5 d. Cf. I Cor. 15, 53

---

1. Cf. *Lettre* 31; *Poèmes* II, I, 46 : «Κατὰ σαρκός», v. 9. L'image du

nous affliger au contraire de la prolongation de notre exil, comme le divin David, qui appelait tente de l'obscurité[b], lieu de malheur, «fange de l'abîme[c]» et «ombre de la mort[d]» les choses d'ici-bas, puisque nous nous attardons dans les tombeaux où nous sommes enfermés[1], puisque nous mourons, en tant qu'hommes, de la mort du péché alors que nous sommes nés dieux[2]?

Voilà la crainte dont je suis moi-même saisi et qui m'accompagne jour et nuit. Et la gloire de là-bas comme les prisons d'ici[3] m'empêchent de respirer : je convoite l'une au point même de pouvoir dire : «Mon âme défaille en pensant à ton salut[e]»; et les autres me font frémir et je m'en détourne. Mais ce que je crains, ce n'est pas que mon corps, dissous et détruit, disparaisse complètement, mais que la glorieuse créature de Dieu – glorieuse en effet quand elle marche dans le droit chemin, autant qu'elle est méprisable quand elle est dans le péché, et en qui sont la raison, la loi, l'espérance –, ne soit condamnée au même déshonneur que les êtres sans raison, et ne soit rien de plus après la séparation, comme cela doit arriver aux hommes méchants et dignes du feu de là-bas[4].

23. Puissé-je mortifier «les membres terrestres[a]!» Puissé-je tout consumer pour l'esprit, en parcourant la route étroite à laquelle peu accèdent, non la route large et facile[b]. Car ce qui vient après est brillant et grand, et plus grande que notre mérite est notre espérance. «Qu'est-ce que l'homme pour que tu te souviennes de lui[c]?» Quel est, à mon sujet, ce nouveau mystère? Je suis petit

corps-tombeau dérive de *Gorgias* 493 a; *Cratyle* 400 c; *Phèdre* 250 c. Voir à ce sujet P. COURCELLE, *ibid.*, t. II, p. 394-407 : «Tombeau de l'âme», spécialement p. 406-407 à propos de Grégoire de Nazianze; MORESCHINI, «Il platonismo», p. 1353.

2. Cf. p. 235, n. 5.
3. Passage inspiré de *Phèdre* 249 a.
4. Cf. *ibid.* 249 b.

καὶ οὐράνιος, ἐκεῖνα μετὰ τοῦ κάτω κόσμου, ταῦτα μετὰ τοῦ Θεοῦ, ἐκεῖνα μετὰ τῆς σαρκός, ταῦτα μετὰ τοῦ πνεύ-
10 ματος. Χριστῷ συνταφῆναί[e] με δεῖ, Χριστῷ συναναστῆναι[f], συγκληρονομῆσαι Χριστῷ[g], υἱὸν γενέσθαι Θεοῦ[h], Θεὸν αὐτὸν κληθῆναι[i].

Ὁρᾶτε ποῖ προιὼν ἀνήγαγεν ἡμᾶς ὁ λόγος. Μικροῦ καὶ χάριν ὁμολογῶ τῷ πάθει ᾧ τοιαῦτα ἐφιλοσόφησα καὶ δι' ὃ
C 15 μᾶλλον ἐραστὴς ἐγενόμην τῆς ἐνθένδε ἀπαναστάσεως. Τοῦτο ἡμῖν τὸ μέγα μυστήριον βούλεται· τοῦτο ἧμῖν ὁ ἐνανθρωπήσας δι' ἡμᾶς καὶ πτωχεύσας Θεός[j], ἵνα ἀναστήσῃ τὴν σάρκα καὶ ἀνασώσηται τὴν εἰκόνα καὶ ἀναπλάσῃ τὸν ἄνθρωπον, ἵνα γενώμεθα οἱ πάντες ἓν ἐν Χριστῷ γενομένῳ
20 τὰ πάντα ἐν πᾶσιν ἡμῖν τελείως, ὅσα πέρ ἐστιν αὐτός, ἵνα μηκέτι ὦμεν ἄρρεν καὶ θῆλυ, βάρβαρος καὶ Σκύθης, δοῦλος, ἐλεύθερος[k], τὰ τῆς σαρκὸς γνωρίσματα, μόνον δὲ φέρωμεν ἐν ἡμῖν αὐτοῖς τὸν θεῖον χαρακτῆρα[l], παρ' οὗ καὶ εἰς ὃν γεγόναμεν, τοσοῦτον ἀπ' αὐτοῦ μορφωθέντες καὶ
25 τυπωθέντες ὥστε καὶ ἀπὸ μόνου γινώσκεσθαι.

D **24.** Καὶ εἴημεν γε ὅπερ ἐλπίζομεν, κατὰ τὴν μεγάλην Θεοῦ μεγαλοδώρου φιλανθρωπίαν[a], ὃς μικρὰ αἰτῶν μεγάλα χαρίζεται νῦν τε καὶ εἰς τὸν ἔπειτα χρόνον τοῖς γνησίως αὐτὸν ἀγαπῶσι, πάντα στέγοντες, πάντα ὑπομένοντες διὰ
788 A 5 τὴν εἰς αὐτὸν ἀγάπην τε καὶ ἐλπίδα[b], ἐπὶ πᾶσιν εὐχαριστοῦντες[c] δεξιοῖς τε ὁμοίως καὶ ἀριστεροῖς[d], ἡδέσι λέγω

11 Χριστῷ συγκληρονομῆσαι D ‖ 12 κληθῆναι om. AQBWVTS Maur. Boul. ‖ 13 ποῖ : οἷ AQWVS ‖ 17 καὶ om. W ‖ 20 πέρ ἐστιν : πάρεστιν C ‖ 21 καὶ om. AQBWVT Boul.
24, 1 εἴμεν Boul. ‖ ἐλπίζωμεν D ‖ 5 εἰς : πρὸς D

---

e. Cf. Rom. 6, 4; Col. 2, 12 f. Cf. Col. 2, 13; 3, 1 g. Cf. Rom. 8, 17 h. Cf. Jn 1, 12; 11, 52; Rom. 8, 14-16 i. Cf. Ps. 81, 6 j. Cf. II Cor. 8, 9 k. Cf. Gal. 3, 28; Col. 3, 11 l. Cf. II Cor. 1, 22
24. a. Cf. Tit. 3, 4 b. Cf. I Cor. 13, 7 c. Cf. I Thess. 2, 13 d. Cf. II Cor. 6, 7

et grand, humble et élevé, mortel et immortel[d], terrestre et céleste, cela avec ce bas monde, ceci avec Dieu, cela avec la chair, ceci avec l'esprit. Il faut que je sois enseveli avec le Christ[e], que je ressuscite avec le Christ[f], que je sois héritier avec le Christ[g], que je devienne fils de Dieu[h], que je sois appelé Dieu même[i].

Voyez où ce raisonnement nous a conduits petit à petit ! Peu s'en faut même que je ne rende grâce au malheur qui m'a amené à cette méditation et m'a rendu plus désireux d'émigrer d'ici ! Voilà ce que veut nous dire ce grand mystère, voilà ce que veut nous dire ce Dieu qui s'est fait homme et qui s'est fait pauvre[j] pour nous, afin de ressusciter la chair, de sauver l'image[1], de recréer l'homme, afin que nous devenions tous un dans le Christ, qui s'est fait en nous tous absolument tout ce qu'il est précisément lui-même, pour que nous ne soyons plus homme ou femme, barbare ou Scythe, esclave ou homme libre[k], distinctions de la chair, mais pour que nous portions en nous-mêmes seulement l'empreinte divine[l], par laquelle et pour laquelle nous sommes nés, si bien marqués et formés par elle que par elle seule nous pouvons être reconnus[2].

24. Et puissions-nous être en vérité ce que nous espérons, selon l'amour immense que Dieu[3], dans sa munificence[a], porte aux hommes, lui qui demande peu pour accorder beaucoup, maintenant et dans l'avenir, à ceux qui l'aiment sincèrement ! Que notre amour pour lui, notre espoir en lui nous fassent tout excuser, tout endurer[b] ! Rendons-lui grâces pour tout[c] : pour ce qui est à droite comme pour ce qui est à gauche[d], je veux dire

1. Cf. *D.* 8, 6.
2. Cf. *D.* 6, 11.
3. Cf. *D.* 8, 16; sur la notion de φιλανθρωπία divine, spécialement au IV[e] siècle, voir, à propos d'Athanase, T. Camelot, *SC* 18, p. 179, n. 1; C. Kannengiesser, *SC* 199, p. 263, n. 2.

καὶ ἀνιαροῖς, ἐπειδὴ καὶ ταῦτα σωτηρίας ὅπλα πολλάκις οἶδεν ὁ Λόγος, αὐτῷ παρακατατιθέμενοι τὰς ἡμετέρας ψυχάς, τὰς τῶν προκαταλυόντων, ὥσπερ ἐν ὁδῷ κοινῇ
10 τῶν ἑτοιμοτέρων· ὃ δὴ καὶ αὐτοὶ ποιήσαντες, ἐνταῦθα τοῦ λόγου λήξομεν· ἀλλὰ καὶ ὑμεῖς τῶν δακρύων, ἐπὶ τὸν τάφον ἤδη σπεύδοντες τὸν ὑμέτερον, ὃν δῶρον ἔχει παρ᾽ὑμῶν Καισάριος λυπηρόν τε καὶ μόνον, γονεῦσι μὲν ἑτοιμασθέντα καὶ γήρᾳ κατὰ καιρόν, παιδὶ δὲ καὶ νεότητι
15 δωρηθέντα παρὰ τὸ εἰκός, καὶ οὐκ ἀπεικὸς τῷ διέποντι τὰ ἡμέτερα.

⁷Ὦ δέσποτα πάντων καὶ ποιητὰ[e] καὶ διαφερόντως τοῦδε B τοῦ πλάσματος, ὦ Θεὲ τῶν σῶν ἀνθρώπων καὶ πάτερ καὶ κυβερνῆτα, ὦ ζωῆς καὶ θανάτου Κύριε, ὦ ψυχῶν ἡμετέρων
20 ταμία καὶ εὐεργέτα, ὦ «ποιῶν πάντα καὶ μετασκευάζων[f]» τῷ τεχνίτῃ Λόγῳ κατὰ καιρὸν καὶ ὡς αὐτὸς ἐπίστασαι τῷ βάθει τῆς σῆς σοφίας[g] καὶ διοικήσεως, νῦν μὲν δέχοιο Καισάριον, ἀπαρχὴν τῆς ἡμετέρας ἀποδημίας – εἰ δὲ τὸν τελευταῖον πρῶτον[h], συγχωροῦμεν τοῖς σοῖς λόγοις οἷς τὸ
25 πᾶν φέρεται –, δέχοιο δὴ καὶ ἡμᾶς ὕστερον ἐν καιρῷ εὐθέτῳ, οἰκονομήσας ἐν τῇ σαρκὶ ἐφ᾽ὅσον ἂν ᾖ συμφέρον· καὶ δέχοιό γε διὰ τὸν σὸν φόβον ἑτοιμασθέντας καὶ οὐ

8 -μενοι P repetitur ‖ 9 κοινῇ τινι S ‖ 10 ὃ δὴ καὶ αὐτοὶ ποιήσαντες om. AQWVTS ‖ 11 λήξωμεν ABWVS Maur. Boul. ‖ 11-12 ἤδη ἐπὶ τὸν τάφον D ‖ 12-13 ἔχει παρ᾽ὑμῶν : παρ᾽ ὑμῶν ἔχει Q Maur. Boul. ἔχει παρ᾽ ἡμῶν WS ‖ 13 μόνον : μόνιμον DP Maur. Boul. ‖ λυπηρόν τε καὶ μόνιμον mg. D ‖ 17 τοῦδε : -δε supra l. Q ‖ 18 καὶ δέσποτα add. D^ac PC ‖ 20 τὰ πάντα A Q^ac V Maur. Boul. ‖ 25 δὴ : δὲ AQBWVTS Maur. Boul. ‖ καὶ S mg.

e. Cf. Act. 4, 24 f. Amos 5, 8 g. Cf. Rom. 11, 33 h. Cf. Matth. 19, 30

1. S. Paul (*II Cor.* 6, 7) parle des « armes de la justice à droite et à gauche », c'est-à-dire des armes offensives et des armes défensives. Par « la droite » et « la gauche », Grégoire désigne les événements heureux et les événements malheureux, servant, les uns comme les autres, au salut.

pour l'agréable comme pour l'affligeant, puisque l'Écriture voit souvent même là des armes de salut[1]. Confions-lui nos âmes et celles de ceux qui achèvent leur vie avant nous comme des hommes qui ont été plus diligents sur une route commune. Après l'avoir fait nous-mêmes, nous mettrons fin alors à notre discours, et vous à vos larmes, pour nous hâter maintenant vers ce tombeau qui est le vôtre, don que reçoit de vous Césaire, triste et unique don, qui avait été préparé pour des parents et pour la vieillesse quand le moment serait venu, et qui a été donné, contre toute attente, à un enfant et à la jeunesse, mais non pas sans raison aux yeux de celui qui dirige nos affaires[2].

Ô maître et auteur de toutes choses[e], et particulièrement de cette créature ! Ô Dieu, père et pilote des hommes qui t'appartiennent[3] ! Ô seigneur de la vie et de la mort ! Ô protecteur et bienfaiteur de nos âmes ! Ô toi « qui fais et transformes tout[f] » par ton Verbe artisan[4], au moment opportun et comme tu le sais toi-même grâce à la profondeur de ta sagesse[g] et de ta providence, puisses-tu recevoir maintenant Césaire, prémices de notre départ – et si c'est le dernier que tu reçois le premier[h], nous cédons à tes décisions qui régissent le monde – ! Mais puisses-tu nous recevoir nous aussi plus tard, quand il te semblera bon, après nous avoir dirigés dans la chair autant que ce sera utile ! Puisses-tu nous recevoir du moins préparés par ta crainte,

2. Mêmes thèmes dans les *Épigr.* 85-98 (sur la mort et le tombeau de Césaire).

3. Cf. *D.* 4, 79, où Dieu, créateur de toutes choses, est également κυβερνήτης. Sur les noms de Dieu, voir *D.* 6, 3, note. La péroraison est ici prière, comme le prescrivent les règles concernant l'éloge ; cf. PERNOT, *Rhétorique de l'éloge*, p. 310.

4. Cf. chap. 7.

ταρασσομένους[i] οὐδὲ ὑποχωροῦντας ἐν ἡμέρᾳ τῇ τελευταίᾳ καὶ βίᾳ τῶν ἐντεῦθεν ἀποσπωμένους – ὃ τῶν φιλοκόσμων
30 ψυχῶν πάθος καὶ φιλοσάρκων –, ἀλλὰ προθύμως πρὸς τὴν
C αὐτόθεν ζωὴν τὴν μακραίωνά τε καὶ μακαρίαν, τὴν ἐν Χριστῷ Ἰησοῦ τῷ Κυρίῳ ἡμῶν, ᾧ ἡ δόξα εἰς τοὺς αἰῶνας τῶν αἰώνων. Ἀμήν.

30 προθύμους P T mg. || 31 αὐτόθι DPC -θι sup. l. S || 32 δόξα καὶ τὸ κράτος PC || 33 τῶν αἰώνων om. PC

sans être troublés[i], ni chercher à nous échapper le dernier jour, arrachés de force aux choses d'ici – disposition des âmes qui aiment le monde et qui aiment la chair –, mais nous dirigeant avec empressement précisément vers cette vie éternelle et bienheureuse, qui est dans le Christ Jésus notre Seigneur, à qui est la gloire pour les siècles des siècles. Amen.

i. Ps. 118, 60

Εἰς τὴν ἑαυτοῦ ἀδελφὴν Γοργονίαν ἐπιτάφιος

789 A **1.** Ἀδελφὴν ἐπαινῶν, τὰ οἰκεῖα θαυμάσομαι οὐ μὴν ὅτι οἰκεῖα, διὰ τοῦτο ψευδῶς, ἀλλ' ὅτι ἀληθῆ, διὰ τοῦτο ἐπαινετῶς· ἀληθῆ δέ, οὐχ ὅτι δίκαια μόνον, ἀλλ' ὅτι καὶ γινωσκόμενα. Καὶ τὸ πρὸς χάριν οὐ συγχωρεῖται, κἂν 5 ἐθελήσωμεν· ἀλλὰ μέσος ἵσταται, οἷόν τις βραβευτὴς ἔντεχνος, τοῦ λόγου καὶ τῆς ἀληθείας ὁ ἀκροατής, οὔτε τὸ παρ' ἀξίαν ἐπαινῶν καὶ τὸ κατ' ἀξίαν ἀπαιτῶν, ὅ γε δίκαιος. Ὥστε οὐ τοῦτον ἐγὼ φοβοῦμαι τὸν φόβον μή τι τὴν ἀλήθειαν ὑπερδράμωμεν, ἀλλὰ τοὐναντίον μή τι τῆς 792 A 10 ἀληθείας ἐλλείπωμεν, καὶ παρὰ πολὺ τῆς ἀξίας ἐλθόντες, ἐλαττώσωμεν τὴν δόξαν τοῖς ἐγκωμίοις· ἐπειδὴ χαλεπὸν

Titulus εἰς τὴν ἑαυτοῦ ἀδελφὴν Γοργονίαν ἐπιτάφιος W S : om. ἑαυτοῦ T ἀδελφὴν αὐτοῦ Q ἀδελφὴν ἑαυτοῦ Maur. om. Γοργονίαν A εἰς τὴν ἀδελφὴν ἐπιτάφιος B τοῦ αὐτοῦ ἐπιτάφιος εἰς τὴν ἰδίαν ἀδελφὴν Γοργονίαν V εἰς τὴν ἰδίαν ἀδελφὴν Γοργονίαν ἐπιτάφιος DP τοῦ αὐτοῦ εἰς τὴν ἰδίαν ἀδελφὴν Γοργονίαν ἐγκώμιον C

1, 3 δίκαιον B ‖ 5 ἵσταται D mg. ‖ 9 ὑπεκδράμωμεν C ‖ 10 ἐλλίπωμεν AQWT ἐλλείπομεν D

1. Cf. l'éloge d'Athanase (*D.* 21, 1 : Ἀθανάσιον ἐπαινῶν). Le premier mot (ἀδελφή) indique l'originalité du projet et explique la longue et assez laborieuse justification des chap. 1-2. Cf. *D.* 7, 2, à propos de Césaire; *Lettre* 16, 5, à propos de Basile : « Afin que je n'aie point l'air de faire mon propre éloge en admirant ses qualités ». On remarquera

DISCOURS 8

Discours funèbre pour sa sœur Gorgonie

1. En faisant l'éloge d'une sœur, je célébrerai des faits qui concernent ma famille[1]. Mais ce n'est assurément pas parce qu'ils sont familiers que j'en parlerai faussement; c'est parce qu'ils sont vrais qu'ils méritent l'éloge. Et je dirai la vérité non seulement parce qu'il est juste de le faire, mais aussi parce que ces faits sont bien connus. Et nous ne céderions pas à la complaisance, même si nous le voulions, car l'auditeur, tel un arbitre expérimenté, se tient entre le discours et la vérité[2] : il désapprouve la louange quand elle est imméritée, mais la réclame quand elle est méritée, si du moins il est juste! Aussi, je n'éprouve pas la crainte de transgresser d'une façon ou d'une autre la vérité, mais bien au contraire celle de négliger une partie de cette vérité et, en passant à côté de ses principaux mérites, celle d'amoindrir sa gloire par nos louanges[3], puisqu'il est difficile, en action

dans ce chapitre l'importance de la notion d'éloge (les mots ἔπαινος et ἐγκώμιον sont employés chacun une fois, le verbe ἐπαινεῖν 5 fois; cf. chap. 2, 3, 7, 9, 16) et les procédés stylistiques qui la soulignent : répétitions, balancements, homéotéleutes...

2. Belle réflexion dans ce chapitre sur la valeur du λόγος, sur sa fidélité à la vérité quand il se fait ἔπαινος. Cf. *D.* 6, 1 sur l'alternative σιωπή–λόγος.

3. Cf. *D.* 7, 14 à propos de la gloire (δόξα).

καὶ πρᾶξιν ἐξισῶσαι καὶ λόγον τοῖς ἐκείνης καλοῖς. Μήτε οὖν τὸ ἀλλότριον ἐπαινείσθω πᾶν, ὃ μὴ δίκαιον, μήτε ἀτιμαζέσθω τὸ οἰκεῖον, εἰ τίμιον, ἵνα μὴ τῷ μὲν κέρδος
15 ἡ ἀλλοτριότης ᾖ, τῷ δὲ εἰς ζημίαν περιστῇ τὸ τῆς οἰκειότητος. Ἀμφοτέρως γὰρ ἂν ὁ τοῦ δικαίου βλάπτοιτο λόγος, κἀκείνων ἐπαινουμένων καὶ τούτων σιωπωμένων· ὅρῳ δὲ καὶ κανόνι τῇ ἀληθείᾳ χρώμενοι καὶ πρὸς ταύτην βλέποντες μόνον, ἄλλο δὲ οὐδὲν σκοποῦντες ὧν οἱ πολλοί
20 τε καὶ εὔωνοι, οὕτω καὶ ἐπαινεσόμεθα καὶ σιωπησόμεθα τὰ ἐπαίνων ἢ σιωπῆς ἄξια.

B **2.** Πάντων δὲ ἀτοπώτατον, εἰ ἀποστερεῖν μέν τι τοὺς ἰδίους ἢ λοιδορεῖσθαι ἢ κατηγορεῖν ἢ ἄλλο τι ἀδικεῖν ἢ μικρὸν ἢ μεῖζον, οὐκ εὐαγὲς εἶναι θήσομεν, ἀλλὰ καὶ πάντων κάκιστον τὴν κατὰ τῶν οἰκειοτάτων παρονομίαν·
5 λόγον δὲ ἀποστεροῦντες, ὃ πάντων μάλιστα τοῖς ἀγαθοῖς ἐστιν ὀφειλόμενον, καὶ ᾧ τὴν μνήμην ἂν αὐτοῖς ἀθάνατον καταστήσαιμεν, ἔπειτα δίκαιόν τι ποιεῖν οἰησόμεθα καὶ πλείω λόγον ἕξομεν τῶν πονηρῶν τὸ πρὸς χάριν αἰτιωμένων ἢ τῶν ἐπιεικῶν ἀπαιτούντων τὸ πρὸς ἀξίαν. Καὶ
10 τοὺς μὲν ἔξωθεν ἐπαινεῖν οὐ κωλύει τὸ ἄγνωστον καὶ ἀμάρτυρον – καίτοι γε πολλῷ δικαιότερον ἦν –, τοὺς γινωσκομένους δὲ ἡ φιλία κωλύσει καὶ ὁ παρὰ τῶν πολλῶν φθόνος, καὶ τούτων μάλιστα τοὺς ἐνθένδε ἀπηλλαγμένους,

13 τό : τι AQBWVS Maur. || μήτε : μηδὲ AQBWVSD || 14 τῷ : τὸ W^{pc} || 15 τῷ : τὸ W^{pc} || 16 ἂν om. C || 19-20 ἄλλο δὲ οὐδὲν – εὔωνοι S mg. || 20 ἐπαινεθησόμεθα A
2, 1 εἰ : ἢ C || 5 λόγου Maur. || 6 ὀφειλόμενόν ἐστιν AQBWVTS || ἂν om. C || 7 τι om. W || 9 τῶν τῶν A || 10 κωλύσει DPC || 10-12 τὸ ἄγνωστον – παρὰ τῶν om. W || 12 κωλύει A S^{ac} || πολλῶν Q mg.

1. Cf. *D.* 7, 3. C'est un des clichés du discours d'éloge.

comme en parole, d'égaler les vertus de cette femme[1]. Que ne soit donc pas loué tout ce qui est étranger, ce qui ne serait pas juste, et que ne soit pas dédaigné ce qui est familier, si cela a du prix, afin que, pour l'un, son caractère étranger ne lui soit pas un bénéfice, et que pour l'autre le lien familial ne lui porte pas préjudice. Dans les deux cas en effet, par nos éloges concernant les uns ou notre silence sur les autres, nous porterions atteinte au principe de la justice. Mais si nous prenons la vérité pour règle et critère, si nous gardons les yeux fixés sur elle sans un regard pour ce que considère la multitude vile, nous louerons et nous tairons ce qui mérite louange ou silence[2].

2. Et le plus absurde de tout : il nous paraîtrait impie de dépouiller nos familiers, de les insulter, de les accuser ou de leur faire plus ou moins de tort, et encore plus odieux de commettre ce méfait envers nos proches parents, et nous trouverons juste, faisant plus de cas des méchants qui nous accusent de complaisance que des bons qui réclament ce qu'ils méritent, de les priver d'un discours qui est la plus grande des dettes envers les personnes de bien et nous permet de rendre leur mémoire immortelle[3] ! La louange des étrangers n'est pas interdite malgré l'absence d'information et de témoignage[4] – le contraire serait pourtant beaucoup plus juste ! – et il nous sera interdit de louer ceux que nous connaissons, à cause de notre affection pour eux et de la jalousie qu'ils suscitent chez la plupart, alors même qu'ils se sont éloignés

2. GORGIAS, *Éloge d'Hélène*, 1, indiquait de la même façon les limites de la louange.

3. Sur le rôle du discours d'éloge, cf. *D.* 7, 1, 16; cf. chap. 7, 4, 14

4. Cf. GRÉGOIRE DE NYSSE, *Vie de Macrine*, 1.

C καὶ οἷς ἄωρον τὸ χαρίζεσθαι καταλιποῦσι μετὰ τῶν ἄλλων
15 καὶ τοὺς ἐπαινοῦντας ἢ ψέγοντας.

3. Ἐπεὶ δὲ ἱκανῶς ὑπὲρ τούτων ἀπολελογήμεθα καὶ ἀναγκαῖον ἡμῖν αὐτοῖς ἀπεδείξαμεν ὄντα τὸν λόγον, φέρε, προσδῶμεν ἤδη τοῖς ἐγκωμίοις, τὸ μὲν περὶ τὴν λέξιν γλαφυρὸν καὶ κομψὸν διαπτύσαντες, ἐπειδὴ καὶ
5 ἀκαλλώπιστος ἡ ἐπαινουμένη, καὶ τοῦτο κάλλος αὐτῇ τὸ ἄκοσμον, τὴν δὲ ὀφειλομένην ὁσίαν ὡς ἄλλο τι χρέος τῶν ἀναγκαιοτάτων ἀποπληροῦντες, καὶ ἅμα τοὺς πολλοὺς εἰς ζῆλον καὶ μίμησιν τῆς αὐτῆς ἀρετῆς ἐκπαιδεύοντες, ἐπειδὴ
D τοῦτο ἡμῖν ἐν παντὶ καὶ λόγῳ καὶ ἔργῳ σπουδάζεται
10 καταρτίζειν οὓς ἐπισθεύθημεν.

Ἄλλος μὲν οὖν πατρίδα τῆς ἀπελθούσης ἐπαινείτω καὶ γένος, νόμους ἐγκωμίων αἰδούμενος· πάντως δὲ οὐκ ἀπορήσει πολλῶν καὶ καλῶν λόγων, εἰ βούλοιτο ταύτην κοσμεῖν καὶ τοῖς ἔξωθεν ὥσπερ μορφὴν τιμίαν τε καὶ
739 A 15 καλὴν χρυσῷ καὶ λίθοις, καὶ τοῖς ἐκ τέχνης καὶ χειρὸς ὡραΐσμασιν, ἃ τὴν μὲν αἰσχρὰν ἐλέγχει τῇ παραθέσει, τῇ καλῇ δὲ οὐ προσθήκη κάλλους ἐστὶν ἡττώμενα. Ἐγὼ δὲ τοσοῦτον τὸ περὶ ταῦτα προσχρησάμενος νόμῳ ὅσον τῶν κοινῶν γονέων ἐπιμνησθῆναι — καὶ γὰρ οὐδὲ ὅσιον

3, 1 ἱκανός A ‖ 2 ὄντα τὸν λόγον ἀπεδείξαμεν D ‖ 4 διαπτύσαντες : διαπτύοντες V -ον- sup. l. P ‖ 9 καὶ[1] om. W ‖ 18 τὸ : τῷ P ‖ προσχρησάμενος : χρησάμενος T (προσκρησάμενος mg.) ‖ ὅσῳ PC

---

1. Après sa justification, Grégoire annonce qu'il va traiter des *topoi* de l'éloge et expose son projet pédagogique (cf. l'annonce du plan du discours *D.* 7, 1). Cf. ARISTOTE, *Rhétorique* 1367 b sur « l'éloge et le panégyrique » (cf. *Éth. Nic.* 1101 b 33).

2. Cf. chap. 9, sur la coquetterie féminine. Non seulement Grégoire loue sa sœur, mais une femme à laquelle on ne peut appliquer les critères habituels. La revendication de la simplicité de l'expression est un cliché de l'éloge (cf. par ex. GRÉGOIRE DE NYSSE, *Vie de Macrine*, 1).

3. Un maître mot, comme dans le *D.* 7.

d'ici-bas et qu'il est trop tard pour chercher à leur plaire, puisqu'ils ont quitté, avec le reste, flatteurs ou détracteurs !

3. Puisque nous nous sommes suffisamment justifié à ce sujet, puisque nous avons démontré que ce discours est pour nous-même une nécessité, eh bien, venons-en maintenant aux éloges[1], en rejetant ce que notre expression pourrait avoir de gracieux et d'élégant, car celle que nous louons était sans coquetterie[2] et tenait sa beauté de son absence même de parure, mais en remplissant ce devoir de piété, comme si nous acquittions une dette des plus pressantes, et en amenant en même temps le plus grand nombre à désirer la même vertu[3] et à l'imiter, puisque nous nous efforçons, par chacune de nos paroles et de nos actions, de conduire à la perfection ceux qui nous ont été confiés[4].

Qu'un autre donc loue la patrie de la défunte et sa race, pour respecter les lois qui règlent les éloges. Il ne manquera certes pas d'une quantité de beaux sujets s'il veut aussi la parer de ses qualités extérieures[5], comme une figure doit son prix et sa beauté à l'or, aux pierreries et aux ornements apportés par l'art et la main de l'homme : si elle est laide, ces ornements ne font qu'en souligner la laideur par comparaison ; si elle est belle, ils ne peuvent rien ajouter à sa beauté, puisqu'ils lui sont inférieurs[6]. Pour ma part, n'usant des règles du genre que pour rappeler nos parents communs – car il serait

4. Grégoire annonce clairement à la fin de l'exorde son projet pédagogique. Cf. *D*. 9, 3, 4 ; 11, 7 : le verbe καταρτίζειν, mot biblique (cf. *Lc* 40 ; *Hébr*. 10, 4), s'applique particulièrement au rôle du pasteur.

5. Dans le *D*. 7, le rejet de ce *topos* n'apparaît qu'après l'éloge des parents (chap. 5 ; voir n. 24 *ad loc*.)

6. Cf. chap. 10, sur la vraie beauté de la femme.

20 παραδραμεῖν ἀγαθοῦ τοσούτου γεννήτοράς τε καὶ διδασκάλους – ἐπ᾽ αὐτὴν ὡς τάχιστα τρέψω τὸν λόγον καὶ οὐ ζημιώσω τῶν τὰ ἐκείνης ἐπιζητούντων τὸν πόθον.

4. Τίς οὖν οὐκ οἶδε τὸν νέον ἡμῶν Ἀβραὰμ καὶ τὴν ἐφ᾽ ἡμῶν Σάρραν; Γρηγόριον λέγω καὶ Νόνναν, τὴν τοῦδε B σύζυγον – καλὸν γὰρ μηδὲ τὰ ὀνόματα παρελθεῖν, ὡς ἀρετῆς παράκλησιν –, τὸν πίστει δικαιωθέντα[a], καὶ τὴν 5 «τῷ πιστῷ[b]» συνοικήσασαν· τὸν «πατέρα πολλῶν ἐθνῶν[c]» παρ᾽ ἐλπίδα[d], καὶ τὴν πνευματικῶς ὠδίνουσαν[e]· τὸν φυγόντα πατρῴων θεῶν δουλείαν[f], καὶ τὴν θυγατέρα καὶ μητέρα τῶν ἐλευθέρων· τὸν ἐξελθόντα συγγενείας καὶ οἴκου διὰ τὴν «γῆν τῆς ἐπαγγελίας[g]», καὶ τὴν αἰτίαν τῆς 10 ἐκδημίας – τοῦτο γὰρ ἐκείνη μόνον, ἵνα τι τολμήσω, καὶ ὑπερ τὴν Σάρραν –· τὸν παροικήσαντα καλῶς[h], καὶ τὴν προθύμως συμπαροικήσασαν· τὸν τῷ Κυρίῳ προσθέμενον, καὶ τὴν κύριον[i] τὸν ἑαυτῆς ἄνδρα καὶ προσαγορεύουσαν καὶ νομίζουσαν, καὶ μέρος τι διὰ τοῦτο δικαιωθεῖσαν· ὧν

4, 2 τοῦδε : τούτου S ‖ 3 σύζυγον : ζυγὸν A ‖ μηδὲ : μήτε DC

---

4. a. Cf. Gen. 15, 6; Rom. 3, 28; 4, 3; Gal. 3, 6; Jac. 2, 23 b. Gal. 3, 9 c. Gen. 17, 5 d. Cf. Rom. 4, 17-18 e. Cf. Is. 51, 2 f. Cf. Gen. 12, 1-4; Hébr. 11, 9 g. Hébr. 11, 9; cf. Hébr. 11, 13 h. Cf. Gen. 17, 8; 23, 4 i. Cf. Gen. 18, 12; I Pierre 3, 6

---

1. Cf. *D.* 37, 6 : «Nous sommes nés à la fois de l'homme et de la femme; unique est la dette des enfants à l'égard de ceux qui les ont engendrés.»

2. Cf. *D.* 7, 2-4. Grégoire entame ici (chap. 4-5) une longue comparaison (σύγκρισις) entre le couple de ses parents et celui d'Abraham et de Sarah (cf. *Épigr.* 27). Grégoire l'Ancien est un nouvel Abraham (cf. aussi *D.* 43, 37); il est également comparé à Aaron (cf. *D.* 7, 3) ou à Moïse. Nonna est encore une autre Anne (*Épigr.* 27).

impie de passer sous silence ceux qui ont mis au monde et éduqué un être si parfait[1] –, c'est à elle que je consacrerai mon discours sans tarder, pour ne pas tromper le désir de ceux qui attendent que je parle d'elle.

4. Qui donc ne connaît notre nouvel Abraham et la Sarah de notre temps? Je veux parler de Grégoire et de Nonna[2], son épouse – car il est bon de ne pas omettre non plus les noms quand ils sont une exhortation à la vertu[3] –: il a été justifié par la foi[a] et elle est venue vivre avec ce croyant[b]; il est «père de nombreuses nations[c]» contre toute espérance[d], et elle enfante selon l'Esprit[e]; il a fui la soumission aux dieux de ses pères[f4], et elle est fille et mère d'hommes libres[5]; il a quitté sa famille et sa maison à cause de «la terre de la promesse[g]», et c'est elle qui a causé ce départ – pour parler avec une certaine audace, cela seulement la rendrait même supérieure à Sarah –; il eut un beau séjour en terre étrangère[h], et elle vécut auprès de lui avec ardeur[6]; il s'offrit au Seigneur, et elle donne à son mari le nom de seigneur[i] et le tient pour tel, et c'est en partie pour cela qu'elle

3. Justification d'une entorse à la règle d'élégance qui veut que les noms propres soient omis et remplacés par des termes vagues ou des périphrases; cf. *Lettre* 197, 7. Le nom de Gorgonie cependant n'apparaît que deux fois dans ce discours (chap. 6), remplacé ailleurs par ἐκείνη (30 fois), alors que celui de Césaire apparaît dix-neuf fois dans le *D.* 7 (et une fois dans ce *D.* 8, chap. 23).

4. Cf. *D.* 7, 3 et note; *infra*, chap. 5. Grégoire l'Ancien avait appartenu à la secte des hypsistariens avant de devenir chrétien.

5. L'expression désigne les chrétiens (cf. *Jn* 8, 30 s.). Nonna est issue d'une famille anciennement chrétienne (cf. 7, 4).

6. Nonna est à l'origine de la conversion de son mari; cf. chap. 8 et 20 le rôle identique de Gorgonie. Le verbe συμπαροικεῖν est rare (le *Thesaurus* cite en dehors de ce passage EUSTATHE, *Opusc.*, p. 66, 32 Tafel); cf., à propos de la παροικία, chap. 23; *D.* 6, 6; 21; 7, 4. Sur le sens du mot παροικέω dans l'*Exode*, voir M. HARL, *Bible d'Alexandrie* I. *La Genèse*, p. 66.

15 ἡ ἐπαγγελία[j] καὶ ὧν ὁ Ἰσαάκ[k], ὅσον τὸ ἐπ᾿ αὐτοῖς, καὶ ὧν τὸ δώρημα[1].

C **5.** Ἧς « ὁ ποιμὴν ὁ καλὸς[a] » εὐξαμένης τε καὶ ὁδηγησάσης, καὶ παρ᾿ ἧς ὁ τύπος τοῦ καλῶς ποιμαίνεσθαι· οὗ τὸ φυγεῖν τὰ εἴδωλα γνησίως, εἶτα φυγαδεύειν δαίμονας, καὶ ἧς τὸ μηδὲ ἅλῶν ποτε κοινωνῆσαι τοὺς ἐξ εἰδώλων[b]· 5 τὴν ὁμότιμον, καὶ ὁμόφρονα, καὶ ὁμόψυχον, καὶ οὐχ ἧττον ἀρετῆς καὶ τῆς πρὸς Θεὸν οἰκειώσεως ἢ σαρκὸς συζυγίαν· ἴσον μὲν μήκει βίου καὶ πολιαῖς, ἴσον δὲ φρονήσει καὶ λάμψει, καὶ ἀλλήλοις ἁμιλλωμένους καὶ τῶν λοιπῶν ὑπεραίροντας· σαρκὶ μὲν ὀλίγα κατεχομένους, πνεύματι δὲ 10 μετενηνεγμένους, καὶ πρὸ τῆς διαζεύξεως· ὧν οὐχ ὁ κόσμος καὶ ὧν ὁ κόσμος[c]· ὁ μὲν ὑπερορώμενος, ὁ δέ προτιμώμενος· ὧν τὸ ἀποπλουτεῖν, καὶ ὧν τὸ πλουτεῖν διὰ τὴν καλὴν πραγματείαν· τὰ μὲν τῆδε διαπτυόντων, τὰ δὲ ἐκεῖθεν ἀντωνουμένων[d]· ὧν βραχὺ μὲν τὸ τῆς ζωῆς 796 A 15 ταύτης λείψανον, καὶ ὅσον ὑπελείφθη τῇ εὐσεβείᾳ, πολλὴ δὲ ἡ ζωὴ καὶ μακραίων ἣ προσκεκμήκασιν. Ἓν ἔτι προσθήσω τοῖς περὶ αὐτῶν λόγοις· οἱ καλῶς καὶ δικαίως ἀμφοτέροις τοῖς γένεσιν ἐμερίσθησαν· ὁ μὲν ἀνδρῶν εἶναι

15 καὶ ὅσον W ‖ 16 ὧν τὸ δώρημα : τὸ ἀντιδωρηθὲν δώρημα T[pc] τὸ ἀντιδωρηθὲν δώρημα αὐτολογικὸν σφαγίον καὶ ὁ ἀντισαχθεὶς (ἀντεισαχθεὶς C) ἀμνὸς καὶ ὁ τύπος τοῦ κρείσσονος DPC

5, 1 τε sup. l. D ‖ 2 καὶ om. T ‖ ἧς : οἷς D ‖ 3 φεύγειν D ‖ καὶ φυγαδεύειν V Maur. ‖ 4 καὶ om. PC ‖ μηδὲ : μὴ AQBWVTS Maur. ‖ 6 συζυγία D ‖ 7 ἐν μήκει D ‖ πολιᾶς T ‖ 8 καὶ ἀλλήλοις : κατ᾿ ἀλλήλους Maur. καὶ ἀλλήλους Q ‖ 12 προτιθέμενος D

j. Cf. Gen. 15, 4-5 k. Cf. Gen. 17, 19; 21, 1-2; Gal. 4, 23. 28 l. Cf. Gen. 22, 1-12; Hébr. 11, 17; Jac. 2, 21

5. a. Jn 10, 11 b. Cf. I Cor. 5, 11 c. Cf. Jn 17, 16; I Cor. 3, 22 d. Cf. Matth. 6, 19-20; I Tim. 6, 18-19

1. Grégoire, fils d'Abraham et de Sarah, est donc Isaac (cf. *Gen*. 21, 1-8). Isaac naquit à la suite d'une promesse de Dieu, et Grégoire, comme Isaac, venu tardivement, a été « offert à Dieu » (cf. *De vita sua*, v. 80-89; *Épigr*. 52).

est justifiée ; ils eurent la promesse[j] et ils eurent Isaac[k], autant que cela dépendait d'eux, et ils en firent le don[11].

5. Il fut pour elle « le bon pasteur[a] » qu'elle avait souhaité et à qui elle avait montré le chemin, et c'est d'elle qu'il apprit à bien mener le troupeau[2] ; il s'éloigna sincèrement des idoles pour chasser ensuite les démons, et elle ne partagea jamais le sel avec les idolâtres[b 3] ; ils ont dans leur couple le même rang, le même esprit, la même âme, et ce n'est pas moins par la vertu et la familiarité avec Dieu que par la chair[4]. Aussi bien pour la longueur de la vie et les cheveux bancs que pour la sagesse et le rayonnement, ils rivalisent entre eux et surpassent tous les autres ! Peu retenus par la chair, ils sont transportés par l'esprit, avant même la séparation[5]. Ils ne sont pas du monde et ils sont du monde[c] : celui-là est méprisé et l'autre préféré. Ils se dépouillent de leurs richesses[6], et ils sont riches grâce à cette belle activité, car ils rejettent les biens d'ici-bas pour acheter à leur place ceux de là-bas[d]. Le temps qui leur reste à vivre est court[7], et ils l'ont réservé seulement à la piété[8], mais grande et éternelle est cette vie pour laquelle ils se sont donné de la peine ! J'ajouterai encore un mot à leur sujet : c'est de façon juste et équitable qu'ils ont été attribués à l'un et l'autre sexes, lui pour être l'honneur des hommes,

2. Grégoire l'Ancien devint évêque de Nazianze en 329, quatre ans après son baptême, à cinquante ans ; voir GALLAY, *Vie*, p. 24.

3. Cf. *Épigr.* 53 ; *D.* 18, 10. Les démons désignent les dieux du paganisme.

4. Un trait déjà souligné *D.* 7, 4 ; cf. *D.* 43, 9 l'évocation du couple formé par les parents de Basile.

5. La séparation de l'âme et du corps ; cf. *D.* 7, 22. Noter le jeu de mots entre διάζευξις et συζυγία.

6. Cf. *D.* 18, 8, le rappel de la générosité de Nonna ; *infra*, chap. 12, à propos de celle de Gorgonie ; *D.* 26, 11.

7. Cf. *D.* 7, 18.

8. Cf. *D.* 7, 2. Sur les sens du mot εὐσέβεια, voir p. 146, n. 3.

κόσμος, ἡ δὲ γυναικῶν, καὶ οὐ κόσμος μόνον, ἀλλὰ καὶ
20 ἀρετῆς ὑπόδειγμα.

6. Παρὰ τούτων Γοργονία καὶ τὸ εἶναι καὶ τὸ εὐδοκιμεῖν· ἐντεῦθεν αὐτῇ τὰ τῆς εὐσεβείας σπέρματα· παρὰ τούτων καὶ τὸ ζῆσαι καλῶς καὶ τὸ ἀπελθεῖν ἵλεω μετὰ τῶν χρηστοτέρων ἐλπίδων. Καλὰ μὲν δὴ καὶ ταῦτα, καὶ
B 5 οἷα μὴ πολλοῖς ῥᾳδίως ὑπάρχει τῶν ἐπ᾽ εὐγενείᾳ μέγα κομώντων καὶ φυσωμένων τοῖς ἄνωθεν.

Εἰ δὲ δεῖ φιλοσοφώτερον καὶ ὑψηλότερον περὶ αὐτῆς διελθεῖν, Γοργονίᾳ πατρὶς μὲν «ἡ ἄνω Ἱερουσαλὴμ[a]», ἡ μὴ βλεπομένη, νοουμένη δὲ πόλις, ἐν ᾗ πολιτευόμεθα καὶ
10 πρὸς ἣν ἐπειγόμεθα· ἧς πολίτης Χριστός, καὶ συμπολῖται[b] πανήγυρις «καὶ ἐκκλησία πρωτοτόκων ἀπογεγραμμένων ἐν οὐράνοις[c]», καὶ περὶ τὸν μέγαν πολιστὴν ἑορταζόντων τῇ θεωρίᾳ τῆς δόξης[d], καὶ χορευόντων χορείαν τὴν ἀκατάλυτον. Εὐγένεια δὲ ἡ τῆς εἰκόνος τήρησις καὶ ἡ
15 πρὸς τὸ ἀρχέτυπον ἐξομοίωσις[e], ἣν ἐργάζεται λόγος καὶ ἀρετὴ καὶ καθαρὸς πόθος, ἀεὶ καὶ μᾶλλον μορφῶν κατὰ Θεὸν τοὺς γνησίους τῶν ἄνω μύστας, καὶ τὸ γινώσκειν ὅθεν καὶ τίνες καὶ εἰς ὃ γεγόναμεν.

6, 1-2 τὸ εὐδόκιμον AQBWVTS Maur. || 3 ἵλεως C Maur. ἵλεων QP || 5 ῥᾳδίως D mg. || ὑπάρχει om. ABWVTS || 6 ἄνωθεν : κάτωθεν SDPC T mg. || 14 συντήρησις C || ἡ[2] om. B || 16 τὰ ante κατὰ add. A mg. QBWVS[ac]

---

6. a. Gal. 4, 26; cf. Hébr. 12, 22-23; Apoc. 3, 12; 21, 2. 10 b. cf. Éphés. 2, 19-20 c. Hébr. 12, 23 d. Cf. Jn 17, 24 e. Cf. Gen. 1, 26

---

1. Le rôle du prédicateur est précisément de les signaler.

2. Grégoire se justifie de la sorte d'avoir traité le *topos* de l'εὐγένεια; cf. *D.* 7, 5. On peut hésiter entre ἄνωθεν (cf. *D.* 43,8) et κάτωθεν, donné par SDPC.

3. Cf. *D.* 6, 7. L'évocation de la Jérusalem céleste permet une adaptation «chrétienne» au *topos* de la patrie et de la noblesse. Cf. *D.* 25, 3 (éloge d'Héron). Voir Coulie, *Richesses*, p. 198-199.

elle pour être l'honneur des femmes, et non seulement un honneur, mais un modèle de vertu[1].

6. Gorgonie leur doit et l'existence et la réputation; c'est d'eux qu'elle reçut les semences de la piété, sa belle conduite de vie et son départ, dans la joie, avec les meilleures espérances. Cela est beau en vérité, et n'est pas facilement accordé à la foule de ceux qui se vantent de leur noblesse et sont enflés d'orgueil à propos de leurs ancêtres[2]!

Mais pour parler d'elle de façon plus philosophique et plus élevée, Gorgonie eut pour patrie la «Jérusalem d'en-haut[a]»[3], la ville que les yeux ne peuvent voir, mais que saisit l'esprit, celle dont nous sommes les citoyens et vers laquelle nous nous hâtons. Le Christ en est le citoyen[4] et a pour concitoyens[b] ceux qui participent à la réunion de fête «et à l'assemblée des premiers-nés inscrits dans les cieux[c]», qui célèbrent le grand fondateur par la contemplation de sa gloire[d] et font partie du chœur indissoluble[5]. La noblesse, c'est de conserver l'image et de chercher à imiter l'archétype[e] [6], ce qui est l'œuvre de la raison, de la vertu et d'un désir pur qui modèle toujours mieux selon Dieu les vrais initiés aux choses d'en haut, c'est aussi chercher à savoir d'où nous venons, qui nous sommes et quelle est notre fin[7].

4. Cf. *D.* 36, 2.
5. Cf. chap. 23.
6. Cf. *D.* 6, 14; 7, 23; 25, 11; 37, 22 et la note (εἰκών représente le Fils et ἀρχέτυπον le Père, comme Grégoire le dit plus explicitement *D.* 30, 20; cf. *D.* 17, 19; 29, 17). La femme, certes, est à l'image de Dieu, mais il convient qu'elle ne la trahisse pas par des artifices (cf. chap. 10). Cf. *D.* 32, 15 : «Il faut que notre esprit purifié s'approche de la pureté absolue et qu'une partie de celle-ci lui apparaisse maintenant, et le reste plus tard, en récompense de la *vertu*, de l'élan d'ici-bas vers cette pureté absolue, ou plutôt de l'assimilation (ἐξομοίωσις) à elle.»
7. Cf. chap. 13, 16. Ces questions font aussi partie des préoccupations de Macrine, qui «philosophe» sur l'âme (*Vie de Macrine*, 18).

C **7.** Οὕτως ἐγὼ περὶ τούτων γίνωσκω· καὶ διὰ τοῦτο εὐγενεστέραν « τῶν ἀφ᾽ ἡλίου ἀνατολῶν[a] » τὴν ἐκείνης ψυχήν, καὶ οἶδα καὶ ὀνομάζω – κρείττονι ἢ κατὰ τοὺς πολλοὺς εὐγενείας καὶ δυσγενείας κανόνι καὶ στάθμῃ
5 χρώμενος –, καὶ οὐχ αἵμασιν, ἀλλὰ τρόπῳ τινὶ ταῦτα χαρακτηρίζων· οὐδὲ κατὰ φρατρίας κρίνων τοὺς ἐπαινουμένους ἢ ψεγομένους, ἀλλὰ καθ᾽ ἕκαστον. Ἐν εἰδόσι δ᾽ ὁ λόγος ὑπὲρ τῶν ἐκείνης καλῶν, καὶ ἄλλος ἄλλο τι συνεισφερέτω καὶ βοηθείτω τῷ λόγῳ. Ἐπεὶ μὴ πάντα
10 περιλαβεῖν ἑνὶ δυνατόν, μηδὲ τῷ λίαν δυνατῷ καὶ ἀκοὴν καὶ διάνοιαν.

797 A **8.** Σωφροσύνῃ μέν γε τοσοῦτον διήνεγκε καὶ τοσοῦτον ὑπερῆρε τὰς καθ᾽ ἑαυτὴν ἁπάσας – ἵνα μὴ λέγω τὰς παλαιάς, ὧν ὁ πολὺς ἐπὶ σωφροσύνῃ λόγος –, ὥστε εἰς δύο ταῦτα διῃρημένου πᾶσι τοῦ βίου, γάμου λέγω καὶ
5 ἀγαμίας, καὶ τῆς οὔσης ὑψηλοτέρας τε καὶ θειοτέρας, ἐπιπονωτέρας δὲ καὶ σφαλερωτέρας, τοῦ δὲ ταπεινοτέρου τε καὶ ἀσφαλεστέρου, ἀμφοτέρων φυγοῦσα τὸ ἀηδὲς ὅσον κάλλιστόν ἐστιν ἐν ἀμφοτέροις ἐκλέξασθαι, καὶ εἰς ἓν

7, 3 ψυχήν : φύσιν B ‖ κρείττονι : κρεῖττον B[pc]C κρειττωνι D ‖ 4 ἢ δυσγενείας AQWVTS ‖ 5 τινὶ om. DPC ‖ 7 ἢ ψεγομένους om. B ‖ 7-8 ἐν᾽ εἰδόσι δ᾽ ὁ λόγος : ἓν εἶδος εἰδὲ ὁ λόγος AVS ἓν εἶδος. Ἐν εἰδόσι δ᾽ ὁ λόγος B ἓν εἰδώς εἰ δὲ ὁ λόγος W ‖ 9 ἐπειδὴ QS Maur. ‖ μὴ S mg. ‖ 10 μηδὲ τῷ : καὶ τῷ AWT (μηδὲ τῷ mg.) S
8, 1 τοσοῦτον διήνεγκε καὶ om. S ‖ 2 κατ᾽ αὐτὴν DPC καθ᾽ αὐτὴν Q ‖ 5 ὑφηλοτέρας μὲν AQBWTS ‖ τε om. WT ‖ 6 δὲ[1] sup. l. Q ‖ τε om. ABWT ‖ 7 ἀειδὲς B ‖ 8 ἐν sup. l. S

7. a. Job 1, 3

1. Sur la véritable noblesse (εὐγένεια), cf. *D.* 7, 10; 33, 12 (et la note); 43, 1, 4; GRÉGOIRE DE NYSSE, *Traité de la virginité*, 20, 4, cite lui aussi à ce sujet *Job* 1, 3. Cf. chap. 12, 15, suite de la comparaison de Gorgonie avec Job.

2. Le rappel de la difficulté du sujet est un des clichés de l'éloge;

7. Tel est mon sentiment à ce sujet. Voilà pourquoi l'âme de cette femme était plus noble, je le sais et je le crois, que «les fils de l'Orient[a]» [1] – et j'use d'une règle et d'un modèle meilleurs qu'ils ne le sont généralement pour définir la noblesse ou l'absence de noblesse! Ma distinction n'est pas fondée sur les liens du sang, mais sur la manière d'être, et je ne prends pas la phratrie pour critère de louange ou de blâme, mais chacun en particulier. Puisque je parle à des gens qui connaissent les vertus de cette femme, que l'un ou l'autre apporte sa contribution et son aide à mon discours, car il n'est pas possible à un seul homme de tout embrasser, même si ce qu'il a dans la mémoire et dans l'esprit l'en rend tout à fait capable[2].

8. Elle excella tellement dans la réserve[3], elle surpassa tellement toutes les femmes de son temps – pour ne pas parler des femmes d'autrefois les plus réputées pour leur réserve – que, puisque nous distinguons, tous, deux états dans la vie, je veux parler du mariage et du célibat[4], l'un plus élevé et plus divin, mais plus difficile et moins sûr, l'autre plus humble et plus sûr, elle a fui les inconvénients de l'un et de l'autre pour ne choisir que ce qu'il y a de plus beau dans l'un et l'autre et les concilier,

cf. *D.* 7, 1. Ce passage peut montrer aussi le manque d'intimité entre Grégoire et Gorgonie, une sœur plus âgée et qui a passé sa vie loin de son frère.

3. La σωφροσύνη est la première qualité demandée à la femme (cf. GRÉGOIRE DE NYSSE, *Vie de Macrine*, *SC* 178, p. 153, n. 6); ce mot peut simplement indiquer de bonnes mœurs (cf. *D.* 7, 6. 10, à propos de Césaire), mais aussi, plus précisément, la chasteté. Cf. Introd., p. 65.

4. Grégoire entreprend là un exercice oratoire (un thème scolaire classique) sur le mariage et le célibat. Ce passage a suscité maints commentaires; voir par ex. J. PLAGNIEUX, *Grégoire théologien*, p. 96-97, 225; R. RUETHER, *Gregory of Nazianzum Rhetor and Philosopher*, Oxford 1969, p. 140 s.; SZYMUSIAK, *Éléments de théologie*, p. 60-65. Cf. *D.* 37, 10; 43, 62.

ἀγαγεῖν, τῆς μὲν τὸ ὕψος, τοῦ δὲ τὴν ἀσφάλειαν, καὶ
10 γενέσθαι σώφρων ἄτυφος, τῷ γάμῳ τὸ τῆς ἀγαμίας καλὸν
κεράσασα, καὶ δείξασα ὅτι μήθ᾽ ἕτερον τούτων ἢ Θεῷ
πάντως, ἢ κόσμῳ συνδεῖ καὶ διίστησι πάλιν· ὥστε εἶναι
τὸ μὲν πάντη φευκτὸν κατὰ τὴν ἰδίαν φύσιν, τὸ δὲ τελέως
B ἐπαινετόν. Ἀλλὰ νοῦς ἐστιν ὁ καὶ γάμῳ καὶ παρθενίᾳ
15 καλῶς ἐπιστατῶν, καὶ ὥσπερ ὕλη τις ταῦτα τῷ τεχνίτῃ
Λόγῳ ῥυθμίζεται καὶ δημιουργεῖται πρὸς ἀρετήν. Οὐ γὰρ
ἐπεὶ σαρκὶ συνήφθη, διὰ τοῦτο ἐχωρίσθη τοῦ πνεύματος·
οὐδ᾽ ὅτι κεφαλὴν ἔσχε τὸν ἄνδρα, διὰ τοῦτο τὴν πρώτην
κεφαλὴν ἠγνόησεν[a]· ἀλλ᾽ ὀλίγα λειτουργήσασα κόσμῳ καὶ
20 φύσει, καὶ ὅσον ὁ τῆς σαρκὸς ἐβούλετο νόμος, μᾶλλον δὲ
ὁ τῇ σαρκὶ ταῦτα νομοθετήσας, Θεῷ τὸ πᾶν ἑαυτὴν
καθιέρωσεν.

Ὃ δὲ κάλλιστον καὶ σεμνότατον, ὅτι καὶ τὸν ἄνδρα
πρὸς ἑαυτῆς ἐποιήσατο, καὶ οὐ δεσπότην ἄτοπον, ἀλλ᾽
25 ὁμόδουλον ἀγαθὸν προσεκτήσατο. Οὐ μόνον δέ, ἀλλὰ καὶ
τὸν τοῦ σώματος καρπόν, τὰ τέκνα λέγω καὶ τέκνα
τέκνων, καρπὸν τοῦ πνεύματος ἐποιήσατο, γένος ὅλον καὶ
οἰκίαν ὅλην ἀντὶ μιᾶς ψυχῆς Θεῷ καθαγνίσασα, καὶ ποι-
C ήσασα καὶ γάμον ἐπαινετὸν διὰ τῆς ἐν γάμῳ εὐαρεσ-

11 μήθ' ἕτερον : μὴ τὸ ἕτερον ABWVT[ac]S ‖ 13 πάντη : παντὶ Maur. ‖ 15 τις om. AQBWVT[ac]S ‖ 24 προσεκτίσατο B ‖ 28 καὶ om. B PC Maur.

---

8. a. Cf. I Cor. 11, 3; Éphés. 5, 23

---

1. La juste mesure est le point extrême, si on peut dire, de la perfection (voir Plagnieux, *ibid.*, chap. VI : «Le sens de la mesure»). Elle est un élément de la *philosophie*, que Grégoire définit de façon assez voisine *D.* 4, 113 : «Toute philosophie comporte deux aspects, la contemplation et l'action : la première est plus élevée, mais elle est d'un aspect difficile; la seconde est plus humble, mais plus utile.» Cf. une définition à peu près semblable des deux voies par Athanase, *Lettre au moine Ammoun* (*PG* 26, col. 1173).

prenant à l'un l'élévation, à l'autre la sécurité[1]. Elle fut chaste sans orgueil, car elle mêla au mariage la beauté du célibat et prouva qu'aucun des deux états ne lie complètement soit à Dieu soit au monde, mais qu'aucun en revanche n'en sépare[2] : c'est notre propre nature qui nous pousse soit à fuir l'un tout à fait, soit à louer l'autre absolument. Mais c'est l'intelligence qui veille parfaitement sur le mariage et la virginité, modelés comme de la matière et travaillés jusqu'à la vertu par le Verbe artisan[3]. Ce n'est pas en effet parce qu'elle a été liée à la chair qu'elle a été séparée de l'esprit; ce n'est pas parce qu'elle a eu son mari pour chef qu'elle a ignoré le premier chef[a] [4]. Mais, après avoir un peu servi le monde et la nature, dans la mesure où le voulait la loi de la chair, ou plutôt celui qui a donné ces lois à la chair, elle s'est consacrée entièrement à Dieu.

Mais la plus belle et le plus noble de ses actions fut d'amener son mari à ses vues[5], trouvant en lui non pas un maître insensé, mais un bon compagnon d'esclavage[6]! Et ce n'est pas tout : le fruit de son corps, je veux dire ses enfants et ses petits-enfants[7], elle le transforma en un fruit de l'esprit, en purifiant pour Dieu, au lieu d'une seule personne, toute une famille et toute une maison, en rendant admirable son mariage même, par la satis-

2. Cf. *D* 37, 10.
3. Sur cette expression, cf. *D.* 6, 14 p. 159.
4. Voir BEAUCAMP, *Statut de la femme*, p. 322 et n. 94.
5. Elle le convertit donc au genre de vie qu'elle souhaitait, c'est-à-dire qu'elle le persuada de mener une vie chaste. Sur Alypios, son mari, voir Introd., p. 59. Cf. 8, 20 : Gorgonie est l'instigatrice de son baptême, comme Nonna l'avait été de la conversion de Grégoire l'Ancien.
6. Voir BEAUCAMP, *ibid.*, p. 323-324.
7. Grégoire ne néglige pas le *topos* de l'εὐτεκνία. Sur la famille de Gorgonie, voir Introd., p. 59.

30 τήσεως καὶ τῆς καλῆς ἐντεῦθεν καρποφορίας· ἑαυτὴν μέν, ἕως ἔζη, ὑπόδειγμα καλοῦ παντὸς τοῖς ἐξ ἑαυτῆς προστήσασα· ἐπεὶ δὲ προσεκλήθη, τὸ θέλημα τῷ οἴκῳ μετ' αὐτὴν ἐγκαταλιποῦσα σιωπῶσαν παραίνεσιν.

9. Ὁ μὲν δὴ θεῖος Σολομὼν ἐν τῇ παιδαγωγικῇ σοφίᾳ, λέγω ταῖς Παροιμίαις[a], ἐπαινεῖ καὶ οἰκουρίαν γυναικὸς καὶ φιλανδρίαν, καὶ ἀντιτίθησι τῇ ἔξω περιπλανωμένῃ[b], καὶ ἀκρατήτῳ, καὶ ἠτιμωμένῃ, καὶ τιμίων ψυχὰς ἀγρευούσῃ 5 ἐν πορνικοῖς καὶ σχήμασι καὶ ὀνόμασι[c], τὴν ἔσω καλῶς D ἀναστρεφομένην, καὶ ἀνδριζομένην τὰ γυναικός, πρὸς ἄτρακτον μὲν ἀεὶ τὰς χεῖρας ἐρείδουσαν[d] — καὶ δισσὰς τῷ ἀνδρὶ χλαίνας παρασκευάζουσαν[e]· ὠνουμένην δὲ κατὰ καιρὸν γεώργιον[f], σιτηγοῦσαν δὲ καλῶς τοῖς οἰκέταις[g], 10 πλήρει δὲ τραπέζῃ τοὺς φίλους δεξιουμένην[h] — καὶ τἄλλα ὅσα τὴν σώφρονα καὶ φιλεργὸν ἐκεῖνος ἀνύμνησεν. Ἐγὼ 800 A δὲ εἰ ἀπὸ τούτων ἐπαινοίην τὴν ἀδελφήν, ἀπὸ τῆς σκιᾶς ἂν ἐπαινοίην τὸν ἀνδριάντα ἢ ἀπὸ τῶν ὀνύχων τὸν λέοντα, παρεὶς τὰ μείζω καὶ τελεώτερα.

15 Τίς μὲν ἦν φαίνεσθαι μᾶλλον ἀξία; Τίς δὲ ἧττον ἐφάνη καὶ ἀπρόσιτον ἐτήρησεν ἑαυτὴν ἀνδρῶν ὄψεσι; Τίς μᾶλλον ἔγνω μέτρα κατηφείας τε καὶ φαιδρότητος, ὡς μήτε τὸ

31 ἐξ ἑαυτῆς : ἐξ αὐτῆς ST^{pc} P ἐ sup. l. D ‖ 32 προεκλήθη P^{ac}C ‖ τό : τι A ‖ 31-32 μετ' αὐτήν : μεθ' ἑαυτὴν PC ‖ 33 ἐγκαταλείπουσα D
9, 2 λέγω om. AQBWVS T mg. ‖ 4 ἀτίμῳ AQBWVS ἠτιμωμένῃ T mg. ‖ 5 ὀνόμασι : ἐννεύμασι W^{pc} ‖ 7 ἄτρακτον : ἀτράκτῳ AQ (-ον mg.) ST (-ον mg.) V mg. ‖ 8 κατασκευάζουσαν SPC ‖ 12-13 τὴν ἀδελφὴν ἀπὸ σκίας ἂν ἐπαινοίην S mg. ‖ 17 τε S mg.

---

9. a. Cf. Prov. 31, 10-31 b. Cf. Prov. 7, 11 c. Cf. Prov. 6, 26; 7, 10-13 d. Cf. Prov. 31, 17-19 e. Cf. Prov. 31, 22 f. Cf. Prov. 31, 16 g. Cf. Prov. 31, 15 h. Cf. Prov. 9, 2

---

1. Notion paulinienne (cf. *Hébr.* 11, 4-6; 13, 16) : le mot εὐαρέστησις désigne le fait de plaire à Dieu.
2. Cf. *D.* 6, 2.

faction que Dieu y trouva[1] et les beaux fruits qu'elle en recueillit. Pendant qu'elle vécut, elle offrit d'elle-même à ses descendants l'exemple de tout bien mais quand elle fut appelée, elle laissa après elle sa volonté comme une tacite recommandation à sa famille[2].

9. Le divin Salomon, dans ses instructions de sagesse, je veux dire dans les Proverbes[a][3], loue assurément la femme qui reste chez elle et qui aime son mari, et il oppose à celle qui va et vient au dehors[b], à l'immodérée, à la méprisable, à celle qui prend l'âme d'hommes honorables dans le piège de ses mots et de ses manières impudiques[c], la femme qui se tient honnêtement dans son intérieur et qui s'adonne virilement[4] à ses travaux de femme, les mains toujours posées sur le fuseau[d] pour préparer des vêtements doubles pour son mari[e]; celle qui achète un champ au moment opportun[f], fournit suffisamment de vivres à ses serviteurs[g], offre à ses amis une table bien garnie[h] – et tout ce que Salomon exalte encore chez la femme réservée et travailleuse. Mais, pour moi, louer ma sœur pour cela serait comme louer la statue d'après son ombre, le lion d'après ses griffes[5] et négliger les plus importantes et les plus parfaites de ses qualités.

Quelle femme était plus digne de se montrer? Et qui se montra moins, restant inaccessible aux regards des hommes? Qui, plus qu'elle, connut la mesure dans la tristesse comme dans la joie[6], au point que sa gravité

3. Cette précision peut être une glose.

4. Cf. sur l'ἀνδρεία chap. 13 et note. Voir Introd., p. 72.

5. L'expression proverbiale : « peindre le lion d'après sa griffe » est attribuée par PLUTARQUE (*De defect. oracul.*, 3) à ALCÉE ; voir *Diogeniani Centuria* V, 15, *CPG* I, p. 252-253 ; cf. *Apostolii Centuria* VII, 57, *ibid.* II, p. 409 ; cf. BASILE, *Lettre* 9. Ce jugement sur ce qui paraît accessoire dévalorise brutalement la description de la femme des *Proverbes*.

6. Ce sont déjà les caractéristiques de l'ascèse ; cf. *D.* 6, 2 ; 9, 3.

κατηφὲς ἀπάνθρωπον δοκεῖν μήτε τὸ ἁπαλὸν ἀκόλαστον, ἀλλὰ τὸ μὲν συνετόν, τὸ δὲ ἥμερον, καὶ ὅρον τοῦτο εἶναι
20 κοσμιότητος, κραθέντος τοῦ φιλανθρώπου τῷ ἀναστήματι; Ἀκούετε τῶν γυναικῶν ὅσαι λίαν ἐπιδεικτικαὶ καὶ ῥάθυμοι καὶ τὸ κάλυμμα τῆς αἰδοῦς ἀτιμάζουσαι. Τίς μὲν οὕτως ὀφθαλμὸν ἐσωφρόνισεν; Τίς δὲ τοσοῦτον γέλωτος κατεγέ-
B λασεν ὡς μέγα δοκεῖν ἐκείνῃ καὶ ὁρμὴν μειδιάματος; Τίς
25 μᾶλλον ἀκοῇ θύρας ἐπέθηκεν; Τίς δὲ τοῖς θείοις λόγοις ἠνέῳξε, μᾶλλον δὲ τίς νοῦν ἐπέστησεν ἡγεμόνα γλώσσῃ λαλεῖν τὰ τοῦ Θεοῦ δικαιώματα; Τίς τάξιν οὕτως ἐστείλατο χείλεσιν[i];

10. Εἴπω καὶ τοῦτο βούλεσθε τῶν ἐκείνης καλῶν· ὃ τῇ μὲν οὐδενὸς ἐδόκει ἄξιον, οὐδὲ ὅσαι σώφρονες ἀληθῶς καὶ κόσμιαι τὸν τρόπον· μέγα δὲ δοκεῖν πεποιήκασιν αἱ λίαν φιλόκοσμοι καὶ φιλόκαλοι καὶ οὐδὲ λόγῳ καθαιρόμεναι
5 τῶν τὰ τοιαῦτα ἐκπαιδευόντων. Οὐ χρυσὸς ἐκείνην ἐκόσμησε τέχνῃ πονηθεὶς εἰς κάλλους περιουσίαν[a], οὐ ξανθαὶ πλοκαμίδες διαφαινόμεναί τε καὶ ὑποφαινόμεναι, καὶ
C βοστρύχων ἕλικες, καὶ σοφίσματα σκηνοποιούντων τὴν τιμίαν κεφαλὴν ἀτιμότατα, οὐκ ἐσθῆτος περιρρεούσης καὶ
10 διαφανοῦς πολυτέλεια[b], οὐ λίθων αὐγαὶ καὶ χάριτες χρωννῦσαι τὸν πλησίον ἀέρα, καὶ τὰς μορφὰς περιλάμπουσαι·

18 τὸ καθ' ἁπαλὸν Maur. ‖ 21 ῥάθυμοι : πρόθυμοι B V mg. ‖ 23 ἐσωφρόνησε SD ‖ 24 ὁρμὴν : ὁρμὴ AQBW -ν- sup. l. TD ‖ 26 ἠνέῳξε : ἤνοιξε AQBWV -ῳξε T mg. ‖ δὲ om. AQBWVS ‖ 27 λαλεῖν : καὶ κλεῖν AQ (λαλεῖν mg.) V

10, 2 ἐδόκει om. AQBS ‖ ἄξιον ἐδόκει QP Maur. ‖ ἀληθῶς D mg. ‖ 4 φιλόκοσμοι καὶ S mg. ‖ 8 καὶ σοφίσματα D mg. ‖ 9 οὐκ : οὐ καὶ V

---

i. Cf. Ps. 140, 3

10. a. Cf. I Tim. 2, 9 b. Cf. I Pierre 3, 3

---

1. Cf. *D.* 6, 2, à propos des moines. Gorgonie ne leur cède en rien

ne paraissait pas sans humanité, ni sa délicatesse immodérée, mais qu'elle montrait l'une avec intelligence, l'autre avec retenue, et se donna comme règle de modération que son humanité fût mêlée de dignité? Écoutez, vous les femmes qui montrez trop d'ostentation et d'insouciance et qui méprisez le voile de la pudeur! Qui modéra autant ses regards? Qui se moqua du rire jusqu'à trouver excessive l'ébauche d'un sourire[1]? Qui, mieux qu'elle, disposa des portes à ses oreilles? Et qui, mieux qu'elle, les ouvrit aux paroles divines? Qui, mieux qu'elle, fit de son intelligence[2] le guide de sa langue pour dire les prescriptions de Dieu[3]? Qui fixa une telle règle à ses lèvres[i]?

10. Voulez-vous que je cite une autre de ses qualités? Elle la jugeait elle-même sans valeur, comme toute femme véritablement réservée et de mœurs sages, mais celles qui aiment trop la parure et le monde[4] lui donnent beaucoup d'importance, et aucune exhortation ne peut les en détourner. Sa parure ne dut rien à cet or que l'on façonne avec art en vue d'un superflu de beauté[a], à des cheveux blonds aux reflets changeants, à l'artifice de boucles en spirales cherchant à attirer le regard sur la précieuse tête de façon peu honorable, ni à la magnificence d'un habit flottant et transparent[b], ni à l'éclat et à la grâce de pierreries colorant l'air à l'entour et illuminant les formes; elle ne dut rien aux artifices et aux

pour l'ascétisme : cf. chap. 13-14. *D.* 27, 7 ; 37, 8 le rire est qualifié de πορνικός.

2. Le νοῦς est habituellement le privilège de l'homme.

3. Cf. chap. 11. Voir Introd., p. 77-79, sur l'accession de la femme à la διδασκαλία.

4. L'aspect extérieur de la femme est un thème fréquemment traité par les auteurs chrétiens à la suite de Paul. Voir en particulier CLÉMENT D'ALEXANDRIE, *Le Pédagogue* III, II, 4, 14 («Il ne faut pas s'embellir»); III, XI : «Exposé succinct du meilleur genre de vie». Voir Introd. p. 66.

οὐ ζωγράφων τέχναι καὶ γοητεύματα, καὶ τὸ εὔωνον κάλλος, καὶ ὁ κάτωθεν πλάστης ἀντιδημιουργῶν καὶ κατακρύπτων τὸ τοῦ Θεοῦ πλάσμα ἐπιβούλοις χρώμασι, καὶ
15 διὰ τῆς τιμῆς αἰσχύνων, καὶ προτιθεὶς τὴν θείαν μορφὴν[c] εἴδωλον πορνικὸν λίχνοις ὄμμασιν, ἵνα κλέψῃ τὸ νόθον κάλλος τὴν φυσικὴν εἰκόνα τηρουμένην Θεῷ καὶ τῷ μέλλοντι. Ἀλλὰ πολλοὺς μὲν ᾔδει καὶ παντοίους γυναικῶν κόσμους τοὺς ἔξωθεν, τιμιώτερον δὲ οὐδένα τοῦ ἑαυτῆς
20 τρόπου καὶ τῆς ἔνδον ἀποκειμένης λαμπρότητος. Ἓν μὲν
D ἔρευθος ἐκείνῃ φίλον, τὸ τῆς αἰδοῦς· μία δὲ λευκότης, ἡ
801 A πάρα τῆς ἐγκρατείας. Τὰς δὲ γραφὰς καὶ ὑπογραφὰς καὶ τοὺς ζῶντας πίνακας καὶ τὴν ῥέουσαν εὐμορφίαν ταῖς ἐπὶ θεάτρων παρῆκε καὶ τῶν τριόδων καὶ ὅσαις αἰσχύνη καὶ
25 ὄνειδος τὸ αἰσχύνεσθαι.

11. Ταῦτα μὲν δὴ τοιαῦτα· τῆς δὲ φρονήσεως καὶ τῆς εὐσεβείας οὐκ ἔστιν ὅστις ἂν ἐφίκοιτο λόγος ἢ πολλὰ ἂν εὑρεθείη τὰ παραδείγματα, πλὴν τῶν ἐκείνης καὶ κατὰ σάρκα καὶ κατὰ πνεῦμα πατέρων, πρὸς οὓς μόνους ὁρῶσα,
5 καὶ ὧν οὐδὲν ἐλαττουμένη τὴν ἀρετήν, ἑνὶ τούτῳ καὶ μόνον ἡττᾶτο καὶ πάνυ προθύμως, ὅτι παρ᾽ ἐκείνων τὸ ἀγαθόν, κἀκείνους ῥίζαν καὶ ᾔδει καὶ ὡμολόγει τῆς οἰκείας

12 τέχναι : τέχνη ABWTS ‖ 15 προτιθεὶς : τιθεὶς C ‖ 20 μὲν οὖν P
11, 2 οὐκ om. AQWSB^{ac} ‖ 3 εὑρέθη AB^{ac}Q (-ειη- mg.) W ‖ 4 μόνους : μόνον D ‖ 5 καὶ^2 om. T^{pc}DPC

c. Cf. Gen. 1, 26-27

1. Cf. *D.* 11, 2 et note (les aspects positifs de l'art des peintres).
2. Le verbe ἀντιδημιουργέω (le *TLG* signale trois occurrences, dont Athénée de Naucratis, *Deipnosophistae*, 11, 37 Kaibel) n'est attesté, en dehors de ce passage, pour la littérature chrétienne, que dans le *Pédagogue* de Clément d'Alexandrie (III, 3, 17), dans un contexte similaire; il s'agit en effet de la tenue des hommes : «Comment donc peuvent-ils *travailler à l'inverse* de Dieu, ou plutôt, comment persistent-ils à s'opposer à lui, les impies qui dénaturent leur chevelure, quand Dieu

impostures des peintres[1], à la beauté à bon marché et au créateur terrestre qui travaille à l'inverse de l'autre artisan[2] : celui-ci dissimule l'œuvre de Dieu sous des couleurs trompeuses, l'enlaidit sous prétexte de l'honorer et met à la place de la forme divine[c] une image de courtisane aux yeux avides, pour que cette fausse beauté cache l'image naturelle qui doit être préservée pour Dieu et le monde à venir[3]. Mais si elle connaissait le nombre et la variété des ornements extérieurs des femmes, elle savait que rien n'était plus honorable que sa propre conduite et son éclat tout intérieur[4]. Un seul rouge lui convenait, celui de la pudeur, une seule pâleur, celle que donne l'empire sur soi-même[5]. Les fards, les teintures, les tableaux vivants, la beauté des formes qui passe, elle les abandonna à celles qui sont dans les théâtres et dans les carrefours, et à toutes celles pour qui c'est une honte et un déshonneur que d'avoir honte[6].

11. Voilà donc ce qu'il en était. Quant à son intelligence et à sa piété, nulle parole ne pourrait les décrire ou apporter d'autres exemples que le sien et celui de ses parents selon la chair et selon l'esprit. Elle n'avait de regards que pour eux, et sa vertu n'était nullement inférieure à la leur. Elle leur cédait cependant sur un seul point, et tout à fait de bonne grâce : elle savait et reconnaissait que sa perfection lui venait d'eux et qu'ils étaient

l'a fait blanchir?» (trad. H. I. Marrou); cf. *ibid.* III, 6, 4 au sujet des femmes qui «outragent le créateur».

3. Cf. *D.* 8, 6.

4. Cf. *D.* 7, à propos de la λαμπρότης.

5. Cf. chap. 14; *D.* 6, 1; 7, 2; 43, 9, 61. Voir COURCELLE, *Connais-toi toi-même*, t. 3, p. 667, note 218, sur l'importance de l'ἐγκράτεια dans la pensée platonicienne; M. AUBINEAU, *SC* 119, p. 347, n. 8.

6. Les actrices sont souvent confondues avec les prostituées dans la réprobation; elles représentent, avec les impératrices et les moniales, «la catégorie de femmes le plus souvent mentionnée» (BEAUCAMP, *Statut de la femme*, p. 338, et note 2, avec de nombreuses références).

ἐλλάμψεως. Τί μὲν τῆς διανοίας ἐκείνης ὀξύτερον, ἥν γε
B καὶ κοινὴν σύμβουλον, οὐχ οἱ ἐκ γένους μόνον, οὐδὲ οἱ
10 ἐκ τοῦ αὐτοῦ λαοῦ καὶ τῆς μιᾶς μάνδρας[a], ἀλλὰ καὶ οἱ
κύκλῳ πάντες ἐγίνωσκον, καὶ νόμον ἄλυτον τὰς ἐκείνης
ὑποθήκας καὶ παραινέσεις; Τί δὲ τῶν λόγων ἐκείνων
εὐστοχώτερον; Τί δὲ τῆς σιωπῆς συνετώτερον; Ἀλλ' ἐπειδή
γε σιωπῆς ἐμνήσθην, προσθήσω τὸ οἰκειότατον ἐκείνης καὶ
15 γυναιξὶ πρεπωδέστατον καὶ τῷ παρόντι καιρῷ χρησι-
μώτατον· Τίς μὲν ἔγνω τὰ περὶ Θεοῦ μᾶλλον ἔκ τε τῶν
θείων λογίων καὶ τῆς οἰκείας συνέσεως; Τίς δὲ ἧττον
ἐφθέγξατο ἐν τοῖς οἰκείοις ὅροις τῆς εὐσεβείας μείνασα[b];
«Ὃ δ' οὖν ὠφείλετο τῇ γε ἀληθῶς εὐσεβεῖν ἐγνωκυίᾳ καὶ
20 οὐ καλὴ μόνον ἡ ἀπληστία, τίς μὲν ἀναθήμασιν οὕτω
C ναοὺς κατεκόσμησεν, ἄλλους τε καὶ τὸν οὐκ οἶδα εἰ μετ'
ἐκείνην κοσμηθησόμενον; Μᾶλλον δέ, τίς οὕτω ναὸν ἑαυτὸν
τῷ Θεῷ ζῶντα παρέστησε[c]; Τίς δὲ τοσοῦτον ἐδόξασεν
ἱερέας, ἄλλους τε καὶ τὸν ἐκείνῃ τῆς εὐσεβείας συναγω-

8 γε sup. l. D om. C || 11 κύκλῳ δὲ AT Maur. || 12 ἐποιοῦτο ante ὑποθήκας add. T Maur. D mg. || ἐκείνων : ἐκείνης C || δὲ : δαὶ QV || 13 δὲ : δαὶ QV || 14 προσθήσω om. AQWVS B mg. T mg. || οἰκειότατον : ἰδιαίτατον AQBWVTS || 18 οἰκείοις : γυναικείοις AQBWVTS (οἰκ. Q mg. T mg.) Maur. || 21 εἰ : εἴτε PC || 23 ζῶντα τῷ Θεῷ D || 23-24 ἱερέας ἐδόξαμεν D || 24 ἱερέας : ἱερέτας S || ἐκείνης C

11. a. Cf. Jn 10, 16 b. Cf. I Tim. 2, 12 c. Cf. I Cor. 3, 16; 6, 19; II Cor. 6, 16

1. Cf. *D.* 21, 1 (éloge d'Athanase). Sur le thème de l'illumination, voir en particulier Moreschini, «Luce».

2. Cette expression semble désigner les non chrétiens, ou les chrétiens peu orthodoxes, de son entourage, le mot μάνδρα étant précisément appliqué au peuple chrétien uni dans la foi (cf. *D.* 6, 4; 9, 3).

3. Gorgonie a donc les qualités d'un maître et la possibilité de transmettre largement un enseignement, à l'instar de Macrine (*Vie*, 19) ou de Mélanie (*Vie* 32; 42; 54), et au contraire de ce qui est ordinairement permis aux femmes; voir Beaucamp, *Statut de la femme*, p. 288.

à l'origine de sa propre illumination[1]. Quoi de plus vif que la pensée de cette femme? Non seulement les membres de sa famille, non seulement ceux qui appartenaient au même peuple et à l'unique bercail[a], mais aussi ceux qui se trouvaient à l'entour[2], absolument tous la reconnaissaient comme leur commune conseillère, et considéraient ses principes et ses avis comme une règle indiscutable[3]. Quoi de plus sagace que ses paroles? Mais quoi de plus prudent que son silence? Eh bien, puisque j'ai justement rappelé son silence, j'ajouterai ce qui lui fut tout à fait particulier, ce qui convient le plus aux femmes et qui est d'une très grande utilité pour le moment présent[4] : qui connut mieux qu'elle les choses de Dieu, et par les enseignements divins et par sa propre compréhension? Et qui parla moins, restant dans les limites propres de la piété[b][5]? Mais ce qui était réservé à celle qui connaissait la véritable piété, la seule action dont le désir insatiable est beau : qui fit autant d'offrandes pour orner les temples, en particulier celui-ci[6], dont je ne sais si quelqu'un l'ornera après elle? Bien plus, qui se révéla pour Dieu un temple aussi vivant[c]? Qui honora autant les prêtres, et surtout celui qui combattit avec elle pour

4. Grégoire, comme les autres Cappadociens, ne cesse de répéter qu'il n'est pas opportun de parler à tort et à travers de Dieu.

5. On peut hésiter entre deux leçons : γυναικείοις (famille *M*) ou οἰκείοις (DPC + Q mg. et T mg.). Le choix de la leçon οἰκείοις peut être justifié par le fait que Grégoire évoque à plusieurs reprises les limites de l'εὐσέβεια (on l'a vu en particulier dans le *D.* 6 s'en prendre à l'excès de zèle des moines en ce domaine); cf. *D.* 2, 38; 21, 13; 27, 4; 32, 21 (« Applique-toi aux choses divines, mais en restant dans les limites. »); dans ce cas cependant, le mot ὅρος est plutôt employé seul, ou avec l'adjectif ἴδιος. D'autre part, l'influence de Paul (*I Tim.* 2, 9-15) pourrait justifier le choix de γυναικείοις, peu satisfaisant pourtant, si on considère que Gorgonie, pour son frère, dépasse la nature féminine.

6. Nonna également sera louée pour sa générosité envers l'Église (*D.* 18, 9); cf. *infra*, chap. 12, sur l'accueil des religieux. Voir Beaucamp, *Statut de la femme*, p. 321.

25 νιστὴν καὶ διδάσκαλον οὗ τὰ καλὰ σπέρματα καὶ ἡ καθιερωμένη τῶν τέκνων τῷ Θεῷ συζυγία;

12. Τίς δὲ τὸν οἶκον ἑαυτῆς μᾶλλον προὔθηκε τοῖς ζῶσι κατὰ Θεόν, τὴν καλὴν δεξίωσιν καὶ πλουτίζωσαν; Καὶ ὃ τούτου μεῖζόν ἐστι, τίς οὕτως ἐδεξιοῦτο τῇ αἰδοῖ καὶ τοῖς κατὰ Θεὸν διαδήμασι; Καὶ τὰ ἐπὶ τούτοις, τίς μὲν νοῦν
5 ἔδειξεν ἀπαθέστερον ἐν τοῖς πάθεσι; Τίς δὲ συμπαθεστέραν ψυχὴν τοῖς κάμνουσι; Τίς χεῖρα δαψιλεστέραν τοῖς δεομέ-
804 A νοις; Ὡς ἔγωγε καὶ τὰ τοῦ Ἰὼβ ἂν ἐπ᾽ αὐτῇ θαρρήσας καλλωπισαίμην· « Θύρα δὲ αὐτῆς παντὶ ἐλθόντι ἠνεῴκτο· ἔξω δὲ οὐκ ηὐλίζετο ξένος[a]. » « Ὀφθαλμὸς ἦν τυφλῶν,
10 ποῦς δὲ χωλῶν[b] », μήτηρ δὲ ὀρφανῶν[c]. Τῆς δὲ εἰς χήρας εὐσπλαγχνίας[d] τί χρὴ μεῖζον εἰπεῖν ἢ ὅτι τὸ μὴ χήρα κληθῆναι καρπὸν ἠνέγκατο; Κοινὸν μὲν ἦν ἡ ἐκείνης ἑστία τοῖς πενομένοις ἀφ᾽ αἵματος καταγώγιον· κοινὰ δὲ τὰ ὄντα πᾶσι τοῖς δεομένοις οὐχ ἧττον ἢ ἑκάστοις τὰ ἑαυτῶν.
15 « Ἐσκόρπισεν, ἔδωκε τοῖς πένησι[e] »· καὶ διὰ τὸ τῆς ἐπαγγελίας ἄπτωτον καὶ ἀψευδέστατον πολλὰ ταῖς ἐκεῖθεν ληνοῖς[f] ἐναπέθετο, πολλὰ Χριστὸν καὶ διὰ πολλῶν τῶν εὖ

26 τῷ Θεῷ D mg.
12, 1-2 κατὰ Θεὸν ζῶσι DPC ‖ 5 πάθεσι : παθήμασι DPC T mg. ‖ 7 τὰ : τὸ P ‖ αὐτήν VD Maur. ‖ ἐλθόντι : ἐθέλοντι PC ‖ 10 χήραν TDC ‖ 17 πολλῶν T mg. ‖ τῶν τῶν C

---

12. a. Job 31, 32 b. Job 29, 15 c. Cf. Job 29, 16; Ps. 67, 6 d. Cf. Ps. 67, 6 e. Ps. 111, 9 f. Cf. Matth. 6, 19-20

---

1. Ce passage fait supposer à Élie de Crète que Gorgonie eut deux fils qui furent élevés à l'épiscopat. Sur l'identification de ce « maître » de Gorgonie, voir Introd., p. 60. Les belles « semences » sont celles de la piété; cf. chap. 6.

2. Cf. *D.* 6, 5.

3. Cf. *D.* 14 sur la nécessité d'assister les pauvres, un thème primordial de la prédication de l'époque. A ce sujet, voir Évelyne PATLAGEAN, *Pauvreté économique et sociale à Byzance 4e-7e siècle* (École des Hautes Études en Sciences Sociales. Civilisations et Sociétés, 48),

la piété, le maître dont les semences furent belles et qui eut deux de ses enfants consacrés à Dieu[1]?

12. Qui, plus qu'elle, ouvrit sa maison à ceux qui vivent selon Dieu, leur réservant un bel et généreux accueil? Et, mieux encore, qui reçut avec cette pudeur et cette démarche qui conviennent à Dieu[2]? Mais, par dessus tout, qui montra un esprit moins affecté dans les épreuves, qui montra une âme plus compatissante à ceux qui souffrent, qui montra une main plus généreuse pour les nécessiteux[3]? Aussi, je n'hésiterai pas à la parer, pour ma part, des paroles de Job : « Sa porte était ouverte à tous ceux qui venaient, et l'étranger ne campait pas au dehors[a] » ; elle était « l'œil des aveugles, le pied des boiteux[b] », la mère des orphelins[c 4]. De sa compassion envers les veuves[d], que dire de plus sinon qu'elle en obtint la grâce de ne pas être appelée veuve[5]? Son foyer était un lieu de halte commune pour ses parents dans le besoin. Ses biens n'appartenaient pas moins à tous les nécessiteux qu'à chacun ses propres affaires. « Elle dispersa, elle donna aux pauvres[e] » et, à cause du caractère infaillible et véridique de la promesse, elle fit de nombreux dépôts dans les pressoirs de là-bas[f 6], elle accueillit souvent le Christ par l'intermédiaire du grand nombre de

Paris-La Haye 1977, et spécialement, sur le vocabulaire de la pauvreté, p. 17-35 : « Classification antique et classification chrétienne des textes littéraires ».

4. L'expression appliquée à Job est : « πατὴρ ἀδυνάτων ». La comparaison de Gorgonie avec Job a commencé au chap. 7 (à propos de la noblesse); elle continuera chap. 15, à propos du traitement infligé au juste. Macrine, de même, est un autre Job (*Vie*, 18; voir *SC* 178, p. 199, n. 3 de P. MARAVAL). Césaire, quant à lui, est comparé à Cratès pour son désintéressement.

5. Son mari cependant mourut peu de temps après elle; cf. *Épigr.* 103.

6. Cf. *D.* 6, 3. La promesse est celle du Christ de ne laisser aucune bonne action sans récompense (cf. *Matth.* 10, 42; *Mc* 9, 40).

παθόντων ἐδεξιώσατο[g] · καὶ τὸ κάλλιστον ὅτι μὴ τὸ δοκεῖν ἦν παρ' αὐτῇ πλεῖον τῆς ἀληθείας, ἀλλ' ἐν τῷ κρυπτῷ
B 20 καλῶς ἐγεώργει τῷ βλέποντι τὰ κρυπτὰ[h] τὴν εὐσέβειαν. Πάντα τοῦ κοσμοκράτορος[i] ἥρπασεν, πάντα μετήνεγκεν εἰς τὰς ἀσφαλεῖς ἀποθήκας[j]. Οὐδὲν ἀφῆκε τῇ γῇ πλὴν τοῦ σώματος. Πάντων ἠλλάξατο τὰς ἐκεῖθεν ἐλπίδας · ἕνα τοῖς παισὶ πλοῦτον ἀφῆκε τὴν μίμησιν καὶ τὴν ἐπὶ τούτοις
25 φιλοτιμίαν.

13. Καὶ οὐ τὰ μὲν τῆς μεγαλοψυχίας τοιαῦτα καὶ οὕτως ἄπιστα, τὸ δὲ σῶμα παρέδωκε τῇ τρυφῇ καὶ ταῖς ἀκαθέκτοις τῆς γαστρὸς ἡδοναῖς, τῷ λυσσῶντι κυνὶ καὶ σπαράττοντι, ὡς ἂν θαρροῦσα τοῦς εὐποιΐαις, ὅπερ
5 πάσχουσιν οἱ πολλοί, τῆς εἰς τοὺς πένητας εὐσπλαγχνίας τὸ τρυφᾶν ἐξωνούμενοι, καὶ οὐ καλῷ τὸ κακὸν ἰώμενοι,
C καλοῦ δὲ τὸ φαῦλον ἀντιλαμβάνοντες · ἢ νηστείας μὲν « τὸν χοῦν[a] » κατεπάλαισεν, ἑτέρῳ δὲ τὸ τῆς χαμευνίας παρῆκε φάρμακον · ἣ τοῦτο μὲν ἐξεῦρε τῇ ψυχῇ τὸ βοήθημα,
10 ὕπνῳ δὲ μέτρον ἧττον ἑτέρου τινὸς ἐπέθηκεν · ἣ τοῦτο μὲν ἐνομοθέτησεν ὥσπερ ἀσώματος, ἐκλίθη δὲ εἰς γῆν, ἑτέρων παννυχιζόντων ἐν ὀρθῷ σώματι, ὃ δὴ μάλιστα φιλοσόφων ἀνδρῶν ἐστιν ἀγώνισμα · ἣ τοῦτο μὲν οὐ μόνον

19 ἦν om. AQBWVS Maur.
13, 2 παρέδωκε : καθῆκε AQBWVTS ‖ 9 τὸ om. T ‖ 10 ἑτέρου τινὸς ἧττον AQBWVTS ‖ 13 ἐστιν om. AQBWVTS Maur. ‖ τὸ ἀγώνισμα Maur. ‖ μόνον om. AQBWVS supra l. T

g. Cf. Matth. 10, 40 ; 18, 5 ; 25, 35 ; Jn 13, 20 h. Cf. Matth. 6, 4. 6 i. Cf. Éphés. 6, 12 j. Cf. Matth. 6, 19-21
13. a. Cf. Gen. 2, 7

1. Cf. *D.* 7, 20.
2. Cf. *D.* 6, 6 ; 11, 5. PLATON, *Rép.* 729 c, rapporte un mot de Sophocle disant avoir échappé à l'amour « comme à un tyran enragé et sauvage », expression reprise par AMMIEN MARCELLIN, *Histoire*, XXV, 4, 2-4, à propos de Julien (cf. *D.* 7, 9 : c'est l'ambition qui est comparée à un tyran insupportable).

ceux qui recevaient ses bienfaits[g]. Et, le plus beau, sans que la réalité fût en elle inférieure à l'apparence, elle cultivait de belle façon, dans le secret, la piété pour celui qui voit ce qui est caché[h]. Elle arracha tout au maître de ce monde[i], elle transporta tout dans les sûrs dépôts[j]. Elle ne laissa rien à la terre que son corps. Elle échangea tout pour les espoirs de là-bas. Elle laissa pour toute richesse à ses enfants son exemple à imiter et l'ambition d'égaler ses mérites.

13. Et il n'y eut pas, d'un côté, de telles marques, aussi incroyables, de libéralité[1], et, de l'autre, un corps livré à la mollesse et aux plaisirs non contenus du ventre, ce chien enragé et dévorant[2], comme si elle se reposait sur ses bienfaits, à la manière de la plupart des gens, qui rachètent leur vie de plaisir par leur compassion envers les pauvres et ne guérissent pas le mal par le bien, mais échangent le bien contre la méchanceté. Ne croyez pas que, par des jeûnes, elle triompha de « la poussière[a] »[3] en laissant à d'autres le remède de la *chameunie*[4]; ou que, pour avoir procuré cette aide à son âme, elle donna moins de mesure que tout autre au sommeil; ne croyez pas qu'elle se fit une loi de ceci, comme si elle n'avait pas de corps, et qu'elle coucha à terre, alors que d'autres passaient la nuit debout, prouesse réservée à ceux qui s'adonnent à la philosophie[5]. Ne

3. C'est-à-dire des sens; cf. chap. 21; *D.* 27, 7 : « Ne soumettons-nous pas la partie inférieure à la partie supérieure, je veux dire la "poussière" à l'Esprit. » Comparer la description (ἔκφρασις) de la vie ascétique qui commence ici (chap. 13-14) avec celle du *D.* 6, 2. Grégoire a une particulière prédilection pour l'évocation de ce genre de vie (cf. Introd., p. 19).

4. Terme d'ascétisme : fait de se coucher sur le sol; cf. *D.* 18, 32, à propos de Nonna. Voir I. HAUSHERR, « Chameunie », *DSp*, 2 1, 1953, col. 451-454.

5. Ici le mot a son sens d'« ascèse » (elle est celle des moines après avoir été celle des philosophes). Cf. *D.* 8, 6, 16.

γυναικῶν, ἀλλὰ καὶ ἀνδρῶν ὤφθη τῶν γενναιοτάτων
15 ἀνδρικώτερα, ψαλμῳδίας δὲ τόνον ἔμφρονα ἢ θείων λογίων ἔντευξιν ἢ ἀνάπτυξιν ἢ μνήμην εὔκαιρον ἢ κλίσιν γονάτων κατεσκληκότων, καὶ ὥσπερ τῷ ἐδάφει συμπεφυκότων, ἢ δάκρυον ῥύπου καθάρσιον ἐν καρδίᾳ συντετριμμένῃ καὶ
D πνεύματι ταπεινώσεως[b], ἢ εὐχὴν ἄνω μετατιθεῖσαν, καὶ
20 νοῦν ἀπλανῆ καὶ μετάρσιον· ταῦτα πάντα, ἢ τούτων τί ἐστιν ὅστις ἀνδρῶν ἢ γυναικῶν ἐκείνην ὑπερβεβηκέναι καυχήσαιτο;

Ἀλλ᾽ ἐκεῖνο μέγα μὲν εἰπεῖν, ἀληθὲς δέ, ὅτι τὸ μὲν
805 A ἐζήλου τῶν καλῶν, τοῦ δὲ ἦν ζῆλος· καὶ τὸ μὲν εὗρε,
25 τὸ δὲ ἐνίκησεν. Καὶ εἰ καθ᾽ ἕν τι τούτων ἔσχε τὸν ἀμιλλώμενον ἀλλὰ τῷ γε μία τὰ πάντα συλλαβεῖν, πάντων ἐκράτησεν. Οὕτω μὲν τὰ πάντα κατορθώσασα ὡς οὐδεὶς ἄλλος ἓν καὶ μετρίως· οὕτω δ᾽ εἰς ἄκρον ἕκαστον ὥστε καὶ ἀντὶ πάντων ἓν ἐξαρκεῖν καὶ μόνον.

14. Ὦ πιναροῦ σώματος καὶ ἐνδύματος ἀρετῇ μόνον ἀνθοῦντος. Ὦ ψυχῆς διακρατούσης τὸ σῶμα, καὶ δίχα

17 κατεσκληκότων – ἢ δάκρυον om. W ‖ καὶ : ἢ Maur. ‖ 19 τιθεῖσαν AQBWVT (μετα- sup. l.) S Maur. ‖ 21-22 καυχήσετο WT κατεκαυχήσαιτο D κατεκαυχήσατο PC ‖ 25-26 τὸν ἀμιλλώμενον : τὸ ἀμιλλώμενον BS Maur. τῶν ἀμιλλωμένων C ‖ 26 ἁπάντων P ‖ 27 οὐδεὶς : οὐδὲ εἷς AQBWT ‖ 29 ἁπάντων TDPC

b. Cf. Ps. 50, 19; Dan. 3, 39

1. Cette qualité (ἀνδρεία) n'est pas moins demandée aux femmes qu'aux hommes; mais d'ordinaire elle s'applique pour elles à leurs activités proprement «féminines» (cf. la femme forte des *Proverbes,* chap. 9). Macrine possède comme Gorgonie cette ἀνδρεία qui peut être com-

croyez pas qu'elle a été considérée seulement comme plus énergique que les femmes, elle l'a été aussi plus que les hommes les plus courageux[1], et cela à cause du ton raisonnable qu'elle mettait dans la psalmodie, de la lecture qu'elle faisait des enseignements divins[2], de leur explication ou de leur rappel au moment opportun, à cause du fléchissement de ses genoux décharnés, comme collés au sol, des larmes purificatrices[3] de souillures dans un cœur contrit et un esprit d'humilité[b], ou à cause de la prière qui élève et de son esprit infaillible et sublime. Pour tout cela ou un seul de ces traits, qui pourrait se glorifier de la surpasser, homme ou femme?

Mais il faut dire ceci, qui est grand, et vrai! Quand elle cherchait à imiter une vertu, elle était le modèle envié d'une autre; quand elle en atteignit une, elle en dépassa une autre. Et si d'aucuns pouvaient rivaliser avec elle pour l'une de ces vertus, elle fut la seule du moins à les réunir toutes, l'emportant ainsi sur tout le monde. Elle réussit ainsi dans toutes comme personne ne peut le faire, même médiocrement, pour une seule. Et elle poussa chaque vertu à une perfection telle qu'une seule et unique aurait suffi à les remplacer toutes[4].

14. Ô corps négligé et vêtements ornés de la seule vertu! Ô âme soutenant ce corps à peine nourri, comme

parée à celle des hommes et même la dépasser; cf. *Vie de Macrine*, *SC* 178, p. 173, et n. 4 de P. Maraval; de même Alypiana, petite-fille de Gorgonie (*Lettre* 12). Voir Beaucamp, *Statut de la femme*, p. 281.

2. Sur la lecture des Écritures, voir Gain, *L'Église*, p. 347, n. 82. Cf. *D.* 6, 18.

3. Les larmes ont un pouvoir de purification et sont donc un des éléments de l'ascèse (cf. *D.* 6, 2, à propos des moines). Voir P. Adnès, «Larmes», *DSp* 9, 1976, col. 287-303 (dans l'œuvre de Grégoire de Nazianze, col. 293).

4. Césaire possédait quant à lui toutes les sciences.

τροφῆς σχεδόν, ὥσπερ ἄϋλον· μᾶλλον δὲ σώματος βια-
B σαμένου νεκρωθῆναι[a] καὶ πρὸ τῆς διαζεύξεως, ἵν' ἐλευθερίαν
5 λάβῃ ψυχὴ καὶ μὴ παραποδίζηται ταῖς αἰσθήσεσιν. Ὦ
νυκτῶν ἀΰπνων καὶ ψαλμῳδίας καὶ στάσεως ἐξ ἡμέρας
εἰς ἡμέραν ἀποληγούσης. Ὦ Δαυΐδ, ταῖς πισταῖς μόνον
ψυχαῖς οὐ μακρὰ μελῳδήσας. Ὦ μελῶν ἁπαλότητος ἐπὶ
γῆς ἐρριμένων καὶ παρὰ τὴν φύσιν τραχυνομένων. Ὦ
10 πηγαὶ δακρύων σπειρομένων ἐκ θλίψεως, ἵν' ἐν ἀγαλλιάσει
θερίσαιεν[b]. Ὦ βοῆς νυκτερινῆς νεφέλας διερχομένης καὶ
φθανούσης πρὸς αὐτὸν οὐρανόν. Ὦ θερμότης πνεύματος,
κυνῶν κατατολμώσης νυκτερινῶν δι' ἐπιθυμίαν εὐχῆς, καὶ
κρυμῶν καὶ ὑετῶν καὶ βροντῶν καὶ χαλάζης καὶ ἀωρίας.
15 Ὦ γυναικεία φύσις τὴν ἀνδρείαν νικήσασα διὰ τὸν κοινὸν
ἀγῶνα τῆς σωτηρίας, καὶ σώματος διαφορὰν οὐ ψυχῆς τὸ
C θῆλυ καὶ τὸ ἄρρεν ἐλέγξασα. Ὦ τῆς μετὰ λουτρὸν ἁγνείας,
καὶ τῆς νύμφης Χριστοῦ ψυχῆς ἐν καθαρῷ νυμφῶνι τῷ
σώματι. Ὦ πικρὰ γεῦσις[c], καὶ Εὔα μῆτερ[d] καὶ γένους
20 καὶ ἁμαρτίας, καὶ ὄφι πλάνε[e] καὶ θάνατε[f], τῇ ἐκείνης

14, 3 σχεδόν S mg. ‖ 3-4 βιασαμένου – τῆς εὐσεβείας (c. 16, l. 11) deficit D ‖ 5 ἡ ψυχὴ TP ‖ παρεμποδίζηται W ‖ 8 οὐ μακρὰ μελῳδήσας S mg. ‖ 11 θερίσαιεν : θερισθεῖν PC θερισθεῖεν T mg. ‖ 12 αὐτὸν οὐρανόν : τὸν οὐράνιον AQBWVTS (αὐτ. οὐρ. mg.QT) Maur. ‖ 12 θερμότης : θερμότητος T^pc Maur. ‖ 14 ἀωρίας – ἐλλαμπόμεθα (c. 19, l. 15) deficit A ‖ 17 τὸ om. W ‖ τὸ λουτρὸν P

14. a. Cf. Rom. 4, 19 b. Cf. Ps. 125, 5 c. Cf. Gen. 3, 6 d. Cf. Gen. 3, 20 e. Cf. Gen. 3, 1 f. Cf. Gen. 2, 17; 3, 19

1. Cf. chap. 5; *D.* 7, 22.

2. Expression du vocabulaire ascétique; cf. *Épigr.* 57; *D.* 6, 2, 18; 27, 7; 42, 28; chap. 13, on trouve le verbe παννυχίζειν.

3. David était considéré comme l'auteur de tous les psaumes; cf. *D.* 7, 18.

4. L'expression «κύνες νυκτερινοί» peut désigner simplement des chiens rencontrés la nuit ou, plus précisément, des loups, comme l'attestent certains lexicographes : HÉSYCHIUS D'ALEXANDRIE, *Lexicon*, vol. III, p. 162, l. 698; PHOTIUS, *Lexicon*, rec. S.A. Naber, I, Leiden 1864-

immatériel, ou plutôt un corps contraint à la mort[a], même avant la séparation[1], pour que l'âme prenne sa liberté et ne soit pas entravée par les sens ! Ô nuits sans sommeil, psalmodie et temps passé debout d'un jour à l'autre[2] ! Ô David, c'est seulement aux âmes fidèles que tes chants ne paraissent pas trop longs[3] ! Ô délicatesse des membres prosternés, rendus plus rudes que ne le veut la nature ! Ô flots de larmes répandues dans la douleur pour moissonner dans l'allégresse[b] ! Ô cri nocturne parvenant, après avoir traversé les nuées, jusqu'au ciel même ! Ô ferveur de l'esprit affrontant hardiment, poussé par le désir de prier, les chiens de la nuit[4], mais aussi le froid, la pluie, le tonnerre, la grêle, les heures indues[5] ! Ô nature féminine qui as surpassé celle de l'homme dans le combat commun pour le salut et as donné la preuve que la différence entre l'homme et la femme est dans le corps, non dans l'âme[6] ! Ô la pureté après le bain[7] et l'âme épousant le Christ dans la pure chambre nuptiale du corps ! Ô goût amer[c 8], Ève, mère[d] du genre humain et du péché, serpent trompeur[e], et mort[f], qui êtes vaincus par son empire sur elle-même[9] !

1865 (reprint Amsterdam 1965) ; EUSTATHE DE THESSALONIQUE, *Commentarii ad Homeri Iliadem*, vol. III, p. 83, l. 14.

5. Cf. chap. 18 ; GRÉGOIRE DE NYSSE, *Vie de Macrine*, 3. Cette pratique de la prière nocturne est particulièrement recommandée par Basile, qui écrit à Grégoire, *Lettre* 2 : « Ce qu'est pour les autres le point du jour, le milieu de la nuit doit l'être pour ceux qui font l'apprentissage de la piété, car c'est surtout la tranquillité de la nuit qui accorde du loisir à l'âme (trad. Courtonne). » Sur cet usage, probablement observé dès l'origine par les chrétiens, voir P. MARAVAL, *SC* 178, Introd., p. 70-71.

6. Cf. chap. 13. Grégoire, qui met en valeur l'égalité de l'homme et de la femme dans le couple, particulièrement en ce qui concerne la piété (εὐσέβεια) et sa transmission, montre ici leur complète égalité dans la « philosophie ».

7. Il s'agit du bain du baptême.

8. Le goût du fruit défendu ; cf. *D.* 38, 4 et la note, p. 111.

9. Cf. chap. 10.

ἐγκρατείᾳ νενικημένα[g]. Ὢ Χριστοῦ κένωσις, καὶ δούλου μορφή[h], καὶ παθήματα, τῇ ἐκείνης νεκρώσει τετιμημένα.

15. Ὢ πῶς ἢ καταριθμήσομαι τὰ ἐκείνης ἅπαντα, ἢ τὰ πλείω παρεὶς μὴ ζημιώσω τοὺς ἀγνοοῦντας; Ἀλλά μοι καλὸν ἤδη προσθεῖναι τῆς εὐσεβείας καὶ τὰ ἐπίχειρα· καὶ γάρ μοι ποθεῖν πάλαι δοκεῖτε καὶ ζητεῖν ἐν τῷ λόγῳ, οἱ
5 τὰ ἐκείνης καλῶς εἰδότες, οὐ τὰ παρόντα μόνον, οὐδὲ οἷς νῦν ἐκεῖθεν ἀγάλλεται[a], ἃ κρείττω καὶ διανοίας καὶ ἀκοῆς
D ἀνθρωπίνης καὶ ὄψεως[b], ἀλλὰ καὶ οἷς ἐντεῦθεν αὐτὴν ὁ δίκαιος «μισθαποδότης[c]» ἠμείψατο – ἐπεὶ καὶ τοῦτο ποιεῖ πολλάκις εἰς οἰκοδομὴν τῶν ἀπίστων, τοῖς μικροῖς τὰ
808 A 10 μέγαλα πιστούμενος, καὶ τοῖς ὁρωμένοις τὰ μὴ ὁρώμενα. Ἐρῶ δὲ τὰ μὲν γνώριμα τοῖς πᾶσι, τὰ δὲ ἀπόρρητα τοῖς πολλοῖς· καὶ τοῦτο ἐκείνης φιλοσοφησάσης τὸ μὴ καλλωπίζεσθαι τοῖς χαρίσμασιν.

Ἴστε τὰς μανείσας ἡμιόνους, καὶ τὴν συναρπαγὴν τοῦ
15 ὀχήματος, καὶ τὴν ἀπεικτὴν ἐκείνην περιτροπήν, καὶ τὴν ἄτοπον ἕλξιν, καὶ τὰ πονηρὰ συντρίμματα – καὶ τὸ γενόμενον ἐντεῦθεν σκάνδαλον τοῖς ἀπίστοις, εἰ οὕτω δίκαιοι παραδίδονται –, καὶ τὴν ταχεῖαν τῆς ἀπιστίας διόρθωσιν·

15, 1 καταριθμήσαιμι V ‖ 3 εἶναι post καλόν add. PC S mg. ‖ 10 ὁμώμενα : βλεπόμενα PC

g. Cf. Phil. 2, 7
15. a. Cf. Matth. 25, 21 b. Cf. I Cor. 2, 9 c. Hébr. 11, 6

1. Ce morceau pathétique (chap. 14) a eu quelque fortune. BOSSUET, sans mentionner Grégoire, le reprend presque mot pour mot dans son *Oraison funèbre du Père Bourgoing*, en 1662 (voir Marie-Ange CALVET, «Un avatar de Gorgonie : Grégoire de Nazianze et Bossuet», article cité Introd., p. 42, n. 1.

2. Cf. chap. 23, où ces récompenses sont suggérées. La foi profonde (πίστις, un mot absent de l'éloge de Césaire) de Gorgonie est le fil conducteur des récits qui suivent; elle n'affronte pas l'ἀπιστία, mais cherche à la faire céder par son exemple, comme elle peut édifier ceux qui ont une foi moins vive (cf. chap. 18).

Ô anéantissement, forme d'esclave[g] et souffrances du Christ, qui êtes honorés par sa propre mortification[1]!

15. Oh! Comment dénombrerai-je toutes les vertus de cette femme? Ou, si j'en néglige la plupart, comment ne ferai-je pas tort à ceux qui les ignorent? Mais, maintenant, il me paraît bon d'ajouter aussi à cela les récompenses de cette piété. En effet, depuis longtemps, vous paraissez désirer et attendre de moi, vous qui connaissez bien les faits de sa vie, que je parle non seulement des récompenses présentes[2], dont elle jouit maintenant[a] là-bas et que, ni par la pensée, ni par l'ouïe, ni par la vue[b] l'homme ne peut imaginer, mais aussi de ce que le juste « rémunérateur[c] » lui a donné ici-bas en échange – car il agit souvent ainsi pour l'édification des incroyants[3], trouvant à les convaincre des grandes choses par les petites et des choses invisibles par les visibles. Je dirai d'une part ce qui est connu de tous, d'autre part ce qui est ignoré de beaucoup, car elle se préoccupait également de ne pas tirer gloire des grâces qui lui étaient faites.

Vous connaissez cette histoire : les mules devenues furieuses, la voiture emportée, brutalement renversée et traînée de façon insensée[4], les mauvaises fractures – accident qui fut alors objet de « scandale » pour les incroyants, à la vue du traitement infligé aux justes[5] –, puis la rapide correction de l'incrédulité. Car en elle tout

3. L'image (οἰκοδομή) est paulinienne. Grégoire justifie ainsi les « miracles » dont le récit va suivre.

4. Peut-être une litière à l'usage des femmes portée par des mules, telle la *basterna* (*DAGR*, 1, 1877, p. 682). Sur les moyens de transport, voir GAIN, *L'Église*, p. 14-18.

5. La croix est *scandale* (cf. *I Cor.* 1, 23; *Gal.* 5, 11) *pour les incroyants* (IGNACE D'ANTIOCHE, *Aux Éphésiens*, 18, 1). Gorgonie est, on l'a déjà vu, un autre Job, l'image du « juste »; cf. JEAN CHRYSOSTOME, *Lettre d'exil*, 1.

ὅτι πάντα συντριβεῖσα καὶ συγκοπεῖσα καὶ ὀστᾶ καὶ μέλη
20 καὶ ἀφανῆ καὶ φαινόμενα, καὶ οὔτε ἰατρὸν ἄλλον πλὴν
τοῦ παραδόντος ἠνέσχετο· ὁμοῦ μὲν καὶ ὄψιν ἀνδρῶν
αἰδουμένη καὶ χεῖρας – τὸ γὰρ κόσμιον κἂν τοῖς πάθεσι
διεσώσατο – ὁμοῦ δὲ καὶ τὴν ἀπολογίαν ζητοῦσα παρὰ τοῦ
B ταῦτα παθεῖν συγχωρήσαντος, οὔτε παρ᾽ ἄλλου τινὸς ἢ
25 ἐκείνου τῆς σωτηρίας ἔτυχεν, ὡς μὴ μᾶλλον ἐπὶ τῷ πάθει
πληγῆναί τινας ἢ ἐπὶ τῷ παραδόξῳ τῆς ὑγιείας κατα-
πλαγῆναι, καὶ διὰ τοῦτο δόξαι συμβῆναι τὴν τραγῳδίαν
ἵν᾽ ἐνδοξασθῇ τοῖς πάθεσι· παθοῦσα μὲν ὡς ἄνθρωπος,
ἰαθεῖσα δὲ ὑπὲρ ἄνθρωπον, καὶ διήγημα δοῦσα τοῖς ὕστερον,
30 μέγιστον μὲν εἰς ἀπόδειξιν τῆς ἐν τοῖς πάθεσι πίστεως
καὶ τῆς πρὸς τὰ δεινὰ καρτερίας, μεῖζον δὲ τῆς τοῦ Θεοῦ
περὶ τοὺς τοιούτους φιλανθρωπίας[d]. Τῷ γάρ· « Ὅταν πέσῃ
οὐ καταρραχθήσεται[e] », περὶ τοῦ δικαίου καλῶς εἰρημένῳ,
προσετέθη καινότερον τὸ· κἂν καταρραγῇ, τάχιστα ὀρθω-
35 θήσεται[f] καὶ δοξασθήσεται. Εἰ γὰρ παρὰ τὸ εἰκὸς ἔπαθεν,
ἀλλὰ καὶ ὑπὲρ τὸ εἰκὸς ἐπανῆλθε πρὸς ἑαυτήν, ὡς μικροῦ
κλαπῆναι τῇ ὑγιείᾳ τὸ πάθος καὶ περιφανεστέραν γενέσθαι
C τὴν θεραπείαν ἢ τὴν πληγήν.

16. Ὦ συμφορᾶς ἐπαινουμένης καὶ θαυμασίας. Ὦ πάθους ἀπαθείας ὑψηλοτέρου. Ὦ τοῦ· « Πατάξει καὶ μοτώσει, καὶ ὑγιάσει[a], καὶ μετὰ τρεῖς ἡμέρας ἀναστήσει[b], φέροντος μὲν

19 καὶ ἁρμονίας add. post μέλη PC T mg. || 20 καὶ² om. T^{pc} PC || 21 ἀνδρὸς Q || 34 μεθ' ἕτερον add. post καινότερον P T mg. || καταραχθῇ QV || τάχιστα : ταχέως B || 36 αὐτὴν C

d. Cf. Tit. 3, 4 e. Ps. 36, 24 f. Cf. Ps. 145, 8
16. a. Osée 6, 1-2 b. Cf. Osée 6, 2

1. Macrine se refuse, quant à elle, à montrer une tumeur au sein (*Vie*, 31, *SC* 178, p. 244 et n. 2). Cf. chap. 22, « l'audace » du père spirituel de Gorgonie, qui s'approche d'elle pour entendre ses derniers mots. Cette attitude ressortit à la σωφροσύνη ; elle est habituelle de la femme de l'antiquité ; cf. A. ROUSSELLE, *Porneia. De la maîtrise du corps*

était brisé et rompu, os et membres, de façon invisible ou apparente, et elle n'admit pas d'autre médecin que celui qui l'avait voulu ainsi. Ne souffrant ni le regard ni la main des hommes – car elle garda la décence même dans les souffrances[1] –, elle n'attendait de secours que de celui qui avait permis cet accident, et ce n'est pas d'un autre qu'elle obtint le salut. Aussi, certains furent moins frappés par cet accident que par le caractère extraordinaire de sa guérison, et cet événement tragique ne parut avoir d'autre raison que la glorification de cette femme dans les malheurs[2] : sa souffrance a été humaine, sa guérison plus qu'humaine, et le don qu'elle a fait de ce récit à la postérité est le plus grand témoignage de sa foi au milieu des malheurs, de sa force d'âme[3] dans les épreuves et la démonstration plus grande encore de l'amour de Dieu envers de tels êtres[d4]. Car à cette belle parole concernant le juste : « Quand il tombera, il ne restera pas terrassé[e] », quelque chose de nouveau a été ajouté : Même s'il a été terrassé, il sera redressé sur-le-champ[f] et glorifié. En effet, si elle a souffert contrairement à toute attente, elle s'est rétablie au-delà de toute attente, si bien que sa guérison faillit faire oublier son accident et que son rétablissement parut plus visible que ses blessures.

16. Ô accident louable et admirable ! Ô souffrance plus sublime que l'absence de souffrance ! Ô ces mots : « Il frappera, il bandera les plaies, il guérira[a] et, après trois jours, il relèvera[b], mots dont la signification est plus

à la privation sensorielle, IIe-IVe siècles de l'ère chrétienne (Les Chemins de l'Histoire), Paris 1983, p. 41, citant HIPPOCRATE, *Mal. fem.* I, 62.

2. Gorgonie ne reste en vie que pour servir de modèle et être glorifiée. Césaire, lui, est sauvé (*D.* 7, 15) afin qu'il puisse se convertir.

3. La force d'âme (καρτερία) est également une qualité de Césaire (*D.* 7, 18).

4. Cf. *D.* 7, 24.

εἰς μεῖζον καὶ μυστικώτερον, ὥσπερ οὖν ἤνεγκεν, οὐχ
5 ἧττον δὲ τοῖς ταύτης ἁρμόζοντος πάθεσι. Τοῦτο μὲν οὖν
ὃ πᾶσι πρόδηλον καὶ τοῖς πόρρωθεν, ἐπεὶ καὶ εἰς πάντας
τὸ θαῦμα διῆλθε, καὶ ἐν ταῖς πάντων κεῖται γλώσσαις καὶ
ἀκοαῖς τὸ διήγημα μετὰ τῶν ἄλλων τοῦ Θεοῦ θαυμασίων
τε καὶ δυνάμεων.

D 10 Τὸ δὲ μέχρι νῦν ἀγνοούμενον τοῖς πολλοῖς καὶ
κρυπτόμενον δι᾽ ἣν εἶπον φιλοσοφίαν, καὶ τὸ τῆς εὐσεβείας
ἄτυφόν τε καὶ ἀκαλλώπιστον, εἴπω κελεύεις, ὦ ποιμένων
ἄριστε καὶ τελεώτατε, ὁ τοῦ ἱεροῦ προβάτου ποιμὴν
809 A ἐκείνου[b], καὶ τοῦτο νεύεις λοιπόν – ἐπειδὴ καὶ μόνοι τὸ
15 μυστήριον ἐπιστεύθημεν καὶ μάρτυρες ἀλλήλοις ἐσμὲν τοῦ
θαύματος –, ἢ ἔτι τῇ ἀπελθούσῃ τὴν πίστιν φυλάξομεν;
Ἀλλά μοι δοκεῖ ὥσπερ τότε καιρὸς εἶναι τῆς σιωπῆς,
οὕτω νῦν τῆς ἐξαγορεύσεως, οὐ μόνον εἰς τὴν τοῦ Θεοῦ
δόξαν, ἀλλὰ καὶ εἰς παράκλησιν τῶν ἐν θλίψεσιν[c].

17. Ἔκαμνεν αὐτῇ τὸ σῶμα καὶ διέκειτο πονηρῶς, καὶ
ἡ νόσος ἦν τῶν ἀήθων καὶ ἀλλοκότων · πύρωσις μὲν ἀθρόα
παντὸς τοῦ σώματος, καὶ οἷον βρασμός τις καὶ ζέσις
αἵματος, εἶτα πῆξις τούτου, καὶ νάρκη, καὶ ὠχρίασις
5 ἄπιστος, καὶ νοῦ καὶ μελῶν παράλυσις · καὶ τοῦτο οὐκ

16, 4 μείζω C ‖ 7 κεῖται om. BWVT ‖ 11 τῆς : D repetitur ‖ 13-14 ἐκείνου ποίμην DPC Maur. ‖ 15 ἐσμὲν om. QBWVS Tmg. ‖ 16 ἢ : εἰ D ‖ φυλάξωμεν QBW^{ac} VC Maur. ‖ 17 καιρὸν P
17, 1 πονήρως διέκειτο D

b. Cf. Hébr. 13, 20 c. Cf. II Cor. 1, 4

1. Ce texte d'Osée est traditionnellement appliqué à la mort et à la résurrection du Christ.
2. Cf. chap. 6, 13.
3. Il s'agit probablement d'un évêque, que d'aucuns identifient avec Faustin d'Iconium; ce pasteur est différent de celui qui est cité chap. 11; voir Introd., p. 60.

grande et plus mystérieuse, comme ce fut précisément le cas[1], mais qui ne conviennent pas moins aux épreuves de cette femme! Voilà donc ce qui fut révélé à tous, même aux plus éloignés, puisque tous ont appris la nouvelle de ce miracle, et que le récit se trouve sur toutes les langues et dans toutes les oreilles, avec les autres merveilles et miracles de Dieu.

Mais ce qui jusqu'ici est resté ignoré du plus grand nombre et tenu secret, à cause de cette philosophie dont j'ai parlé[2], de la modestie et de la discrétion de sa piété, permets-tu que j'en parle, ô le plus noble et le plus parfait des pasteurs, toi qui fus pasteur de cette sainte brebis[b], et me donnes-tu ton assentiment pour raconter la suite de cette histoire[3] – puisque c'est à nous seuls qu'a été confié ce secret et que nous sommes l'un pour l'autre les seuls témoins de ce prodige –, ou conserverons-nous longtemps encore la parole que nous avons donnée à celle qui est partie? Eh bien, à mon avis, si c'était alors le moment du silence, celui de la révélation est venu maintenant, non seulement pour la gloire de Dieu, mais aussi pour la consolation[4] de ceux qui sont dans les tribulations[c].

17. Gravement atteinte, elle souffrait dans son corps d'un mal des plus étrange et des plus inhabituel[105] : c'était l'inflammation du corps tout entier, une sorte d'effervescence et de bouillonnement du sang, puis sa coagulation, suivie d'une torpeur et d'une pâleur incroyables, d'une paralysie de l'esprit et des membres. Et ces accès n'étaient

4. C'est donc le récit des trois θαύματα concernant Gorgonie qui tient lieu de *consolation.*

5. Suite de morceaux pathétiques. Après l'*ecphrasis* de l'accident, vient la description hyperbolique de la maladie de Gorgonie; cf. *D.* 18, 28 (maladie de Grégoire l'Ancien).

ἐκ μακρῶν τῶν διαστημάτων, ἀλλ᾽ ἦν ὅτε καὶ λίαν συνεχῶς.
B Καὶ τὸ κακὸν οὐκ ἀνθρώπινον ἐνομίζετο, καὶ οὔτε ἰατρῶν ἤρκουν τέχναι λίαν ἐπιμελῶς διασκεπτομένων περὶ τοῦ πάθους καὶ καθ᾽ ἑαυτὸν ἑκάστου καὶ σὺν ἀλλήλοις, οὔτε
10 γονέων δάκρυα πολλὰ πολλάκις δεδυνημένα, οὔτε πάνδημοι λιταὶ καὶ ἱκεσίαι, ἅς, ὡς ὑπὲρ τῆς ἑαυτοῦ σωτηρίας ἕκαστος, ἐποιοῦντο πᾶς ὁ λαός. Καὶ γὰρ ἦν ἅπασι σωτηρία τὸ ἐκείνην σῴζεσθαι, ὥσπερ τοὐναντίον πάθος κοινὸν τὸ τῇ ἀρρωστίᾳ κακοπαθεῖν.

18. Τί οὖν ἡ μεγάλη καὶ τῶν μεγίστων ἀξία ψυχή, καὶ τίς ἡ ἰατρεία τοῦ πάθους; Ἐνταῦθα γὰρ ἤδη καὶ τὸ
C ἀπόρρητον. Πάντων ἀπογνοῦσα τῶν ἄλλων, ἐπὶ τὸν πάντων ἰατρὸν[a] καταφεύγει, καὶ νυκτὸς ἀωρίαν τηρήσασα, μικρὸν
5 ἐνδούσης αὐτῇ τῆς νόσου, τῷ θυσιαστηρίῳ προσπίπτει μετὰ τῆς πίστεως, καὶ τὸν ἐπ᾽ αὐτῷ τιμώμενον ἀνακαλουμένη μεγάλῃ τῇ βοῇ καὶ πάσαις ταῖς κλήσεσι, καὶ πασῶν αὐτὸν τῶν πώποτε δυνάμεων ὑπομνήσασα – σοφὴ γὰρ ἐκείνη καὶ τὰ παλαιὰ καὶ τὰ νέα –, τέλος εὐσεβῆ τινα καὶ καλὴν
10 ἀναισχυντίαν ἀναισχυντεῖ· μιμεῖται τὴν τοῖς κρασπέδοις Χριστοῦ ξηράνασαν πηγὴν αἵματος[b]. Καὶ τί ποιεῖ; Τῷ θυσιαστηρίῳ τὴν κεφαλὴν ἑαυτῆς προσθεῖσα μετὰ τῆς ἴσης βοῆς, καὶ δάκρυσι τοῦτο πλουσίοις ὥσπερ τις πάλαι τοὺς πόδας Χριστοῦ καταβρέχουσα[c], καὶ μὴ πρότερον ἀνήσειν

6 συνεχῶν QWVTS ‖ 11 ὡς om. D ‖ 12 ἐποιεῖτο DPC ‖ 13 τὸ ἐναντίον C

18, 8 πώποτε : πότε QV -πω- sup. l. D ‖ 12 ἑαυτῆς : ἑ add. S αὐτῆς T ‖ προθεῖσα C ‖ 14 Χριστοῦ : Ἰησοῦ DPC ‖ μὴ sup. l. T

---

18. a. Cf. Matth. 4, 23 b. Cf. Matth. 9, 20-22; Mc 5, 25-29; Lc 8, 43-44 c. Cf. Lc 7, 37-38; Matth. 26, 7

---

1. Les parents sont-ils présents? Et quel est le peuple (λαός) dont il est question, celui de Nazianze ou celui d'Iconium?

pas très espacés, mais se succédaient parfois sans interruption. On ne pouvait croire que ce mal était humain : rien ne réussissait à l'éloigner, ni l'art des médecins qui, séparément ou ensemble, examinaient avec grand soin cette maladie, ni les larmes des parents qui, en bien des circonstances, avaient eu beaucoup de pouvoir[1], ni les prières et les supplications publiques du peuple tout entier, comme chacun pouvait en faire pour son propre salut. Le salut de cette femme était en effet celui de tous, comme ses souffrances dans cette maladie étaient au contraire une épreuve commune.

18. Que fait alors cette grande âme, cette âme digne des plus grandes, et comment guérit-elle de sa maladie? Car là précisément se trouve ce qui est resté secret. Ayant renoncé à tous les autres médecins, elle recourt à celui de tous[a] : elle attend que vienne la pleine nuit et, au moment où la maladie lui donne un peu de répit, elle se jette au pied de l'autel[2] avec ferveur et appelle d'un grand cri, et par tous ses noms, Celui qu'on y honore, en lui rappelant tous les miracles qu'il avait jamais accomplis – car elle était instruite aussi bien des anciens écrits que des nouveaux[3]. Enfin, elle est prise d'une pieuse et belle impudence. Elle imite celle dont la source du sang fut asséchée au moment où elle toucha les franges du Christ[b]. Et que fait-elle? Elle appuie sa tête sur l'autel, en poussant le même cri, et, de plus, en versant d'abondantes larmes, comme jadis cette femme inondant les pieds du Christ[c], et elle promet de ne pas

2. Cf. chap. 14, où l'on voit Gorgonie se lever de nuit pour prier. Autres exemples d'oratoires privés : GRÉGOIRE DE NYSSE, *Vie de Macrine*, 31; *Vie de sainte Mélanie*, 5 (*SC* 90, p. 134 et note 3). Macrine, comme Gorgonie, demande la guérison de son mal.

3. Sa familiarité avec les Écritures est déjà évoquée chap. 13.

15 ἢ τῆς ὑγιείας τυχεῖν ἀπειλοῦσα· εἶτα τῷ παρ᾽ ἑαυτῆς φαρμάκῳ τούτῳ τὸ σῶμα πᾶν ἐπαλείφουσα, καὶ εἴ πού
D τι τῶν ἀντιτύπων τοῦ τιμίου σώματος ἢ τοῦ αἵματος ἡ
812 A χεὶρ ἐθησαύρισεν, τοῦτο καταμιγνῦσα τοῖς δάκρυσιν, ὢ τοῦ θαύματος, ἀπῆλθεν εὐθὺς αἰσθομένη τῆς σωτηρίας, κούφη
20 καὶ σῶμα καὶ ψυχὴν καὶ διάνοιαν, μισθὸν ἐλπίδος λαβοῦσα τὸ ἐλπιζόμενον, καὶ τῇ τῆς ψυχῆς εὐρωστίᾳ κομισαμένη τὴν τοῦ σώματος.

Ταῦτα μεγάλα μέν, οὐ ψευδῆ δέ. Τούτοις πιστεύετε ἅπαντες καὶ νοσοῦντες καὶ ὑγιαίνοντες ἵν᾽ οἱ μὲν ἔχητε
25 τὴν ὑγίειαν, οἱ δὲ ἀπολάβητε. Καὶ ὅτι μὴ κόμπος τὸ διήγημα, δῆλον ἐξ ὧν ζώσης κατασιγήσας, νῦν ἐξεκάλυψα· καὶ οὐδ᾽ ἂν νῦν ἐδημοσίευσα, εὖ ἴστε, εἰ μή τις ἔσχε με φόβος θαῦμα τοσοῦτον κατακρύψαι καὶ πιστοῖς καὶ ἀπίστοις, καὶ τοῖς νῦν καὶ τοῖς ὕστερον.

B **19.** Τὰ μὲν δὴ τοῦ βίου τοιαῦτα — καὶ τὰ πλείω παραλελοίπαμεν διὰ τὴν συμμετρίαν τοῦ λόγου καὶ τοῦ μὴ δοκεῖν ἀπλήστως ἔχειν περὶ τὴν εὐφημίαν· τάχα δ᾽ ἂν ἀδικοίημεν τελευτὴν ὁσίαν καὶ περιβόητον, εἰ μὴ καὶ

16 ἐπαπειλοῦσα PC ‖ 18 τοῦτο – δάκρυσιν om. QWVS T mg. ‖ 23 ἅπαντες : ἅπασι BW[pc] -τες sup. l. ST ‖ 24 ἔχητε : ἔχοιτε QVS ‖ ἀπολάβητε : ὑπολάβοιτε QVSPC

---

1. Sa foi sauve Gorgonie comme elle a sauvé les femmes de l'Évangile (l'hémorroïsse, la pécheresse). Les actes thérapeutiques du Christ envers les femmes montrent qu'il les appelle aussi à être des disciples; voir R. Fabris, «La donna nel Nuovo Testamento», *Atti del Convegno Nazionale di Studi su la donna nel mondo antico.. Torino 21-23 aprile 1986,* a cura di R. Uglione, Turin 1987, p. 213 (article p. 209-221).

2. Les «antitypes» désignent le pain et le vin consacrés. Ils n'étaient probablement pas sur l'autel, mais Gorgonie devait les avoir dans sa maison, comme cela était encore possible à l'époque (cf. par ex. Basile, *Lettre* 93). Il est surprenant de voir mentionné le *sang* du Christ. L'expression «le corps et le sang» est peut-être une façon de parler pour désigner l'ensemble du mystère. F. Van der Meer, *Saint Augustin,*

partir avant d'avoir recouvré la santé[1]. Puis, comme sa main avait sans doute mis en réserve un peu des antitypes[2] du précieux corps et du précieux sang, elle enduit tout son corps de ce remède en le mêlant aux larmes et, ô miracle, elle s'en va aussitôt, comprenant qu'elle était sauvée, légère de corps, d'âme et d'esprit, car elle avait obtenu la récompense espérée de son espérance et recouvré par la vigueur de l'âme celle du corps.

Cela est grand, et n'est pas mensonger, croyez-le tous, que vous soyez malades ou bien portants, afin que les uns, vous conserviez la santé, les autres, vous la recouvriez! Et ce récit est loin de toute exagération : les faits qu'elle a tenus secrets tant qu'elle était en vie, mais que je viens de révéler, en sont la preuve. Et je ne les aurais pas divulgués maintenant, sachez-le bien, si quelque crainte ne m'avait pris de dissimuler un tel prodige aux croyants comme aux incroyants, à nos contemporains comme à nos successeurs[3].

19. Tels furent donc les événements de sa vie – et nous en avons omis la plupart pour donner de justes proportions à ce discours[4] et ne pas avoir l'air trop prodigue de louanges. Mais peut-être ferions-nous grand tort à sa sainte et célèbre fin si nous n'en rappelions pas les

pasteur d'âmes, Colmar-Paris, t. II, p. 373-374, donne maints exemples de l'utilisation du pain eucharistique, en particulier comme cataplasme sur les paupières. Ce récit d'autre part a été parfois mentionné dans la controverse avec les protestants comme preuve de la croyance en la présence réelle de Jésus-Christ dans l'eucharistie, interprétation critiquée par H. THURSTON, « The early Cultus of the Reserved Eucharist », *JThS* 11, 1910, p. 275-279.

3. Prononcé devant un public mêlé (comme le *D.* 7), le discours est aussi destiné à la lecture (cf. *D.* 7, 16).

4. Le rappel des normes d'un genre, et spécialement de la mesure (συμμετρία), est un cliché rhétorique. On le trouve fréqemment dans la littérature épistolaire à la suite de la *Lettre* 51 de Grégoire.

5 τῶν ταύτης καλῶν ἐπιμνησθείημεν· καὶ ταῦτα οὕτως ἐκείνης ποθουμένης τε καὶ ζητουμένης. Μνησθήσομαι δὲ ὡς ἂν οἷόν τε ᾖ συντομώματα.

Ἐπόθει μὲν τὴν ἀνάλυσιν[a] καὶ γὰρ εἶχε πολλὴν πρὸς τὸν καλοῦντα τὴν παρρησίαν –, καὶ τὸ « σὺν Χριστῷ 10 εἶναι[b] » πάντων προετίθει τῶν ὑπὲρ γῆς· καὶ οὐδεὶς οὕτως ἐρᾷ σώματος τῶν λίαν ἐρωτικῶν τε καὶ δυσκαθέκτων ὡς ἐκείνη τὰς πέδας ἀπορρίψασα ταύτας, καὶ τὴν ἰλὺν ὑπερβᾶσα, μεθ' ἧς βιωτεύομεν, μετὰ τοῦ καλοῦ καθαρῶς γενέσθαι καὶ τὸν ἐρώμενον ἀπολαβεῖν ὅλον – προσθήσω δὲ C 15 ὅτι καὶ τὸν ἐραστήν –, οὗ νῦν μικραῖς ἐλλαμπόμεθα ταῖς αὐγαῖς, καὶ ὅσον γινώσκειν, οὗ κεχωρίσμεθα. Διαμαρτάνει δὲ οὐδὲ ταύτης τῆς ἐπιθυμίας, οὕτως οὔσης ἐνθέου καὶ ὑψηλῆς, καὶ ὃ τούτου μεῖζόν ἐστι, προαπολαύει τοῦ καλοῦ διὰ τῆς προγνώσεως καὶ τῆς πολλῆς ἀγρυπνίας. Ταύτην 20 εἷς ὕπνος τῶν ἡδίστων ἀμείβεται, καὶ ὄψις μία προθεσμίᾳ περιλαβοῦσα τὴν ἐκδημίαν, καὶ τὴν ἡμέραν ταύτην γνωρίσασα, ὡς ἂν τὸ ἑτοιμασθῆναι καὶ μὴ ταραχθῆναι τοῦ Θεοῦ πρυτανεύοντος.

19, 5 καὶ sup. l. S ‖ 7 συντομώτατα : -ον D mg. ‖ 8 ἔσχε DP ‖ 9 τὸ : τῷ B ‖ 15 post μικραῖς A repetitur ‖ 20 εἷς ὕπνος ταύτην D εἷς ὕμνος αὐτὴν PC ‖ 21-23 καὶ τὴν ἡμέραν – πρυτανεύοντος om. AQBWVTS

19. a. Cf. Phil. 1, 23 b. Phil. 1, 23

1. Cf. le récit de la mort de Basile, très développé aussi (*D.* 43, 78-79), et ceux de la mort de Grégoire l'Ancien (*D.* 18, 28) et d'Athanase (*D.* 21, 37). Le discours funèbre de Césaire ne contient pas de récit de sa mort, sans doute parce que Grégoire ne le considère pas comme un saint. Sur les récits de trépas, voir J. MOSSAY, *La mort et l'au-delà*, p. 21-48.

beautés[1]. Elle l'attendait avec une telle impatience! Je la rappellerai le plus brièvement possible.

Elle désirait la délivrance[a], car elle était pleine de confiance[2] en celui qui l'appelait, et préférait «être avec le Christ[b]» plutôt que jouir de tout ce qu'offre la terre. Aucun de ceux qui sont épris d'un corps de la façon la plus vive et la plus effrénée ne l'aime avec la force que cette femme mit à rejeter ces entraves[3] et à se dégager de la fange dans laquelle nous vivons[4], pour vivre avec le bien dans la pureté et recevoir totalement celui qu'elle aimait – j'ajouterai : et dont elle était aimée –, lui dont nous recevons maintenant de faibles lueurs[5] et dont, pour ce qui est de le connaître, nous avons été séparés. Une aspiration aussi divine et aussi sublime n'est pas trompée et, mieux encore, elle jouit d'avance de ce bien grâce à sa prescience et à sa longue veille. Elle est prise du plus doux des sommeils, et, une seule vision lui faisant comprendre que le départ est proche, elle en connaît le jour[6], comme si Dieu avait voulu ainsi la préparer et la garder de l'angoisse.

2. Cf. chap. 22. Macrine aussi possède cette παρρησία devant Dieu (*SC* 178, p. 269); cf. *D.* 7, 11 et note.

3. Cf. *D.* 7, 21; *D.* 43, 19. Ce court passage (cf. déjà chap. 14, début) d'inspiration platonicienne rappelle la fin du discours funèbre de Césaire.

4. Cf. *D.* 27, 3, où Grégoire ne conseille de parler de Dieu que «lorsque nous prenons le temps de nous écarter de la fange et du désordre des choses extérieures»; sur ce thème d'origine platonicienne (cf. *Rép.* VII, 533 d), voir M. AUBINEAU, «Le thème du «bourbier» dans la littérature grecque profane et chrétienne», *RechSR*, 47, 2 (1959), p. 185-214.

5. Cf. *D.* 7, 17; *infra*, chap. 23.

6. Cette prescience est un signe de la sollicitude de Dieu envers les hommes de foi.

20. Αὐτῇ μὲν οὖν ὑπόγυον τὸ τῆς καθάρσεως καὶ τελειώσεως ἀγαθὸν ἦν, ἣν κοινὴν δωρεὰν καὶ δευτέρου βίου κρηπῖδα παρὰ Θεοῦ πάντες λάβοντες ἔχομεν. Μᾶλλον D πᾶς ὁ βίος κάθαρσις ἦν αὐτῇ καὶ τελείωσις· καὶ τὸ μὲν 5 τῆς ἀναγεννήσεως εἶχεν ἐκ τοῦ Πνεύματος[a], τὸ δὲ ἀσφαλὲς ταύτης ἐκ τῶν προβεβιωμένων. Καὶ μόνη σχεδόν, ἵν' εἴπω 813 A τολμήσας, σφραγὶς ἀλλ' οὐ χάρισμα ἦν τὸ μυστήριον. Ἓν δὲ τοῖς πᾶσι προστεθῆναι ζητοῦσα τὴν τοῦ ἀνδρὸς τελείωσιν – βούλεσθε γράφω τὸν ἄνδρα συντόμως; ἀνδρὸς ἐκείνης, 10 καὶ οὐκ οἶδ' ὅτι χρὴ πλέον εἰπεῖν –, ἵν' ὅλῳ τῷ σώματι Θεῷ καθιερωθῇ, καὶ μὴ ἐξ ἡμισείας ἀπέλθῃ τετελεσμένη μηδὲ ὑπολείπηταί τι τῶν ἑαυτῆς ἀτελές, οὐδὲ ταύτης διαμαρτάνει τῆς δεήσεως παρὰ τοῦ θέλημα τῶν φοβουμένων αὐτὸν ποιοῦντος[b], καὶ εἰς πέρας ἄγοντος τὰ αἰτήματα.

21. Ὡς δὲ ἅπαντα εἶχεν αὐτῇ κατὰ νοῦν, καὶ οὐδὲν ἐνέδει τῶν ποθουμένων, καὶ ἦν ἡ κυρία πλησίον, οὕτως ἤδη τῷ θανάτῳ συσκευάζεται καὶ τῇ ἐκδημίᾳ καὶ πληροῖ τὸν περὶ ταῦτα νόμον διὰ τῆς ἐσχάτης κατακλίσεως. B 5 Ἐπισκήψασα δὲ καὶ ἀνδρὶ καὶ τέκνοις καὶ φίλοις ὅσα

20, 2 ἦν ἀγαθὸν DPC Maur. || 3 πάντες om. AQWV S mg. || ἔχωμεν D || 5 εἶχεν om. AQBWVTS || 9 βούλεσθαι B
21, 1 δὲ sup. l. D || 2 ἦν om. AQBWVTS D Maur. || 4 τὸν περὶ om. D || ἐσχάτης om. AQBWVT Maur.

---

20. a. Cf. Jn 3, 5 b. Cf. Ps. 144, 19

---

1. C'est-à-dire le baptême (cf. *D.* 7, 4, à propos de Grégoire l'Ancien), reçu à l'article de la mort.
2. *D.* 7, 9 la «seconde vie» désignait au contraire la vie «mondaine».
3. Cf. *D.* 31, 28; sur ce thème, voir SZYMUSIAK, *Éléments de théologie*, p. 41 et n. 71.
4. Sur les divers noms appliqués au baptême (μυστήριον, σφραγίς, χάρισμα), voir *D.* 40, *SC* 358, p. 357.

20. Elle possédait assurément depuis peu elle-même le bienfait de la purification et de la perfection[1], que nous recevons tous de Dieu comme don commun et fondement d'une seconde vie[2]. Ou plutôt, sa vie tout entière était déjà purification et perfection : si elle tenait de l'Esprit sa régénération[a][3], elle devait son assurance à sa vie passée. Et pour elle seule peut-être, si j'ose dire, le mystère était un sceau, non pas une grâce[4]. Mais elle a désiré ajouter à tout cela la perfection de son mari – voulez-vous que je vous le décrive brièvement? C'était son mari; je ne vois pas ce qu'il faut dire de plus –, pour être en tout son corps consacrée à Dieu et ne pas s'en aller à moitié parfaite ni garder en elle quelque imperfection[5]. Et cette prière ne fut pas déçue non plus, grâce à celui qui satisfait le désir des hommes qui le craignent[b] et répond à leurs demandes.

21. Tout arrivait selon sa volonté. Elle n'avait plus rien à désirer et le jour fixé était proche : aussi se prépare-t-elle à la mort et au départ, et obéit-elle à l'usage qui règne en ces circonstances en s'alitant pour la dernière fois[6]. Après avoir fait à son mari, à ses enfants, à ses amis toutes les recommandations d'une femme qui aime

5. Elle a souhaité la perfection totale, donc le baptême de son mari, car mari et femme ne font qu'une seule chair; cf. *Gen.* 2. C'est le deuxième temps de la conversion d'Alypios; cf. chap. 8.

6. Les chapitres 21-22, qui se rapportent à la fin de Gorgonie, ont été analysés par J. MOSSAY, «Note sur Grégoire de Nazianze, *Oratio* VIII, 21-22», *Studia Patristica*, 12 (*TU* 115), Berlin 1975, p. 113-118; cf. ID. *La mort*, p. 27-31. La mort de Socrate (*Phédon* 117 d) semble être à l'origine d'un cliché littéraire; cf. A. J. FESTUGIÈRE, «Vraisemblance psychologique et forme littéraire chez les anciens», *Philologus* 102, 1958, p. 21-42 (repris dans *Études de religion grecque et hellénistique*, Paris 1972, p. 249-270); MOSSAY, *La mort*, p. 28, n. 2; BERNARDI, note au *D.* 43, 79.

εἰκὸς τὴν φίλανδρον καὶ φιλότεκνον καὶ φιλάδελφον, καὶ λαμπρῶς περὶ τῶν ἐκεῖθεν φιλοσοφήσασα, καὶ πανηγύρεως ἡμέραν ποιησαμένη τὴν τελευταίαν, κοιμᾶται, πλήρης μὲν οὐ τῶν κατὰ ἄνθρωπον ἡμερῶν[a] – ὅτι μηδὲ συνηύχετο,
10 ταύτας ἑαυτῇ πονηρὰς εἰδυῖα, καὶ τὰ πολλὰ μετὰ τοῦ χοὸς[b] καὶ τῆς πλάνης –, τῶν δὲ κατὰ Θεὸν καὶ λίαν πλήρης, ὡς οὐκ οἶδ' εἴ τις ῥᾳδίως τῶν ἐν πλουσίᾳ τῇ πολιᾷ καταλυσάντων, καὶ πολλὰς ἐτῶν περιόδους ἀριθμησάντων[c]. Οὕτως ἐκείνη λύεται ἤ προσλαμβάνεται,
15 κρεῖσσον εἰπεῖν, ἢ ἀφίπταται, ἢ μετοικίζεται ἢ μικρὸν προαποδημεῖ τοῦ σώματος.

C **22.** Ἀλλ' οἷόν με μικροῦ τῶν ἐκείνης παρέδραμεν· τάχα δ' ἂν οὐ συνηχώρησας, ὦ σὺ πάτερ ἐκείνης πνευματικέ, ὁ καὶ τηρήσας ἀκριβῶς τὸ θαῦμα καὶ ἡμῖν γνωρίσας· μέγα μὲν εἰς φιλοτιμίαν ἐκείνη, μέγα δὲ ἡμῖν εἰς ὑπόμνησιν
5 ἀρετῆς καὶ πόθον τῆς ἑαυτῆς ἀναλύσεως. Καί με φρίκη τις ὑποτρέχει, καὶ δάκρυον ὁμοῦ, μεμνημένον τοῦ θαύματος.

Ἔλυετο μὲν ἤδη καὶ ἀνέπνει τὰ τελευταῖα, καὶ χορὸς ἦν περὶ αὐτὴν οἰκείων τε καὶ ξένων χαριζομένων τὰ προ-
10 πεμπτήρια· καὶ μητρὸς γηραιᾶς ἐπίνευσις καὶ ψυχῆς

11 τῶν : τὸν S
22, 1 μικρὸν Q Maur. || 4 ἡμῖν Q mg. || 6 μεμνημένος C || 9 ἦν om. AQBWVS T sup. l. || περὶ : ὑπὲρ P

21. a. Cf. Gen. 25, 8 b. Cf. Gen. 3, 19 c. Cf. Sag. 4, 7-8

1. Atteignant par là le comble de la «philosophie».
2. Seule allusion aux «vanités», longuement rappelées au contraire dans le discours funèbre de Césaire (*D.* 7, 19-20), qui contient une consolation classique.
3. Le corps est promis à la résurrection. On notera dans ce passage la variété des mots désignant la mort (cf. Index des thèmes).
4. C'est-à-dire l'évêque qui l'a baptisée, celui dont il a déjà été question au chap. 16, et qui est probablement différent du «maître» évoqué chap. 11; voir Introd., p. 60.

son mari, ses enfants, ses frères, après avoir médité d'une façon lumineuse sur l'au-delà [1] et fait de son dernier jour un jour de fête, elle s'endort, comblée non pas de jours selon l'homme [a] – elle ne l'avait même pas souhaité, sachant bien qu'ils étaient des jours de malheurs, accompagnés, pour la plupart, de la poussière [b] et de l'erreur [2] –, mais tout à fait comblée de ces jours selon Dieu, dont ne sont pas aussi facilement comblés, je pense, ceux qui finissent leur vie dans une belle vieillesse au terme d'innombrables années [c]. Ainsi, cette femme est délivrée ou, pour mieux m'exprimer, elle est enlevée, elle s'envole, elle change de lieu ou émigre quelque temps avant son corps [3].

22. Mais que n'allais-je pas oublier à son sujet? Et peut-être n'aurais-tu pas souffert cet oubli, toi qui fus son père spirituel [4], toi qui as observé avec précision ce prodige et nous l'as fait connaître [5]. Il est grand parce qu'il contribue à sa gloire, mais il est grand aussi pour nous rappeler sa vertu et nous donner le désir de la même délivrance. Voici qu'un frisson me parcourt et que des larmes me viennent en même temps au rappel de ce prodige.

Le moment de la délivrance était venu, elle exhalait ses derniers soupirs et, autour d'elle, un chœur de proches et d'étrangers accompagnait ses derniers moments [6]; sa mère âgée inclinait la tête, l'âme déchirée par l'impa-

5. Grégoire n'a pas assisté aux derniers moments de Gorgonie et tient son récit de cet évêque ou de sa mère.

6. Le mot χόρος a peut-être ici le sens de «chœur», προπεμπτήρια indiquant sans doute les chants d'hymnes accompagnant la fin de Gorgonie (voir ESTIENNE, *Thesaurus*, *s.v.*); ce sens n'est pas forcément contradictoire avec l'évocation du profond silence qui marque la fin de Gorgonie, car ce silence peut indiquer l'absence inhabituelle de cris et de larmes.

σπαραγμὸς ζηλοτυπούσης τὴν ἐκδημίαν, καὶ φίλτρον ἁπάντων ἀγωνίᾳ σύγκρατον, τῷ μὲν ὅ τι ἀκούσωσι ποθούντων, μνήμης ἐμπύρευμα, τῶν δὲ ὅ τι φθέξωνται, τολμῶντος δὲ οὐδενός. Καὶ κωφὰ τὰ δάκρυα καὶ ἡ τῆς

D 15 λύπης ὠδὶν ἀθεράπευτος – οὐδὲ γὰρ ὅσιον ἐδοκει θρήνοις

816 A τιμᾶν τὴν οὕτω χωριζομένην –, σιγὴ δὲ βαθεῖα, καὶ τελετὴ ὁ θάνατος. Ἡ δὲ ἄπνους τε καὶ ἀκίνητος καὶ ἄφθογγος τὸ φαινόμενον, καὶ ἡ σιωπὴ τοῦ σώματος ἐδόκει παράλυσις, οἷον ἤδη τῶν φωνητικῶν ὀργάνων νενεκρωμένων διὰ τὴν

20 τοῦ κινοῦντος ἐκχώρησιν. Ἠρέμα δὲ τῶν χειλέων κινουμένων αἰσθόμενος ὁ πάντα τηρῶν τὰ ἐκείνης ἐπιμελῶς ποιμὴν διὰ τὸ ἐν πᾶσι θαῦμα, καὶ παραθεὶς τὰ ὦτα τοῖς χείλεσι – τὸ γὰρ θαρρεῖν εἶχε καὶ παρὰ τοῦ τρόπου καὶ παρὰ τῆς συμπαθείας –, αὐτὸς διήγησαι τὸ τῆς ἡσυχίας

25 μυστήριον, ὅ τί ποτε ἦν καὶ οἷον· οὐδεὶς ἀπιστήσει σοῦ λέγοντος. Ψαλμῳδία τὸ ὑπολαλούμενον ἦν καὶ ψαλμῳδίας τὰ ἐξόδια ῥήματα· εἰ δὲ χρὴ τἀληθὲς εἰπεῖν, μαρτυρία τῆς παρρησίας μεθ᾽ ἧς ἡ ἔξοδος. Καὶ μακάριος ὅστις μετ᾽ ἐκείνων ἀναπαύσεται τῶν ῥημάτων· « Ἐν εἰρήνῃ ἐπὶ τὸ

B 30 αὐτὸ κοιμηθήσομαι καὶ ὑπνώσω[a]. » Ταῦτα καὶ ἐψάλλετό σοι, καλλίστη γυναικῶν, καὶ συνέβαινεν· καὶ ἡ ψαλμῳδία

13 φθέξονται AT SDP Maur. || 17 τε om. PC || 19 καὶ οἷον PC || 19 νενεκρομένων D || 20 ἐγχώρησιν AQWVS Maur. || 22 πᾶσι : πάσῃ P || 24 διήγησε D || 25 ἦν om. PC || 26 ὑπολαλούμενον : ὑπο- D mg. || 27 τὸ ἀληθὲς B || 29 ἀναπαύεται D Maur.

22. a. Ps. 4, 9

1. La seule présence de Nonna, l'absence de Grégoire et de son père permettent aux commentateurs de supposer que Gorgonie n'est pas morte à Nazianze. Sur le sens du verbe ζηλοτυπεῖν dans l'œuvre de Grégoire, voir COULIE, *Richesses*, p. 38, n. 132; cf. *D.* 7, 15.

2. Contrairement à l'usage qui veut qu'on manifeste bruyamment le deuil. Trois mots : *σιγή*, *σιωπή*, *ἡσυχία* contribuent à suggérer la sérénité de cette mort.

tience[1] de son propre départ, et chez tous l'affection était mêlée d'angoisse, les uns formant le souhait d'entendre une parole qui resterait vivante dans leur mémoire, les autres voulant dire quelque chose, mais personne n'osait. Les larmes coulaient, muettes, et, en même temps, la douleur de ce chagrin n'avait pas de remède, car il semblait impie d'honorer par des lamentations celle qui s'éloignait ainsi. Un profond calme régnait[2]. C'était une sorte de cérémonie que cette mort. Elle avait l'air d'avoir perdu le souffle, le mouvement et la voix, et ce silence faisait croire à la paralysie du corps, comme si les organes de la voix, privés de ce qui les animait, étaient déjà morts. S'étant aperçu que ses lèvres bougeaient un peu, le pasteur qui lui portait toujours la plus grande attention, parce que tout en elle était prodige, approcha l'oreille de ses lèvres – aussi bien sa conduite de vie que ses sentiments à son égard lui permettaient en effet cette audace[3] –; mais raconte toi-même ce qu'était alors le mystère de cette paix. Personne ne mettra ton récit en doute! C'était un psaume que ce murmure, et les derniers mots d'un psaume[4]! S'il faut dire la vérité, c'était un témoignage de la confiance[5] avec laquelle elle quittait cette vie. Heureux donc celui qui trouvera le repos en disant ce mots: «Dans la paix je me coucherai, et aussitôt je m'endormirai[a].»[6]! Voilà ce que tu psalmodiais, toi la plus noble des femmes, et cela arrivait. Le psaume était à la fois

3. Une «audace» que Gorgonie n'a pas permise aux médecins; cf. chap. 15.

4. Grégoire joue peut-être sur deux sens du mot ἐξόδια, puisqu'il peut s'agir aussi des mots du psaume «qui traitent du départ».

5. Cf. chap. 19.

6. C'est un lieu commun des récits chrétiens de trépas de faire survenir la mort au terme d'une prière; cf. la mort de Macrine et celle d' Emmélie, sa mère (*Vie de Macrine*, 13, 25); cf. aussi *D.* 18, 38 (mort de Grégoire l'Ancien); *D.* 43, 79 (mort de Basile); *Épigr.* 35-36 (mort de Nonna). Basile prononce le même verset que Gorgonie (*D.* 43, 78-79).

τὸ γινόμενον ἦν καὶ μετὰ τῆς ἐκδημίας ὁ ἐπιτάφιος· ὢ καλῶς ἀπὸ τῶν παθῶν εἰρηνεύσασα σύ, καὶ τὸν ὀφειλόμενον τοῖς ἀγαπητοῖς ὕπνον ἀπολαβοῦσα πρὸς τῷ κοινῷ τῆς 35 κοιμήσεως, ὡς εἰκὸς τὴν καὶ ζήσασαν καὶ ἀπελθοῦσαν ἐν τοῖς τῆς εὐσεβείας ῥήμασιν.

C **23.** Κρείσσω μὲν οὖν, εὖ οἶδα, καὶ μακρῷ τιμιώτερα τὰ παρόντα σοι νῦν ἢ κατὰ τὰ ὁρώμενα, ἦχος ἑορταζόντων[a], ἀγγέλων χορεία, τάξις οὐρανία, δόξης θεωρία[b], τῆς τε ἄλλης καὶ τῆς ἀνωτάτω, Τριάδος ἔλλαμψις καθαρωτέρα 5 τε καὶ τελεωτέρα, μηκέτι ὑποφευγούσης τὸν δέσμιον νοῦν καὶ διαχεόμενον ταῖς αἰσθήσεσιν, ἀλλ' ὅλης ὅλῳ νοῒ θεωρουμένης τε καὶ κρατουμένης καὶ προσαστραπτούσης ταῖς ἡμετέραις ψυχαῖς ὅλῳ τῷ φωτὶ τῆς θεότητος. Πάντων ἀπολαύοις ὧν ἔτι ὑπὲρ γῆς εἶχες τὰς ἀπορροίας διὰ τὸ 10 γνήσιον τῆς πρὸς αὐτὰ νεύσεως.

Εἰ δέ τίς σοι καὶ τῶν ἡμετέρων τιμῶν ἐστι λόγος, καὶ τοῦτο ταῖς ὁσίαις ψυχαῖς ἐκ Θεοῦ γέρας, τῶν τοιούτων ἐπαισθάνεσθαι, δέχοιο καὶ τὸν ἡμέτερον λόγον ἀντὶ πολλῶν D καὶ πρὸ πολλῶν ἐνταφίων, ὃν Καισαρίῳ πρὸ σοῦ καὶ σοὶ 15 μετ' ἐκεῖνον ἀποδεδούκαμεν, ἐπειδή γε ἀδελφῶν ἐπιταφίοις ἐταμιεύθημεν. Εἰ δὲ καὶ ἡμᾶς τιμήσειέ τις μεθ' ὑμᾶς τοῖς

35 ὡς om. C || καὶ[1] om. S D sup. l.
23, 1 οὖν S mg. || 11 τιμῶν om. AQBWVTS Maur. D mg. || ἐστι om. AQBWVTS || 14 μὲν post Καισαρίῳ add. Maur. S sup. l. || 16 τιμήσοι AW τιμήσει B

23. a. Cf. Ps. 41, 5 b. Cf. Jn 17, 24

1. Cf. *D.* 7, 17, sur l'évocation de l'au-delà. Pour Gorgonie, l'illumination finale est une réalité.
2. Cf. *D.* 7, 22.
3. Cf. *D.* 7, 17. A propos du terme νεῦσις, voir *D.* 6, 14.
4. La sainteté est la récompense de la philosophie.

l'événement et l'épitaphe accompagnant le départ, ô toi qui as trouvé justement la paix loin des souffrances et qui as reçu, en plus du commun sommeil du repos, le sommeil dû à ceux qui sont aimés, comme il convient à une femme qui a vécu et s'en est allée avec les mots de la piété !

23. Les biens dont tu jouis maintenant surpassent donc tout ce que nous pouvons voir[1], je le sais bien, et ont beaucoup plus de prix : c'est l'écho des fêtes[a], le chœur des anges, l'ordre céleste, la contemplation de la gloire[b], et surtout de la plus haute, l'illumination plus pure et plus parfaite de cette Trinité qui n'échappe plus à l'esprit enchaîné et dispersé par les sens[2], mais est tout entière contemplée et possédée par l'esprit tout entier et illumine nos âmes de la lumière tout entière de la divinité. Puisses-tu jouir de tout ce dont tu recevais le rayonnement quand tu étais encore sur la terre, parce que tu y aspirais sincèrement[3].

Si tu peux faire cas de ces honneurs que nous te rendons, et si Dieu accorde aux âmes saintes[4] la faveur de les connaître, reçois aussi ce discours que nous t'offrons à la place de tous les autres présents funèbres et de préférence à eux, comme nous l'avons déjà fait pour Césaire avant toi, et qu'à toi nous offrons après lui[5], puisque nous avons été réservé en vérité pour faire le discours funèbre de nos frère et sœur. Je ne puis dire si quelqu'un, après vous, nous honorera de la même

5. Cf. *D.* 7, 16, où Grégoire décrit les coutumes funéraires qu'il méprise. On notera ici l'absence de toute référence aux funérailles, contrairement à la *Vie de Macrine*. Les allusions de ce passage pourraient faire penser que ce discours a été prononcé lors des funérailles de Gorgonie, même s'il ne les décrit pas, puisque son projet est hagiographique.

ἴσοις, οὐκ ἔχω λέγειν· πλὴν τιμηθείημέν γε μόνον τὴν ἐν Θεῷ τιμήν, καὶ παροικοῦντες καὶ κατοικοῦντες[c] ἐν Χριστῷ Ἰησοῦ τῷ Κυρίῳ ἡμῶν, ᾧ ἡ δόξα καὶ τῷ Πατρὶ σὺν 20 ἁγίῳ Πνεύματι «εἰς τοὺς αἰῶνας. Ἀμήν.

17 ἴσοις λόγοις D ‖ 19 ἡ om. W ‖ 19-20 καὶ τῷ Πατρὶ σὺν ἁγίῳ Πνεύματι om. ABWVTS σὺν τῷ Πατρὶ καὶ τῷ ἁγίῳ Πνεύματι D

c. Cf. II Cor. 5, 9

façon[1]. Toutefois, nous ne souhaitons être honoré que de l'honneur qui est en Dieu, que nous séjournions ici ou habitions[c][2] dans le Christ Jésus notre Seigneur à qui est la gloire, ainsi qu'au Père et au Saint-Esprit, pour les siècles des siècles. Amen.

1. Même péroraison dans l'oraison funèbre de Basile, *D.* 43, 82. Pour J. Bernardi cette similitude pourrait faire supposer que Grégoire a remanié le texte du *D.* 8 dans ses dernières années (*SC* 384, p. 307, n. 2).
2. Cf. *D.* 7, 4.

Ἀπολογητικὸς εἰς τὸν ἑαυτοῦ πατέρα Γρηγόριον συμπάροντος αὐτῷ Βασιλείου ἡνίκα ἐπίσκοπος ἐχειροτονήθη Σασίμων

820 A **1.** Πάλιν ἐπ' ἐμὲ χρῖσμα καὶ Πνεῦμα[a], καὶ πάλιν ἐγὼ «πενθῶν καὶ σκυθρωπάζων πορεύομαι[b]». Θαυμάζετε ἴσως· καὶ Ἠσαΐας, πρὶν μὲν ἰδεῖν τὴν δόξαν Κυρίου καὶ τὸν θρόνον τὸν ὑψηλόν τε καὶ ἐπηρμένον καὶ τὰ περὶ αὐτὸν 5 σεραφίμ[c], οὐδὲν τοιοῦτον φθέγγεται οὔτε ἀποδυσπετεῖ οὔτε δέδοικεν· ἀλλὰ τοῦ μὲν Ἰσραὴλ καταβοᾷ, ἑαυτοῦ δὲ φείδεται καὶ ἀπέχεται, ὡς οὐδὲν ὑπαιτίου. Ἐπεὶ δὲ ταῦτ' εἶδε καὶ τῆς φωνῆς ἤκουσε τῆς ἁγίας καὶ μυστικῆς, ὥσπερ τι μᾶλλον ἑαυτοῦ συναισθόμενος· «Ὢ τάλας, φησίν, ἐγώ, ὅτι 10 κατανένυγμαι[d]», καὶ ὅσα ἑξῆς τοῦ λόγου, ἵνα φύγω τὴν

Titulus ἀπολογητικὸς εἰς τὸν ἑαυτοῦ πατέρα Γρηγόριον συμπαρόντος αὐτῷ Βασιλείου ἡνίκα ἐπίσκοπος ἐχειρονήθη Σασίμων QV (τοῦ αὐτοῦ ante ἀπολογητικὸς add. V) S (πατέρα – συμπαρόντος eras. S) Maur. : post Σασίμων add. Ναζιανζοῦ γὰρ ὁ πατὴρ αὐτοῦ ἦν ἧς καὶ αὐτὸς ἦρξε μετὰ θάνατον τοῦ πατρὸς Ἐκκλησίας μᾶλλον δὲ καὶ ἔτι περιόντος τοῦ πάτρος AWP εἰς τὸν αὐτοῦ πατέρα Γρηγόριον συμπαρόντος αὐτῷ Βασιλείου καὶ ἀπολογητικὸς ἡνίκα ἐπίσκοπος ἐχειροτονήθην Σασίμων Ναζιανζοῦ γὰρ ὁ Πατὴρ αὐτὸς ἦν ἧς καὶ αὐτὸς ἦρξε μετὰ θάνατον τοῦ Πατρὸς Ἐκκλησίας μᾶλλον δὲ καὶ ἔτι περιόντος τοῦ πατρὸς T deficit B usque ad ἐκπλήξει (c. 3, l. 3)

1, 2 θαυμάζεται ASD ‖ 5 οὐδὲν δὲ A[pc] ‖ τοιοῦτο DPC ‖ οὔτε... οὔτε : οὐδὲ... οὐδὲ P ‖ 7 καὶ ἀπέχεται del. W ‖ ἀνέχεται C

DISCOURS 9

Discours apologétique à son père Grégoire, en présence de Basile, quand il fut ordonné évêque de Sasimes[1]

1. Voici de nouveau sur moi l'onction et l'Esprit[a][2], et voici que de nouveau «je me laisse aller au chagrin et à la mauvaise humeur[b]». Vous vous en étonnez peut-être. Certes Isaïe, avant d'avoir vu la gloire du Seigneur, le trône élevé et sublime et les séraphins qui l'entourent[c], ne dit rien de tel, ne se laisse pas aller au désespoir ou à la crainte, mais il crie contre Israël, se ménage et s'éloigne en homme qui n'a rien à se reprocher. Mais quand il les vit et entendit la voix sainte et mystérieuse, comme s'il se connaissait mieux, il dit : «Malheur à moi, je suis perdu[d]!», et toute la suite – pour éviter la médisance[3] –. Je peux

1. a. Cf. Is. 61, 1; Lc 4, 18 b. Ps. 34, 14; Ps. 37, 7; 41, 10; 42, 2 c. Cf. Is. 6, 1-3 d. Is. 6, 5

---

1. Sur l'affaire de Sasimes, voir Introd., p. 83-88. On notera que le discours s'adresse surtout à Basile.

2. Cf. *D.* 1, 2, Grégoire a déjà reçu l'onction sacerdotale dix ans plus tôt. Il semble jouer subtilement ici sur le double sens de πάλιν : «de nouveau» et «pourtant»; cf. *D.* 10, 4, où l'image de l'onction est développée.

3. Suite d'*Isaïe* 6, 5 : «Car je suis un homme aux lèvres impures et j'habite au milieu d'un peuple aux lèvres impures.» Comme dans le *D.* 12, 2, cette βλασφημία s'appliquerait à Grégoire lui-même.

B βλασφημίαν. Εὑρίσκω δὲ καὶ Μανωὲ τὸν παλαιὸν ἐκεῖνον ἐν τοῖς κριταῖς, καὶ Πέτρον ὕστερον, τὸ τῆς Ἐκκλησίας ἔρεισμα[e]· τὸν μέν· «Ἀπολώλαμεν, ὦ γύναι», λέγοντα, «Θεὸν ἑωράκαμεν[f]», ἐπειδὴ κρείττονος ὄψεως ᾔσθετο ἢ
15 κατὰ τὴν ἑαυτοῦ φύσιν καὶ δύναμιν· τὸν δὲ οὐκ ἐνεγκόντα τὴν τοῦ Σωτῆρος ἐπιστασίαν τε καὶ ἐνέργειαν ἣν ἐπὶ τῇ ἁλείᾳ τοῖς συμπλέουσιν ἐπεδείξατο, καὶ διὰ τοῦτο θαυμάζοντα μέν, ἀποπέμποντα δὲ τοῦ πλοίου, καὶ τὴν αἰτίαν προστιθέντα ὅτι μὴ εἴη ἄξιος θείας ἐπιφανείας καὶ
20 ὁμιλίας[g].

2. Καὶ τοῦ ἑκατοντάρχου[a] δὲ ὅταν ἀκούω ἐν τοῖς Εὐαγγελίοις, τὴν μὲν δύναμιν ἀπαιτοῦντος, τὴν δὲ
C παρουσίαν παραιτουμένου, ὡς οὐ χωρούσης αὐτοῦ τῆς στέγης θεῖον ἀξίωμά τε καὶ μέγεθος[b], οὐκ ἔχω μέμ-
5 φεσθαι τῆς δειλίας ἐμαυτὸν ταύτης καὶ τῆς
821 A σκυθρωπότητος[c]. Ὀφθαλμοῦ μὲν γὰρ ἀτονίαν ἥλιος, ψυχῆς δὲ ἀρρωστίαν ἐλέγχει Θεὸς ἐπιδημῶν· καὶ τοῖς μέν ἐστι φῶς, τοῖς δὲ πῦρ, ἑκάστῳ κατὰ τὴν ὑποκειμένην ὕλην τε καὶ ποιότητα.

10 Τί ὑπολαμβάνομεν περὶ τοῦ Σαούλ[d]; Ἐχρίστη μὲν γὰρ καὶ μετέσχε τοῦ Πνεύματος καὶ ἦν τότε πνευματικός, οὐδ' ἂν ἐγὼ περὶ αὐτοῦ φαίην ἑτέρως, ἀλλὰ καὶ προεφήτευσε

16 ἐπί : ἐν AQWVTS Maur.
2, 4-5 μέμψασθαι DC ‖ 5 ἐμαυτόν : μ sup. l. D

---

e. Cf. Matth. 16, 18 f. Juges 13, 22 g. Cf. Lc 5, 4-9
2. a. Cf. Matth. 8, 5-13 b. Cf. Matth. 8, 8 c. Cf. Ps. 34, 14; 37, 7 d. Cf. I Sam. 10, 1-13

---

1. L'apparition de l'ange de Yahvé annonçant la venue du futur Samson.

2. La purification est la condition nécessaire à toute connaissance spirituelle; les exemples d'Isaïe, de Manué, de Pierre et du centurion (qui suit, chap. 2) le prouvent; on les retrouve dans d'autres textes qui développent le même thème : *D.* 20, 4 (Manué, Pierre, le centurion);

donner encore l'exemple de Manué, cet ancien parmi les juges, et plus tard celui de Pierre, le soutien de l'Église[e]. L'un dit : « Nous sommes perdus, femme : nous avons vu Dieu[f] », quand il eut une vision trop extraordinaire pour sa nature et ses forces[1]; et l'autre, qui ne supportait pas l'autorité et l'activité montrées par le Sauveur à ses compagnons pendant la pêche, en est frappé d'étonnement et lui demande de quitter la barque en alléguant qu'il n'est pas digne de l'apparition et de la rencontre divines[g][2].

2. Et quand j'entends l'histoire, racontée dans les Évangiles, du centurion[a] qui réclame le miracle, et refuse la présence (du Christ), sous prétexte que sa maison ne peut recevoir la dignité et la grandeur divines[b], je ne peux me reprocher ma propre lâcheté[3] et ma mauvaise humeur[c]! En effet, le soleil révèle la faiblesse de l'œil, et la venue de Dieu révèle la maladie de l'âme[4]. Pour les uns c'est une lumière, pour les autres un feu[5], selon la nature profonde et la qualité de chacun.

Que penser de Saül[d]? Il a en effet reçu l'onction et participé à l'Esprit, devenant alors un « spirituel ». Je n'aurais rien d'autre à ajouter à son sujet s'il n'avait aussi

28, 19 (Manué, Pierre, Isaïe); 39, 9 (Manué, Pierre, le centurion, et Paul). Voir *SC* 358, l'introduction de C. MORESCHINI aux *D.* 38-40 : VI. « Lumière et purification », p. 62-70. Cf. *D.* 1, 2 : « J'ai reçu l'onction du mystère, j'ai manifesté un certain recul devant le mystère, le temps de m'examiner. »

3. De même a-t-il justifié sa « lâcheté » au moment de son accession au sacerdoce (*D.* 2, 2); cf. *D.* 12, 5.

4. Image platonicienne (*Rép.* 508 c s.) souvent reprise par Grégoire pour démontrer que l'illumination nécessite une préparation; cf. *D.* 21, 1; 28, 30; 40, 5 et 37; 44, 3. Sur cette image, voir KERTSCH, *Bildersprache*, p. 203-204, n. 5; C. MORESCHINI, *SC* 358, Introd., p. 66; cf. R. GOTTWALD, *De Gregorio Nazianzeno platonico*, p. 40-41; PINAULT, *Platonisme*, p. 52 s..

5. Image étudiée par KERTSCH, *Bildersprache*, p. 205-206.

καὶ οὕτω παρ' ἐλπίδα καὶ τὸ εἰκός, ὥστε καὶ παροιμίαν γενέσθαι τὸ θαῦμα ἐκεῖνο· « Εἰ καὶ Σαοὺλ ἐν προφήταις[d]; » – 15 εἰς ἔτι καὶ νῦν λεγόμενόν τε καὶ ἀκουόμενον. Ἐπεὶ δὲ οὐχ ὅλον ἑαυτὸν ἐμπαρέσχε τῷ πνεύματι οὐδὲ ἐστράφη καθαρῶς εἰς ἄνδρα ἄλλον, ὡς κεχρημάτιστο, ἀλλ' ἐνέμεινέ τι τοῦ παλαιοῦ τῆς κακίας σπινθῆρος καὶ τοῦ Πονηροῦ B σπέρματος, καὶ ἦν ἐν αὐτῷ μάχη πνεύματος καὶ σαρκός. 20 Τί χρὴ πάντα ἐκτραγῳδεῖν τὰ ἐκείνου; Ἴστε τὸ ἐναντίον πνεῦμα καὶ τὸν ψάλτην ᾧ κατεπήδετο[e]. Πλὴν ἐκεῖνο κἀντεῦθεν γνώριμον ὅτι, κἂν μὴ τῶν ἀναξίων ἡ χάρις ἅπτηται, μηδὲ πονηροῦ καὶ ἀναρμόστου παντελῶς τοῦ ὀργάνου – « εἰς γὰρ κακότεχνον ψυχὴν μὴ εἰσελεύσεσθαι 25 σοφίαν[f] » εἴρηται καλῶς, κἀγὼ πείθομαι –, ἀλλὰ φυλάξαι γε τὴν ἀξίαν καὶ τὴν ἁρμονίαν, ὡς ὁ ἐμὸς λόγος, ἔργον οὐκ ἔλαττον ἢ ἀπαρχῆς ἁρμοσθῆναι καλῶς καὶ ἀξιωθῆναι, διὰ τὸ τρεπτὸν καὶ ἀλλοιωτὸν τῆς ἀνθρωπίνης ἕξεώς τε καὶ φύσεως· ᾧ γε καὶ ἡ χάρις αὐτὴ πολλάκις – ἵν' εἴπω 30 τῶν ἡμετέρων κακῶν τὸ σχετλιώτατόν τε καὶ παραδοξότατον –, τύφον ἐμποιήσασα καὶ μετεωρίσασα, κατήνεγκεν ἀπὸ Θεοῦ τοὺς οὐ καλῶς προσεγγίσαντας, καὶ κατεβλήθημεν « ἐν τῷ ἐπαρθῆναι[g] », « ἵνα γένηται καθ' ὑπερβολὴν

14 ἐκεῖνο τὸ θαῦμα PC || ἐκεῖνο om. D || 18 τι supra l. S || 21-22 κἀντεῦθεν ἐκεῖνο T || 25 καὶ ἐγὼ P || 29 ᾧ : ὡς DPC || 32 ἐγγίσαντας DC

d. Cf. I Sam. 10, 11-12 e. Cf. I Sam. 16, 14-23 f. Sag. 1, 4 g. Ps. 72, 18; cf. Ps. 101, 11

1. Grégoire aime à se comparer à Saül, qui « prophétise avec les prophètes » (I *Sam.* 10, 11) et n'est pas digne de l'onction royale. Cet exemple justifiait déjà son hésitation devant le sacerdoce : « Tout le monde enseigne au lieu d'être enseigné par Dieu », « tous prophétisent » (*D.* 2, 8); Saül, précise-t-il *D.* 2, 112, « se présente délibérément » à une fonction de direction « comme à quelque chose de léger et de très

prophétisé, et de façon si inattendue et inhabituelle qu'un proverbe était né de ce fait étonnant : « Saül est-il aussi parmi les prophètes[d]? » [1] – on le dit et on l'entend même encore maintenant –. Mais, puisqu'il ne s'était pas offert tout entier à l'esprit et ne s'était pas non plus transformé complètement en un autre homme, comme il avait été appelé à le faire, mais avait conservé un peu de l'ancienne étincelle du mal et de la semence du Malin, il y avait encore en lui combat entre l'esprit et la chair. Pourquoi est-il nécessaire de raconter tous ses malheurs? Vous connaissez l'esprit hostile et le harpiste qui l'avait ensorcelé[e]. Ce récit bien connu démontre que ceux qui en sont indignes[2] ne sont pas plus touchés par la grâce que ne l'est l'instrument mauvais et complètement discordant – on dit bien en effet, et j'en suis persuadé, que « sur une âme malfaisante la sagesse n'abordera pas[f] » –, mais aussi que ce n'est pas une moindre entreprise, à mon avis, à cause du caractère changeant et versatile de la nature humaine, de conserver la dignité et l'accord que de commencer à trouver l'accord et à assumer la dignité[3]. C'est ainsi que souvent la grâce même, en produisant et en exacerbant l'orgueil – pour parler du plus funeste et du plus étrange de nos maux[4] – a fait tomber loin de Dieu ceux qui ne s'en sont pas approchés vraiment, et nous avons été « terrassés au moment où nous nous élevions[g] » pour que la faute devienne au

facile » ; cf. aussi *D.* 43, 26 ; *Poèmes* II, 1, 12, v. 401. I *Sam.* 19, 24 donne une explication un peu différente du proverbe.

2. Cf. *D.* 9, 4.

3. Cf. *D.* 32, 28, un développement semblable, à propos de la progression de la perversité (« Il est plus facile de l'éviter dès qu'elle se présente »), avec l'image du rocher à étayer « dès le début ».

4. Cf. Basile, *Contre Eunome*, I, 13 (*SC* 299, p. 218).

C ἁμαρτωλὸς ἡ ἁμαρτία, διὰ τοῦ ἀγαθοῦ μοι κατεργαζομένη
35 θάνατον[h] ».

3. Ταῦτά ἐστιν ἃ ἐγὼ δεδοικώς, πικρίας ἐνεπλήσθην καὶ κατηφείας, καί τι τοιοῦτον ἔπαθον οἷον πρὸς τὰς ἀστραπὰς οἱ παῖδες, ἡδονὴν ἐκπλήξει μιγνύντες ἐκ τοῦ θεάματος· ἠγάπησά τε ὁμοῦ τὸ Πνεῦμα καὶ ἐφοβήθην·
5 καὶ χρόνου τινὸς ἐδεήθην, εἰς ἐμαυτὸν συστραφείς, ἐκνῆψαι καὶ γενέσθαι τῆς ἀσφαλεστέρας μοίρας καὶ κρείττονος, ἵνα,
D τοῦ λυποῦντος ὑπεξελθόντος, ὥσπερ ζιζανίων ἐν σπέρματι[a], καὶ τῶν φαύλων λογισμῶν εἰξάντων τοῖς ἀμείνοσι, νικήσῃ καθαρῶς τὸ Πνεῦμα καί με λαβὸν ἔχῃ πρὸς τὴν ἑαυτοῦ
10 διακονίαν καὶ λειτουργίαν, πρὸς τὸν καταρτισμὸν τοῦ λαοῦ
824 A τούτου, πρὸς ψυχῶν κυβέρνησιν, πρὸς διδασκαλίαν τὴν ἐν λόγῳ, τὴν καὶ ἐν ἔργῳ καὶ ὑποδείγματι, « διὰ τῶν ὅπλων τῆς δικαιοσύνης τῶν δεξιῶν καὶ ἀριστερῶν[b] », πρὸς ποιμαντικὴν εὔθετον, ἀποσπῶσαν κόσμου, Θεῷ προσάγουσαν[c],
15 δαπανῶσαν σῶμα, πνεύματι προστιθεῖσαν, σκότος φεύγουσαν, φωτὶ χαίρουσαν, θῆρας ἐλαύνουσαν, μάνδραν συνάγουσαν[d], κρημνοὺς φυλασσομένην καὶ ἐρημίας[e], ὄρεσι καὶ ὕψεσι προσελαύνουσαν. Περὶ ὧν μοι δοκεῖ καὶ ὁ

3, 3 ἐκπλήξει hic inc. B ‖ 7 ἐξελθόντος D ‖ 9 ἔχει B^{pc} P ‖ 11 κυβέρνησιν ψυχῶν P ‖ 12 καὶ ante τὴν add. Maur. ‖ καὶ om. DPC ‖ 14 καὶ Θεῷ D ‖ προσάγουσαν : συνάγουσαν P (προσ- mg. alt. m.) ‖ 15 σκότους C ‖ 16 μάνδρᾳ D^{pc}

h. Rom. 7, 13

3. a. Cf. Matth. 13, 25-30 ; Matth. 13, 37-43 b. II Cor. 6, 7 c. Cf. I Pierre 3, 18 d. Cf. Jn 10, 12. 16 e. Cf. Éz. 34, 6

1. Allusions au mauvais clergé, souvent fustigé par Grégoire ; cf. *D.* 2 ; 42 ; 43. On remarquera les fortes expressions paradoxales de cette déclaration, amenée justement par l'adjectif **παραδοξότατον** ; cf. *D.* 32, 24 : « Quelle chute est comparable à celle d'un homme transpercé par son élévation ? ».

2. Image étudiée par KERTSCH, *Bildersprache*, p. 73-74 ; ID. « Zum

plus haut point péché, me donnant la mort par ce qui est bon[h] »[1].

3. Voilà ce que je craignais. J'étais plein d'amertume et de tristesse et j'avais, comme les enfants devant le spectacle des éclairs, un sentiment mêlé de plaisir et de frayeur[2]. J'aimais l'Esprit et, en même temps, je le redoutais. Et il me fallait un peu de temps, après un retour sur moi-même, pour m'amender et prendre un parti plus sûr et meilleur, afin que, la cause du chagrin ayant été retirée, comme on le fait de l'ivraie dans les semailles[a], et les mauvaises pensées cédant devant les bonnes, l'Esprit remporte une victoire complète et fasse de moi son serviteur et son ministre, pour perfectionner ce peuple[3], gouverner les âmes et les instruire par la parole, mais aussi par l'action et par l'exemple, à l'aide des « armes offensives et défensives de la justice[b] », pour me donner une bonne science pastorale[4], celle qui sépare du monde, mène à Dieu[c], consume le corps, livre à l'esprit, fuit les ténèbres, se réjouit de la lumière, pourchasse les bêtes sauvages, rassemble le troupeau dans la bergerie[d], le tenant à l'écart des précipices et des lieux solitaires[e], et le poussant vers les montagnes et les sommets. C'est de cela que parle aussi, me semble-t-il, le très admirable

Motiv des Blitzes in der griechischen Literatur der Kaizerzeit », *Werner Studien*, 13, 1979, p. 166-174.

3. Cette mention pourrait faire supposer que le discours a été prononcé à Sasimes ; cf. Introd., p. 9.

4. Le terme ποιμενική (s. e. ἐπιστήμη ou τέχνη) est plus couramment employé que ποιμαντική pour désigner la science pastorale (ainsi PLATON, *Rép.* 345 d, dans sa définition du « véritable berger ») ; le second terme, qui semble rare dans la littérature profane (une seule référence, à Galien, dans le *TLG*), est attesté dans les *Stromates* de CLÉMENT D'ALEXANDRIE, I, 26 (« Nous appelons science pastorale sollicitude envers les brebis » ; trad. M. Caster, *SC* 30) puis, plus couramment, semble-t-il, à partir du IVe siècle, et spécialement dans l'œuvre de Grégoire de Nazianze (cf. *D.* 2, 34) et celle de Jean Chrysostome. C'est le maître mot de ce *Discours* 9 (cf. chap. 4, 5, 6), dédié à la pastorale.

θαυμασιώτατος Μιχαίας λέγειν, χαμόθεν ἡμᾶς ἀνέλκων ἐπὶ
20 τὰ ἡμέτερα ὕψη· « Ἐγγίσατε ὄρεσιν αἰωνίοις. Ἀνάστα καὶ
πορεύου, ὅτι οὐκ ἔστι σοι αὕτη ἀνάπαυσις[f] », κἂν δοκῇ
τισιν εἶναι τὰ χαμαιπετῆ καὶ κάτω στρεφόμενα.

B **4.** Ταύτην με διδάξατε τὴν ποιμαντικήν, ὦ φίλοι, λοιπὸν
ἐμοὶ ποιμένες καὶ συμποιμένες. Ταύτης δότε μοι τὰ συνθή-
ματα, σύ τε ὁ κοινὸς πατήρ, καὶ πολλοὺς τῷ χρόνῳ
καταρτίσας καὶ παραμείψας ποιμένας, σύ τε ὁ τῆς ἐμῆς
5 φιλοσοφίας βασανιστὴς καὶ κριτής. Ἀλλ' – ὅπως μοι
φιλοσόφως δέξῃ τὸν λόγον – ἢ δυνάμεθα καὶ ἐν μέσῃ
ζάλῃ στρεφόμενοι καὶ περιηχούμενοι ποιμαίνειν ἐπισ-
τημόνως καὶ ἐκτρέφειν τὸ ποίμνιον; Ὁ φιλανθρωπότερος
ἐν προβάτοις – εἰ μή μοι δυσχεραίνεις –, ἡνίκα τῆς ἀλόγου
10 νομῆς μετείχομεν, ἢ ἐν ποιμέσιν, ἡνίκα τῆς πνευματικῆς
ἠξιώθημεν, ἔχεις μέν, ὅπερ ἐπόθεις, ὑπὸ χεῖρας ἡμᾶς καὶ
νενίκηκας τὸν ἀήττητον· καὶ ἰδού σοι μετὰ τῶν ἄλλων ὁ
λόγος, ὃν εἰδὼς ἐπεζήτεις καὶ ὃν ἐπαινῶν ἔβαλλες ἀργοῦντα
C πολλαῖς τῶν σῶν λόγων καὶ πυκναῖς ταῖς νιφάσιν.

5. Ἀλλ' ἔχω τι τῇ φιλίᾳ καὶ μέμψασθαι· Τίς δικάσει
μοι τῶν κοινῶν φίλων; ἢ τίς ἀδέκαστος ἔσται κριτής, ἵνα

19 ἀνέλκων : ἕλκων SP (ἀν- mg.) ‖ 22 τισιν εἶναι : τίς εἶναι C
4, 1 με : δὲ AW ‖ 6 ἢ : εἰ ADP ‖ 8 φιλανθρωπότατος C ‖ 9
δυσχεραίνῃς VP[ac]C ‖ 10 ἐν sup. l. D ‖ 12 μετὰ καὶ TDC

f. Michée 2, 9-10; cf. Ps. 22, 2

1. Le mot συμποιμήν est rare (absent de *LS*), et principalement attesté dans l'œuvre de Grégoire de Nazianze : cf. *D.* 2, 116; 42, 1; *Poèmes* II, 1, 12, 136.
2. Il s'agit de Grégoire l'Ancien et de Basile.
3. Cf. *D.* 10, 2, où l'image est développée; *D.* 11, 3.
4. Allusion aux études communes de Grégoire et Basile à Athènes. A propos des jeux de mots sur λόγος, voir p. 130-131, n. 3.
5. Littéralement : « sous tes mains », puisque Basile lui impose les mains.

Michée, en nous faisant monter de la terre à nos sommets. « Approchez des sommets éternels. Lève-toi et marche », car ce qui est terrestre et se trouve en bas « n'est pas un lieu de repos[f] » pour toi, quoi qu'en pensent certains.

4. Enseignez-moi cette science pastorale, ô mes amis, vous qui êtes maintenant pour moi et mes pasteurs et mes collègues[1]. Donnez-m'en les insignes, toi, notre père commun, qui as mené à la perfection et transformé dans ta vie de nombreux pasteurs, et toi qui as mis à l'épreuve et jugé ma philosophie[2]. Mais sommes-nous capables – pourras-tu recevoir ces paroles en philosophe! –, alors que nous sommes au milieu de la tempête[3] et étourdis, d'être un pasteur prudent et de nourrir le troupeau? Toi qui étais plus humain parmi les brebis – si tu n'es pas fâché contre moi! – quand nous partagions le pâturage sans Verbe[4], que parmi les pasteurs depuis que nous avons été jugés dignes du pâturage spirituel, tu nous as en ton pouvoir[5], comme tu le désirais, et tu as vaincu l'invincible[6]. Et voici que tu obtiens, en plus de cela, cette parole que tu recherchais parce que tu la connaissais et sur laquelle, tout en la louant, tu laissais tomber, parce qu'elle était inactive, les flocons nombreux et serrés de tes arguments[7].

5. Mais j'ai encore un reproche à faire à l'amitié. Qui de nos amis communs me fera justice? Qui sera un juge assez impartial pour apporter un jugement équitable sans

6. Cf. *D.* 10, 1. De même, en accédant au sacerdoce, avouait-il : « Je suis vaincu et je reconnais ma défaite » (*D.* 2, 1, et la note ; *D.* 2, 103, conclusion sur sa « défaite »); cf. *Lettre* 138, quand il prit la responsabilité de l'Église de Nazianze.

7. Réminiscence d'un vers de l'*Iliade* (III, 222), où l'expression concerne la parole d'Ulysse : « avec des mots pareils aux flocons de neige en hiver ». Ce vers dépeint également l'abondance verbale de Candidianos, magistrat de Cappadoce, *Lettre* 10, 8.

τὴν δικαίαν ἐνέγκῃ ψῆφον, ἀλλὰ μὴ τὸ τῶν πολλῶν πάθῃ καὶ λάβῃ ἐν κρίσει πρόσωπον; Εἴπω κελεύεις τὴν μέμψιν,
5 καὶ οὐκ ἐπαφήσεις μοι πάλιν τὸν λόγον; Ἐγένετό τι καὶ σοὶ πρὸς ἡμᾶς ἀπόρρητον, ὦ θαυμάσιε, πρᾶγμα ὄντως
825 A ἀπόρρητόν τε καὶ ἄπιστον καὶ οὔπω πρότερον περὶ ἡμῶν ἀκουσθέν. Οὐκ ἐπείσθημεν, ἀλλ' ἐβιάσθημεν. Ὢ τοῦ θαύματος. Ὡς γέγονε πάντα καινά[a]. Καὶ ὅσον διέστησεν
10 ἡμᾶς. Τί βούλει καὶ εἴπω, τὸν θρόνον ἢ τὸ τῆς χάριτος μέγεθος[b];

Πλὴν ἡγοῦ «καὶ κατευοδοῦ καὶ βασίλευε[c]» καὶ ποίμαινε ἡμᾶς ποιμαίνοντας. Ὡς ἕτοιμοί γε ἡμεῖς ἕπεσθαι καὶ ὑπὸ τῆς σῆς ποιμαντικῆς ἄγεσθαι τῆς ὑψηλῆς καὶ ἐνθέου· εἰρή-
15 σεται γὰρ τἀληθές, εἴ τι καὶ παρὰ τὸν νόμον ἐξ ἀγάπης κατετολμήσαμεν.

Δίδαξον τὴν σὴν ἀγάπην περὶ τὰ ποίμνια, τὸ σὸν ἐπιμελές τε ὁμοῦ καὶ εὐσύνετον, τὴν ἐπιστασίαν, τὰς ἀγρυπνίας, τὴν τῶν σῶν σαρκῶν ὑποχώρησιν, ἣν τῷ
20 πνεύματι ὑπεχώρησαν, τὸ τοῦ σοῦ χρώματος ἄνθος τῇ ποίμνῃ κάμνοντος, τὸ ἐν πραΰτητι σύντομον, τὸ ἐν τῷ
B πρακτικῷ γαληνόν τε καὶ ἥμερον – πρᾶγμα οὐκ ἐν πολλοῖς εὑρισκόμενον, οὐδὲ πολλὰ ἔχον τὰ παραδείγματα – τοὺς ὑπὲρ τῆς ποίμνης πολέμους, τὰς νίκας ἃς ἐν Χριστῷ σὺ
25 νενίκησας.

5, 3 τὸ sup. l. P (alt. m.) || 9 τὰ πάντα V || 14 ποιμαντικῆς ψυχῆς B Maur. || 16 τετολμήκαμεν B S || 19 σῶν om. T sup. l. Q || ἣν : αἳ W (ut uid.)

5. a. Cf. II Cor. 5, 17; Is. 43, 19 b. Cf. Hébr. 4, 16 c. Ps. 44, 5

1. Cf. *D.* 43, 59, où Grégoire développe ces reproches.
2. Sans doute un jeu de mots sur le nom de Basile; cf. par ex. *Lettre* 4 (avec βασιλεία).

se comporter comme la plupart des gens et faire le procès d'une personne? Tu m'invites à exprimer ce reproche, mais ne retourneras-tu pas contre moi ce que je dis? Il y a eu de ta part à notre égard quelque chose d'indicible, ô homme admirable, une chose vraiment indicible et incroyable, et qu'on n'avait pas encore entendue à notre sujet. On ne nous a pas convaincu, on nous a contraint[1]! Merveille! Combien toutes choses sont devenues nouvelles[a]! Et comme elles nous ont séparés! De quoi veux-tu que je parle précisément? du trône ou de la grandeur de la grâce[b]?

Cependant, avance, «monte sur ton char, règne[c]»[2], et pais le pasteur que nous sommes. Nous sommes du moins prêt à te suivre et à nous laisser conduire par ta science pastorale, sublime et divine, car la vérité sera dite, même si c'est l'amour, contrairement à l'usage, qui nous rend hardi.

Enseigne-nous ton amour pour les brebis, ta sollicitude ainsi que ta compréhension, ton attention, tes veilles, la façon dont ton corps se retire pour céder la place à l'esprit[3], la couleur de ton teint fatigué à cause du troupeau[4], ta fermeté dans la douceur, ton calme et ta patience dans l'activité – ce que l'on ne trouve pas chez beaucoup d'hommes et dont on ne voit pas beaucoup d'exemples –, les combats que tu as menés pour défendre ton troupeau et les victoires que tu as toi-même remportées dans le Christ[5].

3. Cf. *D.* 12, 3 à propos de Grégoire l'Ancien.

4. Grégoire évoque la «pâleur» de son ami dans son oraison funèbre (*D.* 43, 77); cette pâleur est signe de «philosophie», «fleur et beauté des gens supérieurs» (*D.* 22, 5).

5. Basile est l'évêque modèle; son éloge funèbre (*D.* 43) le démontrera amplement; voir Introd. de J. Bernardi, *SC* 384, p. 33-35.

6. Εἰπὲ τίσι τῶν νομῶν προσακτέον, ἐπὶ ποίας πηγὰς ἰτέον καὶ τίνας φευκτέον ἢ νομὰς ἢ νάματα, τίνας ποιμαντέον τῇ βακτηρίᾳ, τίνας τῇ σύριγγι πότε ἀκτέον ἐπὶ νομὰς καὶ πότε ἀνακλητέον ἀπὸ νομῶν, πῶς πολεμητέον
5 τοῖς λύκοις καὶ πῶς τοῖς ποιμέσιν οὐ πολεμητέον, καὶ μάλιστα ἐν τῷ νῦν καιρῷ ὅτε ποιμένες ἠφρονεύσαντο[a] καὶ διέσπειραν τὰ πρόβατα τῆς νομῆς, ἵνα τοῖς ἁγιωτάτοις προφήταις τὰ αὐτὰ συνοδύρωμαι[b]. Πῶς τὸ ἀσθενὲς ἐνισχύσω[c] καὶ τὸ πεπτωκὸς ἀναστήσω « καὶ τὸ πλανώμενον
10 ἐπιστρέψω[d] » καὶ « τὸ ἀπολωλὸς ἐκζητήσω[e] » καὶ « φυλάξω
C τὸ ἰσχυρόν[f] ». Πῶς ταῦτα καὶ μάθω καὶ φυλάξω κατὰ τὸν ὀρθὸν τῆς ποιμαντικῆς λόγον καὶ τὸν ὑμέτερον· ἀλλὰ μὴ γένωμαι κακὸς ποιμήν, τὸ γάλα κατεσθίων, καὶ τὰ ἔρια περιβαλλόμενος, καὶ παχύτερα καταστράττων[g] ἢ
15 ἀπεμπολῶν, καὶ τὰ ἄλλα παρεὶς τοῖς θηρίοις καὶ τοῖς κρημνοῖς[h], ποιμαίνων ἐμαυτόν, οὐ τὰ πρόβατα, ὅπερ ὠνειδίζοντο οἱ πάλαι προεστῶτες τοῦ Ἰσραήλ[i].

Ταῦτα διδάσκοιτέ με καὶ τούτοις στηρίζοιτε τοῖς λόγοις καὶ μετὰ τούτων ποιμαίνοιτε καὶ συμποιμαίνοιτε τῶν
20 παραγγελμάτων καὶ σῴζοιτε, ὥσπερ τῇ διδασκαλίᾳ, οὕτω καὶ ταῖς εὐχαῖς, ἐμέ τε καὶ τὸ ἱερὸν τοῦτο ποίμνιον, εἰς

6, 5 οὐ πολεμητέον τοῖς ποιμέσιν DPC ‖ 11 φυλάξω : διδάξω C ‖ 12 τὸν² om. DC P mg. ‖ 13 κακὸς : κακῶς A ‖ 14 κατασφάζων BDPC ‖ 16 ἐμαυτόν : μ supra l. D ‖ 19 καὶ συμποιμαίνοιτε om. A (mg. alt. m.) S

---

6. a. Cf. Jn 10, 12 b. Cf. Jér. 10, 21 ; Éz. 34, 5 ; Zach. 11, 5 c. Cf. Éz. 34, 4. 16 4 d. Éz. 34, 16 ; cf. Éz. 34, 4 e. *Ibid.* f. *Ibid.* g. Cf. Éz. 34, 3 h. cf. Éz. 34, 5-6 ; Zach. 11, 5 i. Cf. Éz. 34, 2

---

1. On trouve *D.* 2, 9 une description bucolique du travail du berger (qui use « un peu du bâton et le plus souvent de la syrinx »), au début

6. Dis-moi vers quels pâturages me diriger, vers quelles sources aller, quels pâturages, quels ruisseaux fuir, quelles brebis mener avec le bâton et quelles brebis mener avec la syrinx[1], à quel moment les conduire aux pâturages et à quel moment les ramener des pâturages, comment se battre avec les loups et comment ne pas se battre avec les pasteurs, surtout en ce moment où des pasteurs sont devenus insensés[a] et ont dispersé leurs brebis loin du pâturage[2], pour me lamenter comme les plus saints des prophètes[b]! Comment fortifierai-je celle qui est faible[c] et relèverai-je celle qui est tombée, comment «rappellerai-je celle qui s'est égarée[d]» et «rechercherai-je celle qui s'est perdue[e]», comment «garderai-je celle qui est forte[f]»? Comment apprendre cela et l'observer selon la bonne règle de la science pastorale qui est la vôtre, sans devenir le mauvais berger qui dévore le lait, se revêt de la laine, découpe ou vend les plus grasses brebis[g], en abandonnant les autres aux bêtes sauvages et aux précipices[h], et en menant paître non pas les brebis, mais moi-même, comme on le reprochait aux anciens chefs d'Israël[i][3]?

Puissiez-vous m'enseigner cela et me soutenir par vos paroles, me faire paître et m'accompagner au pâturage avec ces préceptes et me ramener sain et sauf ainsi que ce saint troupeau, autant par votre enseignement que par

d'une argumentation destinée à montrer qu'il est plus facile de «diriger un troupeau de brebis ou de bœufs» que de «gouverner des âmes humaines». Dès les temps homériques, la syrinx est un attribut du berger (cf. *Il.* 18, 525); voir T. Reinach, *DAGR* 4, 1911, p. 1596-1600.

2. Allusion à l'hérésie; cf. *D.* 2, 78.

3. Sur le travail du bon pasteur, cf. aussi *D.* 1, 7; *D.* 2, 9. 117.

ἀσφάλειαν ἐμοί, εἰς καύχημα ὑμῖν ἐν ἡμέρᾳ ἐπιφανείας καὶ ἀποκαλύψεως τοῦ μεγάλου Θεοῦ[j] καὶ «ἀρχιποιμένος[k]»
D ἡμῶν Ἰησοῦ Χριστοῦ, δι᾽ οὗ καὶ μεθ᾽ οὗ ἡ δόξα Πατρὶ
25 παντοκράτορι σὺν τῷ ἁγίῳ καὶ ἀγαθῷ Πνεύματι καὶ νῦν καὶ εἰς τοὺς αἰῶνας τῶν αἰώνων. Ἀμήν.

25 ἀγαθῷ : ζωοποιῷ Maur. ‖ καὶ[1] om. P

j. Cf. Phil. 2, 16; Tit. 2, 13; I Cor. 1, 7-8 k. I Pierre 5, 4

vos prières, pour ma propre sécurité [1] et pour votre glorification au jour de la manifestation et de la révélation du Dieu grand [j], et de notre « souverain berger [k] », Jésus-Christ, par qui et avec qui est la gloire pour le Père tout puissant avec l'Esprit saint et bon, maintenant et pour les siècles des siècles. Amen.

1. « Mais c'est une philosohie qui dépasse nos forces que celle qui consiste à accepter la direction des âmes et le gouvernement du troupeau sans avoir encore nous-mêmes appris à nous laisser mener au pâturage comme il faut » (*D.* 2, 78).

828 A

Εἰς ἑαυτὸν καὶ τὸν πατέρα καὶ Βασίλειον

1. Οὐδὲν ἰσχυρότερον γήρως καὶ οὐδὲν φιλίας αἰδεσιμώτερον. Ὑπὸ τούτων ἤχθην ὑμῖν ἐγὼ δέσμιος ἐν Χριστῷ[a], δεθεὶς οὐκ ἀλύσεσι σιδηραῖς, ἀλλὰ τοῖς ἀλύτοις δεσμοῖς τοῦ Πνεύματος. Τέως δὲ ᾤμην ἰσχυρὸς εἶναί τις
5 καὶ ἀήττητος, καὶ – ὢ τῆς ἀλογίας –, οὐκ ἐδίδουν τοὺς λόγους οὐδὲ τοῖς ἐμοῖς ἐρασταῖς τούτοις καὶ ἀδελφοῖς, ἵν' ἔχω τὴν ἀπραγμοσύνην καὶ τὸ φιλοσοφεῖν ἐν ἡσυχίᾳ, πάντα παρεὶς τοῖς βουλομένοις, ἐμαυτῷ δὲ προσλαλῶν καὶ τῷ Πνεύματι. Ἠλίου περιενόουν τὸν Κάρμηλον[b] καὶ Ἰωάννου

Titulus εἰς ἑαυτὸν καὶ τὸν πατέρα καὶ Βασίλειον : ἀπολογητικὸς εἰς τοὺς αὐτοὺς μετὰ τὴν ἐπανοδὸν τῆς φυγῆς AWT (ἐκ φυγῆς Q) del. B τοῦ αὐτοῦ ἀπολογητικὸς εἰς τοὺς αὐτοὺς μετὰ τὴν ἐπάνοδον τῆς φυγῆς V ἀπολογητικὸς εἰς τὸν πατέρα καὶ /// τῆς φυγῆς /// μέλλον χει- /// Σασίμων S εἰς ἑαυτὸν καὶ τὸν πατέρα καὶ τὸν ἅγιον Βασίλειον μετὰ τὴν ἐπάνοδον τῆς φυγῆς ἡνίκα ἔμελλον χειροτονεῖν αὐτὸν ἐπίσκοπον Σασίμων D εἰς ἑαυτὸν καὶ τὸν πατέρα καὶ Βασίλειον μετὰ τὴν ἐπάνοδον τῆς φυγῆς P τοῦ αὐτοῦ εἰς ἑαυτὸν καὶ τὸν πατέρα καὶ Βασίλειον μετὰ τὴν ἐπάνοδον τῆς φυγῆς C εἰς ἑαυτὸν καὶ εἰς τὸν πατέρα καὶ Βασίλειον τὸν μέγαν μετὰ τὴν ἐπάνοδον τῆς φυγῆς Maur.

---

1. a. Cf. Éphés. 3, 1; 4, 1 b. Cf. III Rois 17, 3-6; 18,19

DISCOURS 10

A propos de lui-même, de son père et de Basile[1]

1. Rien n'est plus fort que la vieillesse et rien n'est plus vénérable que l'amitié[2]. Ce sont elles qui m'ont conduit à vous, moi que le Christ tient enchaîné[a], non par des chaînes de fer, mais par les liens indissolubles de l'Esprit. Jusque-là, je croyais être un homme fort et invincible[3] et – folie! – je ne dispensais même pas mes paroles à mes frères bien-aimés qui sont ici, afin de rester loin des affaires et de pouvoir mener la vie tranquille du philosophe, laissant tout à ceux qui le voudraient, pour m'entretenir avec moi-même et avec l'Esprit[4]. Je songeais au Carmel d'Élie[b] et au désert de

1. Sur le titre, voir SINKO, *De traditione*, p. 130-131; GALLAY, *Vie*, p. 112, n. 2. Dans certains manuscrits, ce titre est très développé, avec une explication (μετὰ τὴν ἐπάνοδον τῆς φυγῆς) qui ne semble pas justifiée.

2. Grégoire a cédé à Grégoire l'Ancien et à Basile; il rappelle *D.* 12, 4 cette faiblesse devant la vieillesse et l'amitié. Voir le développement du *D.* 11, 1 sur l'idéal de l'amitié.

3. Cf. *D.* 9, 4 et note.

4. Grégoire aime rappeler son profond et permanent désir (πόθος) de retraite, de tranquillité (ἡσυχία): cf. par ex. *Lettres* 130, 3; 131, 2; *D.* 2, 6, et surtout le *D.* 12.

10 τὴν ἔρημον[c] καὶ τῶν οὕτω φιλοσοφούντων τὸ ὑπερκόσμιον·
B καὶ ζάλην τὰ παρόντα ἐνόμιζον καὶ πέτραν τινὰ ἐζήτουν ἢ κρημνὸν ἢ τειχίον ὑφ᾿ οἷς σκεπασθήσομαι. Ἄλλων, ἔλεγον, ἔστωσαν αἱ τιμαὶ καὶ οἱ πόνοι, ἄλλων οἱ πόλεμοι καὶ τὰ νικητήρια· ἐμοὶ δὲ ἀρκείτω φεύγοντι τοὺς πολέμους,
15 εἰς ἐμαυτὸν βλέποντι ζῆν οὕτως ὅπως ἂν δύνωμαι, καθάπερ ἐπὶ λεπτῆς σχεδίας διαπεραιουμένῳ μικρόν τι πέλαγος· καὶ μικρὰν τὴν ἐκεῖθεν μονήν, τῷ πενιχρῷ τῆς ἐντεῦθεν πολιτείας κατακτωμένῳ. Ταπεινοτέρων ὁ λογισμὸς ἴσως, ἀλλ᾿ οὖν ἀσφαλεστέρων ἴσον ἀπέχειν καὶ ὕψους καὶ
20 πτώματος.

C **2.** Ταῦτα ἕως ἐξῆν γράφειν ἔτι σκιὰς καὶ ὀνείρατα καὶ τοῖς ματαίοις ἀναπλασμοῖς ἑστιᾶν τὴν διάνοιαν. Νῦν δὲ τί; Φιλία παρεστήσατό με καὶ πολιὰ πατρὸς ἐχειρώσατο· γῆρας φρονήσεως[a], προθεσμία βίου, λιμὴν ἀσφαλέστερος,
5 καὶ φιλία πλουτοῦντος Θεῷ καὶ πλουτίζοντος[b]. Ἤδη γὰρ ἀποπέμπομαι τὴν ὀργήν – « Ἀκουσάτωσαν πραεῖς καὶ εὐφρανθήτωσαν[c] » – καὶ πρὸς τὴν χεῖρα ἥμερον βλέπω

1, 18 ἴσως ὁ λογισμὸς DPC
2, 5 φιλίας W ‖ πλουτοῦντος τε DPC

c. Cf. Matth. 3, 1; Mc 1, 3-4; Lc 1, 80; 3, 4; Jn 1, 23
2. a. Cf. Sag. 4, 9 b. Cf. Sag. 10, 11 c. Ps. 33, 3

1. Exemples de vie solitaire, de «philosophie». Cf. *D.* 14, 4; 33, 10; 43, 29; *De vita sua*, v. 292; Basile, *Lettre* 42 à Chilon (c'est aussi un éloge de la solitude). Basile, comme Grégoire, suit la tradition selon laquelle le Carmel serait devenu la demeure d'Élie. Il est notable qu'à partir d'Athanase, *Vie d'Antoine,* 7 (*SC* 400, p. 155, n. 2, et Introd. p. 50-51, de G. Bartelink), Élie devient le modèle du moine (c'est bien ce qu'atteste ici le mot «philosophe»; cf. Basile, *GR*, 23, *PG* 31, 981 A). Il est rarement cité dans les textes des IVe-Ve siècles; cf. cependant Grégoire de Nysse, *Traité de la Virginité,* VI, 1 : (ex. d'Élie associé à Jean), avec la note de M. Aubineau, *SC* 119, p. 339, n. 4 et 5, donnant d'autres références à Grégoire de Nysse; cf. aussi une homélie de Jean Chrysostome (*Sur Élie, la veuve et l'aumône*). Voir Ch. Kannengiesser, art. «Élie», *RAC,* 1, 800-802.

Jean[c 1], à la vie au-dessus du monde menée par ces philosophes. Je considérais le présent comme une tempête et je cherchais un rocher, un précipice ou un mur pour m'abriter[2]. A d'autres, disais-je, les honneurs et les peines, à d'autres les combats et les victoires ! Pour moi, qu'il me suffise de fuir les combats, d'être attentif à moi-même, pour vivre comme je le pourrais, tel un homme qui traverserait un bras de mer sur une légère embarcation, et d'obtenir là-bas cette petite place grâce à la pauvreté de mon genre de vie ici[3] ! Ce projet, peut-être des plus humbles, était du moins des plus sûrs pour me tenir à égale distance de l'élévation et de la chute.

2. Voilà ce qu'il en était tant qu'il m'était encore permis d'esquisser des ombres et des songes et de régaler ma pensée avec de vaines représentations. Mais maintenant, qu'en est-il ? L'amitié m'a soumis et les cheveux blancs de mon père m'ont maîtrisé : la vieillesse qui est temps de la prudence[a], terme de la vie, port plus sûr, et l'amitié d'un homme qui est riche devant Dieu et qui enrichit les autres[b]. Désormais, en effet, je repousse la colère[4] – « Que les doux entendent et se réjouissent[c] ! » – et je regarde

2. Passage inspiré de *Rép.* VI, 496 d, où PLATON démontre la nécessité, pour le philosophe, de vivre loin des affaires du monde ; cf. *D.* 2, 100 ; *D.* 40, 19 ; THÉMISTIOS, *Or.* 8, 125 d, 24, 308 a ; 26, 325 d ; BASILE, *Lettres* 3, 1 ; 28 ; JEAN CHRYSOSTOME, *Lettre* 122. Sur ce thème, voir KERTSCH, *Bildersprache*, p. 90-91, n. 4.

3. Cf. PLATON, *Rép.* 523 b ; 365 c etc. ; *Parm.* 165 c ; *Crit.* 407 c. Par ce choix de vie, Grégoire ne faisait que suivre le modèle de Basile menant « par sa pauvreté parfaite une vie sans obstacles vers la vertu » (GRÉGOIRE DE NYSSE, *Vie de Macrine*, 6 ; voir note de P. MARAVAL, p. 163, n. 7). Cette pauvreté peut prendre bien des aspects, comme on le voit dans un passage parallèle du *D.* 32 (chap. 26) : « Mieux vaut l'indigent (ἄπορος) qui marche avec simplicité..., cet indigent, pauvre (πένης) en *discours* et en *connaissance*, s'appuie sur les paroles simples et, s'y tenant comme sur un petit radeau (λεπτῆς σχεδίας), il parvient au salut mieux que l'insensé aux lèvres tortueuses. »

4. Cf. *D.* 43, où il exprime sa colère contre Basile.

τὴν τυραννήσασαν καὶ προσγελῶ τῷ Πνεύματι, καὶ ἡ καρδία καθίσταταί μοι, καὶ ὁ λογισμὸς ἐπανέρχεται, καὶ
10 ἡ φιλία, καθάπερ τις φλόξ, κατασβεσθεῖσα καὶ ἀπομαρανθεῖσα, πάλιν ἐκ μικροῦ σπινθῆρος ἀναζῇ καὶ ἀνάπτεται. «Ἀπηνήνατο παρακληθῆναι ἡ ψυχή μου[d]», «καὶ ἠκηδίασεν ἐπ᾽ ἐμὲ τὸ πνεῦμά μου[e]». Εἶπα· οὐ μὴ προσθῶ ἔτι
D πιστεῦσαι φιλίᾳ· καὶ ἵνα τί μοι ἐλπίζειν ἐπ᾽ ἄνθρωπον,
15 ὅτι πᾶς ἄνθρωπος «δολίως πορεύεται» καὶ «πᾶς ἀδελφὸς πτέρνῃ πτερνιεῖ τὸν πλησίον αὐτοῦ[f]» καὶ πάντες ἔσμεν τοῦ αὐτοῦ χοὸς καὶ φυράματος, καὶ τοῦ αὐτοῦ ξύλου τῆς κακίας γεγεύμεθα[g], σκηνὴν δὲ ἄλλος ἄλλην εὐπρεπεστέραν προβέβληται; Καὶ τί μοι τῆς φιλίας ἐκείνης
20 ὄφελος, ἔλεγον, τῆς ζηλωτῆς καὶ περιβοήτου, ἀρξαμένης ἀπὸ κόσμου καὶ προελθούσης εἰς πνεῦμα; Τί δὲ τῆς μιᾶς στέγης τε καὶ τραπέζης ἢ τί τῶν κοινῶν παιδευτῶν τε καὶ παιδευμάτων; Τί δὲ τῆς ὑπὲρ ἀδελφοὺς ἀνακράσεως, ἢ τῆς γνησίας συμπνοίας ὕστερον, εἰ μηδὲ τοσοῦτον ὑπῆρξέ
25 μοι κάτω μένειν ἐν καιρῷ δυναστείας καὶ ὕψους, ὁπότε τὸ ἐναντίον τοῖς πολλοῖς σπουδάζεται καὶ ἐπιτυγχάνεται, τὸ παραδυναστεύειν λέγω καὶ τῆς τῶν φίλων μετέχειν εὐημερίας;

B **3.** Τί μοι πάντα λέγειν τὰ τῆς λύπης καὶ τῆς ἀκηδίας, ἣν ζόφον ἐγὼ καλῶ, τοῦ νοῦ εὑρήματα; Καὶ γὰρ ταῦτα, καὶ τούτων ἦν ἀτοπώτερα· κατηγορήσω γὰρ αὐτὸς ἐγὼ

10 τις : ς sup. l. D ‖ 15-20 ἀδελφὸς – περιβοήτου eras. S ‖ 16 ἔσμεν : ἦμεν AQWVS Maur. ‖ 17 χοὸς καὶ φυράματος : πηλοῦ τε καὶ κράματος PC ‖ 18 γεγεύσμεθα D[ac] ‖ 19 προβέβληται : περιβέβληται PC ‖ 21 δὲ : δαὶ Q[ac]VT[ac] C ‖ 23 δὲ : δαὶ VTC ‖ 25 μοι : μου D (ut uid.)
3, 1 τὰ τῆς ἀκηδίας C ‖ 2 καὶ εὑρήματα Q

d. Ps. 76, 3 e. Ps. 142, 4 f. Jér. 9, 3 g. Cf. Gen. 2, 9; 3, 6

1. Cf. *D.* 6, 11; *D.* 9, 2, il s'agit de l'étincelle du mal.
2. Cf. *Lettre* 48.
3. Passage parallèle *De vita sua*, v. 221-236. Allusion aux études com-

sereinement cette main qui m'a contraint, je souris à l'Esprit, mon cœur s'apaise, la raison revient et l'amitié, telle une flamme qui s'était éteinte et évanouie, reprend vie à partir d'une petite étincelle et se rallume[1]. «Mon âme refusait d'être consolée[d]», «et mon esprit était découragé à mon sujet[e]». Je disais : il n'est pas possible que je fasse de nouveau confiance à l'amitié[2]. Et pourquoi donc espérer encore en l'homme, puisque tout homme «se laisse aller à la fourberie», et que «tout frère frappe son prochain du talon[f]», puisque nous sommes tous faits du même limon et de la même pâte, et que nous avons tous goûté au même arbre du mal[g], même si l'un présente un aspect plus noble que l'autre? Et à quoi bon, disais-je, cette amitié enviable et célèbre, qui était partie du monde pour arriver à l'esprit? A quoi bon le même toit et la même table? A quoi bon les communs maîtres et les études communes[3]? A quoi bon cette union plus que fraternelle ou, par la suite, ce parfait accord de sentiments, s'il ne m'est même pas possible de rester en bas au moment de la puissance et de l'élévation, tandis que la plupart des gens recherchent et obtiennent le contraire, je veux dire partager le pouvoir et participer à la prospérité de leurs amis?

3. Pourquoi parlerais-je de tout ce qui faisait le chagrin et le découragement, que j'appelle quant à moi ténèbres, inventions de l'esprit[4]? Telles étaient en effet mes pensées, et d'autres plus absurdes encore. Car je vais blâmer moi-

munes («le pâturage sans Verbe» de *D.* 9, 4, qui est «le monde» évoqué *supra*) et à l'amitié née à Athènes (cf. *D.* 43, 19).

4. Cf. *D.* 6, 4. La traduction d'ἀκηδία par «découragement» ne rend pas compte, bien sûr, de la richesse de sens de ce mot, qui implique l'indifférence, l'abattement, la lâcheté... et que l'on traduit parfois simplement par «acédie», dans la littérature monastique en particulier. Sur ce terme, voir A. et C. GUILLAUMONT, Introduction au *Traité pratique* d'ÉVAGRE LE PONTIQUE, *SC* 170, Paris 1971, p. 84-90.

τῆς ἐμῆς εἴτε ἀπονοίας εἴτε ἀνοίας. Ἀλλὰ νῦν μεταλαμβάνω
5 καὶ μεθαρμόζομαι ὡς πολὺ τούτων καὶ ἀληθέστερα καὶ
ἡμῖν πρεπωδέστερα. Καὶ ἵνα εἰδῇς τὸ γνήσιον τῆς ἡμετέρας
μεταβολῆς, ὦ θαυμάσιε, οὐ λύεις μόνον τὴν σιωπὴν ἣν
ἐμέμψω καὶ ἧς πολλὰ κατεβόησας, ἀλλὰ καὶ συνηγόρους
ἔχεις τοὺς λόγους. Τοῦτο μὲν ἤδη τῆς ἡμετέρας φιλίας
10 καθαρῶς καὶ τοῦ ἐν ἡμῖν Πνεύματος.

Ἀλλὰ τίς ἡ συνηγορία; Καὶ εἴ τι διαμαρτάνω, αὐτὸς
ἐπανόρθου, ὥσπερ καὶ τἆλλα εἴωθας. Οὐκ ἤνεγκας τὸ
Πνεῦμα τῆς φιλίας ποιῆσαι δεύτερον· ἐπεὶ τῶν μὲν ἄλλων
C ἴσως ἡμεῖς, ἡμῶν δὲ τὸ Πνεῦμά σοι πολλῷ τιμιώτερον.
15 Οὐκ ἤνεγκας ἐν τῇ γῇ κατακεκρύφθαι καὶ κατωρύχθαι τὸ
τάλαντον[a]. Οὐκ ἤνεγκας ἐπὶ πολὺ τὸν λύχνον τῷ μοδίῳ
περικαλύπτεσθαι[b] – ὅτι δὴ τοῦτο τὸ ἐμὸν φῶς καὶ τὴν
ἐμὴν ἐργασίαν ὑπολαμβάνεις. Ἐζήτησας τῷ Παύλῳ σοι
προστεθῆναι καὶ τὸν Βαρναβᾶν[c]· ἐζήτησας Σιλουανῷ[d] καὶ
20 Τιμοθέῳ[e] προσγενέσθαι καὶ Τίτον[f], ἵνα σοι τρέχῃ τὸ
χάρισμα διὰ τῶν γνησίως ὑπὲρ σοῦ μεριμνώντων, καὶ

13 φιλίας : φιλοσοφίας WC ‖ 11 διαμαρτάνω : ἁμαρτάνω TD Maur. ‖ 13 τῶν ἄλλων μὲν PC ‖ 14 ἡμεῖς ἴσως D ‖ 15 ἐν sup. l. D ‖ κατορωρύχθαι ABWVS^{pc} (ρω- sup. l.) ‖ 16 τῷ μοδίῳ τὸν λύχνον Q ‖ 18 ἐμὴν S mg. ‖ 21 γνησίων D

3. a. Cf. Matth. 25, 18 b. Cf. Matth. 5, 15; Mc 4, 21; Lc 8, 16; 11, 33 c. Cf. Gal. 2, 1 d. Cf. Act. 15, 40 e. Cf. Act. 16, 1 f. Cf. Gal. 2, 1

1. Jeu de mots (ἀπονοία, ἀνοία) difficile à rendre en français.
2. Cf. *D.* 9, 4.
3. Comme en témoignent certaines lettres de Basile à Grégoire.

même mon propre égarement, ou ma folie[1]. Mais, maintenant, je change et je m'applique à dire des choses bien plus vraies et bien plus dignes de nous. Vois la sincérité de notre changement, ô homme admirable : non seulement tu délies le silence que tu me reprochais et contre lequel tu t'élevais tant[2], mais tu obtiens aussi des paroles pour appuyer ta défense. Cela résulte entièrement de notre amitié et de l'Esprit qui est en nous.

Mais quelle est cette défense? Si par hasard je me trompe, corrige-moi toi-même, comme tu as l'habitude de le faire pour le reste[3]. Tu n'as pas supporté que l'Esprit passe après l'amitié. En effet, nous avons peut-être pour toi plus de prix que les autres, mais l'Esprit a pour toi beaucoup plus de prix que nous. Tu n'as pas supporté que le talent soit caché et enfoui dans la terre[a], tu n'as pas supporté que la lampe soit plus longtemps cachée sous le boisseau[b] – car c'est ainsi que tu considères ma lumière et mon activité[4]. Tu as cherché à placer aussi Barnabé auprès du Paul que tu es[c]. A Silvain[d] et à Timothée[e] tu as cherché à attacher Tite[f5] pour que la grâce pénètre par ceux qui ont pour toi une sincère sol-

4. Les deux paraboles sont également associées, avec la même signification, *D.* 6, 9; 32, 1; cf. *D.* 12, 6.

5. Basile étant un autre Paul, Grégoire se compare à ses compagnons Barnabé et Tite. Barnabé accompagna Paul dans son premier voyage missionnaire, à Chypre et en Asie Mineure. Tite accompagna Paul à Jérusalem. Cf. *D.* 43, 32 : « Et si le Barnabé qui dit cela et qui l'écrit a pris quelque part au combat de Paul, grâce en soit rendue au Paul qui l'avait choisi et qui avait fait de lui son auxiliaire dans le combat. » Grégoire insiste *D.* 2, 53-56 sur l'action inégalable de Paul.

« κύκλῳ ἀπὸ Ἱερουσαλὴμ μέχρι τοῦ Ἰλλυρικοῦ πληρώσης τὸ Εὐαγγέλιον[g] ».

4. Διὰ τοῦτο εἰς μέσον ἄγεις καὶ ὑποχωροῦντος λαμβάνῃ καὶ παρὰ σεαυτὸν καθίζεις· τοῦτο τὸ ἐμὸν ἀδίκημα, φαίης ἄν, καὶ κοινωνὸν ποιῇ τῶν φροντίδων καὶ τῶν στεφάνων. Διὰ τοῦτο χρίεις ἀρχιερέα[a], καὶ περιβάλλεις τὸν ποδήρη[b],
5 καὶ περιτίθεις τὴν κίδαριν[c], καὶ προσάγεις τῷ θυσιαστηρίῳ τῆς πνευματικῆς ὁλοκαυτώσεως καὶ θύεις τὸν μόσχον τῆς
823 A τελειώσεως[d], καὶ τελειοῖς τὰς χεῖρας τῷ Πνεύματι, καὶ εἰσάγεις εἰς τὰ Ἅγια τῶν Ἁγίων ἐποπτεύσοντα[e], καὶ ποιεῖς « λειτουργὸν τῆς σκηνῆς τῆς ἀληθινῆς, ἣν ἔπηξεν ὁ Κύριος »
10 καὶ « οὐκ ἄνθρωπος[f] ».

Εἰ δὲ καὶ ἄξιον ὑμῶν τε τῶν χριόντων, καὶ ὑπὲρ οὗ καὶ εἰς ὃν ἡ χρῖσις, οἶδε τοῦτο ὁ Πατὴρ τοῦ ἀληθινοῦ καὶ ὄντως Χριστοῦ, ὃν « ἔχρισεν ἔλαιον ἀγαλλιάσεως παρὰ τοὺς μετόχους[g] » αὐτοῦ, χρίσας τὴν ἀνθρωπότητα τῇ
15 θεότητι, ὥστε ποιῆσαι τὰ ἀμφότερα ἕν[h]· καὶ αὐτός, ὁ

4, 1 λαμβάνεις S^{ac} D (η supra l.) C ‖ 2 σεαυτὸν : σεαυτῷ T^{pc} σαυτὸν DPC ‖ 3 ποίῃ : ποιεῖς D ‖ 5 περιτίθῃς V C^{pc} τίθεις D ‖ 8 ἁγίων S mg. ‖ 10 καὶ om. AWT ‖ 13 ὄντος D ‖ ἔλαιον : ἐλαίῳ PC

g. Rom. 15, 19
4. a. Cf. Ex. 29, 5 b. Cf. Ex. 29, 5-6 c. Ex. 29, 5-6 d. Ex. 29, 10-14 e. Cf. Hébr. 9, 11-14 f. Hébr. 8, 2 g. Ps. 44, 8 h. Cf. Éphés. 2, 14

1. Quels sont les personnages désignés sous les noms de Silvain et de Timothée? Pour Élie de Crète, il s'agirait de deux frères de Basile, Silvain cachant Grégoire de Nysse, et Timothée Pierre, évêque de Sébaste; cf. Tillemont, *Mémoires*, t. 9, p. 737. P. Gallay (*Vie*, p. 111, n. 2) réfute cette dernière hypothèse : « On peut admettre l'allusion à Grégoire de Nysse, évêque depuis peu; mais Pierre ne reçut, semble-t-il l'épiscopat qu'en 380. »
2. Cf. *D.* 11, 3; 12, 4.
3. Cf. *supra*, chap. 2, allusion à la « prospérité » de Basile; *Lettre* 71.

licitude et pour que tu accomplisses «l'Évangile alentour de Jérusalem à l'Illyrie[g]»[1].

4. Voilà pourquoi tu amènes en public, après t'en être saisi, un homme qui se dérobe[2], et tu le fais siéger auprès de toi. «C'est mon injustice», pourrais-tu dire, et tu veux me faire partager tes soucis et tes couronnes[3]. Voilà pourquoi tu oins un grand-prêtre[a], tu le vêts de la robe talaire[b] et le ceins de la tiare[c 4], tu le conduis à l'autel de l'holocauste spirituel, tu immoles le veau de la perfection[d], tu rends ses mains parfaites pour l'Esprit, tu l'introduis dans le Saint des Saints pour l'initier[e], et tu fais de lui «le ministre de la tente véritable qu'a dressée le Seigneur et non pas un homme[f]»[5].

Mais s'il est digne de vous qui donnez l'onction[6] et de celui à cause duquel et pour lequel l'onction est faite, c'est ce que sait le Père de Celui qui est réellement l'Oint véritable, à qui il «a donné l'onction avec une huile d'allégresse de préférence à ses compagnons[g]» quand il oignit l'humanité par la divinité de manière à ne faire qu'un des deux[h 7]. C'est ce que sait notre Dieu et Sei-

4. Cf. *Ex.* 28 (habits d'Aaron). Sur la «robe talaire» (ποδηρής), voir *Bible d'Alexandrie*. 2. *Exode*, Introd. et notes par A. Le Boulluec et P. Sandevoir, Paris 1989, p. 282 (commentaire d'*Exode* 28, 4); sur la «tiare» (κίδαρις), p. 292 (commentaire d'*Exode* 28, 37).

5. Passage inspiré de la consécration sacerdotale d'Aaron (*Ex.* 29, 1-35), le premier des prêtres consacrés; cf. *D.* 12, 2; 32, 17. Sur cette typologie sacerdotale, voir J. LÉCUYER, *Le sacrement de l'ordination* (Théologie Historique, 65), Paris 1983, p. 83.

6. Grégoire poursuit sa comparaison; il ne s'agit pas en effet, semble-t-il, d'une onction matérielle; cf. P. DE PUNIET, «Consécration épiscopale. VI. Les onctions du saint Chrême», *DACL*, 3, 2, 1914, col. 2597-2598; GAIN, *L'Église*, p. 82-86, sur la consécration épiscopale en Cappadoce; J. LÉCUYER pose la question à propos de ce texte précisément, *ibid.*, p. 83-84.

7. Cf. *D.* 30, 21.

Θεὸς καὶ Κύριος ἡμῶν Ἰησοῦς Χριστός, δι᾽ οὗ τὴν καταλλαγὴν ἐσχήκαμεν[i], καὶ τὸ Πνεῦμα τὸ ἅγιον, ὃ ἔθετο ἡμᾶς εἰς τὴν διακονίαν ταύτην, ἐν ᾗ καὶ ἐστήκαμεν καὶ καυχώμεθα ἐπ᾽ ἐλπίδι τῆς δόξης[j] τοῦ Κυρίου ἡμῶν Ἰησοῦ
B 20 Χριστοῦ, ᾧ «ἡ δόξα καὶ τὸ κράτος εἰς τοὺς αἰῶνας τῶν αἰώνων[k]». Ἀμήν.

16 ὁ Κύριος TD ‖ ὁ Χριστός WSDP ‖ 20 καὶ τὸ κράτος om. AQBWVTS Maur.

gneur Jésus-Christ qui a permis notre réconciliation[i], ainsi que l'Esprit-Saint qui nous a confié ce ministère dans lequel nous sommes établi et dont nous nous glorifions, dans l'espérance de la gloire[j] de notre Seigneur Jésus-Christ à qui sont «la gloire et la puissance pour les siècles des siècles[k]». Amen.

i. Cf. Rom. 5, 11 j. Cf. Col. 1, 27 k. Apoc. 1, 6; 5, 13

832 B

Εἰς Γρηγόριον τὸν ἀδελφὸν Βασιλείου ἐπιστάντα μετὰ τὴν χειροτονίαν

1. «Φίλου πιστοῦ οὐκ ἔστιν ἀντάλλαγμα» τῶν ὄντων οὐδέν, οὐδέ τις «σταθμὸς τῆς καλλονῆς αὐτοῦ[a]». «Φίλος πιστὸς σκεπὴ κραταιά[b]» καὶ ὠχυρωμένον βασίλειον[c]. Φίλος πιστὸς θησαυρὸς ἔμψυχος. Φίλος πιστὸς «ὑπὲρ χρυσίον
5 καὶ λίθον τίμιον πολύν[d]». Φίλος πιστὸς «κῆπος κεκλεισμένος, πηγὴ ἐσφραγισμένη[e]», κατὰ καιρὸν ἀνοιγόμενά τε καὶ μεταλαμβανόμενα. Φίλος πιστὸς λιμὴν ἀναψύξεως. Ἂν δὲ καὶ συνέσει διαφέρῃ, πηλίκον; Εἰ δὲ καὶ παιδείαν ἄκρος, καὶ παιδείαν παντοίαν – τήν τε ἡμετέραν λέγω καὶ
10 τήν ποτε ἡμετέραν –, ὅσῳ λαμπρότερον; Εἰ δὲ καὶ υἱὸς
C φωτός[f], ἢ «ἄνθρωπος τοῦ Θεοῦ[g]», ἢ ἐγγίζων Θεῷ[h], ἢ «ἀνὴρ ἐπιθυμιῶν[i]» τῶν κρειττόνων, ἤ τι τῶν τοιούτων

Titulus εἰς Γρηγόριον τὸν ἀδελφὸν Βασιλείου ἐπίσταντα μετὰ τὴν χειροτονίαν AWS τοῦ αὐτοῦ add. ante εἰς VT μετὰ τὴν χειροτονίαν del. B εἰς Γρηγόριον τὸν ἀδελφὸν Βασιλείου ἐπιστάντα Q εἰς Γρηγόριον τὸν ἐπίσκοπον Νύσσης ἀδελφὸν Βασιλείου ἐπίσταντα μετὰ τὴν χειροτονίαν DP τοῦ αὐτοῦ εἰς Γρηγόριον ἐπίσκοπον Νύσσης ἐπίσταντα μετὰ τὴν χειροτονίαν C τοῦ αὐτοῦ εἰς Γρηγόριον Νύσσης τὸν τοῦ μεγάλου Βασιλείου ἀδελφὸν ἐπίσταντα μετὰ τὴν χειροτονίαν Maur.

1, 9 ἄκρως : ο sup. ω S

---

1. a. Sir. 6, 15 b. Sir. 6, 14 c. Cf. Prov. 18, 19 d. Ps. 18, 11; cf. Prov. 8, 19 e. Cant. 4, 12 f. Cf. Jn 12, 36; Éphés. 5, 8 g. Deut. 33, 1; cf. IV Rois 1, 9 h. Ex. 24, 2; cf. Éz. 43, 19 i. Dan. 9, 23

DISCOURS 11

A propos de Grégoire, frère de Basile, présent après l'ordination

1. « Un ami fidèle », rien au monde « ne peut le remplacer », il n'y a rien « qui égale sa beauté[a] ». « Un ami fidèle est un abri sûr[b] » et un palais fortifié[c]. Un ami fidèle est un trésor vivant. Un ami fidèle est bien « plus précieux que l'or et la pierre[d] ». Un ami fidèle est « un jardin clos, une source scellée[e] » : on peut les ouvrir et en profiter au moment voulu. Un ami fidèle est un port de rafraîchissement[1]. Mais si, de plus, il se distingue par l'intelligence, combien est-ce grand ! Et s'il domine aussi dans la science et même en toute science – je veux parler de la nôtre et de celle qui fut jadis la nôtre[2] –, c'est d'autant plus splendide ! S'il est aussi fils de la lumière[f], ou « homme de Dieu[g] », ou proche de Dieu[h], s'il est « l'homme des désirs[i] » les meilleurs, ou digne

1. Tout ce passage sur l'amitié est inspiré de *Sir.* 6, 5-17. Sur l'idéal de l'amitié, cf. aussi *D.* 12, 2. A propos de celle qui lie Grégoire aux deux frères, voir Introd., p. 96 et 99-100.

2. Cf. *Épigr.* 15, où il se définit lui-même comme « jeune maître de l'une et l'autre science » ; de même *Épigr.* 10, à propos de Basile : « Tu as connu toutes les profondeurs de l'Esprit et tout ce qui appartient à la science terrestre. » « Celle qui fut jadis la nôtre » est la rhétorique (cf. *D.* 7, 1), dans laquelle Grégoire de Nysse se distinguait particulièrement.

ὀνομάζεσθαι ἄξιος, οἷς ἡ Γραφὴ τιμᾷ τοὺς ἐνθέους καὶ ὑψηλοὺς καὶ τῆς ἄνω μερίδος, τοῦτο μὲν ἤδη δῶρον Θεοῦ
15 καὶ φανερῶς ὑπὲρ τὴν ἀξίαν τὴν ἡμετέραν. Εἰ δὲ καὶ παρὰ φίλου πρὸς ἡμᾶς ἥκων, καὶ τούτου τήν τε ἀρετὴν ὁμοτίμου καὶ τὴν φιλίαν τὴν ἡμετέραν, ἔτι τερπνότερόν τε καὶ χαριέστερον, καὶ μύρου τοῦ κοσμοῦντος πώγωνά τε ἱερέως καὶ ὤαν ἐνδύματος εὐωδέστερον[j].

833 A **2.** Ἆρ᾽ οὖν ἱκανὰ ταῦτα, καὶ μετρίως ὑμῖν τὸν ἄνδρα ὁ λόγος ἔγραψεν; Ἢ δεῖ, καθάπερ τοὺς ἐπιμελεῖς τῶν ζωγράφων, πολλάκις ἐπιβάλλειν τὰ χρώματα, ἵνα τελεωτέραν ὑμῖν τὴν τοῦ λόγου γραφὴν παραστήσωμεν; Καὶ
5 δὴ γράψομεν ὑμῖν τελεώτερον καὶ σαφέστερον. Τίς νομοθετῶν ἐπιφανέστατος; Μωϋσῆς. Τίς ἱερέων ἁγιώτατος; Ἀαρών· οὐχ ἧττον ἀδελφοὶ τὴν εὐσέβειαν ἢ τὰ σώματα[a]· μᾶλλον δὲ ὁ μὲν Θεὸς Φαραώ[b], καὶ τοῦ Ἰσραὴλ προστάτης καὶ νομοθέτης, καὶ τῆς νεφέλης εἴσω χωρῶν[c], καὶ θείων
10 μυστηρίων ἐπόπτης τε καὶ μυσταγωγός, καὶ «τῆς σκηνῆς τῆς ἀληθινῆς» τεχνίτης, «ἣν ἔπηξεν ὁ Κύριος» καὶ «οὐκ ἄνθρωπος[d]»· ἱερεῖς δὲ ὁμοίως ἀμφότεροι. «Μωϋσῆς» γάρ,

2, 1 ἡμῖν B ‖ 5 γράψωμεν A Q^{ac} BWV^{ac} SP^{ac} D^{pc} ‖ ὑμῖν : ὑμῶν S ‖ τε ante καὶ add. WVT D^{ac} ‖ 11 καὶ om. AQWVTS ‖ 12 δὲ ὁμοίως : δ᾽ ὅμως P (οι sup. l.) C

j. Cf. Ps. 132, 2
2. a. Cf. Ex. 4, 14 b. Cf. Ex. 7, 1 c. Cf. Ex. 24, 18 d. Hébr. 8, 2

1. Cette citation concerne Aaron, auquel Grégoire de Nysse sera bientôt comparé. Cf. *D.* 12, 2.
2. Grâce au λόγος peintre (cf. *infra*, fin du chap.). Grégoire développe cette comparaison avec l'art du peintre *Lettre* 230 : « Nous imitons les peintres qui, en marquant les contours, tracent une première esquisse de leurs personnages, puis, en y mettant la main une seconde et une troisième fois, ils complètent ces silhouettes, et ils achèvent en ajoutant les couleurs. » ; cf. *Lettre* 50. D'ordinaire, l'art des peintres inspire plutôt des opinions négatives : elles concernent l'artifice (cf. *D.* 7, 16; 8, 10) ou alors l'impossibilité de représenter la vertu, la beauté : fréquentes

d'avoir pour nom l'un de ceux dont l'Écriture honore les hommes de Dieu, qui sont élevés et appartiennent à la région d'en haut, voilà qui est alors un don de Dieu, au-dessus de notre mérite évidemment! Mais s'il vient à nous de la part d'un ami, égal à celui-ci en vertu et par l'amitié que nous lui donnons, voilà qui est encore plus réjouissant et plus plaisant, plus agréable que le parfum qui agrémente la barbe du prêtre et la bordure de son vêtement[j][1]!

2. Cela ne suffit-il donc pas? Ces mots ne vous ont-ils pas dépeint justement cet homme? Ou faut-il, comme les plus appliqués des peintres, revenir plusieurs fois sur les couleurs pour que la description que nous vous offrons soit plus parfaite[2]? Eh bien, nous vous le décrirons de façon plus parfaite et plus précise. Qui a été le plus remarquable des législateurs? Moïse[3]. Qui a été le plus saint des prêtres? Aaron[4]. Ils ne sont pas moins frères par la piété que par la chair[a]; ou plutôt, l'un est dieu de Pharaon[b][5], protecteur et législateur d'Israël, il avance à l'intérieur de la nuée[c], il est initié et il initie aux divins mystères, il est l'artisan de «la tente véritable» «qu'a dressée le Seigneur, et non pas un homme[d]». Mais tous deux sont également prêtres. «Moïse» en effet et «Aaron»,

allusions dans l'œuvre de GRÉGOIRE DE NYSSE, par ex. *Lettre* 19; *Vie de Macrine*, 4 (voir P. MARAVAL, *SC* 178, p. 152, n. 3).

3. Basile, à l'instar de Grégoire l'Ancien (*D.* 7, 3; 12, 2), est habituellement comparé à Moïse; cf. *D.* 43, 72 et l'éloge qu'en fit précisément Grégoire de Nysse. Voir Marguerite HARL, «Les trois quarantaines de la vie de Moïse. Schéma idéal de la vie du moine-évêque chez les Pères cappadociens», *REG*, 80, 1967, p. 407-412. «Moïse, figure de l'évêque dans l'Éloge de Basile de Grégoire de Nysse», *The Biographical Works of Gregory of Nyssa* (Patristic Monograph Series, 12), Cambridge Ma 1984, p. 71-119.

4. Grégoire de Nysse est comparé à Aaron, frère de Moïse, tous deux modèles par excellence du prêtre (cf. aussi *D.* 43, 72).

5. Sur les commentaires suscités par cette appellation donnée à Moïse (*Ex.* 7, 1), voir *La Bible d'Alexandrie.* 2. *L'Exode*, Introduction et notes par A. Le Boulluec et P. Sandevoir, Paris 1989, p. 117.

φησί, «καὶ Ἀαρὼν ἐν τοῖς ἱερεῦσιν αὐτοῦ[e]»· ὁ μὲν ἄρχων
B ἀρχόντων καὶ ἱερεὺς ἱερέων – χρώμενος μὲν ὅσα γλώσσῃ
15 τῷ Ἀαρών, αὐτὸς δὲ «τὰ πρὸς Θεὸν» ἐκείνῳ γινόμενος[f] –·
ὁ δὲ μετ' ἐκεῖνον μὲν εὐθύς, πολὺ δὲ πρὸ τῶν ἄλλων ἀξίᾳ
τε καὶ τῇ πρὸς Θεὸν ἐγγύτητι. Ἀμφότεροι βασανίζοντες
Αἴγυπτον, θάλασσαν τέμνοντες, τὸν Ἰσραὴλ διεξάγοντες,
τοὺς ἐχθροὺς βαπτίζοντες[g], ἄρτον ἄνωθεν ἕλκοντες[h], ὕδωρ
20 ἄπιστον ἐν ἐρήμῳ[i], τὸ μὲν ἐκδίδοντες, τὸ δὲ γλυκαι-
νοντες[j]· ἀμφότεροι καταπολεμοῦντες τὸν Ἀμαλὴκ ἐκτάσει
χειρῶν ἁγίᾳ[k], καὶ τύπῳ μυστηρίου μείζονος· ἀμφότεροι
πρὸς τὴν «γῆν τῆς ἐπαγγελίας[l]», καὶ ὁδηγοῦντες καὶ
σπεύδοντες. Μή τι γνωριμώτερον τῆς εἰκόνος; Οὐ σαφῶς
25 ὑμῖν τὸν ὁμώνυμον ἐμοὶ καὶ ὁμόψυχον ὁ ζωγράφος λόγος
ἀνετυπώσατο;

833 C **3.** Τούτων ὁ μὲν ἔχρισεν ἡμᾶς καὶ κρυπτομένους εἰς
μέσον ἤγαγεν, οὐκ οἶδ' ὅ τι παθὼν ἢ πῶς κινηθεὶς ἀναξίως
τοῦ ἐν αὐτῷ Πνεύματος. Καὶ γὰρ εἰ τραχύτερος ὁ λόγος,
ὅμως εἰρήσεται· πάντα οἴσει φιλία καὶ πάσχουσα καὶ
5 ἀκούουσα. Ὁ δὲ παρακαλέσων ἥκει καὶ συμβιβάσων καὶ
προσημερώσων τῷ Πνεύματι. Μέγα μέν, ὅτι καὶ νῦν, ἐμοί.
Πῶς δὲ οὐ μέγιστον; ὅς γε παντὸς ὑμᾶς τοῦ βίου

15 τὸν Θεὸν D ‖ 19 βαπτίζοντες : βασανίζοντες A ‖ 22 τύπου AC ‖ 24 rasura ante τῆς D
3, 5 ἀκοῦσα S[ac] ‖ 7 τοῦ βίου ὑμᾶς T

e. Ps. 98, 6 f. Cf. Ex. 4, 15-16; 7, 1 g. Cf. Ex. 14, 21-28 h. Cf. Ex. 16, 4-15; Nombr. 11, 9 i. Cf. Ex. 17, 1-7; Nombr. 20, 2-11 j. Cf. Ex. 15, 23-25 k. Cf. Ex. 17, 10-13 l. Hébr. 11, 9

1. Grégoire de Nysse est le porte-parole de Basile, comme Aaron celui de Moïse (*Ex.* 4, 14, il est sa «bouche»). Moïse et Aaron sont le «couple fraternel pensée-langage »: voir *La Bible d'Alexandrie. 2. L'Exode,* p. 100 (commentaire d'*Ex.* 4, 16).

2. Ici Amalech, l'ennemi traditionnel d'Israël, semble ironiquement désigner surtout Anthime de Tyane, attaquant les mules de Basile dans

est-il dit, « sont parmi ses prêtres[e] », l'un chef des chefs et prêtre des prêtres – il ne faisait qu'utiliser la langue d'Aaron, en lui servant lui-même d'intermédiaire « pour les relations avec Dieu[f] » –, l'autre immédiatement après lui, mais bien avant les autres par son mérite et sa proximité avec Dieu[1]. Tous deux éprouvent l'Égypte, fendent la mer, conduisent Israël, noient les ennemis[g], font venir de la manne d'en haut[h], de l'eau inespérée dans le désert[i], en produisant l'une, en adoucissant l'autre[j]. Tous deux sont vainqueurs d'Amaleq en étendant saintement leurs mains[k], et figurent ainsi un plus grand mystère[2]. Tous deux sont des guides qui se hâtent vers « la terre de la promesse[l] ». Que peut-il y avoir de plus reconnaissable que ce portrait? La parole peintre ne vous a-t-elle pas représenté clairement celui qui m'est semblable par le nom et par l'esprit[3]?

3. L'un des deux, je ne sais par quel sentiment ou sous quelle impulsion indigne de l'Esprit qui est en lui, nous a donné l'onction et nous a amené en public, nous qui nous cachions[4]. En effet, même si mon propos est dur, je le tiendrai cependant : l'amitié, qu'elle en souffre ou qu'elle l'entende, supportera tout. L'autre vient pour nous exhorter, nous convaincre et nous apprivoiser[5] pour l'Esprit! Cela est important pour moi, même maintenant. Comment cela ne serait-il pas très important, puisque je

les défilés du Taurus, tel Amaleq les caravanes d'Israël au pied de l'Horeb. C'est ainsi que Grégoire le désigne clairement dans sa *Lettre* 49, à Basile. Le plus grand mystère est celui de la croix, que figure cette scène; cf. *D.* 12, 2, p. 352, n. 2.

3. Noter que la clarté de la description vient des comparaisons bibliques. Voir aussi *D.* 26, 10. Cf. *supra*, n. 4.

4. Il s'agit bien sûr de Basile; cf. *D.* 9, 1; 10, 4; 12, 4.

5. Le verbe προσημεροῦν n'est attesté par le *TLG*, en dehors de ce passage, que dans un texte de GRÉGOIRE DE NYSSE : *De hominis opificio*, I (*PG* 44, col. 132 B).

προεστήσαμεν; Μέμφομαι δὲ ὅτι τῆς χρείας ὕστερος.
Πῶς μετὰ τὴν ἧτταν καὶ καταδρομὴν ἡ συμμαχία, ὦ
10 φίλων ἄριστε καὶ συμμάχων, καὶ μετὰ τὴν ζάλην ὁ
κυβερνήτης καὶ μετὰ τὴν οὐλὴν τὸ φάρμακον; Πότερον
D ὡς φιλάδελφος ᾐσχύνθης τὴν τυραννίδα; Ἢ καὶ αὐτὸς ὡς
δυνάστης ἐδυσχέρανας τὴν ἀπειθείαν; Ποτέρῳ τῶν ἀδελφῶν
ἐγκαλεῖς, καὶ πότερον ἀφιεὶς τῆς μέμψεως; Φθέγξομαί τι
836 A 15 πρὸς σὲ τῶν τοῦ Ἰὼϐ ῥημάτων, καὶ αὐτὸς ἀλγῶν καὶ
πρὸς φίλον, εἰ καὶ μὴ τοιοῦτον μηδὲ ἐφ᾽ ὁμοίοις τοῖς
πάθεσιν. Ποτέρῳ πρόσκεισαι; Ἢ τίνι μέλλεις βοηθεῖν;
Ἆρ᾽ οὐχ ᾧ πολλὴ ἰσχύς; Οὐχ ᾧ πολλὴ σοφία καὶ
ἐπιστήμη[a]; Τοῦτο γὰρ ὁρῶ πολλοὺς τῶν νῦν κριτῶν
20 πάσχοντας, οἳ ῥᾷον ἂν τοῖς ὑψηλοῖς τὰ μέγιστα συγχω-
ρήσαιεν ἢ τοῖς ταπεινοῖς τὰ ἐλάχιστα. Τοῦτο μὲν οὖν
αὐτὸς ἂν εἰδείης· οὐ γὰρ ἐμοί τι θέμις περὶ σοῦ τῶν οὐ
καλῶν ἀποφαίνεσθαι, ὅς σε καλοῦ παντὸς ὅρον καὶ κανόνα
τίθεμαι· καὶ ἅμα μὴ ταχὺς εἶναι εἰς κρίσιν, ὑπὸ τῆς
25 Γραφῆς νενουτέθημαι[b].

Ἐγὼ δὲ τὸν λόγον ὑποσχεῖν ἕτοιμος καί σοι καὶ παντὶ
τῷ βουλομένῳ διὰ φιλίαν τῆς ἐμῆς εἴτε ἀπειθείας, ὡς ἂν
τινες ὀνομάσαιεν, εἴτε προμηθείας, ὡς ἐμαυτὸν πείθω, καὶ
ἀσφαλείας, ὡς ἂν εἰδείης μὴ πάντα ἀτόπῳ φίλῳ χρω-
B 30 μενος καὶ ἀμαθεῖ· ἀλλ᾽ ἔστιν ἃ καὶ συνορᾷν δυναμένῳ τῶν
πολλῶν ἄμεινον, καὶ θαρροῦντι μὲν ἃ θαρρεῖν ἄξιον,

8 ὕστερον DP (ς sup. l. C) ‖ τὸν ἀδελφὸν A ‖ 15 τῶν om. DP ‖ τοῦ om. C ‖ καί² om. D ‖ 17 μέλεις A ‖ 18 ἡ ἰσχύς SPC ‖ 23 σε : γε D ‖ παντὸς καλοῦ C (καλοῦ παντὸς mg.) ‖ 25 νενουθέτηναι QBWP ‖ 29 πάντα codd. : πάντη Maur.

3. a. Cf. Job 26, 2-3 b. Cf. Matth. 7, 1; I Cor. 4, 5

vous ai placé plus haut que toute la vie? Mais je me plains de ce que vous soyez venu après le moment voulu! Comment se fait-il, ô le plus noble des amis et des alliés, que l'alliance vienne après la défaite et la retraite, que le pilote vienne après la tempête[1], et le remède après la cicatrisation? En tant que frère aimant, as-tu rougi de sa tyrannie? Ou bien, en tant qu'homme de pouvoir, es-tu fâché par ma désobéissance? Lequel de tes deux frères blâmes-tu? Quel est celui que tu exemptes de reproche? Je te dirai l'une des paroles de Job, puisque je suis affligé moi aussi et parle à un ami, même s'il n'est pas semblable et qu'il ne s'agisse pas des mêmes souffrances. Auquel des deux te rallies-tu? Lequel vas-tu secourir? Ne serait-ce donc pas celui qui a la plus grande puissance? Ne serait-ce pas celui qui a la plus grande sagesse et la plus grande science[a]? Je vois en effet agir de la sorte beaucoup de juges de notre temps qui pardonnent plus facilement les plus graves choses aux hommes éminents que les plus légères aux humbles[2]. Tu devrais toi-même le savoir. Car il ne m'appartient pas de faire voir en toi ce qui n'est pas bien, toi que je tiens pour le modèle et la règle de tout bien. Et, de plus, l'Écriture m'a appris à ne pas être prompt à juger[b].

Pour ma part, je suis prêt à rendre compte, à toi et à tous ceux qui le voudraient par amitié, soit de ma désobéissance, comme d'aucuns veulent l'appeler, soit de ce que je crois être ma prévoyance et ma sécurité, afin que tu ne croies pas avoir comme ami un homme complètement insensé et ignorant, mais un homme capable de juger de certaines choses mieux que la plupart, d'oser

1. Cf. *D.* 9, 4; 10, 1.

2. Cf. *Job.* 26, 2-3. Cf. *D.* 32, 14. Sur le thème de la justice dans l'œuvre de Grégoire, voir COULIE, *Richesses*, p. 86-90.

φοβουμένῳ δὲ οὗ ἐστι φόβος καὶ ἃ μηδὲ φοβεῖσθαι τοῖς νοῦν ἔχουσι φοβερώτερον.

4. Τί οὖν δοκεῖ, καὶ τί βέλτιον; Νῦν ὑπόσχωμεν τὰς εὐθύνας ὑμῖν, τοῦτο κελεύετε καὶ οὐκ ἀποδοκιμάζετε τὸν καιρόν; Ὃ δέ ἐστι πανήγυρις, ἀλλ᾽ οὐ δικαστήριον. Ἢ
C τοῦτο μὲν εἰς ἄλλον καιρὸν καὶ σύλλογον ἀποθώμεθα; Καὶ
5 γάρ ἐστι μακρότερος ἢ κατὰ τὸν παρόντα καιρὸν ὁ λόγος.

Ἡμεῖς δὲ τί φθεγξόμεθα πρὸς ὑμᾶς τῆς πανηγύρεως ἄξιον, ἵνα μὴ νήστεις ὑμᾶς ἀπολύσωμεν αὐτοί, καὶ ταῦτα ὄντες οἱ ἑστιάτορες;

Ἁγνίσωμεν ἡμᾶς αὐτούς, ἀδελφοί, τοῖς μάρτυσι· μᾶλλον
10 δὲ ᾧ κἀκεῖνοι δι᾽ αἵματος καὶ τῆς ἀληθείας ἡγνίσθησαν. Ἐλευθερωθῶμεν «παντὸς μολυσμοῦ σαρκὸς καὶ πνεύματος[a]»· νιψώμεθα, καθαροὶ γενώμεθα[b], παραστήσωμεν καὶ αὐτοὶ «τὰ σώματα ἡμῶν» καὶ τὰς ψυχάς, «θυσίαν ζῶσαν, ἁγίαν, εὐάρεστον τῷ Θεῷ, τὴν λογικὴν» ἡμῶν
15 ἔντευξιν[c]. Οὐδὲν γὰρ οὕτω τῷ καθαρῷ τίμιον, ὡς καθαρότης ἢ κάθαρσις. Ἀθλήσωμεν διὰ τοὺς ἀθλητάς, νική-
D σωμεν διὰ τοὺς νικητάς, μαρτυρήσωμεν τῇ ἀληθείᾳ διὰ

32 μηδὲ : μὴ BVTP^{pc}
4, 2 ὑμῖν om. C ‖ κελεύεται D ‖ ἀποδοκιμάζεται D ‖ 6 φθεγξώμεθα C ‖ 9 rasura ante αὐτούς D (ἑ?) ‖ τοῖς μάρτυσιν ἀδελφοὶ D ‖ 10 ἡγνισθεῖσα D ‖ 14 τῷ θεῷ om. S ‖ 14-15 λογικὴν ἡμῶν ἔντευξιν : λογικὴν λατρείαν ταύτην ἡμῶν ἔντευξιν D Maur. (qui add. καὶ ante ἔντευξιν) λογικὴν ἡμῶν ἔντευξιν καὶ λατρείαν PC ‖ 15 τῷ : τὸ W

4. a. II Cor. 7, 1 b. Cf. Is. 1, 16 c. Rom. 12, 1

1. Cette justification, développée *D.* 9, 1, 2, fait dire à SINKO, *De traditione*, p. 128, que le *D.* 9 est postérieur au *D.* 11.

2. Grégoire met ainsi fin de façon assez brutale à la partie de son discours destinée à Grégoire de Nysse et amorce un nouveau développement en forme d'exhortation adressée cette fois-ci aux fidèles : il concerne la fête des martyrs. Sur le terme πανηγυρίς, voir P. MARAVAL, *Lieux saints et pèlerinages d'Orient*, p. 214 et n. 2.

ce qu'il est digne d'oser, de craindre ce qu'il y a à craindre et que les hommes sensés doivent craindre le plus de ne pas craindre[1].

4. Qu'en semble-t-il donc et que vaut-il mieux? Allons-nous maintenant vous rendre les comptes que vous demandez sans en repousser le moment? Mais c'est une fête et non pas un tribunal! Ou bien n'allons-nous pas plutôt remettre cela à un autre moment et à une autre réunion? Mon discours en effet risquerait d'être plus long que ne le demande la circonstance présente[2]!

Mais à vous, que dirons-nous qui soit digne de cette fête afin de ne pas vous laisser partir à jeun, puisque c'est nous qui avons précisément à offrir le banquet[3]?

Frères, purifions-nous nous-mêmes grâce aux martyrs[4], ou plutôt à la façon dont ils se sont eux-mêmes purifiés par le sang et la vérité. Soyons libérés «de toute souillure de la chair et de l'esprit[a]»; lavons-nous, devenons purs[b]. Présentons, nous aussi, «nos corps» et nos âmes, «en sacrifice vivant, saint, agréable à Dieu[c]» selon le culte spirituel qui est le nôtre. Rien en effet n'a plus de valeur pour celui qui est pur que la pureté, ou la purification. Soyons des athlètes avec l'aide des athlètes. Obtenons la victoire avec l'aide des vainqueurs[5]. Soyons des martyrs

3. Les mêmes réflexions, accompagnées des mêmes images, se lisent *D.* 38, 4-6, à propos de la fête de la Nativité : «Voulez-vous, puisque je suis celui qui vous reçois (ἑστιάτωρ), que je serve aux convives que vous êtes un discours sur ce sujet avec toute l'abondance et la supériorité possibles? (chap. 6)». A Athènes, l'*estiator* est le citoyen assurant la liturgie de l'*estiasis* (c'est-à-dire l'organisation des banquets, principalement pour la célébration des grandes fêtes telles que les Panathénées ou les Dionysies); voir à ce sujet Pauline SCHMITT-PANTEL, *La cité au banquet. Histoire des repas publics dans les cités grecques* (Collection de l'École Française de Rome, 157), Rome 1992, p. 123-126; 271-273.

4. Sur la commémoration des martyrs, voir Introd. p. 96-97.

5. Ces images désignent habituellement les martyrs; cf. *D.* 32, 2, p. 86, n. 1.

τοὺς μάρτυρας. Τοῦτο τοῖς ἄθλοις αὐτῶν χαρισώμεθα, τὸ καὶ αὐτοὶ στεφανῖται γενέσθαι, καὶ τῆς αὐτῆς κληρονόμοι
20 δόξης, τῆς τε παρ' ἡμῶν αὐτοῖς ὑπαρχούσης καὶ τῆς ἐν οὐρανοῖς ἀποκειμένης, ἧς ὑπομνήματα καὶ χαρακτῆρες μικροί τινες τὰ ὁρώμενα. «Πρὸς τὰς ἀρχάς, πρὸς τὰς ἐξουσίας[d]» ἀγωνισώμεθα, πρὸς τοὺς ἀφανεῖς διώκτας τε καὶ τυράννους, «πρὸς τοὺς κοσμοκράτορας τοῦ σκότους
25 τούτου, πρὸς τὰ πνευματικὰ τῆς πονηρίας ἐν τοῖς ἐπουρανίοις[e]» καὶ περὶ τὰ οὐράνια, πρὸς τὸν ἔνδον καὶ ἐν ἡμῖν αὐτοῖς τὸν ἐν τοῖς πάθεσι πόλεμον, πρὸς τὰς καθ' ἑκάστην ἡμέραν τῶν ἔξωθεν συμπιπτόντων ἐπαναστάσεις.

B **5.** Ἐνέγκωμεν θυμὸν ὡς θηρίον καὶ γλῶσσαν ὡς τομὸν ξίφος καὶ ἡδονὴν ὡς πῦρ κατασβέσωμεν. Θώμεθα ταῖς ἀκοαῖς θύρας, καλῶς ἀνοιγομένας καὶ κλειομένας· καὶ τὸν ὀφθαλμὸν σωφρονίσωμεν· παιδαγωγήσωμεν ἁφὴν λυσσῶσαν
5 καὶ γεῦσιν σπαράττουσαν, μὴ «θάνατος ἀναβῇ διὰ τῶν θυρίδων ἡμῶν[a]» – οὕτω γὰρ ἡγοῦμαι καλεῖσθαι τὰ αἰσθητήρια – καὶ γέλωτος ἀμετρίας καταγελάσωμεν. Μὴ κάμψωμεν γόνυ τῇ Βαὰλ[b] διὰ τὴν χρείαν, μηδὲ διὰ φόβον «τῇ εἰκόνι τῇ χρυσῇ[c]» προσκυνήσωμεν. Ἓν φοβηθῶμεν μόνον
10 τὸ φοβηθῆναί τι Θεοῦ πλέον καὶ καθυβρίσαι τὴν εἰκόνα[d] διὰ κακίας. «Ἐν πᾶσι τὸν θυρεὸν τῆς πίστεως ἀναλάβωμεν καὶ πάντα τὰ βέλη τοῦ Πονηροῦ[e]» διαφύγωμεν. Καὶ οὗτος

20 τε sup. l. T ‖ ὑπαρχούσης αὐτοῖς C Maur. ‖ τῆς : τοῖς T ‖ 21 ἀποκειμένοις D ‖ 23 πρὸς om. AQWVTS ‖ 24 σκότους τοῦ αἰῶνος BD Maur. ‖ 26 rasura ante οὐράνια D ‖ 27 αὐτοῖς πόλεμον τὸν ἐν τοῖς πάθεσιν D

5, 1 τομὸν : δίστομον S mg. DP^{ac}C ‖ 6 ἡμῶν om. D P (add. mg.) C ‖ 7 ἀμετρίαν TC

d. Éphés. 6, 12 e. *Ibid.*

5. a. Jér. 9, 20 b. Cf. Rom. 11, 4; III Rois 19, 18 c. Dan. 3, 18 d. Cf. Gen. 1, 26-27 e. Éphés. 6, 16

pour la vérité avec l'aide des martyrs. Faisons-leur la faveur d'être nous aussi, grâce à leurs combats, des vainqueurs couronnés, d'hériter la même gloire, celle qu'ils reçoivent de nous, comme celle qui leur est réservée dans les cieux, et dont on ne peut voir que des traces et de faibles signes. Luttons «contre les pouvoirs, contre les autorités[d]», contre les persécuteurs invisibles et les tyrans, «contre les maîtres de ce monde de ténèbres, contre les esprits du mal qui sont dans les régions célestes[e]» et autour d'elles, contre la lutte interne et, en nous-mêmes, dans les passions, contre les assauts quotidiens de ce qui arrive de l'extérieur[1].

5. Résistons à la colère comme à une bête sauvage, à la langue comme à une épée tranchante, et éteignons le plaisir comme un feu. Plaçons des portes à nos oreilles pour les ouvrir et les fermer à bon escient. Et maîtrisons notre regard, corrigeons notre toucher enragé et notre goût dévorant[2], pour que «la mort ne monte pas par nos fenêtres[a]» – car c'est ainsi, je crois, qu'on nomme les sens[3] –. Rions de la démesure du rire[4], ne fléchissons pas les genoux devant Baal[b] à cause de la pauvreté, et ne nous prosternons pas à cause de la crainte «devant la statue d'or[c]». Craignons seulement de craindre qui que ce soit plus que Dieu et d'outrager l'image[d] à cause du vice[5]. «Pour tout, prenons en main le bouclier de la foi et, tous les traits du Malin, évitons-les[e].» Voilà

1. Cf. *D.* 6, 6.
2. Cf. *D.* 8, 13 : les plaisirs sont comparés à «un chien enragé et dévorant».
3. Cf. par ex., à propos de la garde des sens, *D.* 38, 4-5; 44, 6; *Poèmes* II, I, 45, v. 46 s.. Sur ce thème chez Grégoire de Nazianze, voir SZYMUSIAK, *Éléments*, p. 45-46; cf. M. HARL, «La dénonciation...», p. 143, n. 32.
4. Cf. *D.* 6, 2; 8, 9.
5. Cf. *D.* 8, 10.

δεινὸς ὁ πόλεμος, καὶ αὕτη παράταξις μεγάλη, καὶ τοῦτο
C μέγα τρόπαιον. Εἰ οὕτως συνεληλύθαμεν ἢ συντρέχομεν,
15 ὄντως κατὰ Χριστὸν ἡ πανήγυρις, ὄντως τοὺς μάρτυρας
τετιμήκαμεν ἢ τιμήσομεν, ὄντως χορεύομεν ἐπινίκια.

Εἰ δὲ γαστρὸς ἡδοναῖς χαριούμενοι, καὶ τρυφήσοντες
πρόσκαιρα, καὶ εἰσοίσοντες τὰ κενούμενα, καὶ κραιπάλης
χωρία ταῦτα, οὐ σωφροσύνης ὑπολαμβάνοντες, καὶ
20 πραγματείων καιροὺς καὶ πραγμάτων, ἀλλ' οὐκ ἀναβάσεως
καὶ θεώσεως, ἵν' οὕτως εἰπεῖν τολμήσω, ἧς οἱ μάρτυρες
μεσιτεύουσι, πρῶτον μὲν οὐδὲ τὸν καιρὸν ἐπιγινώσκω. Τί
γὰρ τὰ ἄχυρα πρὸς τὸν σῖτον; Τί δὲ θρύψις σαρκὸς πρὸς
μαρτύρων παλαίσματα; Ἐκεῖνα τῶν θεάτρων, ταῦτα τῶν
25 ἐμῶν συλλόγων, ἐκεῖνα τῶν ἀκολάστων, ταῦτα τῶν σωφρο-
νούντων, ἐκεῖνα τῶν φιλοσάρκων, ταῦτα τῶν λυομένων ἀπὸ
D τοῦ σώματος. Ἔπειτα βούλομαι μὲν εἰπεῖν τι καὶ
τολμηρότερον, φείδομαι δὲ τῆς βλασφημίας αἰδοῖ τῆς
839 A ἡμέρας· πλὴν οὐ ταῦτα παρ' ἡμῶν ἀπαιτοῦσιν οἱ μάρτυρες·
30 οὕτω γὰρ εἰπεῖν μετριώτερον.

14 τὸ τρόπαιον DC || 14 ἢ : καὶ D || συντρέχωμεν A[ac]B || 16 τιμήσωμεν TS[pc]DC || ὄντως χορεύομεν ἐπινίκια S mg. || χορεύωμεν A[ac] || 17 χαριούμενοι : α sup. l. S || 18 καὶ εἰσοίοντες τὰ κενούμενα S mg. || 19 ταῦτα χωρία DC || 20 καιροὺς sup. l. D || πραγματιῶν AW || 21 καὶ : ἢ QV D Maur. || 22 τὸν : τὸ W[pc] || 23 δὲ : δαὶ V || 24 παλαίσματα : αι sup. l. W || 26 ἀπὸ om. B || 28 φείσομαι S || 29 παρ' ἡμῶν om. S || ἀπαιτοῦσι παρ' ἡμῶν Maur. || παρ' ἡμῶν αἰτοῦσιν B

---

1. Cf. *D.* 6, 6; 8, 13. Voir une description des abus de la table lors d'une fête *D.* 38, 5.

2. Cf. *Épigr.* 166 : «Comment peux-tu, toi, apporter en présents aux martyrs de l'argenterie, du vin, des aliments, des hoquets? Est-on juste parce qu'on emplit des sacs?»; cf. aussi BASILE, *GR* 19 (*PG* 31, col. 968).

3. Cf. *D.* 14, 23. Voir J. GROSS, *La divinisation du chrétien d'après les Pères grecs. Contribution historique à la doctrine de la grâce*, Paris 1938 (à propos de Grégoire de Nazianze, p. 244-250) : «Plus d'une fois, Grégoire s'excuse de la hardiesse de son langage pour bien marquer que, même déifié, l'homme ne saurait jamais franchir la barrière qui le

un terrible combat, voilà une grande bataille, voilà un grand trophée. Si nous nous allions et si nous nous assemblons ainsi, cette fête est vraiment une fête selon le Christ, nous aurons honoré ou honorerons vraiment les martyrs, nous chantons en chœur vraiment des chants de victoire.

Mais si nous nous complaisons dans les plaisirs du ventre [1], si nous faisons nos délices de ce qui est provisoire, si nous remplissons ce qui se vide [2], si nous considérons ces lieux comme ceux de l'ivrognerie et non comme ceux de la tempérance, et ces moments comme ceux du commerce et des affaires, et non comme des occasions de progression et, pour oser parler ainsi, de divinisation [3], dont les martyrs sont les médiateurs [4], d'abord je n'approuve pas le choix de ce moment. Qu'est-ce que la paille en effet en comparaison du blé? Qu'est-ce que la mollesse de la chair en comparaison des luttes des martyrs? Celles-là conviennent aux théâtres, celles-ci à mes assemblées; celles-là aux intempérants, celles-ci aux sobres; celles-là conviennent à ceux qui aiment la chair, celles-ci à ceux qui se détachent du corps. Ensuite, je voudrais dire quelque chose de plus hardi encore, mais je m'abstiens de médisance par respect de ce jour [5]. Je dirai seulement que les martyrs ne réclament pas cela de nous, pour parler en effet de façon assez mesurée.

sépare de la Trinité» (p. 249); cf. *D.* 23, 11. Voir aussi *D.* 7, 22-23, sur la divinisation.

4. Sur la croyance à l'intercession des martyrs, voir P. DELEHAYE, *Les origines du culte des martyrs* (Subsidia Hagiographica, 20), Bruxelles 1933, p. 111.

5. On retrouve *D.* 9, 1; 12, 2, cette précaution oratoire (le refus de la βλασφημία), qui suggère que des propos plus vigoureux pourraient être tenus. Grégoire s'exprime plus crûment dans les *Épigrammes* consacrés à l'intempérance lors des fêtes des martyrs (*Épigr.* 166, 167, 168, 169, 172, 175).

6. Μὴ τοίνυν ἀνάγνως τελῶμεν, ἀδελφοί, τὰ ἅγια, μηδὲ τὰ ὑψηλὰ ταπεινῶς, μηδ᾽ ἀτίμως τὰ τίμια, μηδέ, συνελόντα εἰπεῖν, χοϊκῶς τὰ τοῦ πνεύματος. Πανηγυρίζει καὶ Ἰουδαῖος, ἀλλὰ κατὰ τὸ γράμμα· ἑορτάζει καὶ Ἕλλην, 5 ἀλλ᾽ ὡς ἀρέσκει τοῖς δαίμοσιν. Ἡμῖν δέ, ὡς πάντα πνευματικά, πρᾶξις, κίνημα, βούλημα, λόγος, ἄχρι καὶ βαδίσματος καὶ ἐνδύματος, ἄχρι καὶ νεύματος – εἰς πάντα τοῦ λόγου φθάνοντος καὶ ῥυθμίζοντος τὸν κατὰ Θεὸν B ἄνθρωπον –, οὕτω καὶ τὸ πανηγυρίζειν, καὶ τὸ φαιδρύνεσθαι. 10 Οὐ γὰρ κωλύω τὴν ἄνεσιν, ἀλλὰ κολάζω τὴν ἀμετρίαν. Ἂν οὕτω συνιῶμεν, καὶ οὕτω πανηγυρίζωμεν, μέγα μέν, ὅτι καὶ αὐτοὶ τευξόμεθα τῶν αὐτῶν ἄθλων, εἰπεῖν, καὶ τῆς αὐτῆς δόξης κληρονομήσομεν. Ἃ γὰρ οὔτε ὀφθαλμὸς εἶδεν οὔτε οὖς ἤκουσεν[a] οὔτε ἀνθρώπινός ποτε νοῦς ἀνετυ-15 πώσατο, κατ᾽ ἐξουσίαν πλάττων μακαριότητα, ταῦτα νομίζομεν ἀποκεῖσθαι τοῖς καθηραμένοις δι᾽ αἵματος καὶ τὴν Χριστοῦ θυσίαν μιμησαμένοις· ἀλλὰ τήν γε λαμπρότητα τῶν ἁγίων μαρτύρων ὀψόμεθα – οὐδὲ γὰρ τοῦτο μικρόν, ὡς ὁ ἐμὸς λόγος –, καὶ εἰς τὴν χαρὰν τοῦ αὐτοῦ Κυρίου 20 εἰσελευσόμεθα, καὶ τῷ φωτὶ τῆς μακαρίας καὶ ἀρχικῆς Τριάδος εὖ οἶδ᾽ ὅτι ἐλλαμφθησόμεθα τρανότερόν τε καὶ C καθαρώτερον, εἰς ἣν πεπιστεύκαμεν, καὶ ἣ λατρεύομεν, καὶ

6, 7 καὶ ἐνδύματος ἄχρι καὶ νεύματος D mg. ‖ 9 οὕτω καὶ τὸ πανηγυρίζειν : οὕτως ἔνθεον ἔστω καὶ τὸ πανηγυρίζειν DPC ‖ 12 τευξώμεθα D ‖ 15-16 νομίζωμεν AB ‖ 17 θυσίαν Χριστοῦ V ‖ 19 αὐτοῦ : αὐτῶν PC ‖ 20 τῷ om. Q^{ac} ‖ 21 ἐλλαμφθησώμεθα D ‖ τρανώτερον ADS ‖ 22 καὶ ἣ λατρεύομεν om. AQBWVTS ‖ λατρεύωμεν D

6. a. Cf. Is. 64, 3; I Cor. 2, 9

1. Le *TLG* ne donne pas d'autre attestation de l'adverbe χοϊκῶς, formé sur l'adjectif χοϊκός, que l'on trouve dans I *Cor.* 15, 37.

2. Cf. *D.* 41, 1; cf. *D.* 32, 1 : discours prononcé lors d'une fête des martyrs, jour de marché à Constantinople; cf. aussi *D.* 38, 4; 38, 4, 6; *Épigr.* 175. Sur cette réserve concernant les fêtes des juifs et celles des Grecs, voir M. Harl, «La dénonciation ...», p. 127 et 141, n. 18-20.

6. N'accomplissons donc pas, mes frères, de façon impure ce qui est saint, ni bassement ce qui est élevé, ni sans honneur ce qui est honorable, ni, pour parler brièvement, de façon terrestre[1] ce qui concerne l'esprit. Le juif aussi célèbre des fêtes, mais selon la lettre ; le Grec lui aussi festoie, mais pour être agréable aux démons[2]. Mais puisque tout, pour nous, est spirituel, l'action, le mouvement, la volonté, la parole, jusqu'à la démarche et au vêtement, et jusqu'au signe de tête – car la raison prévient tout et dirige l'homme qui vit selon Dieu –, de même la célébration des fêtes et la réjouissance le sont ! En effet, je n'empêche pas la détente, mais je blâme la démesure[3]. Si c'est ainsi que nous nous réunissons, si c'est ainsi que nous sommes en fête, cela est important, parce que, nous obtiendrons à notre tour les mêmes prix, c'est-à-dire que nous serons héritiers de la même gloire[4]. En effet, ce que l'œil n'a pas vu, ce que l'oreille n'a pas entendu[a], ce que jamais un esprit humain ne s'est représenté, imaginant la félicité comme il le peut, nous pensons que cela est réservé à ceux qui se sont purifiés par le sang et qui ont imité le sacrifice du Christ. Mais nous verrons du moins la splendeur des saints martyrs – car cela n'est pas de peu d'importance à mon avis –, nous parviendrons à la joie du Seigneur même et, je le sais bien, nous recevrons une illumination plus claire et plus pure de la Trinité bienheureuse et souveraine en qui nous mettons notre foi, dont nous sommes les serviteurs, et que nous confessons devant Dieu et les hommes, en n'ayant peur de rien, en n'ayant

L'auteur met en parallèle ce refus avec celui des deux grandes hérésies (cf. *D.* 38, 4 : on ne doit ni ἰουδαΐζειν ni ἑλληνίζειν).

3. Cf. *D.* 6, 2, l'équilibre entre κατήφεια et ἄνεσις, une caractéristique de l'ascèse monastique.

4. Cf. chap. 4.

ἣν ὁμολογοῦμεν ἔμπροσθεν Θεοῦ καὶ ἀνθρώπων, μηδὲν δεδοικότες, μηδὲν αἰσχυνόμενοι, μὴ τοὺς ἔξωθεν ἐχθρούς,
25 μὴ τοὺς ἐν ἡμῖν αὐτοῖς ψευδοχρίστους[b] καὶ πολεμίους τοῦ Πνεύματος. Καὶ ὁμολογοίημεν μέχρι τῆς ἐσχάτης ἀναπνοῆς ἐν πολλῇ παρρησίᾳ τὴν καλὴν παρακαταθήκην τῶν ἁγίων Πατέρων, τῶν ἐγγυτέρω Χριστοῦ καὶ τῆς πρώτης πίστεως, τὴν σύντροφον ἡμῖν ἐκ παίδων ὁμολογίαν, ἣν πρώτην
30 ἐφθεγξάμεθα καὶ ᾗ τελευταῖον συναπέλθομεν, τοῦτο, εἰ μή τι ἄλλο, ἐντεῦθεν ἀποφερόμενοι τὴν εὐσέβειαν.

D **7.** Ὁ δὲ Θεὸς τῆς εἰρήνης, ὁ καταλλάξας ἡμᾶς ἑαυτῷ διὰ τοῦ σταυροῦ[a], διὰ τῆς ἁμαρτίας πολεμωθέντας· ὁ εὐαγγελισάμενος εἰρήνην τοῖς ἐγγὺς καὶ τοῖς μακράν[b], τοῖς
841 A τε ὑπὸ νόμον καὶ τοῖς ἔξω νόμου· ὁ τῆς ἀγάπης πατήρ,
5 ἡ Ἀγάπη[c] – ταῦτα γὰρ πρὸ τῶν ἄλλων χαίρει καλούμενος, ἵνα νομοθετήσῃ καὶ τοῖς ὀνόμασι τὸ φιλάδελφον –, ὁ τὴν καινὴν ἐντολὴν δοὺς ἐν τῷ τοσοῦτον ἀγαπᾶν ἀλλήλους[d] ὅσον καὶ ἠγαπήμεθα· ὁ δοὺς καὶ τυραννεῖν καλῶς καὶ τυραννεῖσθαι διὰ τὸν φόβον, καὶ ἀναδύεσθαι σὺν λόγῳ καὶ
10 θαρρεῖν πάλιν διὰ τὸν λόγον· ὁ καὶ τὰ μεγάλα ποίμνια καταρτίζων καὶ τὰ μικρὰ μεγαλύνων διὰ τῆς χάριτος, αὐτός, κατὰ τὸ πλῆθος τῆς ἑαυτοῦ χρηστότητος, ἡμᾶς μὲν

24 μηδένα AVT^{pc}S ‖ 25 μὴ : μηδὲ AQWV ‖ 26 ὁμολογοίημέν γε DP ‖ 29 παίδων : παιδὸς DP ‖ πρώτην om. S ‖ 31 τοῦτο om. S
7, 3-4 -σάμενος – ὑπὸ del. S ‖ 3 εἰρήνην τοῖς μακρὰν καὶ τοῖς ἐγγύς T ‖ 5 ἀγαπή : ἀναγκὴ S ‖ 7 ἐν τῷ : ἐπὶ DP ἐπὶ τὸ C ‖ 9 σὺν λόγῳ : συλλόγῳ W^{pc} ut uid. D ‖ 13 αὐτοῦ DP ‖ ἡμᾶς : S sup. l. D ‖ μὲν : τε BC

---

b. Cf. Matth. 24, 24
7. a. Cf. II Cor. 5, 18 b. Cf. Éphés. 2, 17; Is. 57, 19 c. Cf. I Jn 4, 8, 16 d. Cf. Jn 13, 34

---

1. Les «ennemis du dehors» sont les païens (cf. *D.* 32, 4); le mot **ψευδόχριστος** est appliqué à Valens *D.* 42, 3.

honte de rien, ni des ennemis du dehors, ni parmi nous-mêmes des faux Christ[b1] et de ceux qui combattent l'Esprit[2]. Et puissions-nous confesser jusqu'au dernier souffle en toute confiance le beau dépôt des saints Pères, les plus proches du Christ et de la première foi, cette confession qui nous a nourris dès l'enfance, la première que nous avons prononcée et la dernière avec laquelle nous devons partir, en emportant d'ici, plus que tout autre chose, la vraie piété[3].

7. Le Dieu de paix, celui qui nous a réconciliés en lui-même par la croix[a], nous qui nous querellions à cause du péché; celui qui a annoncé la paix à ceux qui sont près et à ceux qui sont loin[b], à ceux qui sont soumis à la loi et à ceux qui sont hors de la loi; le père de l'amour, l'Amour[c] – c'est en effet l'appellation qu'il préfère entre toutes[4], afin que l'amour fraternel soit établi aussi par des noms –, celui qui a donné ce nouveau commandement qui est de s'aimer les uns les autres[d] autant que nous sommes aimés; celui qui a permis de gouverner comme il convient et d'être gouvernés grâce à la crainte, de nous retirer avec raison et d'avoir de nouveau confiance grâce à la raison; celui qui conduit à la perfection les grands troupeaux et grandit les petits par la grâce, puisse-t-il lui-même, dans l'étendue de sa propre

2. Les «pneumatomaques», qui ne reconnaissent pas la divinité de l'Esprit. Dans le *D.* 31, consacré à l'Esprit-Saint (le plus important des *Discours théologiques*), Grégoire examine les objections des adversaires de la divinité de l'Esprit; voir *SC* 250, Introd. p. 51-56 de M. JOURJON. *D.* 12, 6, Grégoire proclame cette divinité.

3. «Le beau dépôt des saints Pères» désigne la profession de foi de Nicée (19 juin 325); cf. *D.* 6, 22 et allusion 6, 10. Le mot εὐσέβεια a probablement ici le sens d'orthodoxie.

4. Cf. *D* 6, 3 et n. 21.

παρακαλέσαι παρακλήσει[e] πολλῇ, καὶ εἰς τὰ ἔμπροσθεν ἄγοι συμποιμαίνων καὶ διασῴζων τὸ ποίμνιον.

15 Ὑμᾶς δὲ καταρτίσειεν εἰς πᾶν ἔργον ἀγαθόν[f], καὶ πνευματικῶς πανηγυρίζειν τοῖς μάρτυσι πείσειε, καὶ τῆς ἐκεῖθεν B τρυφῆς καταξιώσειεν ἔνθα « πάντων εὐφραινομένων ἡ κατοικία[g] », καὶ ὀφθέντας ἐν δικαιοσύνῃ[h] τῆς ἑαυτοῦ δόξης κορέσειεν ἐποφθείσης ἐν Χριστῷ Ἰησοῦ τῷ Κυρίῳ ἡμῶν ᾧ ἡ δόξα. Ἀμήν.

13 τὰ : τὸ P ‖ 17 εὐφραινομένων : -με om. D ‖ 19 τῷ Κυρίῳ ἡμῶν ᾧ ἡ δόξα om. AQBWVTS καὶ τὸ κράτος, ἡ τιμὴ καὶ ἡ προσκύνησις εἰς τοὺς αἰῶνας τῶν αἰώνων add. Maur. post δόξα

bonté, nous apporter son grand réconfort[e] et nous conduire à l'avenir en nous aidant à faire paître le troupeau et à le garder intact.

Quant à vous, puisse-t-il vous conduire à la perfection en vue de toute bonne œuvre[f] et vous exhorter à célébrer spirituellement la fête des martyrs, puisse-t-il vous juger dignes des délices de ce lieu où se trouve « le séjour de tous ceux qui se réjouissent[g] », et vous rassasier, en étant vus dans la justice[h], de sa propre gloire aperçue dans le Christ Jésus notre Seigneur à qui est la gloire. Amen.

e. Cf. II Cor. 1, 4 f. Cf. Phil. 1, 6 g. Ps. 86, 7 h. Cf. Ps. 16, 15

844 A

Εἰς ἑαυτὸν καὶ τὸν πατέρα ἡνίκα ἐπέτρεψεν αὐτῷ φροντίζειν τῆς Ναζιανζοῦ Ἐκκλησίας

1. «Τὸ στόμα μου ἤνοιξα, καὶ εἵλκυσα πνεῦμα[a]», καὶ δίδωμι τὰ ἐμαυτοῦ πάντα καὶ ἐμαυτὸν τῷ Πνεύματι καὶ πρᾶξιν καὶ λόγον καὶ ἀπραξίαν καὶ σιωπήν· μόνον ἐχέτω με καὶ ἀγέτω καὶ χεῖρα καὶ νοῦν καὶ γλῶσσαν ἐφ' ἃ δεῖ
5 καὶ ἃ βούλεται· καὶ ἀπαγέτω πάλιν ἀφ' ὧν δεῖ καὶ ὧν ἄμεινον. Ὄργανόν εἰμι θεῖον, ὄργανον λογικόν, ὄργανον καλῷ τεχνίτῃ τῷ Πνεύματι ἁρμοζόμενον καὶ κρουόμενον. Χθὲς ἐνήργει τὴν σιωπήν; Τὸ μὴ λέγειν ἐφιλοσόφουν. Σήμερον κρούει τὸν νοῦν; Ἠχήσω τὸν λόγον καὶ φιλο-
10 σοφήσω τὸ φθέγγεσθαι. Καὶ οὔτε λάλος οὕτως εἰμὶ ὡς λέγειν ἐπιθυμεῖν, τὸ σιωπᾶν ἐνεργούμενος· οὔτε σιωπηλὸς
B οὕτω καὶ ἀμαθὴς ὡς ἐν καιρῷ λόγου τιθέναι φυλακὴν τοῖς

Titulus εἰς ἑαυτὸν καὶ τὸν πατέρα ἡνίκα ἐπέτρεψεν αὐτῷ φροντίζειν τῆς Ναζιανζοῦ ἐκκλησίας DP : εἰς ἑαυτὸν καὶ τὸν γέροντα AQW τοῦ αὐτοῦ εἰς ἑαυτὸν καὶ τὸν γέροντα V εἰς ἑαυτὸν καὶ εἰς τὸν γέροντα T τοῦ αὐτοῦ εἰς ἑαυτὸν καὶ τὸν πατέρα ἡνίκα ἐπέτρεψεν αὐτῷ φροντίζειν τῆς Ναζιανζοῦ ἐκκλησίας C εἰς τὸν πατέρα ἑαυτοῦ ἡνίκ' ἐπέτρεψεν αὐτὸν φροντίζειν τῆς Ναζιανζοῦ ἐκκλησίας Maur. del. B S

1, 4 καὶ κινείτω add. ante καὶ χεῖρα B^pc C Maur. non legimus P || 5 ἃ om. A Maur.

---

1. a. Ps. 118, 131

DISCOURS 12

A propos de lui-même et de son père, quand il lui confia la charge de l'Église de Nazianze

1. «J'ai ouvert la bouche et attiré l'esprit[a]», et je donne tout ce qui m'appartient, ainsi que moi-même, à l'Esprit, action et parole, inaction et silence[1]. Qu'il me possède, et conduise ma main, ma pensée, ma langue seulement là où je dois aller et où il veut que j'aille, et qu'il m'éloigne au contraire d'où je dois m'éloigner et d'où il vaut mieux que je m'éloigne. Je suis un instrument de Dieu, un instrument du Verbe, un instrument qu'accorde et dont joue, en bon artisan, l'Esprit[2]. Hier il suscitait le silence? Je m'appliquais à ne pas parler. Aujourd'hui, il frappe ma pensée? Puissé-je faire résonner la parole et m'appliquer à parler! Certes, je ne suis ni assez bavard pour désirer parler quand je suis poussé au silence, ni assez silencieux ou stupide au point de mettre une garde

1. Placé sous le signe de l'Esprit, ce discours témoigne de l'acceptation totale de la charge d'évêque par un homme qui n'est plus tiraillé entre ses diverses aspirations, mais qui les a réunifiées. Les images musicales contenues dans les lignes suivantes (ὄργανον, ἁρμόζω, κρούω) permettent d'exprimer cette harmonie (cf. Platon, *Lys.*, 209 b); cf. *D.* 2, 39; cf. aussi *D.* 9, 2, la réflexion sur la discordance.

2. Le mot τεχνίτης est plus habituellement appliqué au Verbe; cf. *D.* 6, 14; 7, 24; 8, 8.

χείλεσιν[b]· ἀλλὰ καὶ κλείω καὶ ἀνοίγω τὴν ἐμὴν θύραν Νῷ καὶ Λόγῳ καὶ Πνεύματι, τῇ μιᾷ συμφυΐᾳ τε καὶ
15 θεότητι.

2. Φτέγξομαι μὲν οὖν, ἐπειδὴ τοῦτο κελεύομαι, φθέγξομαι δὲ πρός τε τὸν ἀγαθὸν τοῦτον ποιμένα καὶ τὴν ἱερὰν ποίμνην ὑμᾶς ἅ μοι δοκεῖ βέλτιον εἶναι ἐμέ τε εἰπεῖν καὶ ὑμᾶς ἀκοῦσαι σήμερον.

5 Τί ὅτι τοῦ συμποιμαίνοντος ἐδεήθης; Ἀπὸ σοῦ γὰρ ὁ λόγος ἄρξεται, ὦ φίλη καὶ τιμία μοι κεφαλή, καὶ τῆς Ἀαρὼν ἐκείνης ἀξία, καθ᾽ ἧς στάζει τὸ πνευματικόν τε καὶ ἱερατικὸν ἐκεῖνο μύρον ἄχρι πώγωνος καὶ ἐνδύματος[a].
C Τί ὅτι πολλοὺς στηρίζειν ἔτι καὶ χειραγωγεῖν δυνάμενος,
10 καὶ μέντοι καὶ χειραγωγῶν ἐν τῇ ἰσχύϊ τοῦ Πνεύματος, βακτηρίαν ὑποβάλλῃ τοῖς πνευματικοῖς ἔργοις καὶ ἔρεισμα; Ἢ τοῦτο εἰδὼς καὶ ἀκούων ὅτι καὶ μετὰ Ἀαρὼν ἐκείνου τοῦ πάνυ ἐχρίσθησαν Ἐλεάζαρ καὶ Ἰθάμαρ «οἱ υἱοὶ
845 A Ἀαρών[b]» – τὸν γὰρ Ναδὰβ καὶ Ἀβιοὺδ[c] ἑκὼν ὑπερβή-
15 σομαι δέει τῆς βλασφημίας –· καὶ Μωϋσῆς ἀνθ᾽ ἑαυτοῦ τὸν Ἰησοῦν ἀναδείκνυσιν ἔτι ζῶν ἀντὶ μονοθέτου καὶ στρατηγοῦ[d] τοῖς ἐπὶ τὴν «γῆν τῆς ἐπαγγελίας[e]» ἐπειγομένοις; Τὸ μὲν γὰρ τοῦ Ἀαρὼν καὶ τοῦ Ὢρ ὑποστηριζόντων τὰς χεῖρας Μωϋσέως ἐπὶ τοῦ ὄρους, ἵν᾽ ὁ

14 τε om. DC sup. l. P
2, 3-5 ποιμένα – συμποιμάνοντος eras. S ‖ 3 εἶναι om. V ‖ 6 μοι om. Q ‖ 9 ὅτι om. ABWTS ‖ 13 οἱ om. PC ‖ 14 τὸν Ἀβιοὺδ DP ‖ 15 ἀνθ᾽ αὑτοῦ D ‖ 17 τῆς : τοῖς V ‖ 18 καὶ ante τὸ add. Maur. ‖ τὸ : τοῦ C

b. Cf. Ps. 38, 2 ; Ps. 140, 3
2. a. Cf. Ps. 132, 2 b. Cf. Lév. 8, 1-13 ; cf. Ex. 6, 23 ; 28, 1 c. Lév. 10, 1 ; Cf. Ex. 6, 23 ; 28, 1 d. Cf. Nombr. 27, 18-23 e. Hébr. 11, 9

1. Cf. *D.* 6, 1.
2. Grégoire indique par là le rôle primordial de l'évêque : l'ensei-

à mes lèvres[b] au moment de la parole[1]. Mais je ferme et j'ouvre ma porte pour l'Intelligence, pour le Verbe et pour l'Esprit, pour la seule cohésion et la seule divinité[2].

2. Je parlerai donc, puisqu'on l'exige de moi, et je dirai à ce bon pasteur, puis à vous le saint troupeau, ce qu'il vaut mieux, selon moi, que je dise et que vous entendiez aujourd'hui.

Comment se fait-il que tu aies eu besoin de cet autre pasteur à tes côtés? Mon discours en effet commencera par toi, ô tête qui m'est chère et précieuse, digne d'être comparée à la tête même d'Aaron[3], d'où coule ce parfum spirituel et sacerdotal jusqu'à la barbe et au vêtement[a]! Pourquoi, alors que tu es encore capable de soutenir et de guider beaucoup d'hommes, et naturellement de les guider avec la force de l'Esprit, prendre un autre bâton comme soutien pour les actions spirituelles? Est-ce parce que tu sais et que tu entends dire qu'Éléazar et Ithamar, « les fils d'Aaron », ont aussi reçu l'onction après le fameux Aaron lui-même[b] – car je passerai volontairement sous silence Nadab et Abioud [c] par crainte de la calomnie[4] – et que Moïse, alors qu'il est encore vivant, proclame à sa place Josué comme législateur et conducteur [d] de ceux qui se hâtent vers « la terre de la promesse [e] »? En effet, l'exemple d'Aaron et de Hur soutenant les mains de Moïse

gnement de la doctrine trinitaire. Sur le mot συμφυΐα, voir *D.* 40, 41 (« c'est une cohésion infinie de trois infinis », et la note 1, *SC* 358, p. 294).

3. Aaron, modèle des prêtres, désigne ici Grégoire l'Ancien; cf. *D.* 7, 3; cf. *D.* 10, 4.

4. Fils d'Aaron, frères d'Éléazar et Ithamar, Nadab et Abioud avaient également été élevés au sacerdoce, mais punis de mort pour une faute commise dans leurs fonctions sacerdotales, un exemple que donne Grégoire avec plus de détails *D.* 2, 93. Symboles de désobéissance, ils représentent aussi Grégoire, ce qui explique la précaution oratoire représentée par la βλασφημία, comme dans le *D.* 9, chap. 1; cf. *D.* 11, 5.

20 Ἀμαλὴκ καταπολεμηθῇ[f] τῷ σταυρῷ πόρρωθεν σκιαγραφουμένῳ καὶ τυπουμένῳ, δοκεῖ μοι παρήσειν ἑκών, ὡς οὐ σφόδρα οἰκεῖον ἡμῖν καὶ πρόσφορον· οὐ γὰρ συννομοθέτας ἡρεῖτο τούτους Μωϋσῆς, ἀλλ' εὐχῆς βοηθοὺς καὶ καμάτου χειρῶν ἐρείσματα.

B **3.** Σοὶ δὲ τί πάσχει, τί κάμνει; Τὸ σῶμα; Ὑποστηρίζειν ἕτοιμος, ἀλλὰ καὶ ὑπεστήριξα καὶ ἐστηρίχθην, ὡς ὁ Ἰακὼβ ἐκεῖνος, πρατρικαῖς εὐλογίαις[a]. Ἀλλὰ τὸ πνεῦμα; Τίς ἰσχυρότερος καὶ θερμότερος, καὶ νῦν μάλιστα ὅσῳ τὰ τῆς 5 σαρκὸς ὑποβαίνει καὶ ὑπεξίσταται, ὥσπερ φωτὶ τὸ ἀντιφράττον καὶ ἀντικείμενον, καὶ κωλύον τὴν λαμπηδόνα; Φιλεῖ γὰρ ὡς τὰ πολλὰ ἀντιπολεμεῖν ταῦτα ἀλλήλοις καὶ ἀντικαθέζεσθαι· καὶ σῶμα μὲν εὐεκτεῖν, καμνούσης ψυχῆς, ψυχὴν δὲ θάλλειν καὶ ἄνω βλέπειν, τῶν ἡδονῶν ὑπο- 10 βαινουσῶν καὶ συναπομαραινομένων τῷ σώματι. Σοῦ δὲ καὶ ἄλλως ἐθαύμασα τὸ ἀρχαϊκὸν καὶ γενναῖον, πῶς οὐδὲ τοῦτο ἔδεισας – σφόδρα τῶν νῦν ὑπάρχον καιρῶν – μή σοι τὸ πνεῦμα πρόφασις νομισθῇ καὶ σαρκικῶς ταῦτα C λαμβάνειν δοκῶμεν τοῖς πολλοῖς, πνευματικῶς προσποιού- 15 μενοι. Ἐπειδὴ μέγα τὸ πρᾶγμα καὶ τυραννικόν, καὶ

21 δοκεῖ : δοκῶ Q^pc V T^pc (ω sup. l.) C || 23 ἡρεῖτο : ἡγεῖτο D
3, 1 τί κάμνει τί πάσχει C (~ mg.) || 2 ὁ sup. l. S B^pc || 5 τῷ φωτί PC || ἀντικαθίστασθαι S || 8 τῆς ψυχῆς V || 9 ψυχὴν : ψυχὴ BS || 11 ἀρχικὸν W^pc SPC || ras. ante οὐδὲ D || 12 ἔδεισας : ἐφοβήθης A mg. || ὑπάρχον : ὑπαρχόντων V || τῶν ... καιρῶν : τῷ ... καιρῷ ASP (ν sup. l.) C || 15 τὸ πρᾶγμα μέγα DPC

f. Cf. Ex. 17, 10-13
3. a Cf. Gen. 27, 28-29

1. Cf. *D.* 11, 2.
2. Cf. *D.* 11, 2. Les bras étendus de Moïse pendant que Josué combat (*Ex.* 17, 8-13), de même que son bâton faisant jaillir l'eau du rocher préfigurent la croix, comme Grégoire le dit explicitement *D.* 32, 16; voir M. OLPHE-GAILLARD, art. «Croix (mystère de la)», *DSp* 2, 1953,

sur la montagne pour qu'Amaleq[1] soit vaincu[f] par la croix esquissée et représentée de loin[2], je pense que je l'abandonnerai volontiers, considérant qu'il ne nous convient pas du tout et n'est pas adapté. Car Moïse ne choisissait pas ces hommes comme des législateurs associés à lui, mais comme des aides à la prière et des soutiens pour éviter la fatigue des mains[3].

3. Mais, en ce qui te concerne, qui souffre? Qui est malade? Le corps? Je suis prêt à le soutenir. Mais je l'ai déjà soutenu, et j'ai été soutenu, comme Jacob lui-même, par les bénédictions paternelles[a 4]. Alors, est-ce l'esprit? Qui est plus fort et plus ardent que toi, en ce moment surtout où les choses de la chair cèdent et se retirent, elles qui étaient comme une barrière et une résistance à la lumière et en détournaient la clarté[5]? Habituellement en effet, il y a de multiples façons combat et opposition entre les deux : le corps est vigoureux quand l'âme est malade, mais l'âme est heureuse et regarde vers le haut, quand les plaisirs cèdent et s'affaiblissent avec le corps. Mais j'ai admiré pour d'autres raisons ton caractère antique et généreux, et surtout comment tu n'as même pas craint – ce qui arrive vraiment dans les circonstances actuelles – que l'Esprit ne soit un prétexte pour toi, et qu'aux yeux du plus grand nombre nous paraissions accepter cela pour des raisons concernant la chair, en affectant de le faire spirituellement. Beaucoup ne voient dans cette tâche que la grandeur, le pouvoir et la merveilleuse jouissance

col. 2617; *La Bible d'Alexandrie*. 2. *L'Exode*, p. 191 (commentaire d'*Ex*. 17, 12).

3. Cf. *D*. 11, 2, où Basile est comparé à Moïse et Grégoire de Nysse à Aaron; *D*. 7, 3, cette image ancienne de l'évêque, associée à celle d'Aaron, est déjà appliquée à Grégoire l'Ancien.

4. f. *D*. 2, 116.

5. Image platonicienne; cf. *D*. 9, 5.

θαυμασίαν οἵαν ἔχον ἀπόλαυσιν, οἱ πολλοὶ νομίζεσθαι πεποιήκασιν· κἂν ἔτι στενοτέρας τις ᾖ κατὰ ταύτην προστατῇ καὶ ἐξηγῆται ποίμνης, καὶ πλέον φερούσης τῶν ἡδέων τὰ μοχθηρά.

20 Τοῦτο μὲν δὴ τῆς σῆς εἴτε ἁπλότητος εἴτε φιλοτεκνίας, ὑφ' ἧς οὔτε τι τῶν πονηρῶν, οὔτε αὐτὸς παραδέχῃ οὔτε περὶ τῶν ἄλλων ῥᾳδίως ὑπολαμβάνεις· βραδὺ γὰρ εἰς ὑπόνοιαν κακοῦ τὸ πρὸς κακίαν δυσκίνητον.

Ἐμοὶ δὲ καὶ δεύτερον πρὸς τὸν εἴτε σὸν εἴτε καὶ ἐμὸν 25 λαὸν τοῦτον βραχέα διαλεχθῆναι.

D 848 A **4.** Τετυραννήμεθα, ὦ φίλοι καὶ ἀδελφοί· ὑμᾶς γάρ, εἰ καὶ μὴ τότε, ἀλλὰ νῦν ἐπιβοησόμεθα· τετυραννήμεθα γήρᾳ πατρὸς καὶ φίλου, ἵνα μετρίως εἴπω, χρηστότητι. Καί μοι βοηθεῖτε, ὅστις ἂν οἷός τε ᾖ, καὶ δότε χεῖρα πιεζομένῳ 5 καὶ διελκομένῳ ὑπὸ πόθου καὶ Πνεύματος. Ὁ μὲν εἰσηγεῖται δρασμοὺς καὶ ὄρη καὶ ἐρημίας, καὶ ἡσυχίαν ψυχῆς καὶ σώματος, καὶ τὸν νοῦν εἰς ἑαυτὸν ἀναχωρῆσαι καὶ συστραφῆναι ἀπὸ τῶν αἰσθήσεων, ὥστε ὁμιλεῖν ἀκηλιδώτως Θεῷ, καὶ ταῖς Πνεύματος αὐγαῖς καθαρῶς ἐναστράπτεσθαι, 10 μηδενὸς ἐπιμιγνυμένου τῶν κάτω καὶ θολερῶν, μηδὲ τῷ θείῳ φωτὶ παρεμπίπτοντος, ἕως ἂν ἐπὶ τὴν πηγὴν ἔλθωμεν τῶν τῆδε ἀπαυγασμάτων, καὶ στῶμεν τοῦ πόθου καὶ τῆς ἐφέσεως λυθέντων τῶν ἐσόπτρων τῇ ἀληθείᾳ[a]. Τὸ δὲ εἰς μέσον ἄγειν καὶ καρποφορεῖν τῷ κοινῷ βούλεται — καὶ τοῦτο

16 ἔχων D ‖ 17 τις om. AQBWVTS Maur. ‖ 23 καὶ κακίαν P ‖ 25 διαλεχθῆναι βραχέα D

4, 2 ἐπιβησόμεθα S (ο sup. l.) ‖ 5 καὶ διελκομένῳ D mg. ‖ ἑλκομένῳ C ‖ 6 τε ante καὶ[3] add. DP ‖ 13 βούλεται add. Maur. ante τὸ ‖ τὸ : ὁ P^{ac} om. C

4. a. Cf. I Cor. 13, 12

1. Cf. *D.* 6, 11; 7, 10.
2. C'est le thème des *Discours* 9-11. L'expression est ironique.
3. Cf. *D.* 10, 1.

qu'ils en retirent, alors même que si on conduit un troupeau plus petit que celui-ci, ce qu'il apporte est plus mauvais qu'agréable.

Voilà ce qu'il en est de ta simplicité[1], ou de ton amour paternel, qui permet que tu ne donnes ni n'admets toi-même rien de mauvais et que tu ne peux facilement l'imaginer au sujet des autres. Car ce qui ne se laisse pas ébranler par le mal est lent à supposer le vice.

Quant à moi, j'en viendrai à parler brièvement en second lieu à ce peuple, qu'il soit le tien ou le mien.

4. Nous avons été contraint, mes amis et mes frères. C'est vous, en effet, même si nous ne l'avons pas fait alors, que nous appellerons maintenant à l'aide; nous avons été contraint par la vieillesse d'un père et, pour parler avec mesure, par la bonté d'un ami[2]. Aussi, aidez-moi, si cela vous est possible, et donnez la main à celui qui est accablé, et qui est tiraillé entre le désir et l'Esprit[3]. L'un propose des fuites, des montagnes, des déserts, la tranquillité de l'âme et du corps, il propose que la pensée se retire en elle-même et se resserre loin des sens pour entrer sans tache en relation avec Dieu[4] et briller entièrement des rayons de l'Esprit, sans que rien de ce qui est terrestre et trouble ne se mêle ou ne s'attaque à la lumière divine, jusqu'à ce que nous arrivions à la source des reflets que nous en recevons ici-bas et que nous nous arrêtions dans notre désir et notre élan, les miroirs étant défaits par la vérité[a][5]. L'autre veut nous conduire en public[6], produire des fruits pour la communauté – et

4. Ὁμιλεῖν : cf. *D.* 9, 1; 26, 7; 32, 15; 38, 7 (voir, à propos de la terminologie de l'ὁμοίωσις, MORESCHINI, «Luce», p. 540-541; «Platonismo», p. 1379; «Influenze», p. 47; cf. *D.* 6, 12; 7, 21; 8, 23).

5. Au moment de la mort. La phrase est un heureux raccourci de cet idéal de vie que Grégoire rappelle si souvent dans son œuvre (cf. *D.* 2, 7; 10, 1).

6. Cf. *D.* 9; 10; 11.

B 15 ὠφελεῖσθαι τὸ ὠφελεῖν ἀλλήλους καὶ δημοσιεύειν τὴν ἔλλαμψιν, καὶ προσάγειν Θεῷ λαὸν περιούσιον, « ἔθνος ἅγιον, βασίλειον ἱεράτευμα[b] », ἐν πλείοσι τὴν εἰκόνα κεκαθαρμένην.

Κρεῖσσον γὰρ εἶναι καὶ πλεῖον, ὥσπερ φυτοῦ παράδεισον, 20 καὶ ἀστέρος ἑνὸς οὐρανὸν ὅλον σὺν τοῖς ἑαυτοῦ κάλλεσι, καὶ μέλους σῶμα, οὕτω καὶ Θεῷ κατορθοῦντος ἑνὸς ὅλην Ἐκκλησίαν κατηρτισμένην· καὶ χρῆναι μὴ τὸ ἑαυτοῦ μόνον σκοπεῖν, ἀλλὰ καὶ τὸ τῶν ἄλλων. Ἐπεὶ καὶ Χριστὸς οὕτως, ᾧ μένειν ἐξὸν ἐπὶ τῆς ἰδίας τιμῆς καὶ θεότητος, οὐ μόνον 25 ἐκένωσεν ἑαυτὸν μέχρι τῆς τοῦ δούλου μορφῆς[c], ἀλλὰ καὶ σταυρὸν ὑπέμεινεν αἰσχύνης καταφρονήσας[d], ἵν' ἐν τοῖς ἑαυτοῦ πάθεσιν ἀναλώσῃ τὴν ἁμαρτίαν καὶ ἀποκτείνῃ τῷ θανάτῳ τὸν θάνατον.

Ἐκεῖνα μὲν δὴ τῆς ἐπιθυμίας τὰ πλάσματα, ταῦτα δὲ C 30 τοῦ Πνεύματος τὰ διδάγματα. Μέσος δὲ ὢν πόθου καὶ Πνεύματος καὶ οὐκ ἔχων τίνι τὸ πλέον χαρίσομαι, ὅ μοι δοκῶ κάλλιστον εὑρηκέναι καὶ ἀσφαλέστατον, κοινώσομαι καὶ ὑμῖν, ἵνα μοι συνδοκιμάσητε καὶ συλλάβησθε τοῦ βουλεύματος.

5. Ἔδοξέ μοι κράτιστον εἶναι καὶ ἀκινδυνότατον μέσην τινὰ τραπέσθαι τοῦ πόθου καὶ τῆς δειλίας, καὶ τὸ μὲν τῇ ἐπιθυμίᾳ δοῦναι, τὸ δὲ τῷ Πνεύματι· τοῦτο δὲ ἂν γενέσθαι, μήτε πάντῃ φυγόντος τὴν λειτουργίαν, ὥστε 5 ἀθετῆσαι τὴν χάριν, ἐπισφαλὲς γάρ, μήτε μεῖζον ἢ κατ' ἐμαυτὸν ἀραμένου φορτίον, βαρὺ γάρ· καὶ τὸ μὲν κεφαλῆς

15 -σθαι τὸ ὠφελεῖν om. Q || 16 τῷ Θεῷ QDPC || 17 τὴν om. C Migne || 21 μέλους : ς sup. l. S || 22-23 σκοπεῖν μόνον D (μόνον mg.) || 23 τὸ : τὰ PC || 31 χαρίσωμαι ABW^{ac}D^{ac} || 32 δοκεῖ V || κοινώσωμαι W^{ac} || 33 συλλάβησθαι S συλλάβητε C

5, 2 τινὰ Q mg. || 4 φυγόντας S (ut uid.) || 6 ἀραμένῳ C

b. Ex. 19, 6; I Pierre 2, 9 c. Cf. Phil. 2, 6-7 d. Cf. Hébr. 12, 2

en retirer ainsi l'avantage de nous rendre utiles les uns aux autres –, proclamer l'illumination et présenter à Dieu un peuple élu, « une nation sainte, un sacerdoce royal[b] », l'image purifiée dans le plus grand nombre[1].

En effet, de même qu'il est meilleur et plus important d'être jardin plutôt que plante, le ciel tout entier avec toutes ses beautés plutôt qu'une seule étoile, le corps plutôt qu'un membre, il est meilleur et plus important d'être l'Église entière formant un tout plutôt qu'un seul homme réformant sa vie pour Dieu ; et il faut considérer non pas ce qui nous concerne seulement, mais ce qui concerne les autres. Car c'est ainsi que le Christ, qui avait la possibilité de demeurer dans sa propre gloire et sa propre divinité, non seulement s'est anéanti jusqu'à la forme d'esclave[c], mais a supporté la croix en méprisant la honte[d], pour supprimer le péché dans ses propres souffrances, et faire mourir la mort par la mort[2].

Voilà donc d'une part ce que forgeait mon désir, d'autre part, les enseignements de l'Esprit. Pris entre le désir et l'Esprit et ne sachant pas auquel m'abandonner de préférence, je vais vous faire savoir aussi ce je crois avoir trouvé de plus beau et de plus sûr, pour que vous examiniez cela avec moi et m'aidiez dans ma décision.

5. Il m'a paru plus fort et moins périlleux de garder une certaine mesure entre le désir et la lâcheté, et de me donner d'une part à mes aspirations, d'autre part à l'Esprit. Mais cela ne pouvait se faire en échappant complètement au ministère au point de rejeter la grâce, ce qui aurait été hasardeux en effet, ni en prenant un fardeau trop lourd pour moi, ce qui aurait été insupportable[3]. Dans le premier cas, il aurait fallu une autre tête, dans

1. Une définition des responsabilités ecclésiastiques.

2. L'action communautaire est donc justifiée par l'exemple même du Christ.

3. Cf. *D.* 2, 101.

D ἄλλου, τὸ δὲ δυνάμεως· μᾶλλον δὲ ἀπονοίας ἀμφότερα. Εὐσεβείας δὲ εἶναι ἅμα καὶ ἀσφαλείας μετρῆσαι τῇ δυνάμει τὴν λειτουργίαν· καὶ ὥσπερ τροφῆς τὴν μὲν κατὰ δύναμιν 10 προσίεσθαι, τὴν δὲ ὑπὲρ δύναμιν ἀποπέμψασται· οὕτω γὰρ 849 A σώματι μὲν εὐεξίαν παραγίνεσθαι, ψυχῇ δὲ ἀσφαλείαν τὸ μετριάζειν ἐν ἀμφοτέροις.

Διὰ τοῦτο νῦν μὲν δέχομαι τῷ καλῷ πατρὶ συνδιαφέρειν τὴν ἐπιμέλειαν, ὥσπερ ἀετῷ μεγάλῳ καὶ ὑψιπέτει νεοσσὸς 15 οὐκ ἄχρηστος ἐγγύθεν συμπαριπτάμενος· μετὰ δὲ τοῦτο δώσω τῷ Πνεύματι τὴν ἐμὴν πτέρυγα φέρειν ᾗ βούλεται καὶ ὡς βούλεται· καὶ οὐδεὶς ὁ βιασόμενος, οὐδὲ ἀπάξων ἑτέρωθι, μετὰ τούτου βουλευόμενον. Ἡδὺ μὲν γὰρ πατρὸς πόνοι κληρονομούμενοι καὶ τὸ συνηθέστερον ποίμνιον τοῦ 20 ξένου καὶ ἀλλοτρίου – προσθείην δ' ἂν ὅτι καὶ Θεῷ τιμιώτερον, εἰ μή με ἀπατᾷ τὸ φίλτρον, καὶ κλέπτει τὴν αἴσθησιν ἡ συνήθεια – οὔπω δὲ χρησιμώτερον τοῦ ἑκόντας ἑκόντων ἄρχειν, οὐδὲ ἀσφαλέστερον, ἐπειδὴ μὴ πρὸς βίαν ἄγειν τοῦ ἡμετέρου νόμου μηδὲ « ἀναγκαστῶς, ἀλλ' 25 ἑκουσίως[a] ». Τοῦτο μὲν γὰρ οὐδ' ἂν ἄλλην ἀρχὴν συστή- B σειεν, ἐπειδὴ φιλεῖ τὸ βίᾳ κρατούμενον ἐλευθεριάζειν ποτὲ καιροῦ λαβόμενον· τὴν δὲ ἡμετέραν οὐκ ἀρχήν, ἀλλὰ παιδαγωγίαν, καὶ πάντων μάλιστα συντηρεῖ τὸ ἑκούσιον. Βου-

10 προἱεσθαι D ‖ γὰρ sup. l. T ‖ 11 ἀσφάλεια A Q (add. mg.) B[ac] D[ac] ‖ τὸ : Q mg. τῷ VP Maur. ‖ 12 ἐν sup. l. S ‖ 13 νῦν μὲν om. PC ‖ συνδιεριφέρειν C ‖ 14 νεοσσὸς : ε sup. l. S ‖ 16 ᾗ : οὗ W[pc] ‖ 17 βούλεται – 18 ἑτέρωθι om. W ‖ 20 τῷ Θεῷ PC ‖ 22 ἑκόντος Q ‖ 25 ἂν om. B ‖ 26 ποτὲ om. AQBWVTS ‖ 28 ὁ καὶ C

5. a. I Pierre 5, 2

1. Ce verbe rare (συμπαρίπταμαι) n'est attesté, en dehors de ce passage, que dans LUCIEN, *D. Deor.* 20, 6, et GRÉGOIRE DE NYSSE, *De creatione hominis* I (*GNO, Supplem.*, Leiden 1972, p. 19, l. 13).

le second, une autre force, ou plutôt dans les deux cas, de la folie. Il appartient à la piété comme à l'assurance de mesurer le ministère à ses possibilités ; et de même qu'il faut se nourrir selon ses possibilités, et rejeter ce qui est au-delà de ses possibilités, de même en effet la vigueur aide le corps, l'assurance aide l'âme, si pour l'un comme pour l'autre on reste modéré.

Voilà pourquoi j'accepte maintenant d'aider ce père bon à supporter cette charge, comme un petit oiseau qui vole [1] non sans utilité auprès d'un grand aigle haut dans les airs. Après cela, je permettrai à l'Esprit de porter mon aile où il veut et comme il veut, et personne ne me contraindra ni ne m'entraînera ailleurs si je le décide avec lui [2] ! Car s'il est agréable d'être l'héritier des travaux d'un père et de diriger le petit troupeau plus familier que celui qui est étranger et différent – je pourrais ajouter qu'il est aussi plus cher à Dieu, si l'amour ne m'égare pas et si la familiarité n'obscurcit pas mon jugement –, ce n'est en aucune manière plus avantageux, ou plus sûr, que de diriger librement des hommes consentants, car il est contraire à notre loi de les conduire avec violence ou « de force, mais il faut le faire avec leur consentement [a] ». On ne pourrait en effet montrer aucune sorte d'autorité, puisque ce qui est contraint par la force cherche habituellement à se libérer le moment venu. Ce n'est pas notre autorité mais notre enseignement que préserve plus que tout la liberté. Car c'est à des hommes consentants

2. Le rappel de son élection au siège de Sasimes (que semble bien désigner « ailleurs ») permet à Grégoire d'introduire l'idée majeure de ce passage : il est inutile de faire violence au pasteur ou au peuple, car la παιδαγωγία ne peut être exercée efficacement qu'en toute liberté.

λομένων γάρ, οὐ τυραννουμένων, τὸ τῆς σωτηρίας μυστή-
30 ριον.

6. Οὗτος ὁ παρ' ἐμοῦ λόγος ὑμῖν, ὦ ἄνδρες – ἁπλῶς τε καὶ μετὰ πάσης εὐνοίας εἰρημένος –, καὶ τοῦτο τὸ τῆς ἐμῆς διανοίας μυστήριον. Νικώῃ δὲ ὅ τι ἂν καὶ ὑμῖν καὶ ἡμῖν μέλλῃ συνοίσειν, τοῦ Πνεύματος ἄγοντος τὰ ἡμέτερα
5 – πάλιν γὰρ εἰς ταὐτὸν ὁ λόγος ἀνέρχεται –, ᾧ δεδώκαμεν ἡμᾶς αὐτούς, καὶ τὴν χρισθεῖσαν κεφαλὴν τῷ ἐλαίῳ τῆς
C τελειώσεως ἐν Πατρὶ παντοκράτορι, καὶ τῷ μονογενεῖ Λόγῳ, καὶ τῷ ἁγίῳ Πνεύματι καὶ Θεῷ. Μέχρι γὰρ τίνος τῷ μοδίῳ τὸν λύχνον περικαλύψωνεν[a] καὶ φθονήσομεν τοῖς
10 ἄλλοις τῆς τελείας θειότητος, δεὸν ἐπὶ τὴν λυχνίαν ἤδη τιθέναι καὶ λάμπειν πάσαις ἐκκλησίαις τε καὶ ψυχαῖς, καὶ παντὶ τῷ τῆς οἰκουμένης πληρώματι, μηκέτι εἰκαζόμενον, μηδὲ τῇ διανοίᾳ σκιαγραφούμενον, ἀλλὰ καὶ φανερῶς ἐκλαλούμενον; Ἥπερ δὴ τελεωτάτη τῆς θεολογίας ἀπόδειξις
15 τοῖς ταύτης ἠξιωμένοις τῆς χάριτος ἐν αὐτῷ Χριστῷ Ἰησοῦ τῷ Κυρίῳ ἡμῶν, ᾧ « ἡ δόξα », τιμή, « κράτος εἰς τοὺς αἰῶνας[b] ». Ἀμήν.

29 ἔστι τὸ DC ‖ σωτηρίας : εὐσεβείας B
6, 1 ἁπλοῦς P ‖ 2 τὸ om. TP^{ac} ‖ 3-4 ἡμῖν καὶ ὑμῖν DPC ‖ 4 μέλλει BWVSD ‖ 5 ἐπανέρχεται DPC ‖ 9 περικαλύψωμεν ABW^{ac}S^{ac}D ‖ φθονήσωμεν ABW^{ac}S^{ac}D ‖ 10 θεότητος QBWTP ‖ 12 οἰκουμένης : ἐκκλησίας C ‖ 13 σκιογραφούμενον D ‖ καὶ sup. l. P om. C ‖ 14 τῆς om. PC ‖ 15 Ἰησοῦ om. S ‖ 16 ἡ om. B ‖ 17 αἰῶνας τῶν αἰώνων D

6. a. Cf. Matth. 5, 15; Mc 4, 21; Lc 8, 16; 11, 33 b. Apoc. 1, 6; 5, 13

1. Cf. *D.* 2, 15 : « Un chef ou un supérieur est appelé à élever la moyenne de la masse par la supériorité de sa vertu sans user de violence pour gouverner, mais en recourant à la persuasion pour attirer à lui. Là où règne la contrainte, il y a tyrannie. » ; cf. aussi *D.* 31, 25. La pastorale de Grégoire est fondée sur le respect de la liberté de l'homme (voir à ce sujet PLAGNIEUX, *Grégoire théologien*, p. 52-53).

et non à des hommes contraints[a] qu'est donné le mystère du salut[1].

6. Voilà, messieurs, le discours que je vous adresse – il est dit simplement et en toute bienveillance –, voilà le mystère de ma pensée. Que l'emporte ce qui devrait vous aider et nous aider[2], l'Esprit conduisant nos affaires – car mon discours revient au même point –, lui à qui nous nous sommes donné nous-même, et à qui nous avons donné notre tête ointe de l'huile de la perfection[3] dans le Père tout-puissant, dans le Verbe fils unique, et dans le Saint-Esprit qui est Dieu[4]. Jusqu'à quand, en effet, laisserons-nous la lampe cachée sous le boisseau[a] et refuserons-nous aux autres la parfaite divinité, quand il faudrait la placer sur le chandelier et la faire briller pour toutes les églises, toutes les âmes et tout ce que contient la terre, une lampe qui ne soit plus imaginée, ni une représentation de l'esprit, mais une lampe qui puisse aussi être révélée ouvertement[5]? N'est-ce pas le plus parfait accomplissement de la théologie[6] pour les hommes dignes de cette grâce qui est dans le Christ Jésus lui-même notre Seigneur, à qui sont «la gloire», l'honneur, la «puissance pour les siècles[b]». Amen.

2. Cf. DÉMOSTHÈNE, *Phil.* I, 55.

3. Cf. *D.* 6, 9; 10, 4.

4. Cf. *D.* 11, 6. Nouvelle affirmation de la Trinité, avec une insistance particulière sur la divinité du Saint-Esprit.

5. Un passage de la *Lettre* 58 à Basile (datée de 372-373) se rapporte probablement à ce que dit Grégoire ici : «Dans une réunion nombreuse... où j'avais appliqué à l'Esprit le mot bien connu : Jusqu'à quand cacherons-nous la lampe sous le boisseau?». Grégoire applique habituellement cette parabole à la mise en valeur de l'Esprit, et particulièrement, en liaison avec la parabole des talents, au don spirituel conféré par l'ordination (cf. *D.* 6, 9; 10, 3). Sur ce passage, voir SINKO, *De traditione*, p. 135-136.

6. C'est-à-dire la doctrine de la Trinité.

INDEX

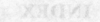

I. Index scripturaire

Les astérisques indiquent les allusions. Les chiffres de la colonne de droite renvoient au discours et au chapitre.

Proverbes

Ecclésiaste

Luc

Jean

Actes

Romains

I Corinthiens

II Corinthiens

Galates

II. Index de mots grecs

Cette liste, extraite de l'index complet des mots grecs des *Discours* 6-12, a pour but d'en mettre en valeur les différents thèmes. On y trouvera les mots du vocabulaire philosophique, théologique et spirituel, mais aussi ceux de la rhétorique et des *realia*. Les chiffres renvoient au discours, au chapitre et à la ligne.

III. INDEX DES NOMS DE PERSONNES ET DE LIEUX

IV. Index de quelques thèmes

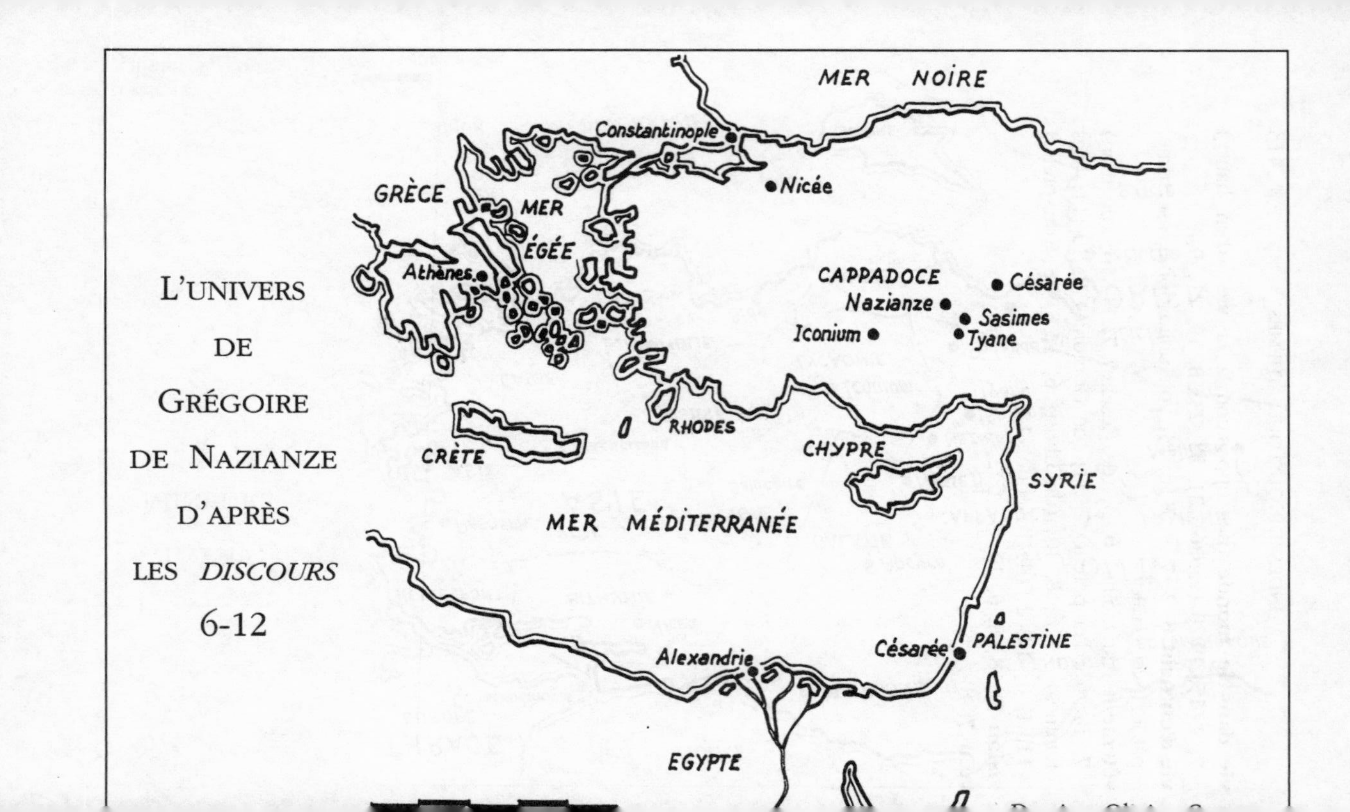
L'UNIVERS
DE
GRÉGOIRE
DE NAZIANZE
D'APRÈS
LES *DISCOURS*
6-12
MER NOIRE
Constantinople
Nicée
GRÈCE
MER
ÉGÉE
Athènes
CAPPADOCE
Césarée
Nazianze
Sasimes
Iconium
Tyane
RHODES
CRÈTE
CHYPRE
SYRIE
MER MÉDITERRANÉE
PALESTINE
Césarée
Alexandrie
EGYPTE

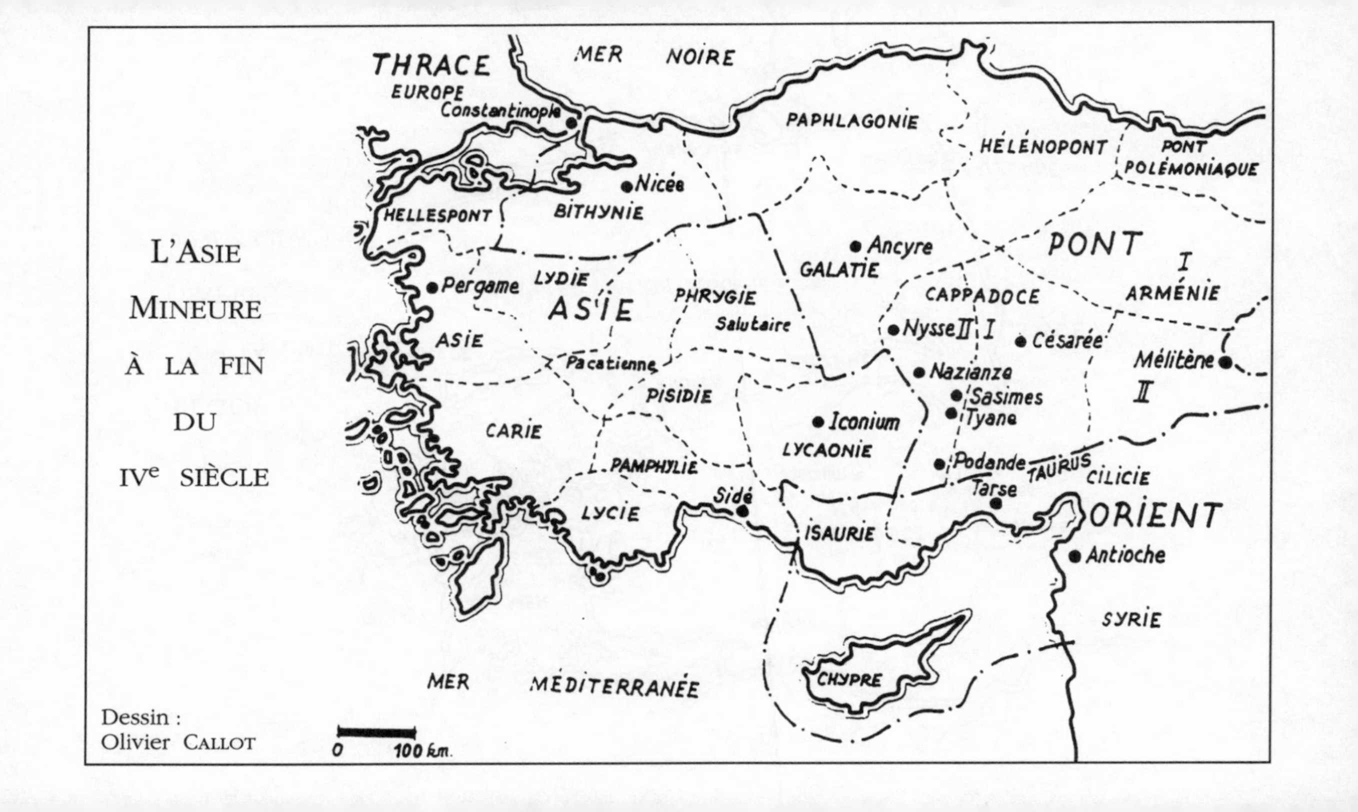

L'Asie Mineure à la fin du IVe siècle

Dessin : Olivier Callot

TABLE DES MATIÈRES

INDEX

SOURCES CHRÉTIENNES

Dans la liste qui suit, dite «liste alphabétique», tous les ouvrages sont rangés par nom d'auteur ancien, les numéros précisant pour chacun l'ordre de parution depuis le début de la collection. Pour une information plus complète, on peut se procurer deux autres listes au secrétariat de «Sources Chrétiennes» – 29, rue du Plat, 69002 Lyon (France) – Tél. : 78 37 27 08 :

1. la «liste numérique», qui présente les volumes et leurs auteurs actuels d'après les dates de publication; elle indique les réimpressions et les ouvrages momentanément épuisés ou dont la réédition est préparée.
2. la «liste thématique», qui présente les volumes d'après les centres d'intérêt et les genres littéraires : exégèse, dogme, histoire, correspondance, apologétique, etc.

LISTE ALPHABÉTIQUE (1-405)

SOUS PRESSE

APPONIUS, **Commentaire sur le Cantique.** Tome I. L. Neyrand, B. de Vregille.

GRÉGOIRE DE NYSSE, **Homélies sur l'Ecclésiaste.** F. Vinel.

HUGUES DE BALMA, **Théologie mystique.** Tomes I et II. J. Barbet, F. Ruello.

IRÉNÉE DE LYON, **Démonstration de la Prédication apostolique.** A. Rousseau.

JONAS D'ORLÉANS, **Le Métier de roi.** A. Dubreucq.

PROCHAINES PUBLICATIONS

Les Apophtegmes des Pères. Tome II. J.-C. Guy (†).

BERNARD DE CLAIRVAUX, **Sermons sur le Cantique.** Tome I. R. Fassetta, P. Verdeyen.

EUDOCIE, **Centons homériques.** A.-L. Rey

ISIDORE DE PÉLUSE, **Lettres.** Tome I. P. Évieux.

Livre d'heures ancien du Sinaï. M. Ajjoub.

MARC LE MOINE, **Traités.** Tome I. G.-M. de Durand.

OPTAT DE MILÈVE, **Traité contre les donatistes.** M. Labrousse.

ORIGÈNE, **Sur les Psaumes.** L. Brésard, H. Crouzel.

PACIEN DE BARCELONE, **Traités et Lettres.** C. Épitalon, C. Granado.

Passion de Perpétue. J. Amat.

TERTULLIEN, **Le Voile des vierges.** P. Mattei, E. Schulz-Flügel.

Également aux Éditions du Cerf :

LES ŒUVRES DE PHILON D'ALEXANDRIE
publiées sous la direction de
R. ARNALDEZ, C. MONDÉSERT, J. POUILLOUX.
Texte original et traduction française.

1. **Introduction générale, De opificio mundi.** R. Arnaldez.
2. **Legum allegoriae.** C. Mondésert.
3. **De cherubim.** J. Gorez.
4. **De sacrificiis Abelis et Caini.** A. Méasson.
5. **Quod deterius potiori insidiari soleat.** I. Feuer.
6. **De posteritate Caini.** R. Arnaldez.

7-8. **De gigantibus. Quod Deus sit immutabilis.** A. Mosès.

9. **De agricultura.** J. Pouilloux.
10. **De plantatione.** J. Pouilloux.

11-12. **De ebrietate. De sobrietate.** J. Gorez.

13. **De confusione linguarum.** J.-G. Kahn.
14. **De migratione Abrahami.** J. Cazeaux.
15. **Quis rerum divinarum heres sit.** M. Harl.
16. **De congressu eruditionis gratia.** M. Alexandre.
17. **De fuga et inventione.** E. Starobinski-Safran.
18. **De mutatione nominum.** R. Arnaldez.
19. **De somniis.** P. Savinel.
20. **De Abrahamo.** J. Gorez.
21. **De Iosepho.** J. Laporte.
22. **De vita Mosis.** R. Arnaldez, C. Mondésert, J. Pouilloux, P. Savinel.
23. **De Decalogo.** V. Nikiprowetzky.
24. **De specialibus legibus.** Livres I-II. S. Daniel.
25. **De specialibus legibus.** Livres III-IV. A. Mosès.
26. **De virtutibus.** R. Arnaldez, A.-M. Vérilhac, M.-R. Servel, P. Delobre.
27. **De praemiis et poenis. De exsecrationibus.** A. Beckaert.
28. **Quod omnis probus liber sit.** M. Petit.
29. **De vita contemplativa.** F. Daumas et P. Miquel.
30. **De aeternitate mundi.** R. Arnaldez et J. Pouilloux.
31. **In Flaccum.** A. Pelletier.
32. **Legatio ad Caium.** A. Pelletier.
33. **Quaestiones in Genesim et in Exodum. Fragmenta graeca.** F. Petit.

34 A. **Quaestiones in Genesim,** I-II (e vers. armen.). C. Mercier.
34 B. **Quaestiones in Genesim,** III-IV (e vers. armen.) Ch. Mercier et F. Petit.
34 C. **Quaestiones in Exodum,** I-II (e vers. armen.) A. Terian.

35. **De Providentia,** I-II. M. Hadas-Lebel.
36. **Alexander (De animalibus)** (e vers. armen.) A. Terian et J. Laporte.

Photocomposition laser
Abbaye de Melleray
C.C.S.O.M.
44520 Moisdon-la-Rivière

Achevé d'imprimer par
Corlet, Imprimeur, S.A.
14110 Condé-sur-Noireau
N° d'Éditeur : 10034
N° d'Imprimeur : 9190
Dépôt légal : mars 1995

Imprimé en C.E.E.

BR 60 .S65 vol. 247-
Gregory,
Discours
v. 247:9